尚志钧本草文献全集

本草古籍辑注丛书·第一辑

2018年度国家古籍整理出版专项经费资助项目

尚志钧／辑注
尚元胜 尚云飞
尚元藕 任 何／整理

尚志钧百年诞辰典藏

尚志钧本草文献研究学术成就与经验

脏腑与病因辨析

任 何 主编

尚志钧 主编

北京科学技术出版社

图书在版编目（CIP）数据

本草古籍辑注丛书．第一辑．尚志钧本草文献研究学术成就与经验、脏腑与病因辨析／任何，尚志钧主编．—北京：北京科学技术出版社，2019.1
ISBN 978 - 7 - 5304 - 9977 - 1

Ⅰ．①本…　Ⅱ．①任…②尚…　Ⅲ．①本草 - 中医典籍 - 注释②本草 - 文献 - 研究　Ⅳ．①R281.3

中国版本图书馆 CIP 数据核字（2018）第 268704 号

本草古籍辑注丛书·第一辑．尚志钧本草文献研究学术成就与经验　脏腑与病因辨析

主　　编：任　何　尚志钧
策划编辑：侍　伟　白世敬
责任编辑：杨朝晖　张　洁　董桂红　白世敬　朱会兰　吴　丹
责任印制：张　良
责任校对：贾　荣
出 版 人：曾庆宇
出版发行：北京科学技术出版社
社　　址：北京西直门南大街 16 号
邮政编码：100035
电话传真：0086 - 10 - 66135495（总编室）
　　　　　0086 - 10 - 66113227（发行部）
　　　　　0086 - 10 - 66161952（发行部传真）
电子信箱：bjkj@ bjkjpress.com
网　　址：www.bkydw.cn
经　　销：新华书店
印　　刷：北京七彩京通数码快印有限公司
开　　本：787mm×1092mm　1/16
字　　数：436 千字
印　　张：24.75
版　　次：2019 年 1 月第 1 版
印　　次：2019 年 1 月第 1 次印刷
ISBN 978 - 7 - 5304 - 9977 - 1/R·2532

定　　价：**650.00 元**

前　言

把工作放在日后做，是空的。一日不死，工作不止。

——尚志钧

千年中医，巨变振兴。今年是 2018 年，鉴往知今，追思尚志钧教授的"本草人生"，可以发现他的学术思想已深藏于我们对往昔的回顾之中。真正的学者是将学术与生命紧密地联系在一起的，尚公直面人生的艰辛，以理性的思维、冷性的文字、激越的情怀，将一生奉献给了中医药学。站在中医药发展的角度，纵观纷繁的沧桑医事，也许更可以使人获得理性的通明，使今天的中医学术更加繁荣。

一

辑佚，在北宋已成为一门独立的学科。"书有亡者，有虽亡而不亡者。"（宋·郑樵）"东部藏书者书虽亡，而天下之书不必与之俱亡。"（余嘉锡）对于亡书，或原书已亡佚，但部分内容保存在史书、类书、方志、金石、古书注解、杂纂散钞之中的书，可通过搜集诸书所征引的章句，窥其原貌，甚至可通过类书总集，恢复原书旧貌。

孟子说："不专心致志，则不得也。"尚公下苦功数十年，终成本草大家，他辑复的《新修本草》填补了本草文献整复工作的空白。范行准先生早年指出："我们知道从事重辑《新修本草》者，中外不止一家，而其书俱未能问世。今尚志钧先生所辑之书竟能拔纛先登而最先出版，使1300年前世界上第一部国家药典的原貌，灿然复见于世，是值得我们庆幸的一件事。"

《吴氏本草经》《名医别录》《雷公炮炙论》《新修本草》《食疗本草》《日华子本草》《开宝本草》《本草图经》等19部本草名著辑复本，是尚公的主要学术成果。其中，《新修本草》是中国最早也是世界最早的国家药典，文献价值极高。原书在国内久佚。清末，日本人发现其传抄卷子本10卷，尚缺10卷。清人李梦莹、近人范行准，及日本的小岛宝素、中尾万三、冈西为人等都曾试图对之进行辑复，但均未成功。尚公自1948年开始辑复《新修本草》，于1958年完成初稿，后又重辑，以油印本发行；后其再修改补充之，并于1981年正式出版该书。尚公辑复《新修本草》，历时33年，援引各种参考书91种，作详尽校证6319条。他先选定底本、主校本、旁校本和其他资料，再把各种古书所载《新修本草》药物条文全部录出，加以比较互勘。他以最早的敦煌出土《新修本草》残卷，及武田本、傅氏影刻本和罗振玉收藏抄本为底本；《新修本草》所缺，即以《千金翼方》为底本；《千金翼方》所缺，再以人民卫生出版社影印的《重修政和经史证类备用本草》为底本；最后以其他后出本为核校本核校之。他不仅校误字，还要校书中有关错引、脱漏、增衍、《神农本草经》文与《名医别录》文的混淆等。此外，他还对避讳字、通假字进行了解释，对全书进行了断句标点。《新修本草》辑复本还原了原书本来面貌，对找回后世本草脱漏佚失的资料有重要价值，如明确蒲公英治乳痈、蚤休解蛇毒、乌贼骨疗目翳等，在《新修本草》中即已有记述。此外，其还有助于鉴别后世本草中资料的真伪，有助于校正后世本草的舛错，如《本草纲目》卷一"《名医别录》"条和"陶隐居、《名医别录》合药分剂"条所节录的注文，实为《本草经集注》的内容，并非《名医别录》的内容。

二

在驾驭大量本草文献史料上，尚公表现出极强的洞察力。他自觉地摆脱历史上不同时期本草文献资料谬误对遗佚本草辑复的干扰，力求通过目录学、版本学、校勘学、辑佚学、避讳学等多种学科的基本功，结合具体对象和内容，手抄笔录，全面系统地核实诸多文献记载，建立本草书籍、本草人物及单味药物3个系统的卡片档案，由源及流，追根问底，查清药物运用的概貌。在此基础上，他旁征博引，上下贯通，建成辑佚医药方书的一张联合网图，进入了左右逢源、得心应手的学术研究佳境。32 部本草辑复本、校点本、注释集纂编写本，见证了其学术功底的深厚广博。

《神农本草经》原书已佚，尚公在校注该书时，首先理顺了其文献源流。尚公认为，《汉书·艺文志》没有记载《神农本草经》，故可以定《神农本草经》成书于东汉。《隋书·经籍志》记载了《神农本草经》6 种，《本草经》9 种。其中有的《本草经》既含有最古的《神农本草经》文，亦含有名医增补的别录文。陶弘景将诸经中《神农本草经》文加以总结，收入《本草经集注》中，以朱笔书写，定为《神农本草经》文。尚公以《本草经集注》为分界点，把在《本草经集注》以前的多种《本草经》称为"陶弘景前的《本草经》"，其存于宋以前类书和文、史、哲古文献的注文中；把收载于《本草经集注》中的称为"陶弘景总结的《本草经》"，其存于历代主流本草专著中。经过勘比考订可知，"陶弘景前的《本草经》"，在内容上有产地、有生境，有药物性状、形态、生态，有采收时月、剂型，有七情畏恶等，且含有名医增补的内容。"陶弘景总结的《本草经》"原有产地，但无药物性状、形态、生态和七情畏恶等内容。所以，尚公得出结论：现存的《证类本草》白字，向上推溯，是由陶弘景综合当时流行的多种《本草经》的本子而成的。明清时期国内外学者，又从《证类本草》白字辑成多种单行本《神农本草经》，这些文字实际上是陶弘景整理的，并不是原始古本《神农本草经》。尚公校点本《神农本草经》将文献源流有系统、有条理地展现出来，对不同时代、不同版本的《本草经》药物条文、内容、取材论断均甚得法，资料搜集甚广，并务求其本源。

三

就尚公具体的学术成就与贡献而言，《新修本草》辑复本和《神农本草经》校点本这两部传世之作，打通了一道长期令人望而生畏的难关，但仅靠对本草辑复的贡献和成就，还难以窥见尚公学问之全貌。下面拈出尚公学术思想之一端，进一步证明其学问之博大精深。

"药性趋向分类"是尚公提出的一种新的药性分类方法。其据药物作用趋势将药物分行、守两大类。行类含上行、下行、通行、化行四类。上行类药功用以升散为主，如升举下陷、发散外邪；下行类药功用以降下为主，如平喘咳、泻下利水；

通行类药功用以通畅为主，如气血不通作痛，用通行药使气血通即可止痛；化行类药功用以转化为主，如将食积、痰饮通过转化，成为无害物。守即固守，不固守即出现虚损，凡虚损宜补。守类含补益和收敛两类。各类再分若干小类，每小类先述概要、举药名，次述共同作用、用途，再次述各药其他作用。尚公积 50 多年研究本草之经验，使药物分类更科学，药性更清晰。他对 300 多味常用中药药性作用直说引述，正说反证，浅说深论，咂摸得淋漓尽致，十分切合临床，这是尚公对本草学研究的一项创新。

尚公不仅在本草领域颇多建树，在临床领域也有所创新。如尚公在《脏腑病因辨析》一书中，以中医五脏、六腑和病因（风、寒、暑、湿、燥、火、气、血、痰、饮）为单元，对临床症状进行归类。例如，患者胃脘隐隐作痛，喜暖喜按，泛吐清水，四肢不温，舌质淡白，脉虚软。从症状分析，胃脘痛和吐清水说明病在胃；四肢不温是脾寒；脉软表示虚；舌质淡白为虚寒。辨证应是脾胃虚寒证。此证是由 3 个单元——脾、胃、寒组成，脾属脏，胃属腑，寒属病因。从上例可看出，五脏、六腑和病因 3 个单元是组成多种证的基础。

从以上举例中，可以看出尚公之博学多思，勤于实践总结。

四

尚公集毕生精力和情感于本草文献，在古本草史料的世界寻寻觅觅，一以贯之刻苦钻研、执着的努力而终于成为本草文献的知音。《本草人生·论文题录》收录尚公 268 篇论文。这些论文的内容广博而深入，不仅有对古本草史料的广搜精求，有对纸上遗文的爬梳考订和辨证精释，而且有对新近发掘的地下实物的阐释（如对马王堆《五十二病方》、敦煌出土残卷等的整理和运用）。在 268 篇学术论文中，关于李时珍和《本草纲目》的论文有 19 篇，如《〈本草纲目〉版本简介》《〈本草纲目〉断句误例二则》《〈本草纲目·序例〉辨误两则》《〈本草纲目〉标注〈本经〉药物总数的讨论》《金陵版〈本草纲目〉引〈日华子本草〉误注例》等。

在学术思想方面，《本草文献研究的意义及作用》《本草文献研究的目的》《本草文献研究思路》等，是"熔铸古今，学以致用"的实践，亦相当引人入胜。一方面，其自觉脱除旧染与时弊，融目录、版本、校勘、考据、章句、修辞之法于本草学之中；另一方面，其继承并发展中国学术传统中的优秀方法，并赋予它们时代精神，使之超胜前人。这既彰显出尚公的本草学思想和风格，亦彰显出其著述之功力。

五

客观地讲，除分散在各综合本草著作的矿物药外，由唐以来，矿物药专著寥若晨星。唐·梅虎撰写的《石药尔雅》疏注了唐以前道家炼丹书所用的药物。王嘉荫编著的《本草纲目的矿物史料》仅收录了《纲目》正文及集解中所列的有关矿物、岩石等137种；李焕编写的《矿物药浅谈》、谢崇源等主编的《药物矿物》分别介绍了70种、50种矿物药的性味功用等。郭兰忠主编的《矿物本草》收载了108种矿物药。近代学者余嘉锡"寒食散考"一文，近3万言，但为方剂单文考据。而尚公《中国矿物药集纂》一书则独树一帜，对矿物药进行了详尽而深入的论述。该书分上、下两篇，上篇为总论，分述"历代主要矿物药发展概况""矿物药的分类""矿物药化学成分概述""矿物药化学成分与药效关系""矿物药的物理性状""矿物药有关中药的药性""有毒矿物药毒性""矿物药配伍宜忌""矿物药炮制加工和煎煮"；下篇收载单味矿物药1200余种，几乎将矿物药搜罗殆尽。书末附珍贵的矿物药研究资料10份。从尚公对历代本草专著矿物药文献的排检和整理，可见其编纂工作的广博与细致，及其对矿物药资料的学术别择。《中国矿物药集纂》一书不仅在文献整理方面有很大价值，而且在集纂方面亦有很大价值，其体大思精的特点，反映了尚公学术的创新，并为中医药学术发展指出了一条道路。

《中国矿物药集纂》展现的是尚公精彩而寂寞的本草人生的一个侧影。自1977年以来，尚公闭户不交人事，甘坐"冷板凳"，"万人如海一身藏"。诚如熊十力所云，"不孤冷到极度，不堪与世谐和"。他堂堂巍巍做人，独立不苟为学，一生出版著作近3000万言，这些冷性文字的背后，蕴含着他激越的情怀及集毕生精力和情感于本草文献的决心。他在古本草史料的世界里寻寻觅觅，搜剔爬梳，终于成为本草文献的拓荒者和耕耘者。

六

写到这里，我需要交代一下关于本套书的一些情况。立意编纂《尚志钧本草全集》，始于2008年冬日追悼尚志钧教授的余绪中；形成具体计划，确定出版，是在2017年春月，其间经历了9个春秋。尚元藕学妹、尚元胜学弟全力支持和参与这项工作，谨在此，深致谢忱。北京科学技术出版社与我们不约而同地意识到，

"文章千古事",出版尚公本草文献,利在当代,功在于秋。在合作过程中,北京科学技术出版社工作人员精勤慎细,审校书稿,为本书编校质量提供了有力保障。

一个时代有一个时代的学术观念,一个时代的学者有其处身时代的思想烙印。愿这套书能在追求本草学术的途中与你相遇。

任　何

于合肥倚云居

戊戌春日

目　录

尚志钧本草文献研究
学术成就与经验

任何 主编

编写人员
王松涛　程远林　尚元藕
黄　辉　王林生　时小莹

前　言

　　本草学作为中医药学的重要组成部分，是我国人民在长期的生产、生活及防治疾病实践中形成，并不断丰富发展起来的药物百科知识体系，也是中华民族5000年历史积累下来的宝贵科技文化遗产。本草典籍中的医药知识来之不易，渗透着古代先民的血汗，有些信息甚至是用生命的代价换来的，后来人就是运用这些医药知识防病治病、保健养生，并取得了良好的效果。由于岁月更替、年代久远，从先秦两汉到唐宋明清，历代本草多有亡佚散失，虽后有重修辑复，但仍难免辑而复失；且后代本草的残存也难以窥见前代本草的原貌和"全豹"，不能充分发挥它应有的作用。

　　皖南医学院尚志钧教授，是全国首批500名老中医药专家学术经验继承工作指导老师中为数不多的几位中药学家之一。他长期矢志于本草文献学研究，以一己之力，钩沉辑复了久已失传或残缺不全的19种本草典籍，出版本草著作33部，发表本草相关论文268篇，手抄笔录本草卡片资料2000多万字，内容之博、工程之大、历时之久都是罕见的。其中历时33年辑复的《新修本草》，填补了本草文献整复工作的空白，使1300年前世界上第一部国家药典的原貌灿然复见于世，奠定了我国古本草学研究的基础。在高质量辑佚本草中，尚教授还发明了"本草三重证据法"。他继承运用了乾嘉学派的考据学方法，融目录、版本、校勘、考据、章句、修辞于本草学之中，自觉运用新材料、新视野、新方法，在二重证据基础上结合现

3

代植物分类及药物学新知识，创造性地将"三重证据"运用于本草文献领域之中，形成了独特的"尚派"本草考辨经验和风格，其本人也被誉为本草研究的泰斗。

为了客观反映尚氏卓著的学术成就，总结尚氏成功的学术经验和思路，2007年初，由安徽省中医文献所著名老中医药专家任何研究员领衔，成立了"尚志钧本草文献研究学术成就与经验"课题组，着手编撰一部反映其学术成就的专著，作为第一批名医医案整理与研究项目，向安徽省卫生厅申报了研究课题。安徽省卫生厅以［卫中函（2007）413号］文予以立项资助，周期2年（2007年8月至2009年8月）。项目开始前后，任何研究员带领课题组主要成员先后4次前往芜湖，当面向尚志钧教授做了汇报，得到了尚老的热情支持和充分肯定，并就编写初衷、编写内容、编写方法和编写规模进行了充分的商讨，尚教授还对编写体例等提出了具体的想法和要求。从拟定目录提纲、编写要求、编写进度到结合项目标书进行分工，从资料和参考文献的收集、整理、分类到写出样稿、统稿、修校，课题组全体科研人员共同努力，将《尚志钧本草文献研究学术成就与经验》作为结题成果，呈现在大家的面前。

全书分为学术传略、学术成就、学术见解、学术经验和附录五个部分。"学术传略"部分简述了尚老60余年甘于清苦、专注于本草研究的人生历程，在这60余年中，既有前期的失误反复，也有后期的辨误纠偏。其治学内容几乎涉及我国历代所有的本草文献，体现了尚氏"学贵于博，业贵于精"的学术理念。"学术成就"部分主要介绍了尚老辑复、校释、编撰出版的全部本草之梗概，包括所辑复的《新修本草》《吴普本草》《本草图经》《日华子本草》等18部亡佚古本草，以及所注释、集纂、编撰的《本草经集注》《本草纲目（金陵初刻本校注）》《诗经药物考释》《五十二病方药物注释》《药性趋向分类论》《中国本草要籍考》等18部著作，不仅使佚失本草走出尘封的历史而重现于世，而且增强了本草典籍的完整性、科学性、实用性和可读性，展示了尚老一生的学术精华之所在。"学术见解"部分精选了尚老20篇细心考证、独立思考的学术论文，主要展现了其精实纯粹的本草素养和功底。"学术经验"部分以举例的方式，分别介绍了尚老具体灵活地运用目录学、版本学、校勘学、考据学等成熟的经验，以及研究本草文献的思路和思考。"附录"部分包括三个方面的内容，一是尚氏辑复、整理、注释、集纂、编撰著作的目录；二是尚氏公开发表的学术论文；三是国内学者评介尚氏学术的9篇文章。

总体而言，本书基本上客观地反映了尚志钧教授的学术成就、学术水平和治学经验。尚老对宋以前主要亡佚本草文献辑复所做的大量工作，充分展示了本草学这份科技文化遗产的源远流长与博大精深，增强和激发了我所中医药文献工作者的专业自信心和自豪感。该书的编撰，还带动了我所青年中医药人员的科研积极性，提高了中医药人员的专业科研水平和编撰能力，锻炼了一支能够坚守中医药文献研究阵地、耐得住寂寞、信念坚定的队伍，达到了我们的预期。

尚老终其一生徜徉于古代本草文献辑复的历史长河中，并乐此不疲，他在疏通厘清前代本草学术源流的同时，不经意间也为自己树立起了一座不朽的丰碑。尚志钧的"本草人生"，"尚氏"的研究成果和独特方法，本身又成为中医药领域里一道靓丽的风景线。当然，在其遗留下来的 3000 万字的"海量"本草信息中，还有很多的问题需要进一步研究，尚氏独特的本草学术经验也亟待进一步挖掘整理。而文献整理是一项知识含量特别丰富的学术文化工程，尤其是本草学，它涉及古代历史、地理、博物、医药、文字学等诸多学科，甚至古代天文学、哲学、气象学、物候学、生物学、矿物学、数学以及冶金、酿造等知识和技术在其中也有所反映，故非博学之士，难以担此重任。本课题负责人任何研究员早年即与尚老相识相知，两位学者曾通力合作校注金陵初刻本《本草纲目》。就在前不久，金陵初刻本《本草纲目》还与《黄帝内经》一起入选《世界记忆亚太地区名录》。继本项科研立项后，我所又申报承担了一项更大的科研工程——尚志钧本草文献研究的学术成就与经验数据库系统研究。任何研究员既具备本草文献研究的深厚功底，又有丰富的临床经验，自然又是这项浩大工程的牵头主持人。在 2008 年 8 月底的立项开题会上，尚老特意发来了书面信函，他感慨地说："建立尚志钧本草文献研究的学术成就与经验数据库系统，把我研究的东西输入电脑，给他人研究带来方便，是一件很好的事情。这个工程很大，任何主任辛苦了！谢谢项目组的领导、专家、老师们！"2009 年 8 月，尚老在弥留之际，将《宋前本草名著文献源流考》一书初稿托付给了任何研究员，并出示委托书，全权委托任何研究员整理研究。2009 年 10 月 9 日，尚志钧先生与世长辞。

斯人虽逝，风范犹存。面对尚先生托付的这份珍贵的本草文献研究遗著，作为中医药文献研究的专门机构，安徽省中医文献所责无旁贷。承载着尚志钧先生的生前重托，肩负着挖掘弘扬祖国医药学优秀科技遗产的历史使命，我们的工作责任重大，意义深远。希望课题组继续努力，不辱使命，不负重托，当然也欢迎更多的有为有志之士加入到"尚氏本草"研究的队伍里来，共同努力为我国医药卫生保健事业做出自己应有的贡献。

王尚柏

2010 年 3 月 30 日

目　录

第一章 学术传略

第一节 求学之路，艰难坎坷
（1928—1948）

尚志钧，1918 年 2 月 4 日出生于安徽省全椒县东乡西观圩小庄一个祖辈务农的家庭，母早亡。1928 年举家迁至全椒县西乡中兴集北江王村。同年冬天，父亲送他入私塾读书，教书先生颇为严格，尚志钧学习很勤奋，《四书》《五经》能琅琅成诵。1932 年以同等学力进入全椒县西门宝林寺小学四年级插班学习。1934 年报考当地县立初级中学，以总分第一名的成绩被录取。1937 年参加高中考试，被芜湖第七中学（今芜湖一中）录取。开学不久，即迎来"七七事变"，上海等地相继沦陷，11

晚年尚志钧

月战火延至苏州，芜湖七中随之解散，尚志钧遂返回全椒县中兴集北江王村。旋即全椒县亦沦陷。1938 年春，他离家随着流亡的人群西上，走到安庆轮船码头时看到一张告示：凡是芜湖、合肥、安庆的中学师生，可以去安庆对岸的至德县第四临时中学报到就读。于是 3 月初他暂时落脚于该校。5 月初，日本人由芜湖转攻安庆，学校又被迫奉命西迁，师生 600 余人开始步行出发，9 月中旬到达湖南洪江时只剩下 90 多人了。该校新校址设在嵩云山庙里。在兵荒马乱的年月，中国的年轻人尽管面临着死亡的威胁，却始终没有放弃读书学习。在读高中的这两年时间里，尚志钧常常利用星期天去江边码头上打短工，维持学业。高中毕业后，他只身来到重庆。

1940 年的重庆已是国民政府的战时首都了。尚志钧来到这里后，报名参加了大学统一考试，当时报考的学校是陕西武功的西北农学院。虽然被录取，但因无路费未成行。其后，四川成都的中央大学医学院牙医专科招考，他参加考试后被录取，但仍因路费问题没有去成。后经刚从重庆国立药学专科学校（中国药科大学前身）毕业的安徽同乡林启寿先生帮助，报考该校，并以第一名的成绩被录取。4年，即 1944 年毕业后尚志钧曾在四川合川卫生署麻醉药品经理处及其附设的国立第一制药厂工作将近 1 年。由于整天的工作都是称药分药、封瓶包装、贴标签等重复性体力活，尚志钧对此工种实无兴趣，从未被苦难和艰辛吓倒的尚志钧第一次感到了苦闷和彷徨。

恰在此时，日本战败投降，27 岁的尚志钧为时局的扭转而欣喜若狂。年轻气盛的尚志钧希望在养育他的故乡行医制药，大展宏图。他决意辞掉包药贴标签的工作，参加卫生署医疗防疫第二大队。医疗防疫第二大队开往安徽，当时的队址定在芜湖。回到了阔别 8 年之久的老家后，他才知道父亲、长兄、长嫂及小妹均已过世，只剩下二哥、二嫂和继母。而当时的江淮大地一片疮痍，制药工作无法开展，他便暂时栖身于安徽省卫生处，挂技术专员的头衔，但无具体工作可做。

彼时的尚志钧经常回全椒县与族兄尚启东（1902—1986，字元显）交谈，并就前途请教族兄。正值风华年少的尚志钧急于为家乡的医药事业做一番贡献，而那时族兄尚启东已是当地颇有名气的"老中医"了。尚启东不是一位普通的中医临床医生，他有着敏锐的目光和深厚的汉文功底，勤于著述，曾撰《华佗考》和《中医论衡》二书，治验丰富。他学识广博与专精，这从他 1981 年 7 月为尚志钧《补辑肘后方》一书所作之跋可略见一斑。他十分了解并且赏识这位年轻却颇具书生气的族弟。他知道尚志钧背井离乡 8 年归来，最为珍重的东西是从重庆携来的那一摞线装古书；他知道尚志钧购买这些书的钱，是省吃俭用和奖学金的所得。于是他因势利导鼓励尚志钧走上中医药文献之路，并且告诉他这一行虽然清苦，但人的一生做点学问才是正事，况且做这一行可以结合尚志钧在重庆国立药学专科学校学的知识，学以致用。尚启东说："若能从事本草文献研究，一定大有作为。用清人的考据方法来研究中医本草文献是一件十分有意义的事，因为清代的考据学家们很少涉及这一领域，可以说这是一个学术上的空白点，需要有识之士为之奋斗终生。"当时尚志钧认为族兄所言极是。然而尚志钧对于研究本草文献缺乏基础知识，于是他下决心自学补课。

1945—1947 年，举凡中国古代历史、地理、目录学、文献学和清代乾嘉学派代表人物的考据笔记类书籍，甚至动植物学、矿物学等都成为尚志钧先生从头硬啃的"新"学科。尚志钧大约用了 2 年时间，即奠定了一定的本草文献研究基础。

1947 年，尚志钧与井子东女士结婚，育有四女一子。由于尚志钧参加工作后，白天忙公务，晚间、节假日全忙于本草文献研究，对家务实在无暇顾及，家务全由井子东女士一人承担。

尚志钧先生和夫人井子东与家人合影

（左为儿子尚元胜夫妇，右为女儿尚元藕夫妇）

从 1948 年开始，尚志钧即着手辑复《新修本草》，有计划地对各种古本草及经、史、子、集，包括《十三经注疏》和《诗经》等先秦古籍，以及历代史志作品加以研究，并将其中凡与《新修本草》相关之处一一摘出。在摘录过程中，他摸索出一套行之有效的搜集资料的手段。比如要想全而不乱，得有一个大的分类才行，在这个分类之下，再按时间顺序搜集资料、制作卡片。这样做就能事半功倍、有条不紊。在那时，他已将资料卡片按本草人物、本草书籍和本草诸药三部分来分类了。即便现在重新审视这套分类方法，也不失为一种全面、简捷而合理的选择。

第二节　创业伊始，峥嵘初露
（1949—1957）

2003 年 12 月 12 日尚志钧先生在一封信笺中不无自信地说："我若处在 20 年前，一定回家挂牌行医，我的医技声誉，在家乡比我的本草文献响亮得多。"老人此言绝非虚语，其实并非是在此时 20 年前的 65 岁，而是在 55 年前刚刚步入而立之年时，尚志钧在家乡已是医名大著了。

1949 年中华人民共和国成立后，31 岁的尚志钧离开安徽省卫生处，回到全椒县老家。当时家中还有几十亩薄田，由祖母、继母和兄嫂们操持着。但是他没有选择种田，而是继续研究本草，兼走行医的道路。他向家乡父老们承诺：来就诊者一律先看病，看好了再付钱，付多少也由病人量力而行；看不好的不付钱。病人痊愈后付不起钱的，纷纷给尚志钧送来了米、油及各种蔬菜，他再也不用为填不饱肚子犯愁了。在此期间，他还利用自己掌握的制药知识"加工"了一种医治咳嗽的药丸，名为"尚氏止咳丸"。因为疗效卓著，"尚氏止咳丸"一时间声名大振。

1949 年 9 月，尚志钧接到一封重庆药学专科学校同学从山东济南寄来的书信。该同学向尚志钧透露，他所在的白求恩医学院目前正在搜罗人才，现缺少化学教师，希望他能去试一试。化学是尚志钧学过的，同时他为了寻求一个良好的研究环境，也想到济南去看看。况且尚志钧打小就有一个读书、教书的教师梦，这正是一个圆梦的机会。在济南白求恩医学院药剂科任教期间，他备课极为认真，以至于上讲台时从不带课本，板书条理清晰、规范整洁。学生们都敬佩他，连隔壁教室里的学生都"溜"来听尚志钧的课。但白求恩医学院的教书实践，只是尚志钧一生中的一个短暂经历。虽然在课堂上他是成功的，但他舍不得丢掉本草的研究，常想在课余时研究本草，而大量本草书和资料都在全椒县家中，于是他打算再次回到全椒县，重操旧业，继续行医，有病人来即看病，无病人时即研究本草。恰巧这时，即 1950 年秋，他的继母在芜湖生病，写信叫他回芜湖，尚志钧便踏上了回芜湖之路。

应当说，从济南再次返回芜湖，是尚志钧先生一生的重要转折点，从此他便与安徽芜湖，与教学育人，与本草文献真正结下了不解之缘。也许是芜湖甘甜可人的水，也许是芜湖安宁静谧的土，也许是芜湖朴实无华的真，留住了这位了不起的学者。虽然此后多年，我们的祖国并不平静，但自那以后的半个多世纪，尚志钧的根却牢牢地扎在了这里。

尚志钧于 1950 年秋回到芜湖后，在卫生管理部门的安排下，参加了"卫生训练班"的筹办工作，饱尝了创业的艰辛和甘苦。训练班后来发展成为"卫生干校"，不久改名为芜湖中级卫生技术学校、芜湖卫生学校（简称"芜湖卫校"）。1951—1953 年尚志钧都在芜湖卫校授课。办学之初，人手紧张，不管哪门课，凡无人上，都由尚志钧来代。1954 年他调至安庆卫生学校，1955 年又调回芜湖卫校。1958 年芜湖卫校改名为芜湖医学专科学校（简称"芜湖医专"）；1970 年芜湖医专并入安徽医学院，尚志钧被分在中药班授课；1972 年芜湖医专又从安徽医学院分出，校名改为皖南医学院。该校名一直沿用到现在。尚志钧也回到芜湖医专，即皖南医学院，在这一阶段改授中医学概论，兼从事中医科门诊工作，只能利用晚上时间整理古代亡佚本草。可以说无论多少风风雨雨，尚志钧总与该校相伴。

然而在国事初定、百废待兴的特殊时代背景下，尚志钧经常感到工作压力大，时间紧张不够用。当时，他白天在芜湖卫校授课，8 小时以外时间全部用来辑复《新修本草》或闭门读书，从不到任何人家去串门，这种沉寂过程持续了七八年。尽管在这一时期面临着种种困难，但期间他对本草的兴趣却是越来越浓。正是因为这份执着，身处逆境的他，虽然无法选择外部环境，却以百倍的严格要求自己。他放弃休息时间，不顾身体健康，追着目标努力奋斗。多少年来，尚志钧几乎没有睡过一个完整的觉。

尚志钧在书房查阅资料

从历史和社会发展来看这似乎是件很奇怪的事，越是在时事动荡时，越是有愿意沉寂下来的学者，即便这种沉寂的代价残酷到当事人都不愿去过多回忆。这也许就是滚滚长江水中所裹携的沙子和金子的区别吧——在惊涛骇浪中，沙子随波翻涌，尽显风流；而金子却总是最先沉寂，并且越是纯正，便越是沉寂。虽然免不了经受诸多风雨的打击，但尚志钧独有的、与生俱来的金子般的毅力，将他历练成为一个"观其户寂若无人，披其帷其人斯在"的学者。

此时，他对本草的兴趣已越来越浓厚，并且他一生中最为重大的一项工作——《新修本草》的主要辑复工作正是在这一时期完成的。虽然历经反复，但在此期间他追本溯源，最终发现明·李时珍的《本草纲目》蓝本资料得之于宋·唐慎微《证类本草》者独多；而《证类本草》的基础是宋时官修的《嘉祐本草》；《嘉祐本草》的分类框架又悉尊唐朝的《新修本草》。《新修本草》又叫《唐本草》，是唐朝政府组织编修并颁布的药学专著，现已被学术界视为世界上最早的药典，比《纽伦堡药典》要早 800 多年。要想穷尽本草文献之源，《新修本草》的辑复便成了尚志钧首先要突破的第一关。在这个创业伊始艰难的自学、求索过程中，我们已能约略看出尚志钧做学问注重寻根溯源的自发特点。日后几经磕碰，这一特点进一步由自发转向自觉，从而让读其书者，每每为其书之博大精深而掩卷叹服。

第三节　再造升华，炉火纯青
（1958—1965）

尚志钧辑复《新修本草》的工作早在 1948 年就开始了。他刚开始辑复此书时，是以李时珍的《本草纲目》为底本进行的。随着工作的深入，他越来越明显地感觉到，李时珍所引资料并非第一手资料，而是转引自《证类本草》，并且由于李时珍得见《证类本草》版本不佳等的缘故，其引文中还存在一些不准确的地方。大约在 1955 年，尚志钧发现《本草纲目》将《证类本草》中的"唐本余"误为《新修本草》。当然也有一些现存《新修本草》残卷中的错误被发现，比如 1955 年群联出版社出版的《新修本草·磁石》误将"颈核喉痛"写作"颈核唯痛"，而这类错误的纠正则需要《千金翼方》和《证类本草》的相互佐证才做得到。

这些发现固然极其重要，然而对于尚志钧的本草辑复工作来说，却是一个不小的挫折，因为此时将《本草纲目》作为底本的辑复工作已近尾声。但发现的喜悦和一种骨子里的责任感支撑他推翻原稿，从头再来。因为他要提供给后人的是完整可靠的历史资料，绝不是自欺欺人、以讹传讹的东西。从1948年着手辑复到1958年基本定型，尚志钧用了11年才基本完成《新修本草》的整复初稿。

也就在1958年，卫生部在北京中医学院（现为北京中医药大学）举办的中药研究班成立了，这一年的10月他来到了首都北京，来到了这个人人向往的首善之区。秋天是北京最美丽的季节，但他无暇欣赏那片片飞舞的香山红叶，也无心理会庄严大气的颐和园胜景，而是埋头学习，虚心请教，并且初露锋芒。事实上他在1957—1959年两年时间里，一连在国内发表有关本草学的学术论文8篇，在中药文献研究界已经引起一些反响。

他是带着《新修本草》的初稿来到北京的，在北京给他极大帮助的人有陈邦贤（1889—1976）、赵燏黄（1883—1960）和范行准（1906—1998）等老师。先生可敬，后生可畏。赵先生慷慨地拿出本草善本藏书给他阅读；范先生建议他采用影印的《新修本草》卷子本作为辑佚底本进行修改；陈先生热情地写推荐信，将他的修改稿送交人民卫生出版社。人民卫生出版社随即将其列入出版计划。然而，天有不测风云，随之而来的三年严重困难时期，给国内经济建设带来了巨大的灾难，《新修本草》出版一事未果而终。为了让这部重要文献不再尘封，尚志钧所在的芜湖医专于1962年将其以油印本的形式发行，在国内交流。

显然，另起炉灶、从头再来，让本书的辑复质量进一步得到了提高；而出版上的几经周折和不断润饰升华，更使其校注变得绵密细致、几近无讹。因此，在北京的两年时间，不但是《新修本草》一书得到升华提高的关键时期，也是尚志钧本人的学术水平步入炉火纯青的开始。

尚志钧本草学辑复本最初的油印本

范行准先生在 1962 年 11 月 3 日为此书油印本所写的序言中，对此书的辑复成功给予了极高的评价，他说："我们知道，从事重辑《新修本草》者，中外不止一家，而俱未能问世。今尚先生能着其先鞭，使 1300 年前世界上第一部国家药典的原貌，灿然复见于世，是值得我们庆幸的一件事。"而对于尚志钧来说，值得庆幸的还有另一层含义——日本学者冈西为人根据从我国传过去的一些残片断简，也辑复了《新修本草》。但冈西为人的本草是 1964 年出版的，比尚志钧的辑本还要晚 2 年。有专家将这两个本子对照研究后，发现尚志钧的辑本更完整、学术水平更高。这是对尚志钧先生 15 年来的辛勤劳动的一个肯定。但即便如此，尚志钧并没有放弃对此书稿的进一步推敲。事实上，此后的 10 多年间，尚志钧数易其稿，直到 1981 年才由安徽科学技术出版社正式出版。从着手写作到最后铅排出版总共用了 34 年时间，不可谓不长。

可以说尚志钧先生对此书的关注，甚至超过了他对家庭、对子女的关心。尚志钧结婚的第 2 年正是《新修本草》着手辑复的开始。许多年后，他的儿女们回忆说："小时候，记得别人的父亲出差回来，总给孩子们带回好吃的或者新衣服；可我们的父亲回来，不管是在车站还是在码头，我们去接时，东西倒是有几麻袋，可都是资料卡片，不会有一样吃的东西。我们对父亲的这种出差也早已习惯了。从我们记事到现在，印象中的父亲，除了睡觉，总是在看书。父亲经常说，时间是挤出来的。他研究本草都是利用 8 小时以外的时间，有时上下班、等公交车，甚至连上厕所时嘴上都在背着、记着。"而与之相依为命半个多世纪的老伴井子东女士则说："在我的记忆中，尚志钧从来没有一个节假日，哪怕是大年三十，没有哪一天不是到饭菜上桌，他手上的书才放下来。"言语间多少有些由爱及嗔。周颖记者在 2005 年 6 月 17 日的《中国中医药报》上撰文《苦乐人生探本草——皖南医学院弋矶山医院教授尚志钧系列报道之一》，文中指出："一个人在短期内耐得住寂寞、忍受清贫并不难，难的是一辈子甘愿寂寞、淡泊名利、安贫乐道。"这话用在尚老身上，是千真万确的。

"多年来，尚志钧都是利用医疗工作之余的时间来研究本草文献的，所积累的大量资料也是利用节假日和星期天从各图书馆搜集的。他出版的书籍，也是回家以后开夜车整理出来的。即使在'文革'期间，他仍利用休息时间看书学习，坚持研究，晚上很少在 11 点以前睡觉。在弋矶山医院小区居住的人都知道，尚志钧家是小区里最晚熄灯的人家"（见 2005 年 6 月 24 日周颖记者在《中国中医药报》发表的《烛光摇红照后人——皖南医学院弋矶山医院教授尚志钧系列报道之三》一

相濡以沫的老两口

文）。尚老以身教代言教，他的执着与敬业精神深深地影响着他的家人和子女。他的爱人默默地承担起了全部家务劳动，而他的子女也在各自的工作岗位上出色地工作着。其长子元胜在芜湖九中教化学，是特级教师，并曾协助尚志钧先生完成《雷公药对》的辑复；幼女元藕在 1977 年 6 月就被皖南医学院从下放的农场调回借用，作为尚志钧先生的助手，帮助尚老深入整理《新修本草》。随后在弋矶山医院的支持下，尚元藕从 1989 年 3 月起协助尚老，用经书及古方书《备急千金要方》（以下简称《千金方》）《外台秘要》《本草衍义》等书复校《证类本草》一书。最终，此书于 1993 年 5 月由华夏出版社出版。该书现已成为《证类本草》成书 900 年以来的首次全面校注本，学术价值极高。

第四节 "文革"冲击，矢志不渝
（1966—1976）

尚老曾说："我在北京时读了两年书，寒暑假都在北京，整天泡在图书馆中，手抄笔录，集文摘卡 7200 余张。"1969 年尚志钧参加教改小分队，搞开门办学，搞农村巡回医疗。他被分在医疗小分队，在霍邱县叶集镇从事中医门诊。到 1970 年学校教学恢复，他才回到学校，医院亦由农村迁回芜湖。尚志钧被分配在弋矶山医院中医科出门诊，兼从事教学工作。8 小时以外，他仍坚持进行本草文献整理。到 1974 年，他因长期缺乏睡眠，加上工作量过重，把身体弄垮了，不仅不能上班，连生活都不能自理。从那以后，他便长期病休。

待身体好转，尚志钧仍想去医院出门诊。有一天，安徽师范大学生物系教授兼系主任钱啸虎先生来看望尚志钧。他了解到尚志钧对本草文献很有研究，劝尚志钧应该坚持下去。他说到门诊看病仅能治好几个人，如果把本草文献整理好，可以使更多的人受益，造福子孙后代。尚志钧在钱教授的启发下，放弃医疗工作，继续坚持本草文献的整理工作。而当时皖南医学院弋矶山医院的教学工作要求教师对前期课能上讲堂上课，后期课能下门诊、病房看病。整理本草文献属于科研范畴，并且中医本草文献学在当时以西医为主的皖南医学院弋矶山医院并未受到足够的重视，所以当时领导并不同意尚志钧这样做。

个人的命运总与国家的命运相关联，"文革"期间是尚老学术研究损失最大的一段时间。事后回想，这一时期既是个人的损失，更是国家和事业的损失。"文革"前尚志钧不仅仅整理出了《新修本草》《吴普本草》《别录》《本草经集注》《本草拾遗》《食疗本草》等书之初稿，有的甚至还以油印本的方式出版、交流，而且还发表了本草方面的相关文章达 45 篇之多。但"文革"开始后这个正常的学术交流过程被人为地中断了。然而不论环境怎样艰难，尚志钧始终没有放弃自己的追求。在"文革"刚刚开始的 1966 年，他存放在办公室里的图书资料包括《别录》清稿、笔记，以及从北京各大图书馆摘录下来的 7200 多张卡片被扫荡无存，从未被苦难和艰辛吓倒的尚志钧为此而痛哭流涕。

在"文革"期间下乡行医的过程中，尚志钧也没有放下本草研究工作。当时他"带了两本 1957 年人民卫生出版社出版的《本草纲目》，从中摘录三种内容，一是《炮炙法》，二是《集简方》，三是《纲目》中每个药的'发明内容'。后来，只有《炮炙法》与《雷公炮炙论》合为一集出版，其他两稿均丢失，情况一言难尽……"

这里有必要着重提一下辑校本《别录》失而复得的曲折经历，让我们透过一本书的命运，来了解一下"文革"中尚志钧的命运。也许是命中注定尚志钧一生与书为缘，以至于使我们几乎分不清，是他的书还是他本人具有传奇色彩。"文革"期间尚志钧放在办公室的《别录》清稿丢失，他擦干泪水后，在极为困难的情况下，凭着记忆和尚幸保存的底稿重新来做这一工作。经过 4 年的时间，尚志钧终于在 1970 年，又回忆、整理出一部《别录》简化稿。

1976 年 10 月"文革"结束，各种禁令得以取消，尚志钧才又重新回到本草文献研究的道路上来。1977 年他将《别录》的简化稿交由皖南医学院油印发行，在国内交流。直到 1984 年前后，尚志钧又将此书书稿寄给中国中医研究院（现为中国中医科学院）耿鉴庭老先生，略述该书书稿"丢而又做"的经过，并坦言想请耿先生为他这本书将来出版时写个序。然而耿老先生的回信让他大吃一惊，信中说："你的书稿并没有丢失，就在我手上。"原来，耿老先生手上真的有一部《别录》的书稿，字迹与尚志钧的手稿字迹一样，不说内容，甚至所用的稿纸都一样，但署名却是"振英梁静波"。为此，尚志钧连夜给皖南医学院打报告，请求学院派人调查此事，学院也立即向安徽省卫生主管部门报告。经调查，原来"振英梁静波"是从一个收破烂的货郎手中买得此稿，一看书稿作者是"皖南医学院"的一位老先生，考虑事隔多年，猜想"尚老"可能已经作古，于是就署上自己的大名，将此书堂而皇之地送进某出版社。该出版社为慎重起见，将书稿送至中国中医研究院，并请耿鉴庭先生审阅。此事遂水落石出。几经周折，这本书终于在 1986 年以尚志钧本人的署名于人民卫生出版社出版。虽然从 1964 年成书，到 1986 年原样出版，经历了太长的 22 年，但历史的真实得到了维护。

尚志钧在书房工作

回想此事，尚志钧先生每每感慨万千："《别录》在辑复过程中失而复得，也是我的生命史上的一个插曲！这个插曲，如今想来，真是耐人寻味。"我想 1500 年前陶弘景集《别录》时也未必有如此的曲折、艰难和离奇。因此，此书"文革"前后的失而复得，也许正是命运对于矢志不渝的一代本草学人的一种默默的肯定和回馈。

第五节 改革时代，再次创业
（1977—1995）

1974 年春，尚志钧曾病重卧床不起。经过一年多的休养，尚志钧身体逐渐好转起来，这时他整理本草文献的念头又产生了。于是他又一点一点地开始整理。由此可见，尚志钧强烈的事业心再次将他推进了浩繁的本草文献整理工程之中。但那时尚志钧本人心中仍想白天去医院上门诊，做医疗工作。

1977 年"文革"结束，尚老在钱啸虎先生的启发下，决定放弃医疗工作，继续专心致志地坚持本草文献的整理工作。由于中医本草文献的研究工作与单位的专业不甚对口，因此单位领导对他尚存一些反感。凡是尚志钧应得的福利如安排住房、涨工资、评职称等，都没有他的份，这个情况由安徽科学技术出版社第一任总编辑任弘毅向新华社安徽分社反映。1982 年新华社安徽记者站记者宣奉华同志来芜湖采访，专门问到尚志钧的情况。宣奉华记者回省后，向省领导反映后，学校才将尚志钧的一切待遇情况（如住房、工资、职称等）更正过来。所以尚志钧先生一直认为，在这一时期他的本草文献整理成果的取得，除了离不开家人的支持与理解外，更重要的还应归功于宣奉华记者无私的帮助。

的确，这一时期是尚志钧整理出版本草文献书籍最集中、最多的一段时期。诸如《〈神农本草经〉校点》（1981）、《新修本草》（1981）、《药性论》（1983）、《日华子本草》（1983）、《补辑〈肘后方〉》（1983）、《〈五十二病方〉药物注释》（1985）、《别录》（1986）、《吴普本草》（1987）、《历代中药文献精华》（1989）、《脏腑病因条辨》（1989）、《雷公炮炙论 濒湖炮炙法》（1991）、《证类本草》（1993）、《雷公药对》（1994）、《本草经集注》（1994）、《本草图经》（1994）等书籍都集中出版于这一时期。

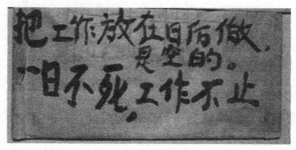

尚志钧先生的座右铭

此外，这一时期尚志钧还与他人合作编撰图书或为他人之书提供重要的帮助。1981 年谢海洲、马继兴、翁维健、郑金生等人的《食疗本草》一书"辑校时得到皖南医学院尚志钧副教授等同道的大力帮助"，并于 1984 年 7 月由人民卫生出版社出版。尚志钧与包锡生合撰的《常用中药别名小辞典》于 1985 年由中国展望出版社出版。此外，这一时期尚志钧在各类报纸、杂志上发表的文章总计有 202 篇之多，堪称当时我国最努力的一位科技工作者。更值得一提的是，尚志钧先生一生的著述和文章都紧扣"本草"二字。尚志钧在做学问时，始终奉行"学贵乎博，业贵乎专"的理念。

1986 年尚志钧晋升为教授。1990 年 10 月被国家人事部、卫生部、中医药管理局确定为全国首批 500 名老中医药专家学术经验继承工作指导老师之一。1991 年其因在本草文献辑复工作中的突出成就，被推荐为中国社会科学院学部委员候选人（因超龄，上级未批）；同年被国家评定为对国家高等教育事业有突出贡献的专家，享受国务院政府特殊津贴。

1990 年 10 月尚志钧在接受"师带徒"的任务后，立即给院领导写了一份"带徒表"，称这是国家对中医事业特殊照顾的政策体现，而中医药古籍的研究又后继乏人，他愿意在有生之年，把自己整理研究中医药古籍的经验传授下去。同时，他又向领导汇报了自己招收徒弟的"特殊要求"：学生必须在 3 年内读完中国主要的 16 本本草古籍，对每一本本草书籍都要写一篇书评；并在省级以上学术刊物发表文章，3 年内完成并发表 10 篇以上论文。3 年里，他的 2 名学徒平均每天学习 10 小时以上，每人整理的笔记和读书心得的文字量达 100 万字。3 年后，两名"苦行僧"终于出师。其中刘晓龙任安徽中医药高等专科学校研究员、科研处长，兼中国药学史学会委员、《现代中药研究与实践》杂志副主编等职务，是安徽省人大代表、安徽省名中医之一。

在改革开放的新时代，尚志钧不但迎来了著书立说的黄金时代，而且随着"师带徒"的顺利完成，他的学业亦后继有人。这些都是他事业上再创辉煌的具体体现。这对于一位 77 岁高龄的老人来说是多么的不易！

第六节　晚年生活，幸福美满
（1996—2008）

尚老的晚年生活幸福而美满。这体现在以下几个方面。第一，保健得当，身心愉悦。第二，子女孝顺，且各自工作成绩斐然。第三，培养了学术继承人。第四，担任了力所能及的兼职工作，为社会做出了更大贡献。第五，学术上进入全面收获的黄金阶段。78 岁以后，尚老还有七八部分量极重的著作得以定稿和出版。主要有《补辑〈肘后方〉（修订版）》（1996）、《海药本草》（1997）、《开宝本草（辑复本）》（1998）、《本草纲目（金陵初刻本校注）》（2001）、《大观本草》（2002）、《〈本草拾遗〉辑释》（2002）、《食疗本草（考异本）》（2003）、《吴氏本草经（辑校本）》（2005）、《药性论 药性趋向分类论（合刊本）》（2006）、《〈绍兴本草〉校注》（2007）。这一时期他发表文章约 20 篇，都是厚积薄发之传世佳作。第六，生平事迹见诸各种报纸、杂志，他的本草人生得到了社会的承认和赞扬。第七，时间几乎抹平了艰苦岁月带来的所有损失。

尚元藕说："父亲这么多年来实在是太苦了！家中四壁，唯一靠墙壁的，就是书架；书架上，清一色的是一捆捆发黄的牛皮纸包着的古书、资料。在他的卧室里、床架上、墙壁上，到处挂的都是纸条，上面密密麻麻地写着本草文献资料的条目等，都是他要背诵的。"尚老书屋的照片，我们可以从《安徽画报》《新安晚报》《安徽日报》《医药新纪元》等相关报纸、杂志采访文章的配文图片中看到。应当说，与 50 年前相比，今天安定的社会环境，使尚老得以重新营建一个简单而又丰富、朴素却很实用的理想的读书环境。虽然尚老的书房兼卧室——倚墙靠着的书架、牛皮纸包的资料、随处可见的纸条和偶尔可见的快餐杯——这些组合，绝不能用"气派"和"奢华"来形容，但尚志钧先生一直这样认为，今日的居所对他来说堪称优越的环境，这是宣奉华记者在 1982 年春为他争取来的，他从内心深处感谢宣记者的大力帮助。

尚志钧先生年逾 90 之时，仍然精神矍铄，平时注重劳逸结合，充满了对未来的憧憬。他的未酬壮志，就是将他尚未出版的十几种研究手稿。他希望在有生之年全部出版，让这些他曾倾尽全力的学术成果能够保留下来，供后人研究利用。学苑出版社 2008 年出版的《唐以前中医经典丛书·神农本草经校注》的扉页，有以红色字体写着的"恭贺尚志钧教授九十华诞。学苑出版社戊子年四月"几行字，这种礼遇在学术书籍中是非常罕见的，这是出版人对尚老先生所表达的一种崇高敬意。

第七节　斯人虽逝，风范犹存

2008 年 10 月 9 日 6 时 30 分，尚志钧先生在皖南医学院弋矶山医院与世长辞，终年 91 岁。次日午时，我接到正从合肥赶往芜湖为尚老送行的任何教授和王松涛女士发来的一则短信，脑海中一片空白，我没有细问什么，甚至误以为 10 月 10 日尚老刚刚离去，时间在那一刻停止。我久久地伫立在山西省中医药研究院的那株林檎老树下，任凭鹅黄丹红的秋叶随风乱舞，沙沙地落在身前身后……累了，于是蹲下，或许无状，却已无法顾及路人的目光，因为思绪同样凝固，等我可以回过神来时，发现自己已经静静地坐在了树下，我才明白，无奈也会让人气结。不仅仅在中国，人们为失去这样一位本草大家感到悲恸，事实上，连一衣带水的邻国日本也同样有学者为此扼腕。2009 年 7 月 9 日我接到真柳诚先生的一封短函，他不无惋惜地说："去年尚志钧、王雪苔，今年大冢恭男、王洪图也都先后去世了。我尊敬的老师们都一个一个地离开，真难过。"真柳诚先生得到这个哀讯已是尚老过世 9 个月以后的事情了，或许他不知道尚志钧先生亲自编订、尚元藕女士整理完成的《本草人生·附录一·日本学者写给尚志钧的信》中的第一封信，便是他 1988 年 11 月 9 日寄来的短函。这种思念与痛并不会因为时间的流逝而减少，斯人虽逝，风范犹存。

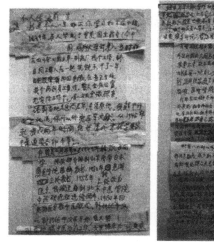

尚志钧先生遗墨

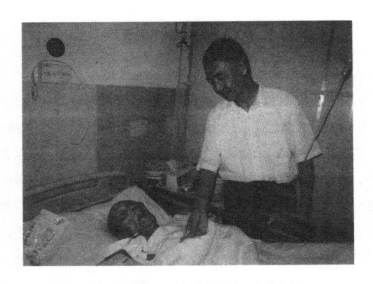

尚志钧先生病重期间，本书主编任何前往病房探望

2008 年 8 月 30 至 31 日，安徽省合肥市新安迎宾馆，任何研究员主持"尚志钧本草文献研究的学术成就与经验数据库系统研究"课题开题。尚志钧先生因年事已高，不能亲临这次开题会，但对本次开题会十分关心，亲自写好了开题发言。会上，皖南医学院胡剑北教授诵读尚志钧老先生亲自发来的书面信函，表示祝贺。尚老深有感慨地说："建立尚志钧本草文献研究学术成就与经验数据库系统，把我研究的东西输入电脑，给他人研究带来方便，是一件很好的事情。这个工程很大，任何主任辛苦了！谢谢项目组的领导、专家、老师们！" 2008 年 11 月 14 日至 16 日，合肥望江宾馆，任何研究员主持"尚志钧本草文献研究的学术成就与经验数据库系统研究"课题专题讲座，此时离尚志钧先生过世尚不足四十日，这是一次重要的关于尚老本草文献研究的学术会议，尚元藕女士参会。中国中医科学院医史文献研究所所长柳长华教授对项目给予了高度评价："尚老最大的贡献是本草文献学术。他是传人，更是一种精神，要把这种精神代代相传，要把尚老的文献学术逐步保护，应将项目升级为国家级课题，并申报非物质文化遗产。" 2009 年 8 月 6 日，芜湖弋矶山医院，任何研究员的学生王松涛女士主持的"中国本草名著文献学术源流考数据库系统"课题开题论证会召开。尚志钧教授在同任何研究员通力合作校注金陵版《本草纲目》的过程中，认为任何研究员既具备本草文献研究的深厚功底，又有丰富的临床经验，遂将《宋前本草名著文献源流考》一书初稿交给任何，并出示委托书，全权委托任何研究员整理研究此项工作。任何研究员应其所请，约请有志于中医文献的同道从加强整理研究的深度出发，商定除进行全面整理加工尚老已完成书稿外，并增加宋以后的本草名著的文献源流考内容。2009 年 1 月，尚志钧《〈嘉祐本草〉辑复本》由中医古籍出版社出版；2017 年 5 月，尚志钧著《〈本草图经〉辑校本》在学苑出版社顺利出版；2010 年 1 月，尚志钧撰著《中国矿物药集纂》在上海中医药大学出版社出版；2010 年 1 月，尚志钧著《本草人生——尚志钧本草论文集》由中国中医药出版社出版……一次又一次，密集的学术活动围绕尚志钧先生的学术和著作展开，这种学术活动并不因为尚老的逝去而终止。斯人虽逝，风范犹存。

尚志钧本草文献研究的学术成就与经验数据库系统研究开题论证会

皖南医学院弋矶山医院坐落在安徽省芜湖市弋矶山风景区内，1888 年由美国基督教会创办，到尚老逝世的 2008 年已有整整 120 年的历史。尚志钧先生在此工作和生活了 40 余年。在相关的纪录短片中我们看到年逾古稀的尚老亲自查房，指导下级医师的诊疗；我们看到身着白大褂的尚老在资料柜间俯身找寻相关文献；我们看到在书桌边尚老认真讲解，指导学生学习本草知识。他的生命已无法与这座美丽的小岛医院分开，而这座医院也没有忘记尚老洒下的辛勤汗水。皖南医学院弋矶山医院的网站上有"医院文化"的专门板块，2008 年 12 月 8 日那里静静地增加了"怀念尚志钧先生"的专栏。而尚志钧先生与安徽省中医文献所结缘亦有十七八年之久，这与任何研究员是分不开的。尚志钧先生与任何研究员相知、相交始于 20 世纪 80 年代初。20 世纪 90 年代初，任何研究员调至安徽省中医文献所工作，此后该所和尚志钧先生的学术合作逐渐展开。1994 年春，任何先生与尚志钧先生着手合作校勘注释金陵版《本草纲目》，其书 2001 年 9 月在安徽科学技术出版社出版。全书 270 万字，卷 1 至卷 18 由尚志钧先生承担，卷 19 至卷 52 由任何先生承担。2005 年 4 月 15 日，安徽省中医文献所毛喜荣、任何、王松涛一行三人，专程前往芜湖弋矶山医院请教尚志钧先生"续本草纲目"课题编写的一些问题。交谈过程中，尚老说："编写《续本草纲目》，20年前我就想做，但我不是医生，很多临床方面的问题，我不懂。"尚老还从书架上搬出一大堆手稿，说："我打算把本草每味药进行集汇，分三个部分：第一，常用药；第二，《本草纲目》和《本草拾遗》上的药；第三，现在常用的草药及《本草纲目》和《本草拾遗》以外的药。我已完成部分药物的编写。这种工作很吃苦，要集中人力，集中时间，3～5年坚持下去。""我给你们推荐一个人，他是湖南省一个卫校的一名教师，他可以帮助你们完成文献整理。"尚老还说："《本草集汇》，不仅要按《本草纲目》体例，还要按《证类本草》体例进行。"尚老本意是将所有手稿请安徽省中医文献所同志们拿去无偿使用，但任何研究员仅仅留取《本草集汇》中的单味药牡丹皮的样稿，并且留下完备的借阅手续……2007年11月30日至12月1日编撰"续本草纲目"项目开题时，尚老发来贺词："'后续'一词，不是一个新鲜的题目，这样的工作，不仅过去有人做，现在也有人想做，将来还有人会做。谁做得好，由他花的精力与时间以及所收的内容等因素来决定。任何主任有志气，有决心，肯下功夫，深信他一定能成功。"

尚志钧与业内同仁的合影

（从左至右依次为胡世杰、任何、尚志钧、王林生、王德群）

这种交流代表着一个专业机构的热忱与合作，这种合作交流并不因为尚老的逝去而终止。斯人虽逝，风范犹存。

（赵怀舟）

第二章　学术成就

尚志钧在本草文献学园地里辛勤耕耘60余年，硕果累累。截止到2010年，他辑撰的医药书籍有36部，已有30部由出版社公开出版发行。其中安徽科学技术出版社19部，人民卫生出版社4部，华夏出版社2部，中医古籍出版社2部，科学文献出版社1部，上海中医药大学出版社2部。另有1部油印本为内部交流，余书仅是清稿。此外，尚有几部未定稿书，在此就不再介绍了。

第一节　辑复的古本草文献

在中国的传统文献中，书籍是一种极其重要的知识记载体，它在我国传统知识资源中占有极大的比重。由于历史岁月更替，古文献大量亡佚，古本草文献也包括在其中，必须有专业人员从事古本草文献整理。严格说来，文献整理是一项知识含量特别丰富的学术文化工程，如春秋末年的孔子等就是从事文献整理的。尚志钧教授从事的本草文献整理研究，就是从亡佚的古本草名著的辑复开始的。尚氏最早完成辑复的名著为《新修本草》，范行准研究员在序中评说："尚志钧先生所辑的《补辑〈新修本草〉》一书的原稿见世，诚使我感到有如庄子所说空谷足音之喜，因亟先快读，知他竟为此书的整复工作，花去整整十年的时间，其用心的精专和锲而不舍的毅力都是使我十分感动的……他原是一位受过科学陶冶的药学专家，善能运用科学的律令，所以他补辑此书，义例也十分精整……今尚先生竟能着其先鞭，使1300年前世界上第一部药典的原貌，灿然复见于世，这是值得我们庆幸的一件事。"尚氏在广泛搜求历史材料的基础上，尊重历代证据，反对主观臆测，实事求是，悉心求证，以客观的态度理解历史文献。与此同时，尚志钧先生还摸索并建立了一套经过文献整理实践检验的行之有效的独特方法，诸如目录、版本、校勘等学科的具体运用。

文献整理的终极目的，是为了确定古代文献原文的真实可靠程度，以便于今人的理解和使用。尚志钧教授辑复了诸多历代本草名著，真正起到了上述的作用。

尚志钧辑复的古本草有18部，其中《新修本草》《别录》及《本草图经》等药学专著，是有重要研究价值的药学文献。还有《吴普本草》《本草拾遗》及《日华子本草》等文献，在各个不同时期对我国药学发展都起了一定的作用。这些亡佚本草在今天能够辑复问世，对药学事业的继承和发展都会起到重要的作用，对世界医药史的研究亦将产生深远的影响。

一、《肘后救卒方》

晋代葛洪原著有《肘后救卒方》（以下简称《肘后方》）一书，总3卷86篇，南北朝梁代陶弘景将《肘后方》整理改编成79篇，并增加了22篇，合为101篇，改书名为《补阙肘后百一方》。现在流传的版本，序目虽有73篇，而实际只有69篇，分为8卷，载方1392个，且书中误刻、脱漏现象严重。

尚氏从《外台秘要》《千金方》《太平御览》《证类本草》《医心方》及《本草纲目》等书中辑得《肘后方》遗方1265个，并将其方的病名归类，得《肘后方》遗失篇目32篇，连同旧本记载，共有方2657个，篇目101篇，使之符合《补阙肘后百一方》之貌，命名为《补辑〈肘后方〉》。

《补辑〈肘后方〉》全书分3卷。上卷35篇为内治病，中卷35篇为外治病，下卷31篇为外物所苦病。涉及的病证有内、外、妇、儿各科常见病、多发病、传染病和慢性病，并着重介绍有各种急症的诊治法。书中药方大多简单实用，如三黄振子汤、葱豉汤等一直沿用至今。

尚氏在补辑此书的同时，通过诸本的互校、旁校及多方考证，改正了原书中大量误刻、脱漏之处。该书补辑工作于1966年完成，1977年10月由皖南医学院油印发行以供交流，1983年11月由安徽科学技术出版社出版。1996年4月该社出版了此书的修订本。此书的出版，对从事医药研究者及临床医生的参考价值较大，如抗疟药青蒿素就是受此书启示而研制的。青蒿素的问世，使临床应用多年的奎宁退位，并且为我国制药业取得了良好的社会效益和经济效益。

二、《名医别录》

《名医别录》（以下简称《别录》）为南北朝梁代陶弘景所著。全书 3 卷，载药 700 余味。原著早佚，其文散存于历代本草中。尚氏从新疆吐鲁番出土的《本草经集注》残卷、甘肃敦煌出土的《新修本草》残卷以及《千金翼方》等现存本草书和类书中辑得药物 745 味，依《本草经集注》序中药物七情编次而成《名医别录（辑校本）》。本书 1964 年完成辑复工作，1977 年由皖南医学院油印发行以供交流，1986 年由人民卫生出版社正式出版，全书 27 万字。

此书收载了两汉至魏晋时期一些名医使用的药物并记载了《神农本草经》（以下简称《本经》）药物的新用途。前者如生姜、桂枝、白前、艾草、芒硝、竹茹等药，后者如甘草止咳、枣仁止汗安眠、半夏止吐、薏苡仁利水消肿、川楝子驱蛔等。对部分药物补充了简要的形态描述，例如木甘草"大叶如蛇状，四四相值"。有些药有附方，如露蜂房有"露蜂房、乱发、蛇皮三味合烧灰，酒服方寸匕，日二，主诸恶疽、附骨痛"。很多药物记载有产地及采集方法，如伏翼"生大山及人家屋间，立夏后采，阴干"；又，石南草"生华阴，二月四月采叶，八月采实，阴干"。有些药记有制剂方法，如槐实"以七月七日取之，捣取汁，铜器盛之，日煎，令可作丸，大如鼠屎"。这些资料对研究当时的药学发展情况很有价值，是那一时期临床用药经验的总结。

三、《吴普本草》

三国时期吴普著有《吴普本草》，全书 6 卷，载药 441 味。原书在宋时佚失，尚氏于 1959 年开始辑复此书，于 1961 年完稿。由于手头资料问题，辑复本只收药 207 味，并于 1962 年 12 月由芜湖医药专科学校油印发行以供交流，全书约 5 万字。1983 年 10 月皖南医学院又以《吴普本草文献的研究》为名复印交流。后经集体修订，本书药物增至 231 味，于 1987 年由人民卫生出版社正式出版，全书约 7.4 万字。此后尚氏又对该书进行重辑，将药物增至 270 味，改名为《吴氏本草经（辑校本）》，并于 2005 年 1 月交由中医古籍出版社出版发行，全书约 30 万字。

此书清代焦循已有辑本（收药 179 味），清代孙星衍等辑的《本经》中亦附有此书的资料，但上述辑本都存在失录、误录等学术问题。因此，尚氏辑复此书时进行了大量资料的考察研究，纠正了上述辑本的失误，并增录了 91 味药物。

历代文献关于《吴普本草》的卷数，有两种说法：一说 6 卷，另一说为 1 卷。尚氏认为 6 卷正确并列出三点理由：第一点，此书是综合诸家之作；第二点，本书载药数比《本经》多；第三点，说 1 卷的文献晚于说 6 卷者，相去吴普时代较远而不足信。因为事物总是向前发展的，既然载药 365 味的《本经》都分 3 卷，为什么《吴普本草》会后退到不分卷呢？所以《吴普本草》在《本经》的基础上拓展药物，分为 6 卷才是符合事物发展规律的。

尚氏从吴普是华佗的弟子这一线索进行考证，认为《吴普本草》的著述年代应在 208—239 年，这就基本确定了此书的成书时间。

此书的特点是对药物的名称和性味介绍较详。如贯众一药的别名有 8 个，防葵的别名有 6 个。一味药物的别名愈多，则说明不同地区、不同时代的人都使用或认识了同一味药物。尚氏辑复此书的目的，是为了便于大家研究三国时期及此以前的药学发展情况。

四、《雷公药对》

《雷公药对》，约成书于公元 2 世纪初。梁代陶弘景《本草经集注》序云："至乎桐、雷，乃著在篇简。"又云："又有《桐君采药录》，说其华叶形色；《药对》四卷，论其佐使相须。"由此可知《雷公药对》全书 4 卷，是雷公所著。雷公为上古时期传说中的医人。《雷公药对》原书亡佚，内容部分保留在《本草经集注》序中。

北齐徐之才在《雷公药对》的基础上进行增修，著成《药对》2 卷。惜此书亦失，其增修的内容被《嘉祐本草》收录，后《证类本草》又将这些资料录于书中而得于存世。

尚氏将《本草经集注》《千金方》《医心方》《太平御览》《证类本草》及《本草纲目》等书中凡标有"《药对》"或"之才曰"的资料，都加以收集、整理，共得佚文 413 条，汇编成册，名为《雷公药对》，分为 2 卷，题北齐徐之才撰。此书实际包括了《雷公药对》和徐之才增修的内容，全书 13 万余字，1990 年 4 月由皖南医学院油印发行以供交流，1994 年 12 月由安徽科学技术出版社出版。

由于《雷公药对》原书亡佚，且保存在各本草书中的资料都是零散的，无任何底本可供参考，因此尚氏辑复的资料是进行过精心编目的。卷 1 为序录，卷 2 为众药名，分为玉石、草木、虫兽、果菜、米等部。各药的内容，多是以七情畏恶情况及治病功能为主。

辑本对资料来源均注明出处；对条文，若各书互有出入者，则进行勘比，做出小注；对某些有争议处或疑点，附以考证。

五、《雷公炮炙论》

《雷公炮炙论》为刘宋时雷敩所著，后人有增修，是我国最早的中药炮制学专著。全书分 3 卷，载药 300 味。原书亡佚于元代前后，清代张骥辑有此书（后称"张本"）问世，但仅辑药物 180 味。今人上海王兴法辑本（后称"王本"）收药 268 味。尚氏 1966 年前辑有此书手稿，1983 年将之整理成书，辑药 287 味，分为 3 卷。尚氏辑校本全书 13 万字，于 1983 年 10 月由安徽医学院油印发行以供交流。尚氏后又对本书进行修订，将油印本收载的石、木次及燕鸟 3 味删去；改天雄、侧子、柏叶、鹿角、斑蝥、亭长、赤头、桃、鬼髑髅及瓜子等 12 味药为附药；增加了玉屑、空青、石胆、石英、孙公孽、白术、菊花、防风、芎劳、黄芩、生姜、干葛、通草、水萍、茵芋、蔄茹、狼毒、干漆、木兰、人粪、虻虫、水蛭、蟹及麻勃等 27 味药，使全书药物增至 300 味（连附药实为 312 味）。本书与《濒湖炮炙法》合刊，由安徽科学技术出版社于 1991 年 12 月出版，全书 20 万字。

尚氏辑本的特点是，将历代各书引用《雷公炮炙论》内容进行化裁的资料也录之参考，对读者深入理解其文义有助。如人参条有"夏月少使"之句，尚氏将《本草纲目》"夏月少使人参"之句收录入书，而张本及王本均未收录。又，"恶实"一药，雷公原文未列别名，而《炮炙大法》有"恶实，一名鼠子，一名牛蒡子，一名大力子"之说。尚氏也将此录入书中。另，"钩吻"条有地精一药，该条文未说明是何物，尚氏从"黄精"条有"凡使，勿用钩吻，真是黄精，只是叶有毛钩子二个是别认处"之句，指出地精即黄精。这些张本及王本都未提及。

关于《雷公炮炙论》的成书年代，历代文献都认为是唐以前。尚氏考证指出书中有唐以后人托名的内容，托名者是参考《本草拾遗》序及掺杂其他本草撰写的。

六、《药性论》

《药性论》著者不详，明代李时珍认为本书是唐代甄权著，范行准说是五代后周孟贯著。尚氏通过考证后同意范氏之说。全书 4 卷，药数未详。尚氏 1966 年前辑有手稿本，1983 年整理定稿，辑得药物 404 味，分 4 卷。1983 年皖南医学院将书稿油印发行，全书5万字。2006年9月书稿由安徽科学技术出版社合刊出版。

此书是我国最早的一部药性专著，以君、臣、佐、使及禁忌方面的内容较详。全书标明为君药的有76味，臣药有72味，使药有108味。禁忌方面，全书以忌羊血的药物较多，如半夏、阳起石、钟乳石、云母等。有些药物的功效是本书首次记载，如藕节"捣汁，主吐血不止，口鼻皆出血"；又如羌活"治贼风失音不语，多痒、血癫、手足不遂，口面㖞斜，遍身痛痹"。此书对研究药性亦有参考价值。

七、《新修本草》

《新修本草》，又称《唐本草》，由唐朝政府组织苏敬等20余人集体编写，书成于659年。原著在国内早佚，清末在日本发现了传抄卷子本10卷，但只是原书20卷的一半，另10卷，国内外的一些学者一直试图辑复。如1847年日本的小岛宅素辑复其中1卷。1959年日本冈西为人辑有《重辑新修本草》，此辑本于1964年在我国台湾地区出版发行。

尚氏于1949年开始辑复此书，他参阅了大量资料，费时近10年，三易其稿，于1958年完成全书的辑稿，约46万字。本书辑稿于1962年12月由芜湖医学专科学校油印发行，在各大专院校内部交流。此后根据各地学者的意见，尚氏对书稿又进行全面修订，于1981年3月由安徽科学技术出版社以《唐·新修本草（辑复本）》之名出版发行。第二次排印后于2004年7月由该社以《新修本草》书名出版，次年9月又重印。书中增附了5种残卷的影印和19篇研究论文及5篇评论文。

《新修本草》除正文20卷外，还有"药图"25卷，"图经"7卷，正文目录及药图目录各1卷，合为54卷。但"药图"及"图经"均在北宋时期亡佚。全书载药850味，其中新增的药物有114味。由于它是由政府组织编纂并颁布的药书，所以被视为我国第一部药典，也是世界上最早的一部药典。它比欧洲出版的地方性药典《纽伦堡药典》早800多年，比欧洲的全国性药典《法国药典》早1100多年。

1962年11月3日，中国人民解放军军事医学科学院范行准研究员为尚氏所辑《新修本草》作序说："我们知道从事重辑《新修本草》者，中外不止一家，而俱未问世，今尚先生竟能着其先鞭，使1300年前世界第一部国家药典的原貌，灿然复见于世，是值得我们庆幸的一件事。"1980年第6期《国外医学中医中药分册》中，郑金生介绍日本冈西为人的《重辑〈新修本草〉》时说："但经我国尚志钧氏《补辑〈新修本草〉》逐条互勘，其中见仁见智之处，尚有不少。比如唐慎微在《证类本草》墨盖子下补入数条《新修本草》注文，尚氏辑本收录了，而冈西氏本未加收录及说明。"

八、《食疗本草》

《食疗本草》为唐代孟诜撰。现仅存残卷。原收药138味，经张鼎补入89味，合为227味。该书是唐代的一部食疗专著，主要收录食物类药物，如蕹菜、荞麦、鳜鱼等。尚氏于1975年底已辑成此书手稿本。本书辑本于2003年9月由安徽科学技术出版社合刊出版。谢海洲先生等辑本在20世纪90年代出版，书中对尚氏的帮助表示致谢。

九、《食性本草》

《食性本草》为南唐陈士良撰，主要是摘录了历代本草中的食用药物资料，没有创见，价值不高。原书佚。尚氏于1976年辑复此书，交由安徽科学技术出版社于2003年9月合刊出版。

十、《食医心镜》

《食医心镜》又称《食医心鉴》，唐代咎殷撰。原书佚，《证类本草》及《医方类聚》中存有部分内容。早有日本学者从《医方类聚》中辑得部分内容成书（见《历代本草精华丛书》）。此书是一部食物方剂疗法的专书，其中粥剂最多，也有酒剂、饼剂、羹剂等。尚氏于1992年春辑有此书手稿，于2003年完成该书的续辑工作。两集合刊于《食疗本草（考异本）》中，于2003年9月由安徽科学技术出版社合刊出版。

十一、《本草拾遗》

《本草拾遗》，唐代陈藏器著，成于739年。全书10卷，载药953味，原书早佚。尚氏于1973年完成此书辑复工作，全书共计16万字。1983年10月本书辑稿由皖南医学院油印发行，2002年7月由安徽科学技术出版社出版。2003年该书获全国古籍整理图书二等奖。

《本草拾遗》是拾《新修本草》之遗。唐代中期，民间流传的药物相当丰富，《新修本草》仅收录新药114味，而《本草拾遗》则收录690余味新的药物。

陈藏器编此书时所用参考文献多达116种，如史书、地方志、杂记、小学、医方及本草等，连同时代的《食疗本草》也为其参考文献之一。陈氏注重实践，他在指出《本经》所载药物柳华（花）的错误时说："柳絮，《本经》以絮为花，花即初发时的黄蕊，子为飞絮，以絮为花，其误甚矣。"此书还记载了无机碱的腐蚀作用，对维生素 B 的认识，胆汁灌肠疗法，热敷疗法，淋浴疗法，高渗疗法，破伤风菌感染，酒的防腐作用及避孕药、防癌药的知识等。因此，辑复此书对于了解古代医药发展有重要意义。

十二、《四声本草》

《四声本草》，唐代萧炳撰。全书 4 卷，药数未详。此书按每一药名的头一个字的声调（指平、上、去、入四声）将药物进行归类，可称是按拼音编排药名的先祖。尚氏于 1976 年底整理成手稿本，辑得药物 84 味，于 2006 年 9 月交由安徽科学技术出版社合刊出版。

十三、《海药本草》

《海药本草》，五代李珣著。全书 6 卷，药数未详。原著南宋时亡佚。1966 年前尚氏辑有手稿，1981—1982 年整理定稿，收药 124 味（20 世纪 50 年代中期，范行准也辑得此书药物 124 味），按《新修本草》药物目次编排，分为石、草、木、兽、虫鱼及果米 6 类。1983 年 8 月本书辑稿由皖南医学院油印发行，供同行交流，1997 年 8 月由人民卫生出版社出版，全书 11 万字。

此书主要收载南方药物及外国香料药物，在 124 味药物中，有 96 味药注有外国产地，如白附子"生东海，又新罗国"。本书对药名有解释，如海桐皮"生南海山谷，似桐皮，黄白色，故以名之"；还介绍药物炮制，如仙茅"用时竹刀切，糯米泔浸"；鉴别药物真伪，如琥珀"凡验真假，于手心热磨，吸得芥为真"；解金石中毒，如石硫黄"宜烧锻服，如有发动，宜用猪肉鸭羹余甘子汤解之"。此外，书中还载有药物气味疗法，如宜南草"小男女以绯绢袋盛一片，佩之臂上，避恶止惊"。

此书在内容方面有补正前代本草不足的特点，故有辑复的必要。

十四、《日华子本草》

《日华子本草》，五代吴越日华子所著。书成于 908—923 年。全书 20 卷，药数未详。原著在宋以前佚失。尚氏于 1981 年完成此书辑复工作，辑得药物 618 味，分为 19 卷，加序例 1 卷，合为 20 卷。皖南医学院于 1983 年 10 月将辑稿油印发行，全书 12 万字。本书于 2005 年 7 月由安徽科学技术出版社合刊出版。

此书对药物性味的记载与众书有别，如药性有凉、冷、温、暖、热、平 6 种；药味则有咸、涩、滑的记载。对药物产地记载，如补骨脂"南番者色赤，广南者色绿"；对采集时间有记载，如连翘"五月、六月采"；对药物配制有记载，如黄连"猪肚蒸，为丸，治小儿疳气"；对药物炮炙有记载，如卷柏"生用破血，炙用止血"；对药物畏恶有记载，如硝石"畏杏仁、竹叶"；对服药食忌有记载，如萝卜"不可与地黄同食"。

本书对研究五代药学情况有一定意义。从学术价值来讲，此书可与《本草拾遗》等同。

十五、《蜀本草》

《蜀本草》又称《蜀重广英公本草》，五代时韩保昇撰。原书早佚，部分内容存于《证类本草》中。此书主要是根据《新修本草》补注而成，个人新见甚少。除新增了 14 味药物外，价值不大。尚氏于 1983 年底辑成此书手稿，2005 年 7 月交由安徽科学技术出版社合刊出版。

十六、《开宝本草》

《开宝本草》系北宋时政府组织刘翰、马志等人，于宋开宝六年（973）在《新修本草》的基础上编修的，并由扈蒙、卢多逊刊定。由于成书仓促，讹误较多，第二年又进行修正和校定。全书 20 卷，目录 1 卷，收药 983 味，其中新增药物 33 味，如山豆根、使君子等都是此书首载。

原书是首次用雕版印刷的本草著作。对药物正文和注文分别用大小字标记，属《本经》之文刻成白大字，属《别录》之文则刻成墨大字。这种标记对保存古代药物史料很重要。在 983 味药物中，有 270 余味药的注文为此书所作，以"今按"和"今注"形式表示。

原著早佚，尚氏经数十年努力，从大量古籍中进行搜集整理，以清代乾嘉学派的方法，按经、史、子、集、专书、类书相互参证，整复成书。全书 30 万字，于 1989 年定稿，1998 年 5 月由安徽科学技术出版社出版。

十七、《嘉祐本草》

《嘉祐本草》又称《嘉祐补注神农本草》，宋代掌禹锡主编，成书于宋嘉祐五年（1060）。此书以《开宝本草》为蓝本增修而成，编写时制定了严谨的标准，且引文广，取材精，参考文献多达 50 余种。本书首次对 16 种本草的卷数、作者、成书时间、内容及流传情况进行了介绍，这种创举为后世本草所效仿，是一部文献价值较高的药学专著。全书 20 卷，目录 1 卷，载药 1083 味。

尚氏于 1986 年冬辑成此书手稿本，共约 35 万字。

十八、《本草图经》

《本草图经》为宋代苏颂主编，成书于 1061 年，全书 21 卷，药数未详。原著早佚。尚氏于 1983 年完成本书辑复稿，共辑药物 780 味，药图 933 幅。皖南医学院于 1983 年 10 月将辑复稿油印发行并作内部交流。5 年后，福建科学技术出版社出版了某研究单位两位学者合辑的此书（闽本）。笔者将闽本与尚本进行逐条互勘，发现闽本几乎是抄袭尚本而成。为此笔者于 1991 年对两种辑本发表了评论。尚氏根据评论意见对油印本进行了增修，增补原漏辑的药物 34 味，使全书载药数增至 814 味，并对少数药目进行了变更。修订本于 1994 年 5 月由安徽科学技术出版社正式出版，全书 56 万字。福建省厦门市同安区芦山堂苏颂故居建立的"苏颂纪念馆"，将尚氏辑的《本草图经》油印本作为陈列品收存。

此书又称《图经本草》，是我国第一部绘图药学专著。当时是在征集全国各地药物标本后绘图编纂的，其中记载的州或郡多达 150 余个，可见药物产地之广。有103 味民间药是此书新载。此书与《嘉祐本草》可算是姊妹篇。本书实用性强，《嘉祐本草》文献价值高。此书辑复对研究北宋时期药学发展情况大有裨益。

第二节　校注的医药文献

辑复 18 部古本草名著，占了尚氏治学生涯的大半时间和精力，也正由于他深厚的治学功底和丰富的经验，使他厚积而薄发，连续有多部考释、校注等专著出版。其中有独著，亦有合著。

一、《〈诗经〉药物考释》

《诗经》是我国最早的一部诗歌总集，共收集 305 篇诗歌。这些诗歌的创作时间是上起西周，下迄春秋前期，即公元前 11 世纪至公元前 7 世纪的 500 余年。值得注意的是，此书中收载了大量动植物，其中与药物有关的有 100 条。

《诗经》文字古奥，动植物名称多是古代的名称，这些动植物究竟相当于今日何物，是应该弄清的问题。历代文人虽对《诗经》中的名物做了注释，但各家不一。本草学家引用《诗经》的名物也各不相同，如诗词"隰有游龙"一句中的"游龙"，梁·陶弘景释为"红草"，明·李时珍释为"马蓼"，清·孙星衍释为"蓼实"，类似情况很多。

为了今后研究药物名实考核和研究单味中药发展史，尚氏于1986年把多年积累的《诗经》研究资料和读书笔记整理成册，共34万字。书稿现存于皖南医学院科研处。其所著《〈诗经〉药物考释》载药289味，其中植物药174味，动物药115味，按自然性属分为9类。他对每味动植物药按篇名、诗句、诸家古注、本草所引、勘比考核等项内容叙述，以追溯本草中某些药物的源流，使本草中名物核实，达到正本清源之目的。因此本书对研究单味药发展史和中药名实有重要参考价值，并对阅读《诗经》这部古著也有很大裨益。

二、《〈山海经〉植物药考释》

《山海经》是战国时的一部古籍，全书30余篇，经后人校定为18卷，记载的内容有山河、邦国、风土民俗、动物、植物、矿物、历史人物、药物防病及病名等。

尚氏对《山海经》记载的262味植物药进行了考释。对每味植物药考释所引的注文，以最早文献所注为主，然后按年代次序分列之。凡注文内容相近者，摘其精要注之。在注释的同时，把历代文献对某一植物药所记的资料汇纂在一起进行互勘，结合《山海经》所记的植物形态、产地、功用等内容，初步论证该植物药相当于现时某一植物。对前人所释互异的植物药，则重新考订。如《山海经》卷5："中山经，有草名曰荣草，其叶如柳，其本如鸡卵，食之已风。"明代李时珍释为"土茯苓"，清代郝懿行的《山海经笺疏》释为"菡茹"。《蜀本草》认为菡茹根如萝卜，《本经》认为菡茹除大风。因此尚氏认为将荣草释为菡茹较妥。因土茯苓根呈不规则块状，不像鸡蛋。

《〈山海经〉植物药考释》收药262味，其中属南山经者13味，西山经58味，北山经26味，东山经7味，中山经99味，海外经10味，海内经20味，大荒经21味及补遗8味。全书按《山海经》所记的植物为序，分别列出并注明以序号进行考释。本书成稿于1980年，全书20万字。此稿现存于安徽省中医药管理局。

三、《〈五十二病方〉药物注释》

《五十二病方》是 1973 年从长沙马王堆 3 号汉墓中出土的帛书医方，约成书于秦汉时期。全书记载 52 个病证及 283 个古方。尚氏对 283 个医方中使用的 247 味药物进行考证注释，参阅了大量字书、经史书、诸子书、本草书及方书。对每味药从列举方名、引经据典、按语三个方面叙述，从而论证药物名实。全书 15 万字，1983 年 4 月由皖南医学院油印发行。

《五十二病方》中的大部分药物，虽经该书的整理者作了注释，但尚氏研读后仍提出了许多新的见解。如青蒿，原书释为萩，而尚氏却释为苬；又仆累，原书释为麦冬，尚氏释为蜗牛。他还就此书与《本经》的关系、药物制剂、炮制等内容都做了说明，很有参考价值。对于从事药学研究的人员来说，此书是必备的一部参考书籍。

四、《本草经集注》

《本草经集注》为南北朝梁代陶弘景撰。全书 7 卷，载药 730 味。原书在宋时就亡佚，1955 年群联出版社根据敦煌石室所藏的《本草经集注·序录》六朝手抄本复印发行。尚氏于 1961 年辑成此书，并于 1962 年 12 月交由芜湖医学专科学校油印发行。后经修订，本书由皖南医学院于 1985 年 6 月以《本草经集注》之名付印，1994 年 2 月又由人民卫生出版社正式出版。全书 43 万字。

本书是梁代陶弘景在《本经》的基础上，增加魏、晋及其以前名医记录的资料注释而成。《本经》是我国最早的一部药学专著。全书分 3 卷，载药 365 味，以上、中、下三品分为三大类。此书是《本经》最早的注本，也是一部整理古代药物学的专著。其特点是改变了以前的三品分类法，采用了自然属性分类，总结了诸病通用药物；创制诸药采制、合药分剂料治法、解百药毒、服药食禁、七情畏恶等；对药物形态与鉴别有较详细的描述，如白术与赤（苍）术的形态鉴别；对炮制也很重视，如石韦去毛用，果实种子类药物捣碎用等，这些都在书中有提及。

此外，尚氏还研究了此书的著述年代、流传情况、主要成就、体例等。尚老认为，陶弘景编此书是以载药 369 味的《本经》为蓝本，因陶弘景为了应对一年 365 日之数字，而将海蛤、赤小豆、粉锡及葱 4 味药附并在其他药物内，使 369 味应对 365 日之数。他还指出，陶弘景编此书时删去了《本经》药物的形态内容，对有些药物的别名、性味也进行了删改。其论据充分，令人信服。

五、《证类本草》

《证类本草》为宋代唐慎微撰，全称《经史证类备急本草》。1108 年，艾晟将此书加入其他本草书，改名为《大观经史证类备急本草》。1116 年曹孝忠又对此书校定，改名为《政和新修经史证类备用本草》。1249 年张存惠又增入其他本草，改名为《重修政和经史证类备用本草》。全书 30 卷，载药 1746 味，其中新增药物 628 味。英国剑桥大学李约瑟博士在他的《中国科学技术史》中对此书给予高度评价："12～13 世纪的《大观经史证类备急本草》的某些版本，要比 15～16 世纪早期欧洲的植物学著作高明得多。"

《证类本草》由于流传版本较多，书中增减错漏、讹误很多。1958 年尚氏开始对此书进行校点，1982 年郑金生加入校点工作，1988 年、1991 年尚元藕、刘大培也都先后加入校点工作，至 1992 年底脱稿，历时 34 年。终于，1993 年 5 月校点本《证类本草》由华夏出版社出版。全书 180 万字，采用简化字横排印刷，为当今青年学者阅读这部古籍提供了很大方便。在 30 余年的校点工作中，尚氏还撰写了 56 篇研究《证类本草》的论文附于书后。这对读者深入了解本书及本草研究工作都有很大参考价值。

六、《大观本草》

《大观本草》由宋代艾晟编辑，由宋代唐慎微著的《证类本草》和陈承的《重广补注神农本草并图经》中的"别说"部分组合而成，全称《大观经史证类备急本草》，又称《经史证类大观本草》。全书分 31 卷，载药 1745 味，其中 628 味为本书新增的药物。全书附有方剂 3000 余个，参考古籍 500 余种。

此书极少刊印，更无校点者。尚氏在 20 世纪 60 年代末，耗时两年对此书进行了校点，因多种原因而未能整理出版。在全国古籍整理出版规划领导小组的资助下，他将 40 余年前的校点旧稿进行整理，于 2002 年 4 月交由安徽科学技术出版社出版。全书共 140 万字。次年 10 月，《大观本草》校点本获华东地区优秀科技图书二等奖。

七、《绍兴本草》

《绍兴本草》全称为《绍兴校定经史证类备急本草》，为南宋王继先等医官奉诏编撰的一部官修本草。全书是通过对《大观本草》进行校定、考订、评说和增加药物而成，约成书于南宋绍兴二十九年（1159）。全书32卷，国内早佚。在日本有多种残抄本传世，言22卷，实际最多的神谷克桢抄本（1836）也只有19卷，药图801幅，6万余字。因书中药序不同于《大观本草》，而与明代《本草纲目》相似，可知传抄者对原书的药序做了改动。

《绍兴本草》在日本不仅有多种残抄本，而且日本春阳堂于1933年影印了残抄本的5卷本（大森文库藏本），又于1977年影印了残抄本的19卷本（龙谷大学藏本）。

北京大学图书馆藏有神谷克桢抄本。中国中医研究院学者郑金生于1981年在《中医杂志》第2期中对神谷克桢本《绍兴本草》进行了介绍，尔后他又与夫人一同对《绍兴本草》进行了辑校。为了使蒙尘多年的资料尽快与我国医药界同仁见面，郑氏夫妇取书中"绍兴校定"资料油印成册，于1991年11月在内部交流。其辑本的全书于2007年3月由人民卫生出版社合刊出版。

中国文化研究会编纂的《中国本草全书》于1999年由华夏出版社出版，该书卷13、卷14、卷15影印了《绍兴本草》龙谷大学本、《绍兴本草》画卷和《绍兴本草》神谷克桢本。尚志钧教授据《中国本草全书》影印的《绍兴本草》进行校点。尚氏校注本在书后附有对《绍兴本草》的研究论文10篇，全书55万字，由中医古籍出版社于2007年1月出版。

《绍兴本草》的价值主要集中在"绍兴校定"这部分文字上，有介绍当时用药情况的，也有考订药性、评述药效及药用部位的。如虎杖，历代本草言其性微温，而该书却言其性微寒；钩藤，以往只言药用部位用钩，该书却言嫩茎、枝、叶同样入药。其药图也较《大观本草》精美。

比较郑氏与尚氏两个《绍兴本草》校本，郑本的药图印的相当清晰，尚本药图清晰度较次；尚本药图连同原图上的文字都一并印出，而郑本却取图弃文。两个校本在药文的取舍上也略有差异，如"冬葵子"条（郑本页218，尚本页198），尚本药文中有"产书：治倒生，手足冷、口噤。以葵子炒令黄，捣末，酒服二钱匕，则顺"。这段文字原是用小字旁注在药图上正文边的，尚本收录了这段文字，郑本却未录。另，郑本将"冬葵子"药文"叶为百菜主，其心伤人"之文，误断句成"叶为百菜，主其心伤人"，这是一个疏漏。

八、《本草纲目（金陵初刻本校注）》

《本草纲目》是明代李时珍的一部名著。全书52卷，将1892味药物从无机到有机，从低等到高等，列为 16 部以为纲，分 60 类以为目。本书附方 10000 余个，绘有药图 1109 幅，书中新增药 374 味。

《本草纲目》首次刊印是明万历二十四年（1596），在金陵（今南京市）面世。这个金陵本现存无几。为了抢救文献，上海科学技术出版社于 1993 年影印了金陵本，当时售价是 500 元一套，一般读者难以购买。尚志钧和任何两位学者为了让更多人能读到金陵本《本草纲目》，因此对此版本进行校点，采用简化字横排出版。

此前有刘衡如对《本草纲目》进行了校点，尔后又有陈贵廷等 120 多位学者集体对此书进行诠释，并且增加了现代药学内容。比较 3 种校释书：陈本及尚任本注释较强，陈本还有语释，但刘本是第一个校点本，其难度可知；刘本的蓝本是江西本，陈本的蓝本是刘本，只有尚任本是金陵本，刘本校点也参考了金陵本；陈本对药物标注的拉丁名有欠妥之处。

《本草纲目（金陵初刻本校注）》分上、下两册，全书 270 万字，于 2001 年 9 月由安徽科学技术出版社出版，次年 5 月获华东地区优秀图书一等奖。

九、《本草和名》

《本草和名》是现知日本最早的本草学著作，为日本人深江辅仁所编。其卷数、序次与《新修本草》相同，以收载《新修本草》《千金翼方》等古籍中药名而成，对考证本草药名源流有一定参考价值。

全书由尚志钧、夏铭霞和尚元藕 3 人合作校点，于 1991 年完稿。全书约 8 万字。清稿未刊。

第三节　集纂、编撰的医药专著

尚志钧教授著作的另一特色，就是集纂和编撰。以《药性歌赋集纂》为例，他选用上自元代李东垣《药性赋》，下至今人张仁安《本草诗解药性注》的共 10 种书进行集纂。为使读者阅读方便，他把 10 种药性歌括汇集在一起，按药物作用的趋向，分为"行"和"守"两大类。其中"行"又分为上行、下行、通行、化行；"守"又分为补虚和收敛。每味药列举各家的歌括，在每味药的末尾附该歌括的书名，以示资料的来源。

尚氏编撰的著作当以《药性趋向分类论》为代表。王德群教授评价该书时，曾说："这本书真正代表了尚老对中药药性论述的观点，具有很高的学术价值和临床价值。"此书为尚氏积研究本草 50 余年之经验,提出了一种新的药物分类方式,即根据药物作用趋势将药物分行、守两大类。行类含上行、下行、通行、化行。上行以升散为主,如升举下陷,发散外邪;下行以降下为主,如平降喘咳,泻下利水;通行以通畅为主,如气血不通作痛,用通行药使气血通即可止痛;化行以转化为主,如食积、痰饮,通过转化,成为无害物。守即固守,不固守即出现虚损。凡虚损宜补,守类含补益和收益两类。

一、编撰《〈新修本草〉论文集》

全书集尚氏有关《新修本草》研究论文 10 篇。内容涉及《新修本草》的概况、目录,药物的品数、分类,书的编纂情况及编写人员的介绍等。全书大部分内容陆续在国内有关杂志刊登。本书于 1980 年由皖南医学院油印发行,后全文附于《新修本草》中正式出版。

二、集纂《濒湖炮炙法》

全书通过汇集《本草纲目》药物"修治"项的内容而成。明代李时珍在《本草纲目》中收集了 50 余家的药物炮制资料,加上自己的制药经验,涉及多种炮制方法,是一份有参考价值和实用价值的资料。可惜这些资料散见在巨著厚卷中,查阅极不方便。尚氏将其汇集成册,并对资料来源一一核对。全书集药 330 味,分玉石、草、木、虫兽、果菜谷五类,于 1983 年集成,约 5 万字。本书于 1984 年 10 月由皖南医学院油印发行,于 1991 年 12 月与《雷公炮炙法》合刊,由安徽科学技术出版社出版。

三、编撰《脏腑病因条辨》

此书是尚氏多年的教学笔记,由尚志钧"西学中"教学的心得和体会整理而成。此书对脏腑和病因学做了系统的、概括性的介绍,对每项内容的介绍都是先理论后临床,先辨证后方药,在内容和形式上有一定的特点,便于学习和应用,是初学中医或"西学中"人员的一本简明参考书。

全书 12 万字,1977 年 12 月由安徽省卫生厅(现为安徽省卫生和计划生育委员会)中西医结合办公室铅印交流。由于此书简明易懂,且实用性强,后来各地学者纷纷写信求购。因此,安徽科学技术出版社于 1989 年 9 月公开出版发行。香港上海书局同时印行海外版。

四、编纂《本草文献概要》

全书共 10 章，前 3 章对从事本草文献工作需要了解哪些知识、做哪些工作进行了概述，后 7 章对古籍目录、版本、校勘、考据、辑佚、注释、语释、标点等知识做了概括性介绍。此著使初事本草文献的同仁读后可以获得一些本草文献学的基本知识，是一部非常好的入门书。全书 10 万字，1988 年定稿，清稿存于中国医药科技出版社。

五、编纂《中国本草要籍考》

此书主要介绍历代重要本草 96 种，以其著述年代先后顺序排列。其中也有些"连类并举"的，如清代黄钰的《别录》，附于梁代陶弘景的《别录》之后。对各种本草按作者、成书年代、分卷、载药数、药物分类、内容特点、评价、版本等几方面进行介绍。全书 50 万字，1991 年定稿，2008 年 10 月由安徽科学技术出版社正式出版。

书中将 96 种本草分为综合性本草和专门性本草两大类。综合性本草有：①大型综合性本草，如《新修本草》《证类本草》《本草纲目》等；②节略性综合本草，如《纂类本草》和《握灵本草》等；③精简性综合本草，如《本草蒙荃》和《本草备要》等。专门性本草有：①药性类本草，如《药性论》和《珍珠囊补遗药性赋》等；②食疗类本草，如《食物本草》和《饮膳正要》等；③炮炙类本草，如《雷公炮炙论》和《炮炙大法》等；④地区性本草，如《海药本草》和《滇南本草》等；⑤图谱类本草，如《本草图经》和《植物名实图考》等。

尚氏还对一些本草的作者、成书年代、载药数等方面有分歧意见的，进行了分析讨论。并将历代本草之间的前后递嬗关系及发展概况展现在读者眼前。

六、编撰《药性趋向分类论》

全书将药物性能分为行和守两大类。行类药又分上行、下行、通行及化行四类。守类药分固和敛两类。本书还对 474 味常用中药的性味、功能和配伍应用进行了详细介绍。尚氏于 1993 年 7 月撰成初稿，并于 2006 年 9 月交由安徽科学技术出版社合刊出版。

七、集纂《药性歌赋集纂》

此书将 556 味常用中药的 10 种歌赋《药性赋》《珍珠囊补遗药性赋》《本草蒙

筌》《寿世保元》《本草纪要》《医宗说约》《药性三字经》《医家四要》《医药便蒙新编》《药性诗》及《本草诗解药性注》集纂成书，利于记咏应用，对初学者来说是一本不可多得的学习资料。尚氏于1994年1月撰成初稿，并于2006年9月交由安徽科学技术出版社合刊出版。

八、编撰《历代中药文献精华》

此书由尚志钧、林乾良及郑金生三人合著，是一部著录与解说相结合的本草目录书。

全书分三篇，编者以上篇"本草概要"为线，中篇"本草要籍"为点，下篇"本草大系"为面，对历代本草文献进行全面、系统的介绍。上篇首次将本草文献发展的源流分为七个阶段，并探讨了不同时期本草发展的主流与旁支；中篇介绍了《本经》及《新修本草》等77部要籍及14部附录本草；下篇按朝代次序，罗列了1911年以前各种存、佚的本草文献资料。

本书是一部较好的工具书，书中很多新内容、新观点值得药学工作者研究。全书39万余字，于1989年5月由科学技术文献出版社出版。

九、集纂《中国矿物药集纂》

该书的资料收罗广泛，时间跨度超过了2000多年。所收资料不仅来自医药书籍，甚至有一些资料来源于文史书中。全书主要介绍矿物药理化性状、药效性质，以及相关的采收、加工炮制等。全书近70万字，于2010年1月由上海中医药大学出版社出版。

第三章 学术见解

尚志钧教授在本草文献整理研究中，细心考察，独立思考，发现了诸多讹误，也提出了许多见解。独到的学术见解，是尚氏学术历程中思想智慧的闪光点，也是他一生从事本草研究中最精华的部分，以下选出有代表性的学术见解方面的文章20篇进行简要介绍。

一、提出古本草存在的问题

中国古本草版本多、种类繁、文字古奥，若不加整理、校勘、标点、注释、今译，后人难以看懂，这必然会影响中医药的继承和发扬。

古本草有些原本不存，其传本言近而意远，文字简练而意义深奥，经过辗转传抄翻刻，所发生的讹误、脱漏、增衍、错简，比比皆是。

现存古本草，好的本子已经不多。多数古代著名的本草尚未进行校勘、标点、注释等整理。

还有些古本草根本就没有断句，没有分篇、立题，前后错乱，引文张冠李戴，文字脱漏或讹误，直接影响古本草的质量。这些问题都亟须解决。

我国古本草很多，《隋书·经籍志》著录本草书名有百余种，唐代著述的本草也不少。但是今见存者，寥若晨星，绝大部分都亡佚了。我们要研究唐以前本草发展的概况，要了解古代本草文献的来龙去脉，可以说目前没有一本较完整的古本草可供参考，只能先做好唐以前主要亡佚本草的辑复工作，以为后面的研究提供方便。从这种意义上来讲，将唐以前亡佚本草辑复起来就显得十分必要。因此，辑复古本草也是整理古本草工作中的一部分。

从书的版本质量来讲，古本草存在很多问题需要整理。关于书的版本质量，可从两方面来看：一是作者方面，二是抄者和刊者方面。在作者方面，所著的书是纂辑，还是创作？如是创作上，其学术价值、艺术价值如何？如是纂辑上，其材料真伪如何？内容繁简如何（文辞是简练，还是冗长）？书写字句有无讹错？在抄者方面，由于其校对不精，抄错又未改正，就会影响书的质量。唐代有抄书手，专门以抄书为职业。《新修本草》在唐代是靠抄写传布的。宋代《开宝本草》是以《新修本草》为蓝本编纂的。当时搜罗到《新修本草》抄本，几乎没有完全相同的。所以《开宝本草》云："朱字墨字，无本得同，旧注新注，其文相阙。"日本传抄卷子本《新修本草》卷5"戎盐"条下，陶弘景注文就脱去90多字。这说明抄的次数越多，校对不精，其错误就越多。在刊印方面，也是如此。有些古本草字句转失其真，降低了古本草的质量。清代卢文弨曾说："所见九经小学本，南宋本已不如北宋本，明代锡山秦氏本又不如南宋本。今日翻刻秦氏本者更不及也。"因此，翻刻时校对不精，或任意删改，就会使原本失真。

二、对《本草纲目》的研究

《本草纲目》中注文献出处时，出现许多张冠李戴现象，在引用方药资料中，也有不少讹误。尚氏认为《本草纲目》的这些失误有以下几个方面。

（一）辨《本草纲目》误《别录》文为其他文

尚氏在辑复《别录》时，发现每条药物下的畏恶资料被李时珍引录时，均注出典为徐之才文。如《别录》柴胡的畏恶文是："半夏为使，恶皂荚，畏女菀、藜芦"，这条资料在《本草纲目》卷7"柴胡"条的气味项下注为"之才曰"；在《本草纲目》"苍耳实"条又注《别录》文为《本草拾遗》文；同书"白及"条又注《别录》文为甄权文。此外，同书"续断"及"白茅"两条药文中应有《别录》文，又脱漏未注。类似现象很多。这些讹误从《本草纲目》刊行后传了4个多世纪后才得以披露。

（二）辨《本草纲目》误其他文为《别录》文

李时珍的《本草纲目》不仅将《别录》文误为其他文，也将其他文误为《别录》文。如下。

（1）注《本草拾遗》文为《别录》文，见"旋花""蜗螺"条。

（2）注《日华子本草》文为《别录》文，见"殷孽""豆蔻"条。

（3）注《药性论》文为《别录》文，见"葶苈"条。

（4）注《开宝本草》文为《别录》文，见"白芥子"条。

（5）注《食疗本草》文为《别录》文，见"蜀椒""虾"条。

（6）注《千金方·食治》文为《别录》文，见"燕"条。

（三）辨《本草纲目》引《日华子本草》文误注出处

（1）误《日华子本草》文为陶弘景文，如松节"治脚软骨节风"。

（2）误《日华子本草》文为徐之才文，如硝石"畏杏仁、竹叶"。

（3）误《日华子本草》文为《别录》文，如白马茎"水磨服"，海松子"逐风痹寒气"。

（4）误《日华子本草》文为《药性论》文，如松萝"令人得眠"，钩藤"治客忤胎风"。

（5）误《日华子本草》文为孙思邈文，如萝卜"平，不可与地黄同服"，黄牛肉"益腰脚"。

（6）误《日华子本草》文为孟诜文，如苋实"苋菜通九窍"，马芹"令人得睡"。

（7）误《日华子本草》文为陈藏器文，如合欢"叶可洗衣垢"，冬青皮"补益肌肤"。

（8）误《日华子本草》文为萧炳文，如稻麦"作饼食，不动气"。

（9）误《日华子本草》文为韩保昇文，如狸骨"治游风"。

（10）误《日华子本草》文为李时珍文，如原蚕蛾"壮阳事"，苦参"杀疳虫"。

（11）误《日华子本草》文为宁原文，如韭"壮阳、止泄精"。

（四）辨《本草纲目》误其他文为《日华子本草》文

（1）误《本经》文为《日华子本草》文，如鼠妇"气癃不得便，妇人目闭血瘕"。

（2）误《药性论》文为《日华子本草》文，如狼毒"苦辛有毒"，石龙芮"逐诸风，主除心热躁"。

（3）误孟诜文为《日华子本草》文，如虎睛"安神"，豹肉"耐寒暑"。

（4）误陈藏器文为《日华子本草》文，如淋石"治石淋"，兔肉"治热气湿痹"。

（5）误《蜀本草》文为《日华子本草》文，如酸模"莲叶俱细，节间生子若茺蔚子"，琥珀"治产后血枕病"。

（6）误《嘉祐本草》文为《日华子本草》文，如苦苣"叶敷蛇咬"。

（7）所引《日华子本草》文不见于《证类本草》，如甘蔗"花主心痹痛"，饧（糖）"主治恶毒风疮"。

（五）辨《本草纲目》误其他文为《本经》文

《本草纲目》中标注《本经》文的内容有49条是其他书的资料，其中有45条是《别录》文，3条是《本草经集注》文，1条是《蜀本草》文。1957年人民卫生出版社出版的《本草纲目》对这49条误注资料中的14条做了改正，对31条做了文字说明但未改正，还有4条既无文字说明，也未改正。

（六）辨《本草纲目》引《肘后方》的药物存在混乱

《本草纲目》在铅及丹砂两药的附方项下，都有《肘后方》的真丹方，那么真丹方是指铅丹还是丹砂？同书又在枣与桑两药的附方项下都引《肘后方》的枣木心；在萹蓄与扁豆两药的附方项都引《肘后方》的扁竹；在蛇莓及知母两药内都引《肘后方》的蛇莓草根，这些都使人无所适从。《本草纲目》中的这些混乱现象，尚氏在补辑《肘后方》时，都一一进行了匡正。

（七）辨《本草纲目》误"十剂"出典

李时珍云"十剂"出于北齐徐之才《药对》。从《嘉祐本草》序言中分析，参考《千金方》所引《药对》内容可以推断，十剂实出于《本草拾遗》，而不是出于《药对》。

（八）辨《本草纲目》误《海药本草》与《南海药谱》为一种书

李时珍将《海药本草》与《南海药谱》视为一种书，后人承袭李氏之误。通过考证可以得出，李时珍是受南宋郑樵《通志·艺文略》及周守忠《养生类纂》等书的影响，因这两部书均误将《海药本草》和《南海药谱》两个书名互用，从而引起误传。

（九）辨《本草纲目》误《新修本草》的修订及其分部数

李时珍在他书的序中说，《新修本草》经过两次修订，第一次修订为《英公唐本草》，第二次修订为《唐·新修本草》。尚氏指出上述两个书名，是李氏误认《嘉祐本草》补注所引书目的一段话而致。李氏书序例还说《新修本草》为 11 部。尚氏据《医心方》及《本草和名》所载发现，《新修本草》目录应为 9 部，并非 11 部。

（十）辨《本草纲目》误《药对》凡例为陈藏器文

《本草纲目》卷 2 序例下有"陈藏器诸虚用药凡例"文，所引"凡例"内容是李时珍从《证类本草》的序例中转引的。但《证类本草》中的这段文字，并无"陈藏器诸虚用药凡例"这个标题，此标题是李氏作书时加的。尚氏指出掌禹锡作《证类本草》所写的这段"凡例"的内容，是据徐之才《药对》、孙思邈《千金方》及陈藏器《本草拾遗》三个序例组合而成，可掌氏未注明三家序文的起止。查《千金方》卷 1 "序例"亦有此"凡例"内容，并在其文字开首冠有"药对曰"字文，说明《千金方》的凡例来源于徐之才的《药对》。可李时珍转引此"凡例"却冠之以陈藏器，显然是不妥的。

（十一）辨《本草纲目》药物条文错简

《本草纲目》的"蓳菜"与"甘家白药"两药的条文出现错简，"蓳菜"条文末的 5 个字错简在"甘家白药"文中。这是李时珍编书时参考的《证类本草》为成化本（错误较多的《证类本草》版本，为明代成化年间所刊，故称）所致。因此成化本在翻刻时，上述两药的条文正跨存在两版面上。所以李时珍以成化本或以此翻刻的《证类本草》为参考，就会发生这样的错误。

（十二）辨《本草纲目》引《肘后方》有年号问题

在《肘后方》卷 2 有"永徽四年，此疮从西向东流，遍于海中，煮葵以蒜齑啖之即止"之句。此文中有唐代年号"永徽四年"。按，晋代葛洪的《肘后方》虽经南梁陶弘景修订，亦不应有以后的唐代年号。由于引文中有时间问题，李氏分别在"葵菜""升麻""蜜三药"条文中同引此文，但所记时间各不相同：在"葵"条中记为唐高宗永徽四年，在"升麻"条中记为晋元帝时，在"蜜"条中记为建武中。究竟是什么时期，李氏未有结论。

（十三）辨《本草纲目》断句问题

1975 年人民卫生出版社出版的《本草纲目》，其页 52 引《本草经集注·名例》

陶弘景注的一段文字是"贵胜阮德如，张茂先辈，逸民皇甫士安"。这段文字是李时珍从《证类本草》中转引的，因《证类本草》行文中没有断句，李氏引用时进行断句。当时李氏不知其中的"辈"是"裴"字之讹。因辈非姓，所以造成李氏断句失误。自从敦煌出土《本草经集注》残卷后，才知辈系裴字之讹。因此，上述那段文字应断句为"其贵胜阮德如、张茂先、裴逸民、皇甫士安"。

张茂先是晋朝司空，即著《博物志》的张华，亦精于经方及本草。裴逸民也是晋朝司空，又名裴颜，亦善医经，明方药。可见《本草纲目》将4个人名误成3个，将裴逸民的名字分成了两部分。

（十四）辨《本草纲目》载《本经》药目之疑

《本草纲目》卷2所载《本经》药物目录，是后人从《证类本草》中白字《本经》药物次序改编而来。非古本《本经》药物目次。

从本草文献发展看，它们是各承前代本草而来，其药目也是如此。但《本经》药物目次不会原封不动而代代沿袭。把《本草经集注》中七情药物目次、《新修本草》药物目次和《证类本草》药物目次相互勘比，其间药物相邻排列关系和三品位置全不相同。这表明书籍编修次数愈多，其药序的变动性就越大。而《本草纲目》卷2的《本经》药物目次，其药物相邻排列关系及三品位置与《证类本草》相同极多，而与《新修本草》相同极少，与《本草经集注》七情畏恶药目次全不同。可见《本草纲目》所载的《本经》药物目次不是最古的，而是后人从《证类本草》白字《本经》药目改编的。

（十五）辨《本草纲目》药物草麻绳索之误

《本草纲目》卷38有"草麻绳索"一药。其用治"大腹水病，取三十枚，去皮研，水三合，旦服，日中当吐下水汁，结囊若不尽，三日后再作，未尽更作。瘥后禁水饮、咸物"。此药既是草麻绳索，怎能以枚计数？又何去皮？显然有误。尚氏查《肘后方》卷4中有此方，不同的是药名为"草麻绳熟"。《外台秘要》亦载此方，此处为"草麻成熟"，《医心方》第十卷也收此方，文为"萆麻熟成"。通过上书资料对照，可知"草麻绳索"是"萆麻纯熟"之误。因"草"与"萆"，"绳"与"纯"均属字形相近，古人传抄时易将二字写误。而李时珍是受《肘后方》之误以讹传讹。在《本草纲目》卷17的草部中已有萆麻一药，但未附此方，这是因李氏欠考证而另立条目，故出现此误。

三、对《五十二病方》的研究

《五十二病方》是长沙马王堆 3 号汉墓出土的医方，很多学者对此方进行了研究，尚志钧教授就是其中的一位。

（一）对《五十二病方》成书年代的研究

中国中医研究院马继兴等学者将《五十二病方》的字体与《汉金文录》的铜器铭文相比，又与《老子》甲本的字体比较，再将其与一些秦铭文《秦金文录》比较，最后认为此医方应为公元前 3 世纪末的写本。

将《五十二病方》与《山海经》两书所载的词汇，如动物名、植物名、矿物名及病名比较，认为两书是同时期的作品；又根据"桃枝辟鬼"这一神话传说，再对照《庄子》《战国策》等文献，认为此书的年代在公元前 4 世纪到公元前 3 世纪时期，这与马继兴等学者的结论基本相符。

（二）认为《五十二病方》是一部原始的地方性书

尚氏将《五十二病方》与《本经》中的药名、产区、性状以及两书对于脏腑经络的记述等方面进行比较，再对照《武威汉代医简》中使用的药物，认定此是荆楚一带的地方性医书。因《本经》和《武威汉代医简》中的药物涉及全国各地，而病方中使用的药物有一半不见于《本经》，一些北方产的药物如大黄、麻黄、苁蓉等均未见有，可《武威汉代医简》中已有了。这也说明《本经》是秦汉统一后的著作，而《五十二病方》成书时代却早于《本经》时代。

（三）关于《五十二病方》使用药物的研究

《五十二病方》页 196～207 列有一份药物对照表，与《本经》及《别录》两书所载的相同药物对照，其结果是《五十二病方》药物 247 味，与《本经》相同的药物有 91 味，与《别录》相同的药物有 34 味。根据古本草药物同类（种）归并计数的原则，三种书只有《五十二病方》不符合上述原则，故有必要将此方书中同类（种）的药物进行归并。归并后发现有 51 味药是重复的，所以能计药数为 196 味。表中的《本经》药漏列了蚯蚓、赤蝎和六畜毛蹄甲 3 味药，《别录》的药也有头垢、牡鼠屎和酱 3 味未列。因此，《五十二病方》的 196 味药中，与《本经》相同的是 94 味，与《别录》相同的是 37 味。

（四）对《五十二病方》残缺字的试补

因《五十二病方》在土中埋藏时期较长，出土后有许多残字、缺字，这对阅读句文带来很大不便，若能将残缺字补上，就不麻烦了。如书中 161 至 162 行有"以美醯三□煮"之句，此句中缺字应补为"仍"，使之为"以美醯三仍煮"文，170 行的"享（烹）葵，而饮其汁，冬□□本"，此句所缺两字应补为"烹其"使之成为"冬烹其本"。这就意义明了了，类似经尚氏试补的残缺字有 44 条。

四、对《神农本草经》的研究

《本经》有关的问题很多，如药物重复、载药数、辑佚等都是学术界有争议的。尚氏对这些问题提出了自己的见解。

（一）关于《本经》药物重复问题

20 世纪 50 年代中期，我国的一些学者受日本人久保田晴光《汉药研究纲要》的影响，误以为《本经》所载的 365 味药，有 18 味是重复的。当时出版的一些医药书也遵此说，影响较大，未对此进行考证的人都认为久保田晴光的研究是正确的。尚氏经研究后指出，久保田晴光之说是误解《本草纲目》的内容而引起的。因李时珍将《本经》中的 347 味药作为 1892 味内容之一，把《本经》的另 18 味药作附药归并在其他主药下。如"白胶"并在"鹿"条下，"天鼠矢"并在"伏翼"条下等。久保田晴光把李氏归并的 18 味药误解成《本经》的重复药是不妥当的。这一研究公布后，本草文献中这一以讹传讹得到终止。

（二）关于孙星衍《本经》辑本问题

清代孙星衍的《本经》辑本，是以《证类本草》中的白字《本经》文为主文，将《别录》文和《吴普本草》文作附文。这种辑文方式，尚氏认为是不妥当的。因为《证类本草》的白字《本经》文，向上推溯，归根结底是源于梁代陶弘景《本草经集注》中的朱字，而陶氏书是"苞综诸经"编成。所谓"诸经"是指当时流行的多种同名异书的《本经》，其中也包括《吴普本草》在内。孙氏既以《证类本草》白字为主文，又以《吴普本草》文为附文，书中标注"吴普述"是不妥当的。

（三）关于《本经》原文问题

尚氏指出，明清以来中日学者所辑的各种《本经》，其资料皆源于《证类本草》中的白字《本经》文。向上推溯，《证类本草》源于《嘉祐本草》，《嘉祐本草》源于《开宝本草》，《开宝本草》源于《新修本草》，《新修本草》源于《本草经集注》中朱字。陶氏书的朱字是"苞综诸经"而成，它不能代表最原始的《本经》。所以各种辑本的《本经》文，实乃陶弘景的手笔，非古本《本经》的原貌。

（四）关于《本经》所载药物数问题

尚氏认为，古代《本经》的药物数并无365味，正如陶弘景所见的"或五百九十五，或四百三十一，或三百一十九"。可见，当时陶氏至少见到多种载药数不同的药书。他编书时集了369味《本经》药。因陶氏是道家，为了迎合一年365天之数，把《本经》所载药物数也定为365。那么369味相对于此就多了4味药，他就将"赤小豆"附于"大豆"条下，将"锡铜镜鼻"附于"粉锡"条下，将"薤"及"文蛤"分别附于"葱实"及"海蛤"条下。陶氏在"海蛤"条下注云："此既异物而同条，若别之则数多，今以为附见，而在附品限也。凡有四物如此。"可见《本经》药365之数是陶氏迎合道家思想所为。

（五）关于《本经》药与《别录》药问题

在《本草经集注》之前，并无《本经》药和《别录》药之分，这只是陶弘景作书时才有的。陶氏收365味《本经》药和365味《别录》药，合为730味成书。此前还有许多未被陶书收录的药物，如《五十二病方》中的247味，与《本经》相同的有94味药，与《别录》药相同的有37味，余下的116味药陶书未录，那么这些药属《本经》药还是《别录》药？可见，《本经》药和《别录》药只是陶书的分属概念，而不能代表陶书未收录药物的情况。

（六）本草文献对《本经》药物的标注问题

历代本草文献中有很多不是《本经》药，但却标注为《本经》药。如《新修本草》中的土殷孽，《本草拾遗》中的食茱萸，《蜀本草》中的赭魁，《海药本草》中的秦龟，《开宝本草》中的鼹鼠、鹿茸，《嘉祐本草》中的马衔，《图经本草》中的鸬鹚屎，《本草衍义》中的石蜜、石决明、石膏等，这些药在各文献中都标注为

《本经》药。可见历代本草文献对《本经》的名称有泛称之嫌。

（七）关于《本经》的药物目次及三品分类问题

对诸家本草文献中《本经》药的目次及三品分类进行分析，尚氏认为有四类：一是《本草经集注》序中七情表类，包括《医心方》和《千金方》所载的七情表；二是《新修本草》类，包括森立之及狩谷望之的《本经》辑本；三是《证类本草》类，包括《本草品汇精要》，孙星衍、黄奭及王闿运的《本经》辑本；四是《本草纲目》类，包括卢复、顾观光及姜国伊的《本经》辑本。

四类中以第一类是较原始的分类，最接近《本经》原目。第二、第三类已有变动，第四类变动最大。也就是说，《本经》药目和三品分类，随着时代传抄次数的增多而越来越混乱。

（八）现行各种《本经》辑本问题

现行的《本经》辑本很多，但其资料多是以《证类本草》的白字《本经》文为依据，所以都很难反映陶弘景《本草经集注》中朱字原貌。因《证类本草》白字《本经》序文与各论药物白字之间不一致。如《证类本草》白字序文云："上药120种，中药120种，下药125种。"但统计此书中的药数是：上品141种，中品113种，下品105种。另有姑活、石下长卿等8种药未言明品级，把这些药数加上计367种，则各品药数与序所言又不一致。

（九）诸类书所引《本经》文与《证类本草》不同

诸类书所引《本经》药文的书写格式是：药名→一名→性味→生境→治用→产地。《证类本草》中《本经》文的体例是：药名→性味→治用→一名。日人森立之认为，后者体例不同于前者是因苏敬编《新修本草》时有改动。尚氏认为此话不妥，因为《证类本草》的《本经》药文体例不仅与《新修本草》中的《本经》文相同，而且与吐鲁番出土的《本草经集注》残卷上的朱字文体亦全相同。这就表明《证类本草》中的《本经》文体不是苏敬所改，而是源于陶弘景。森立之因未见到出土残卷，因而做出错误结论。

五、关于《名医别录》的研究

（一）认为《别录》药并不晚于《本经》药

《别录》中有些药物，产生的时代不晚于《本经》药。如将《五十二病方》的药物同《别录》与《本经》药的《别录》资料进行比较，会发现灶黄土、丹砂、雄黄、乌喙、续断、芍药、辛夷、葵种、石韦、半夏、漏芦、蜀椒、芫花、谷汁、槐枝、桃叶、头垢、犬胆、龟脑、蛇膏、长足、地胆、蜜、醋、酒、薤、葱等，这些药物的主治功用在各书的记载是相同的。《五十二病方》是早于《本经》年代的书，书中有《别录》相同的药，且作用功能雷同。这表明《别录》有些药物产生时代并不晚于《本经》药。

在《证类本草》卷9"王孙"条有"吴名百功草，楚名王孙，齐名长孙"之文，此为墨字《别录》文。文中有吴、楚、齐这些战国时的国名，表明此药在战国时已有了。又，《证类本草》卷6"麦门冬"条有"秦名羊韭、齐名爱韭、楚名马韭、越名羊蓍"等文，作墨字为《别录》文。文中有秦、齐、楚、越这些战国的名称，说明此药在战国时已在使用了。这也说明《别录》的某些药物及资料产生的年代不晚于《本经》药。

（二）认为《别录》资料是古代名医在多种《本经》中增附的内容

在陶弘景作书之前，当时一些名医在《本经》上增录的药物资料被称为"附经为说"或"名医副品"，陶氏将名医副品的药物资料整理与《本经》药合编成书，书中称这些资料为"名医别录"。当时各家名医在《本经》上增录的资料多少不一，因此形成了载药数不一的多种《本经》。

陶氏《本草经集注》虽佚，但其资料通过历代本草被保存在《证类本草》中。如该书中的升麻、忍冬、昆布、占斯、马勃、鹤骨、石脾、石肺、神护草等药物条文俱作墨字，即《别录》药。可这些药物在《太平御览》中均冠有"本经曰"，而不冠"别录曰"，说明此类书引用这些药物资料所据的本子是《本经》而不是《别录》。由此可知这些资料就是一些名医附经为说的内容。

（三）认为《别录》的作者是陶弘景

古代的《本经》有多种本子，一些名医在临床中发现的新药物、新用途等资料，都附记在当时流传的《本经》中。陶弘景作书时以《本经》为蓝本，将名医增附的资料称"名医别录"。由于迁就《本经》365 种这个数，将名医增附的药物也取 365 种，合成 730 种编为《本草经集注》。因名医增录的药物远不止 365 种，陶氏在完成上书后，又将多余的名义增附的药物汇集成书，称《别录》。

六、对《证类本草》的研究

（一）对《证类本草》所引陶弘景序的澄清

在《证类本草》中，将陶弘景《本草经集注》的序录分割成两部分，前半部分见于《证类本草》卷 1 中，后半部分见于《证类本草》卷 2 中。有学者将敦煌石室藏的唐代抄本陶氏序与《证类本草》序录加以比较后，认为唐慎微有将陶氏序据为己有或"编次荒谬"之说。尚氏通过考察发现，《证类本草》此误是沿袭《新修本草》所致，非唐慎微所为。

（二）对《证类本草》载药数的讨论

文献对《证类本草》载药数有四说。一说 1518 味，二说 1455 味，三说 1558 味，四说 1746 味。尚氏经过细心查对，发现人民卫生出版社的《证类本草》从目录统计是 1749 味，但从其正文统计只有 1746 味。其中《本经》药 367 味，《别录》药 369 味（目录作 372 味，因卷 22 多注了 2 味，卷 24 多注 1 味），《新修本草》先附 114 味，《开宝本草》今附 133 味（目录少注 1 味），《嘉祐本草》新订 17 味，《嘉祐本草》新分条 34 味，《新修本草》余 7 味，《海药本草》余 16 味，《食疗本草》余 8 味，陈藏器余 488 味，唐慎微续添 8 味，《本草图经》余 3 味，《本经》外类 100 味。

此外，因版本不同（有《政和本草》和《大观本草》之别）其药数亦异，如柯逢时《大观本草》载药 1744 味。

（三）认为《证类本草》有四种版本系统

《证类本草》的四个版本系统是《大观本草》《政和本草》《大全本草》及《绍兴本草》，而其中的《政和本草》又有两个版本系统。1921—1929 年商务印书馆影印的《政和本草》（以下简称"商务本《政和本草》"）在其缩影本的书首告白中号称"金刻善本"。尚氏通过对各种版本的研究，从每行字数、墨底白字标记、版模糊痕迹、误字、字体的简繁异、字句的颠倒等情况对比分析，指出商务本《政和本草》是沿明成化四年（1468）刊本的翻刻本（以下简称"成化本"），非金泰和刊本。又指出人民卫生出版社 1957 年影印的《政和本草》（以下简称"人卫本《政和本草》"）优于成化本，是与商务本不同的另一版本。四库全书收录的《证类本草》，也属于成化本系统。

（四）成化本《证类本草》存在的讹误

尚氏在研究《证类本草》并对其进行校点中，发现明成化四年翻刻的《证类本草》存在脱漏、错简等多种讹误，如下。

（1）脱漏文字，其书卷 6 "木香"条脱漏《外台秘要》方计 30 字。又卷 7 "决明子"条的《本草图经》文在"此绿"两字间脱漏 26 字等。

（2）脱漏标记，其书卷 2 序例下"诸病主治药"中的书名，《本经》药物等均脱漏白字标记。

（3）文字讹误，其书卷 3 的"砚石"条"恶牡蛎"的"牡"字误为"壮"字。又，"石胆"条"畏芫药"的"芫"字误为"芜"字。

（4）条文错简，其书卷 6 的"蓼芥、蕓菜、甘家白药"三条药文互相错简，将蓼芥的"亦捣傅蛇咬"等 20 字错简在蕓菜条文末；把"蕓菜"的"汁饮之如蜜" 5 字错简在"甘家白药"条下等。

（5）误将药文分条或并条，如将卷 3 的"流黄香"条的"南州异物志"等 24 字另立一条。将卷 30 的"龙石膏"并在"白肌石"条下，此应分两条。

明代李时珍编《本草纲目》参考的《证类本草》就是此种版本，所以书中的失误也与此有关。

（五）对两种《政和本草》的勘比

人民卫生出版社据扬州季范董氏藏金泰和张存惠晦明轩本《政和本草》影印了两种本子，一是线装本，一是四合一页的精装本。尚氏对其两种本子勘比，发现两者正误字有别。如精装本页 161 上栏 11 行《山海经》"云景山北"，其中"北"字在线装本卷 6 页 41 上栏末行作"其"字。又，精装本页 331 上栏 2 行"互有异"，其"互"字在线装本卷 13 页 35 上栏 2 行作"玄"字等。类似情况有 38 条。

（六）《政和本草》与《大观本草》的异同

1957 年人民卫生出版社出版的《政和本草》与清光绪三十年（1904）影宋

《大观本草》都是北宋时唐慎微编纂的《证类本草》，因经历代多次翻刻或增修，致使两书中存在较多的不同之处。如书名、序记、总药目、卷数、药数、药物分条及并条等都有些不同。此外还有脱漏、增附异文等也不同。如《大观本草》比《政和本草》少"石蛇、黑羊石和羊石"三条，而多"天仙藤"一条。又如《大观本草》卷31的"金灯"与"水麻"合为一条，而《政和本草》则分作两条。又，《大观本草》卷21"蛴螬"条脱漏"治口疮，截头箸翻过，试疮效"，而《政和本草》同条亦有此方。

（七）《政和本草》的脱漏及讹误

四合一页的精装本《政和本草》有许多失误。如页91"曾青"条的《本经》文应作白字，而印作墨字，这是标记的脱漏。页87"朴硝"条引"圣惠方"，其"圣"字上无墨盖子，这也是标记脱漏。页356"赤瓜木"条引陈藏器文有"球以小查而赤"。其中的"以"为"似"字之误等。

（八）《证类本草》所言唐本及唐本注的资料是《蜀本草》内容

一般人认为《证类本草》所引"唐本"及"唐本注"的资料是转引唐代《新修本草》而来。尚氏选有其标志的苦参、百部等20味药文与《新修本草》核对，发现其资料多不见于此书，而是与《蜀本草》的内容相同。韩保昇所编《蜀本草》是以《新修本草》为蓝本而修订的。尚氏还指出《证类本草》中的"唐本余"也是《蜀本草》的内容。

七、校注合一整理研究金陵版《本草纲目》

整理研究金陵版《本草纲目》主要原因有二：其一，《本草纲目》为现存本草名著中，最具应用价值、文献价值、学术价值和权威性的；其二，迄今为止，尚无校注合一的《本草纲目》专著。尚志钧和任何先生合作，历经数载，锲而不舍，使得《本草纲目（金陵初刻本校注）》终于由安徽科学技术出版社于2001年9月正式出版。

（一）关于《本草纲目》校勘研究

《本草纲目》一书虽数次校勘出版，书中的文字错落现象仍存在，故需要校正。"书不校勘，不如不读"（叶德辉《藏书十约·校勘》），强调了古书校勘的重要性，也说明了古籍中文字衍、脱、倒、讹、错简的普遍性。

1. 校正衍脱字

卷33"附录诸果"下注云："《拾遗》一种"。按："一种"当作"二种"。其中"附录诸果"从《本草拾遗》中收录两类药。一类为"灵床上果子，《拾遗》中藏器云：入夜谵语，食之即止"。另一类是"诸果有毒"，如"凡果双仁者，有毒杀人""凡果忽有异常者，根下必有毒蛇，食之杀人"等。李时珍从《本草拾遗》中收录两类药，而非一种。又考卷33首子目"附录诸果"下有"《拾遗》二种"四字。刘衡如在"二"字下注云："二，原作一。今将诸果有毒条计入，始与前附录二十三种数合。"按，刘衡如将卷首子目之"一"改为"二"甚是，然亦宜将卷末"附录诸果"四字下的"《拾遗》一种"之"一"字改为"二"字。

卷36"枸橘"条"附方"，按《本草纲目》卷1页19"引据古今医家书目"所载引自夏子益《奇疾方》，实为《奇病方》。夏子益，宋代医家，名德懋，字子益。取师传方药及家藏方编为《卫生十全方》12卷，附自著论述治疗疾方1卷，共13卷，已佚，今从《永乐大典》中辑出《卫生十全方》3卷，《奇疾方》1卷。辑方主要依据者为《永乐大典》，而《永乐大典》今已残缺殆尽，若从《本草纲目》中仔细搜寻，或可补其罅漏。李时珍当时所见者尚为全帙。《奇疾方》所载医方每有逾出常规者。如"枸橘"条"附方"载治咽喉怪证方云："咽喉生疮，层层如叠，不痛，日久有窍出臭气，废饮食，用臭橘叶煎汤连服，必愈。夏子益《奇病方》。"刘衡如在"臭"字下注云："《传信适用方》卷四附夏方第九无此字。"

卷41"行夜"释名："张杲《医说》载：鲜于叔明好食负盘臭虫，每散，令使人采取三五升，浮温水上，泄尽臭气，用酥及五味熬作饼食，云味甚佳。即此物也。"（页2326）刘衡如在"令"字下注云："原脱。今据《干馔子》鲜于叔明条补"。按，《干馔子》，唐代温庭筠撰，载《说郛》卷23。但张朝璘本无"令""散"二字，即"每散，令使人采取三五升"之句应作"每使人采取三五升"，意尤明晰。

2. 校正讹字

卷24"大豆"附治热毒攻眼方："热毒攻眼，赤痛脸浮，用黑豆一升，分作十袋，沸汤中蒸过，更互熨之，三遍则愈。"其中"脸"字当作"睑"。从张朝璘本作"睑"，是也。卷25中"糟，热布裹慰之"中"慰"字误，从张朝璘本作"熨"。卷35"芜荑"集解："气臭如犰。"按，字书无从犬凡声之"犰"字，当为

"犰"。《广韵·去震》："犰，小兽，有臭，居泽，色黄，食鼠。"又考《本草纲目·兽二·狸》集解云："一种似猫狸而绝小，黄斑色，居泽中，食虫鼠及草根者名犰。"可知"犰"字乃误字无疑也。卷42"蛞蝓"释名：蜒蚰螺。按，"蜒"字误，当为"蜒"。李时珍在"集解"中说："名谓称呼相通，而俱曰蜗与蜒蚰螺。"又附方治"脚胫烂疮"："臭秽不可近，用蜒蚰十条，瓦焙研末，油调傅之，立效。《救急方》。"卷51"羚羊"条中羚羊角"修治"："凡使不可单用，须要不拆元对，蝇缚，铁锉锉细……"改"蝇"作"绳"，纠正了底本之误刻。

3. 校正错简

金陵版《本草纲目》有错简错落之处，均按不同情况，或出注说明，或按《本草纲目》体例移文中注。如卷51"果然"附录全文在该条集解项后，而《本草纲目（金陵初刻本校注）》将附录文移至"果然"条文末。

（二）关于《本草纲目》句读研究

《本草纲目》为中医名著，句读如有失误，也会直接影响到对医学经典的理解。这些年来，《本草纲目》虽有数种版本，经过专家的校点，但仍难免存在一些缺憾。"学问如何看点书"（《盗暇集》卷上引稷下谚），说明句读的重要性。

1. 纠正缺乏专业知识之错句读

卷26"菘"集解中："扬州一种菘叶，圆而大。"在《本草纲目（金陵初刻本校注）》中改作："扬州一种菘，叶圆而大。"卷26"马薪"条，孙炎释云："似芹而叶细锐，可食菜也。一名荭，一名马薪子。入用药。"按，这里说的是马薪一药，《本草纲目》拿它作为正名。此药与芹同类而异种。它有"荭""牛薪""胡芹"和"野茴香"等异名，而未见有名"马薪子"者。"子"字属下而误上。《本草纲目（金陵初刻本校注）》中改正于下，即孙炎释云："似芹而叶细锐，可食菜也。一名荭，一名马薪。子入药用"。孙氏的解释有三层意思：一为描绘马薪的形态，二为列举马薪的异名，三为说明其种子可入药。句读者疏于一点之差，点出了新的异名"马薪子"，更严重的是把入药的种子误成马薪的全草了。

卷52"发"条附方："小儿客忤，发十茎、断儿衣带少许，合烧研末，和乳饮儿，即愈。"断名有误。在《本草纲目（金陵初刻本校注）》中改作："……合烧研末，和乳饮，儿即愈。"

2. 纠正当断而不断之错句读

卷48"鸡"条："一用白乌骨鸡一只。杀血入瓶中。纳活水蛭数十于内。待化成水。以猪胆皮包。指蘸捻须梢。自黑人根也"。按，"以猪胆皮包"，欲包者何物？包"待化成"之"水"吗？何以蘸之？乃包"指"也，以防手指被染黑，犹今之用指套也。句读者不明于此，误将"指"字下连。改正为："一用白乌骨鸡一只，杀血入瓶中，纳活水蛭数十于内。待化成水，以猪胆皮包指，蘸捻须梢，自黑人根也。"

3. 纠正广义不明之错句读

卷43"龙"条集解："龙者鳞虫之长。王符言其形有九。似头。似驼角。似鹿眼。似兔耳。似中项。似蛇腹。似蜃鳞。似鲤爪。似鹰掌。似虎是也。"句读有错。在《本草纲目（金陵初刻本校注）》中改作："龙者，鳞虫之长。王符言其形有九似：头似驼，角似鹿，眼似兔，耳似牛，项似蛇，腹似蜃，鳞似鲤，爪似鹰，掌似虎是也。"

（三）关于《本草纲目》注释研究

《本草纲目》许多难字、生僻字，是不少读者的语言文字障碍，使读者往往不能通其义、明其理，甚至产生错误的理解。在校勘句读的同时，对《本草纲目》全书中难字、生僻的字词进行注释，不仅节省了读者在阅读时的翻检之劳，而且有许多启迪借鉴作用。

1. 为文化典籍、历史人物注释

对《本草纲目》中涉及的历史人物、文化典籍，根据一般读者的了解程序，酌情或详或略作注。

卷23"稷"条正误中"孙炎正义云：稷即粟也。"《本草纲目（金陵初刻本校注）》为："孙炎，三国魏经学者……撰《周易春秋例》《尔雅音义》。'正义'当为'音义'，即《尔雅音义》。"

卷23"罂子粟"条集解："嵩阳子云：罂粟花有四时……"《本草纲目（金陵初刻本校注）》简注为"嵩阳子，明代本草学家，著《威灵仙传》"。

卷25"大豆豉"条发明讲到豆豉制作、提取"依康伯法"。《本草纲目（金陵初刻本校注）》为："康伯：豆豉的一种。《北堂书钞·博物志》：外国有豉法，以苦酒溲豆，暴令极燥，以麻油蒸讫，复暴三过，捣椒屑令合，中国谓之康伯。"

2. 为难字、生僻字注释

卷42"马陆"条集解："百节，身如搓，节节有细蹙文起。"《本草纲目（金陵初刻本校注）》注："蹙（cù）：皱。《洪武正韵·屋韵》：'蹙，皱也。'"

卷48中"鸡·丹雄鸡肉"发明了"犏"字："三年犏鸡，常食治虚损，养血补气"，《本草纲目（金陵初刻本校注）》注为："犏（shān）：去势的公羊，此指被阉割的公鸡。"

3. 为历史地名、典故作注释

由于历史变迁，古今地名变化较多。对此较生僻的地名均作注，如沙州（今甘肃敦煌）、廓州（今青海尖扎）、福禄（今甘肃酒泉）、中水（今河北献县）、同州（今陕西大荔）、北庭（今新疆奇台）。又如卷11"硫黄"条集解云："今第一山湖南林邑……"其中"湖南"据《本草经集注》解为"扶南"之误，即今之柬埔寨；而"林邑"则为今之越南南部。如不注，可能造成读者误解。

4. 为不常见的古今、通假、异体字作注释

《本草纲目》中古字"齐、文、内、邪、采"等，《本草纲目（金陵初刻本校注）》分别注"剂、纹、纳、斜、彩"等。

《本草纲目》中异体字"酢、筭、箇、虵、柂、翦"等，《本草纲目（金陵初刻本校注）》分别注作"醋、算、个、蛇、舵、剪"等。

《本草纲目》中假借字"闷、雕、禁、常、颠、厉"等，《本草纲目（金陵初刻本校注）》分别注作"秘、凋、噤、尝、癫、癞"等。

整理研究《本草纲目》的历程虽然极其艰辛，但能目睹《本草纲目（金陵初刻本校注）》在前人研究的基础上，开启、扫除与《本草纲目》相关的诸多字、词、句障碍，尚氏又甚感欣慰。

八、历代本草概论

自汉代到清末，本草著作数以万计，尚氏针对主要本草文献进行了梳理。

（一）两汉时期

中国的本草学是在《本经》的基础上发展起来的。现在大家公认的《本经》是公元2世纪前后定型的本草书。其实此书最早成书于西汉，是我国第一部药学专著。

《本经》载药365种，包括动物药67种，植物药252种，矿物药46种。按药物功效和应用目的的不同，分为上、中、下三品。上品120种，一般是无毒或毒性

较小的补养类药物；中品有 120 种，有的无毒，有的有毒，多属治病并兼有补养的药物；下品 125 种，一般多有毒，而属用于攻治疾病的药物。这种三品分类，是中国药物学最早的分类法。

《本经》对于药学的基本理论，也有记载。如四气、五味、七情、畏恶，君、臣、佐、使及相关配伍法则，服药方法，丸、散、膏、酒等多种剂型，都有概括性的叙述。并对药物产地、采收季节、加工炮制、贮藏方法等，也有记载。

书中所提到的病名，有 170 余种，其中包括内、外、妇、儿及眼、耳、咽喉等方面的疾病。该书是我国古代劳动人民智慧的结晶。它的内容丰富广泛，所载药物疗效大都是确实可靠的。如水银治疥，麻黄止喘，海藻疗瘿等，都是确实有效的。但由于历史条件的限制，其在内容上也掺杂了一些唯心主义的东西，但它毕竟是我国药学史上伟大的贡献。

《本经》原书已失传，但它的内容还保存在《证类本草》中。今日所见《本经》单行本，都是明、清时代学者辑复的。

（二）魏晋隋唐时期

汉代以后，新药不断增多，老药的功效亦有新的发现，这就需要及时地加以总结和提高。因此，汉代以后，曾经陆续出现一些新的本草著作，如《吴普本草》《李当之本草》等。

公元 6 世纪初，陶弘景以《本经》为基础，增加汉魏以来名医所用的药（即《别录》）365 种，编成了《本草经集注》。陶氏创用了按自然属性分类的方法，从三品分类，发展至玉石、草木、虫兽、果、菜、米食、有名无用等七类。又总结了诸病通用的药物，如治大腹水肿通用药，有大戟、芫花、甘遂、商陆、猪苓、防己、赤小豆等。并对药物的性味、主治功用、采制、产地、形态、鉴别等方面的论述，都有一定的提高。陶氏在编写时，除援引前人著述外，亦采集了劳动人民的经验，他在序中写道："藕皮散血，起自疱人，牵牛逐水，近出野老。"由于历史条件的限制，陶氏本人又是道家，所以书中也夹杂着道家的唯心主义观点；又因陶氏偏居南方，对北方药物了解得也不够。

《本草经集注》原书已佚，但它的内容散存在《证类本草》中，1900 年敦煌石窟出土了该书卷 1 "序录"。

公元 6 世纪前，另一部有名的药书，是《雷公炮炙论》，原书已失传，其内容散存于《证类本草》中，并为后世本草及有关著作所引述。从《证类本草》中所引"雷公云",可以见到当时炮制技术之一斑。其技术归纳起来,已有蒸、炒、炙、煅、酒浸、醋煮等多种。此书对后世炮制技术影响很大,使中药炮制发展成为一种专门学问。书中有些技术和方法,至今仍为中药炮制所沿用。

到了公元 7 世纪的唐代,政治统一,经济文化也有所发展,用药经验不断积累,新药不断出现,加以中外文化交流的频繁,外来药物日益增多,客观上须对药物进行进一步总结。公元 657 年,唐朝政府组织苏敬等 22 人编修本草,2 年后即 659 年成书,名为《新修本草》。这是我国政府颁行的第一部药典,也是目前世界上最早的国家药典,它比世界医学史上有名的《纽伦堡药典》早 800 多年。

《新修本草》载药 850 种。分药图、图经、本草三个部分,连目录共有 54 卷。在编写时,政府曾下令全国各地选送道地药材,作为"药图"绘制的依据,并附以文字说明。这种药图和图经对照的编法,也是我国药学著作的首创。《新修本草》除药图、图经外,还有药物的本草部分。在本草部分,除增加的新药外,又收录不少外来药,如诃子、郁金、龙脑等。在内容方面,详述了药物采制、产地、性味、主治等,并纠正了陶氏书中的错误。由于该书总结了隋、唐以前的药物知识,又是集体创作,内容十分丰富,故具有较高的学术水平和科学价值。

《新修本草》颁布后,很快流传全国及日本。731 年,日本已有抄本,并把它当作必读医学的课本。日本古代史《延喜式》中有"凡医生皆读苏敬《新修本草》"的记载。该书原著内容已不全。1889 年傅云龙从日本重刻日本流传残存半数而归。1900 年敦煌出土《新修本草》部分残卷。1962 年安徽芜湖医学专科学校油印补辑《新修本草》20 卷,使该书本草部分得以恢复原貌。

唐代除官修本草外,还有陈藏器《本草拾遗》10 卷。《本草拾遗》成书于 739 年。该书收罗广博,例如将人的胎盘作药用,即始于本书记载。李时珍赞陈藏器博及群书,认为"自本草以来,一人而已"。其书的缺点是:书中含有一些封建迷信的糟粕,且有的药物也缺乏实践基础。

此外还有甄权《药性论》。该书论述药品之性味、君臣佐使、主病功效等内容。关于饮食疗法,有孟诜著《食疗本草》、昝殷《食医心鉴》、陈士良《食性本草》。此等书专载食物中可供药用者。其中《食疗本草》原名《补养方》,后经张鼎重订,始更此名,原书久佚。1900 年敦煌石窟出土写本残卷,后为英人斯坦因窃去。

关于地区性本草,如郑虔《胡本草》和李珣《海药本草》。此等本草主要收集外来药和少数民族地区药物。

关于训诂性本草，有李含光《本草音义》、萧炳《四声本草》、梅彪《石药尔雅》，以及侯宁极《药谱》等。

此后孟蜀时，孟昶（919—965）使翰林学士韩保昇与诸医士修订《新修本草》及《本草图经》，并加图绘和注释，名为《蜀本草》，共 20 卷。李时珍评价说："其图、说药物开关，颇详于陶、苏也。"

（三）宋 元 时 期

到 10 世纪的北宋，药物不断地增加，对原有药物效用也有进一步的认识。因此，唐代的《新修本草》已不能适应当时需要。在宋代开宝六年（973），马志、刘翰等 9 人，奉命修订本草。他们在《新修本草》的基础上，编成《开宝本草》。本书前后修订 2 次，于 973 年修订名为《开宝新详定本草》。次年经李昉等校阅，发现"所释药类，或有未允"，于是重加修订，重新刊行，称为《开宝重定本草》（简称《开宝本草》）。《开宝本草》是继承《新修本草》并发展而成的，因此，在编写体例、分类、分卷上均和《新修本草》相同，但药物数量比《新修本草》多了 133 种。

《开宝本草》问世 80 年后，在宋仁宗嘉祐二年（1057），掌禹锡、苏颂、林亿等，又奉命补注，故书成后称为《嘉祐补注神农本草》（简称《嘉祐本草》）。本书于 1061 年出版，全书 21 卷，载药 1082 种。

由于药物品种增多，对药物真伪鉴别也更加重要。在嘉祐三年（1058），宋政府又向全国征集各地所产药材的实物图，并令注明开花、结果和采收季节以及功用等；凡进口药物，则询问收税机构和商人，辨清来源，选出样品，送往京都，由苏颂等编纂。嘉祐六年（1061）编成《图经本草》21 卷，使后人用药，有所依据。

《嘉祐本草》与《图经本草》问世后，由于药图和本草两部分是分别刊行的，阅读很不方便，于是有人将两书合刊为一书。1092 年陈承即做此工作，其书称《重广补注神农本草并图经》。有些条文后，还增附陈承个人见解，称"别说"。全书 23 卷。后来唐慎微也做此类似工作，将《嘉祐本草》与《图经本草》合二为一，并加经、史、子、集中资料，称为《经史证类备急本草》（简称《证类本草》）。唐氏为四川民间名医，他为收集有效验方，坚持凡请他看病者不取报酬，但以名方秘录为请。因此，唐氏积累了大量民间和历代本草文献上的资料，著成《证类本草》32 卷。此书约于 11 世纪末完成。全书载药 1746 种，收方 3000 余个。引述有论有图，有药物主治和炮制方法等。对于唐宋以前的古本草和古方，有些原书已散佚，全赖本书中记载以存其大概，所以本书学术价值极大。

《证类本草》后经艾晟稍加修订，增添四川陈承"别说"和林希序，进献政府，于大观二年（1108）由政府出版，并加上大观年号，改名《大观经史证类备急本草》（简称《大观本草》）。政和六年，由曹孝忠校刊，更名《政和新修经史证类备用本草》，但此书原版在北宋末为金人所掳，仅流行北方。南宋绍兴二十七年（1157），王继先校刊《大观本草》，又将之改名为《绍兴校定经史证类备急本草》。

宋代另一本私人名著，是寇宗奭《本草衍义》。此书成于政和六年（1116），载常用药460种，对药物性状、功用论述颇详。如常山，指出以"鸡骨者佳"。该书开头有序论较详，指出按年龄大小、体质强弱、疾病新久等决定药物用量。这在辨证论治上，有很大的意义。

此外还有陈衍《宝庆本草折衷》20卷，收载南宋药物资料很多。王介《履岩岩本草》，系取临安慈云岭附近206种草药彩绘成书，是一部小区域性地方本草。单味药著述还有杨天惠整理的《彰明附子记》。救荒性本草有王鸿渐《野菜谱》。有关食制性本草，如林洪《山家清供》。

12世纪金元时期，中国长期战乱，本草之学发展并不快，但此时在中医药理方面却有所发展，并出现一些符合临床应用的本草。如金·张元素《珍珠囊》，能辨明药性之气味、阴阳厚薄（区分药物气味功能的强度）、升降沉浮（药物作用趋势）、六气主经，以及随经（指归经的经）用药法则。此书在临床应用上，起到执简驭繁的作用。所以李时珍称赞说："深阐轩岐秘奥，参悟天人幽微……大扬医理，灵素以下，一人而已。"

又如王好古著有《汤液本草》3卷，载药242种。卷上为药性总论部分，选辑李东垣"用药心法""药类法象"的部分内容，并做了若干补充；卷中、卷下分论各个药物内容。所论药性，均根据药物归经的特点，结合药物的气味阴阳、升降沉浮等性能，加以发挥，并引张仲景、成无己、张洁古、李杲等各家之说，附以己见论述之。此外，王好古还著有《本草实录》，尚存在明代梅南书屋刊本残卷中。

金代关于药理著述，还有刘完素《素问药注》，论述药物气味、归经等理论。又有李东垣《用药法象》，此书曾为王好古《汤液本草》所摘录。李时珍《本草纲目》亦列此书，并加说明。谓"书凡一卷，元真定明医李杲所著"。

元天历三年（1330）有皇家厨师忽思慧（一作和思辉）著《饮膳正要》3卷，书中对养生避忌、妊娠食忌、营养物烹调法、营养疗法、食物卫生、乳母食忌、食物中毒等，都有论述。其中第3卷有食物本草内容，介绍200种食物的性味、主治功用。

1329 年，元代吴瑞《日用本草》问世。《本草纲目》云："元海宁医士吴瑞，取本草切于饮食者，分为八门。"该书载品物 500 余味。此外还有贾铭《饮食须知》、李东垣《食物本草》等。

（四）明清时期

到 16 世纪，明孝宗弘治十六年（1503），曾重修本草 1 次，名为《本草品汇精要》。它是由明太医院刘文泰、王槃等 41 人，从《证类本草》中摘要，并增加一些新药编纂而成。全书 42 卷，载药 1811 种。书成，稿藏内府，没有刊行。到清康熙三十九年（1700）由王纯道重修，增 12 卷名续集。

《本草品汇精要》仅在旧有文献基础上加以整理而成，对实践重视不够，而且书成又未刊行，虽然是官修，但影响不大。

明代最有影响的本草巨著，是李时珍的《本草纲目》。李氏重视实践，所著《本草纲目》，具有丰富的科学内容。

李氏号濒湖，1518 年生于湖北蕲州的世医之家，自 1552 年起开始收集资料，费时 27 年，参考 800 多种书，写成《本草纲目》初稿，后三易其稿，于明万历十八年（1590）写成《本草纲目》。书成共 52 卷，载药 1892 种，其中新增 30 种，附方 11000 多首，分列在有关药物之后，以说明该药在临证上实际之功效。并绘图 1160 幅，按药物自然本质形态分类。全书分 16 部 62 类，每个药标正名为纲，再分目列于纲下。例如标"桃"为纲，而列"桃仁、桃毛、桃枭、桃花、桃叶、桃茎及白皮、桃胶、桃符、桃橛"为目。提纲挈领，极为清晰。

每个药物的叙述，系将前代本草原文脔割，分置于释名、集解、修治、气味、主治、发明、附方、校正等 8 项之下。尤以发明项下，是李氏研究的心得，立论创见颇多。

在药物分类上，《本草纲目》比前代本草更细致。采取"析族区类"方法，先把所有药物区分为动、植、矿三大部分，然后又细分若干部，例如草部又分山草、芳草、隰草、毒草、水草、蔓草、石草、苔草、杂草等各类。全书共分 16 部 62 类。其中有很多分类都符合自然演化与分类区系。所以《本草纲目》不仅是一部药物学巨著，同时也是一部博物学的巨著，举凡生物学、化学、地质学、天文学等各个方面都有论述。

《本草纲目》出版后，传到国外，以后陆续被全部或部分译成德文、日文、英文、法文、朝鲜文、拉丁文等多种文字，在世界科学史上有很高的地位。

明代除类书《本草纲目》外，还有各种精简的本草。如徐彦纯《本草发挥》，综合张洁古、李东垣、朱丹溪各家学说编纂而成。王纶《本草集要》，收集545种药物，文字简明扼要，又切于实用。陈嘉谟《本草蒙筌》，收集一些常用药，对药物产地、采制、炮制、用法等都做了切合实用的介绍，很适合初学者应用。李中立《本草原始》，图文并茂，颇为适用。倪朱谟《本草汇言》，载药609种，并附有图。其他如汪机《本草会编》、薛己《本草约言》、张三锡《本草选》（一作《本草发明切要》）、李中梓《本草通元》、卢之颐《本草乘雅半偈》等，都是一些精炼的本草，其内容也都是切合临床实用的。

在炮炙方面，有张浩《仁术便览·炮制药法》，缪希雍《炮炙大法》，俞汝溪《新刊雷公炮炙便览》。《炮炙大法》系摘录《证类本草》中雷公炮炙资料和《本草纲目》中修治资料而成。

在食疗方面，有卢和《食物本草》4卷，宁源《食鉴本草》、周履靖《茹草编》、朱橚《救荒本草》、鲍山《野菜博录》、王磐《野菜谱》。

关于地方本草，有兰茂《滇南本草》，载药459种，其中附有一些少数民族药物。

对《本经》辑佚和注释的，有卢复辑本《本经》和缪希雍著的《本草经疏》。

关于启蒙读物的本草有龚廷贤《寿世保元·药性歌括》《本草炮制药性赋定衡》，刘全备《新编注释药性赋》，许希周《药性粗评》，李士材《本草征要》，蒋仪《药镜》。这些本草多简明扼要，文句多数编成韵语便读，适合初学者背诵。

到17世纪清代以来，研究本草的人日益增多，其中最能反映时代新进展的著作，有赵学敏《本草纲目拾遗》和吴其濬《植物名实图考》。

赵学敏《本草纲目拾遗》，作于1765年，全书10卷，载药921种，分为28部，其中《本草纲目》未收载的药物有716种，绝大部分都是民间习用的药，如太子参、鸦胆子等。其中有些药虽已见录于《本草纲目》，但治法形状或有不详者，本书则为之补充，使之更为完备。对《本草纲目》中部分药物有误分、重合之处，则引经据典，加以更正。所以本书在效用上，相当于《本草纲目》的续编。这对于学习《本草纲目》或研究明以后我国本草学的新成就，都有着极为重要的参考价值。

继《本草纲目拾遗》后，吴其濬《植物名实图考》也是一部具有相当科学水平的著作。全书38卷，收载植物1714种，分为12类，每种植物的形色、产地、用途叙述及所引文献均注明出处。吴氏对同名异物或同物异名均予以考订，并对前人错误加以匡谬。其论述多有个人创见。由于该书论述以植物药为主，所以本书又有药用植物学的意义，它反映了我国药用植物的新起点。

清代本草另一特点是偏重于实用。从《本草纲目》中选择常用的药物，进行综述。如张隐庵、高士宗合著《本草崇原》。刘若金《本草述》即从《本草纲目》中选择常用药物进行综述，并以《灵枢》《素问》五行学说立论，对药物作用进行解释。汪昂《本草备要》，不仅收罗药物实用，而且对每个药物的性味、主治、功用描述极为精炼。此书问世后有 30 多种刊本。其后吴仪洛在《本草备要》基础上进行增补，写成《本草从新》，收药 720 种，文字亦很精炼，成为当时很流行的医学读物。与此同时，王子接《得宜本草》和严西亭等的《得配本草》对于药物配伍论述较详，很适合临床应用。

在本草注释方面，有张璐《本经逢原》，对本草中常用药物进行注释。此书虽冠有"本经"二字，但收录药物，并不局限于《本经》。徐灵胎《神农本草经百种录》，陈修园《神农本草经读》，这两本书均对《本经》中切合适用的药物进行了注释。

在药物分类方面，一般都按药物自然来源分类，但也有按药物功用来分类的。如黄宫绣《本草求真》即按作用将药物分为补剂、收涩剂、散剂、泻剂、血剂、杂剂六大类，每一类中又分若干子目。如补剂分为温中、平补、补火、滋水、温肾 5 个子目。沈金鳌《要药分剂》按宣、通、补、泻、轻、重、滑、淫、燥、湿等功用对药物进行分类。姚澜《本草分经》，按经叙述，每经之下再分补、和、攻、散、寒、热等项分类。

清代整复《本经》工作的人很多，故此时出现了多种《本经》辑本，如孙星衍、孙冯翼合辑本，顾观光辑本，黄奭辑本，王闿运辑本，姜国伊辑本等。

关于炮制方面著作，有蒋示吉《医宗说约·药性炮制歌》，张睿《修事指南》。《修事指南》又名《制药指南》，该书是从《本草纲目》"修治"专目中选择常用药 124 种汇编而成（1931 年上海万有书局铅印时改名为《国医制药学》）。其他还有张光斗《增补药性雷公炮制》，王文选《药性炮制歌》等。

关于食疗著作，有尤生洲《寿世青编·食治秘方》，朱本中《饮食须知》，沈李龙《食物本草会纂》，章穆《调疾饮食辨》，文晟《本草饮食谱》，费伯雄《食鉴本草》。

关于诗歌便读的本草，有朱钥《本草诗笺》，张秉成《本草便读》，黄钰《本经便读》，谈鸿鏊《药要便蒙新编》。

此外，还有一些单味药著作，如陆烜《人参谱》，黄叔灿《参谱》，唐秉钧《人参考》，郑轩哉《人参图说》，张光裕《桂考》等。

中华人民共和国成立后出版的大型综合性中医著作亦不少，如《药材学》《中药志》《中华人民共和国药典》《全国中草药汇编》《中药大辞典》等。其他有关专门性中药专著就更多了。据《全国中医图书联合目录》记载，国内现存的本草书目有 704 种，版本达 1560 种。目前国内现存本草书目已远远超过 704 种。

（五）总结

我国本草，自汉代到清末，各个时代都有它的成就，在主要本草方面都是历代相承，日益繁荣。它们前后都有递嬗的关系：《本经》→《别录》→《本草经集注》→《新修本草》→《开宝本草》→《嘉祐本草》→《证类本草》→《本草纲目》→《本草纲目拾遗》。在药物数量上，历代都有增加。从《本经》到《本草纲目拾遗》，药物数量由 365 种发展到 2608 种。2000 多年来本草学的发展，其资料和内容的确是伟大的宝库。

九、《神农本草经》名义考辨

《神农本草经》，有时简称《本草经》或《本经》。通常大家都认为本书是中国最早的一部本草书，但尚氏认为，本书名称在不同的书中其含义略有不同。

《本经》在医书目录中包括两类本草。第一类是最古的本草书：如明代卢复，清代孙星衍、孙冯翼、姜国伊、顾观光、王闓运、黄奭等，以及日本的森立之、狩谷望之志等，所辑的《本经》。第二类是一般综合性的本草：如明代缪希雍《本草经疏》，清代邹澍《本经疏证》、张璐《本经逢原》和叶天士《本草经解》等。这些书中也用"本草经""本经"名字，但是书中内容不是单纯古代《本经》者，而是包括历代本草的内容。

历代本草文献中引用的《本经》，其含义多指前一代本草。为证实这个问题，不妨多举一些例子来说明。

兹以 1957 年人民卫生出版社出版《证类本草》（以下括号中所示页数，均指本书）为例，试将书中各药注文里提到"本经云"的资料进行研究统计，即可说明这个问题。现按历代本草次序说明如下。

（1）《新修本草》注所引"本经云"，其内容除少数符合《本经》外，大多数是《本草经集注》的内容。如"土殷孽"条（页134），有《新修本草》注"本经俱云在崖上"。按，"土殷孽"是《别录》药，并非《本经》药，此处《新修本草》所说"本经"，是指陶弘景《本草经集注》。

（2）陈藏器《本草拾遗》注所引"本经云"，其内容大多不是《本经》文。例如"接骨木"条（页355），是《新修本草》新增药，而陈氏注为："本经云：无毒，误也"。类似此例尚有："食茱萸"（页322），"蝮蛇"（页445），"千里水及东流水"（页137），"鲥鮧鱼"（页422），"木密"（页313）等。

（3）《蜀本草》所引"本经"，多指《新修本草》。例如"鹜肪"条（页400），有《蜀本草》云："本经用鹜肪，即家鸭也"。按，"鹜肪即家鸭"一语，原是《新修本草》援引陶弘景所言，而《蜀本草》谓此话属"本经"，则可推断《蜀本草》所言"本经"实指《新修本草》。

（4）《海药本草》注文中所引"本经云"，其内容为《别录》的资料。如"秦龟"条（页413），《海药本草》注："按本经云：生在广州山谷"。查"秦龟"为《别录》所载药，则可推断《海药本草》注文中的"本经云"，亦非古代的《本经》文。

（5）《开宝本草》注文中所引"本经云"，其内容并非全属于《本经》。例如"鼹鼠"条（页393），有《开宝本草》注："本经所说即是小于鼠"。按，"鼹鼠"是《别录》药，故可推断此处所言"本经"当指《新修本草》。类似者尚有"芜荑"（页322），"枳实"（页323），"蟹"（页426）等。

（6）《嘉祐本草》注文中所引"本经"，其内容大多不是《本经》文。例如"马衔"（页117），掌禹锡曰："今据本经马条注中都无说马衔之事，不知此经所言何谓。"按，"马衔"是《开宝本草》新增药，而掌氏注中所言"本经"当指《开宝本草》。

（7）《本草图经》注文引用"本经云"，其中属于《本经》资料者很少，大多属于《别录》《新修本草》《开宝本草》《嘉祐本草》等资料。如"丹雄鸡"条（页398）有《本草图经》注："发髮，本经云：合鸡子黄煎之，消为水，疗小儿惊热下痢"。按，此文原出于《别录》。

"碙砂"（页125），是《新修本草》新增药，而《本草图经》注："本经云：柔金银，可为焊药"。此"本经"当指《新修本草》。类似此例尚有"桃花石"（页117）。

"京三棱"（页227），是《开宝本草》新增药，而《本草图经》注："本经作京，非也"。这个"本经"当指《开宝本草》。类似此例尚有"黄药根"（页346）。

"地锦"（页284），是《嘉祐本草》新增药，而《本草图经》注："本经络石条注中有地锦"。此"本经"是指《嘉祐本草》。

（8）陈承《别说》所引"本经云"，并非出于《本经》的资料。例如"天灵盖"（页365），原是《开宝本草》药，有《别说》注："按天灵盖，神农本经人部惟发髲一物外，余皆出后世医家……近数见医家用以治传尸病未见一效者，信本经"。此处所提"神农本经"及"本经"，实指《嘉祐本草》。

（9）《本草衍义》注文中所引"本经云"，其内容大多不是《本经》的资料。如出于《别录》者，"石蜜"条（页410）《本草衍义》注："本经以谓白如膏者良"。查"石蜜"条有此文，但作墨字《别录》文，这个注文中所提的"本经"当然不是真正的《本经》。类似此例尚有"石决明"（页415）。

出于《新修本草》者，"蓼实"条（页509），有《本草衍义》注："蓼实，《神农本草经》第十一卷中水蓼子也"。按，《新修本草》卷11有"水蓼"（"水蓼"是《新修本草》新增药），这个"神农本草经"当指前代本草。类似此例尚有："栾荆"（页356）、"紫矿"（页320）、"鹧鸪"（页400）。

出于《药性论》和《蜀本草》者，如"白芷"条（页206），有《本草衍义》注："本经曰：能蚀脓"。按，"能蚀脓"三字原出于《药性论》，而《本草衍义》亦标注："本经曰"。"鹜肪"条（页400），有《本草衍义》云："本经云鹜肪，即家鸭也"。按，此文原出于《蜀本草》注文，而《本草衍义》亦标注为"本经曰"。

出于《开宝本草》者，如"无名异"条（页95），无名异是《开宝本草》新增药，而《本草衍义》注："本经云：味甘平，治金疮折伤，生肌肉"。按，此文出于《开宝本草》，这里所言"本经云"当指《开宝本草》文。类似此例尚有："生银"（页110），"使君子"（页239），骨碎补（页274），"茄子"（页520）。这些药都是《开宝本草》新增，而《本草衍义》引用时均标注"本经云"。

出于《嘉祐本草》者，如"花乳石"条（页136），花乳石是《嘉祐本草》新增药，而《本草衍义》曰："花乳石，其色如硫黄，本经第五卷已著。"这个"本经"当指《嘉祐本草》。

以上是以《证类本草》为例，说明该书注文中所引"本经"资料，大都是指前代本草的内容，并非真正的古代《本经》的内容。

不仅《证类本草》如此，其他书所引"本草经"，也大多是指综合性本草，而非古代《本经》。例如，《医心方》页311引"本草经云：治疟，煮葍草汁及生汁服。"查《证类本草》页277"葎草"条有此文，但"葎草"是《新修本草》新增药，则《医心方》中所讲"本草经"似指《新修本草》。《医心方》页383引"本草经云：捣酢浆草薄之，杀诸小虫，又治恶疮也。"查《证类本草》页282有此文，但"酢浆草"也是《新修本草》新增药。类似此例尚有"猯肉""蓖麻子""鲫鱼"等，以上皆是《新修本草》新增药，但《医心方》中引用此等药的资料均标注"本草经曰"字样。

又如《古今图书集成·博物汇编·草木典》卷60页25"芥部杂录"云："神农本草经琥珀拾芥。"按，《证类本草》页73七情畏恶序中有"琥珀拾芥"，该文原是陶弘景所云。可见《草木典》中所引"神农本草经"，是一般本草的通称，并非指古代《本经》，这也是名同实异的混乱现象。

宋代朱肱《类证活人书·伤寒药性》列举药物性味，其中不是《本经》的药物，亦是这样标注。例如"艾"实际上是《别录》药，而《类证活人书》注："熟艾，《本经》温；艾叶，《本经》微温。"又如《开宝本草》新增药，而《类证活人书》注其药性时亦标注"神农本草经"字样。如京三棱，"《神农本草经》平"；天南星，"《神农本草经》平"；五灵脂，"《神农本草经》温"。从这些例子来看，朱肱所讲"神农本草经"实是指宋代综合性本草。

根据以上的事实分析，"本经""本草经""神农本经""神农本草经"的名义不可不辨，辨明它可以帮助我们认识本草史料的正确性，防止张冠李戴，避免混乱。在古代本草文献中，常出现《本经》的经文真伪混乱现象，本来不是《本经》的经文，由于文献中标有"本经云""本草经曰"，后人就会错误地把它当作《本经》的资料来处理了。

十、《神农本草经》药物七情考

古人把单味药的应用以及药与药之间的配伍关系，总结为单行、相须、相使、相畏、相恶、相反、相杀七个方面，称为药物的七情。七情是从什么时候开始记载的呢？

（一）"七情"始自《本经》

尚氏认为，七情是从《本经》开始的。《本经》序例中有七情的记载，由于原书已佚，它的内容还保存在今《证类本草》的白字中。兹以1957年人民卫生出版社所出《证类本草》中的白字研究之。

《证类本草》页 31 云："药有阴阳配合……有单行者，有相须者，有相使者，有相畏者，有相恶者，有相反者，有相杀者。凡此七情，合和视之。当用相须、相使者良，勿用相恶、相反者。若有毒宜制，可用相畏、相杀者；不尔勿合用也。"但是《证类本草》中《本经》药物七情的内容并不做白字标记，而做细字注明。因此明清以来，国内外各家所辑的《本经》药物皆无七情内容。

按，《证类本草》序例中白字有七情的内容，为何该书药物却没有呢？尚氏认为盖因后世传抄时脱漏了"本经"的标记，所以后世也就不知《本经》中药物七情的内容。

《本经》有药物七情内容，除上述《证类本草》序例依据外，还可以从以下事实证明。

1. 《蜀本草》注文提供的证据

《证类本草》页 31，掌禹锡等谨按《蜀本草》注："凡 365 种，有单行者 71 种，相须者 12 种，相使者 90 种，相畏者 78 种，相恶者 60 种，相反者 18 种，相杀者 36 种。凡此七情，合和视之。"这里所说"凡 365 种"，显然是指《本经》药物数目，并把这些药物相畏、相恶、相须、相反、相杀等七情资料做了统计。这就证明《本经》药物是有七情内容的，否则《蜀本草》从何统计这个数字呢？

2. 陶弘景注文提供的证据

《证类本草》页 210 "前胡"条，陶弘景注云："前胡，亦有畏、恶，明畏、恶非尽出《本经》也"。从这个注文来看，"前胡"原是《别录》药，说明畏、恶情况不仅《本经》药物有，《别录》药物也有。这就证明《本经》药物有畏恶七情资料，是习以为常的事。

又如《证类本草》页 31，陶弘景解释《本经》七情文说："右本说如此。今按其主治虽同，而性理不和，更以成患。今检旧方用药，亦有相恶、相反者，服之乃不为害，或能有制持之者。犹如寇贾辅汉，程周佐吴，大体既正，不得以私情为害，恐不如不用。今仙方甘草丸有防己、细辛；俗方玉石散用栝楼、干姜。……半夏有毒，用之必须生姜……"细辛、防己、栝楼、干姜，都属《本经》药，陶弘景说这些有禁忌的药在甘草丸、玉石散中合用，这就说明《本经》药原来是有畏、恶七情资料的。查《证类本草》页 223 "防己"条末有双行小字注云"恶细辛"，同书页 197 "栝楼"条末有双行小字注云"恶干姜"。这个"防己恶细辛""栝楼恶干姜"，当属《本经》药物七情内容。但是现今各种辑本《本经》中"防己"

"栝楼"等条皆无七情内容。

3. 陶弘景《本草经集注》七情药例提供的证据

敦煌出土的《本草经集注》（1955年群联出版社影印）页81~90，有陶弘景摘录的药物畏、恶七情资料汇编（原书无标题，为研究方便，以下简称"七情药例"）。这个七情药例是陶氏为便于处方时检索，把《本草经集注》中《本经》《别录》药物的畏、恶资料摘录汇编而成。所以陶氏在七情药例开头说明文中道："今案方处治，恐不必卒能寻究本草，更复抄出其事在此，览略看之，易可知验。"

这个七情药例，收录药物198种，其中《本经》181种，《别录》17种。也就是说，《本经》的占多数，《别录》的占少数。不过，七情药例所录181种《本经》药物畏、恶资料，并非完全出于《本经》，还掺杂有《药对》内容。陶氏在七情药例说明文中道："《本经》相使止各一种，兼以《药对》参之，乃有两三。"据陶氏所言，《本经》药物亦有畏、恶七情内容，只不过简单而已。

陶弘景不仅说《本经》药物七情内容简单，而且认为其药物名称书写不够明确，其畏、恶有混乱现象。陶氏在七情药例说明文中道："《本经》有直云茱萸、门冬者，无以辨其山、吴、天、麦之异，咸宜各题其条。又有乱误处，譬如海蛤与鳝甲，畏、恶正同；又诸芝使薯蓣，薯蓣复使紫芝，计无应如此，而不知何者是非，亦宜并记，当更广检正之。"说明在《本经》药物畏、恶资料中，把山茱萸同吴茱萸，天门冬同麦门冬，只写成茱萸、门冬，无法分辨，而应当分别写出才对。检《本草经集注》七情药例，山茱萸、吴茱萸、天门冬、麦门冬等药名是分别写的。但其中亦有如秦皮恶茱萸、石龙芮畏茱萸等仍未分辨出山、吴之异者，推理之，这种写法当是承袭《本经》而来。

根据以上几点来看，《本经》药物是有畏、恶七情内容的，不过内容很简单而已。由于这些内容没有《本经》的标记，后人也就不知道《本经》药物中确是包括有七情内容了，所以明清及日本各家所辑的《本经》没有一本提及畏、恶七情资料。

总之，药物七情之说出于《本经》，陶弘景《本草经集注》列有七情药例，其后《药性论》《新修本草》《本草拾遗》《蜀本草》《日华子本草》《本草纲目》等本草书中多有增益。在药物七情中，"相畏""相反"最为医家重视，并成为后世复方配伍中的禁忌。临床医家为了人们便于掌握这些禁忌，特将"相畏""相反"的一些药物编成"十八反"和"十九畏"歌诀，以便习诵。

（二）七情药例和十九畏歌诀注解

1. 七情药例

此名是根据《本经》七情条例拟的标题，其他诸书对此标题各有不同命名。敦煌出土的《本草经集注》作"□□□使"，前三字残缺，观其意似是"有相制使"（1955 年群联出版社出版，页 91）；宋代唐慎微《证类本草》（1957 年人民卫生出版社出版，页 77），作"有相制使"；明代李时珍《本草纲目》卷 2 作"相须相使相畏相恶诸药"（1957 年人民卫生出版社出版，页 386）；清代孙星衍等《本经》辑本作"诸药制使"（1955 年商务印书馆出版，页 133）；1854 年日本人森立之辑《本经》序作"七情药"（1957 年上海卫生出版社出版，序文页 12）；清代黄奭辑《本经》作"诸药制使"（1982 年中医古籍出版社影印本卷下，页 52）；成都中医学院主编《中药学》作"配伍禁忌"（1978 年上海科学技术出版社出版，页 13 ~ 14）。尚氏认为上述几个名称各有优缺点。"七情药例"虽能概括《本经》中七情内容，但此名称是历史的，今日已不用了，而且易与病因相混淆。"有相制使""诸药制使"，含义确切，但不够通俗。至于"配伍禁忌"，虽较通用，但它是从西药"配伍禁忌"移来，它原是西药书《调剂学》中的一个术语，指西医在处方调配时应注意药品之间的化学反应等问题，与中药复方配伍是两回事。但大家相互沿用，已成习惯了。严格地讲，配伍只能反映七情中六个内容，不能包括"单行"；禁忌只能反映"相畏""相恶""相反""相杀"等，不能反映"相须""相使"等。因此有人把它修改为"配伍宜忌"，似可包括"相须""相使"，但仍不能包括"单行"。

2. 十九畏歌诀

十九畏歌诀最早见于《宝庆本草折衷》，其内容和《本经》七情中的"相畏"含义不同，而与"相恶"很相似。所谓"相畏"，指一种药物的毒性反应或副作用，能被另一种药物减轻或消除。如生半夏、生胆南星的毒性能被生姜减轻或消除，所以说生半夏和生胆南星畏生姜。而"相恶"是两种药物合用，彼此互相牵制对方，使作用降低或丧失。如生姜恶黄芩，人参恶莱菔子。后世流行的十九畏的内容，正与"相恶"一致，而与"相畏"不完全相同。

十一、从《新修本草》在日本的流传看中日文化交流

《新修本草》是我国第一部由政府组织力量编写的药典，颁行于唐高宗显庆四年（659），也是世界上最早的国家药典，比西方国家颁布的《纽伦堡药典》要早800多年。这充分说明了我国医药科学在1000多年前就有了巨大发展。《新修本草》颁布后，很短时间内就远传到日本，促进了中日文化的交流。尚氏就《新修本草》在日本的流传和对日本医学界的影响，做了如下论述。

（一）《新修本草》在日本的流传

日本最早的《新修本草》抄本为天平三年（731），距显庆四年（659）仅70多年。按《旧唐书》和《新唐书》日本传说，唐长安元年（701），日本文武天皇派遣朝臣真人（"真人"是官名）粟田来访中国。粟田好学，武则天曾设宴招待。唐玄宗开元初年（713），粟田再访中国，并请求唐朝政府教他们《四书》《五经》。唐朝政府令助教赵玄默在鸿胪寺（鸿胪寺掌朝会宾客之事）为其讲学。粟田回国时带了大批中国书籍，对中日文化的交流起了重要的促进作用。与粟田同来的副使仲满，羡慕中国文化之发达，留在中国，改名朝衡，并在唐朝政府工作，和唐玄宗第十二子仪王璿很友好。朝衡先做"左补阙"，后升为"左散骑常侍"，回国时也携带选购了很多好书。

《新修本草》传到日本后，即在日本广泛传抄流行。748年日本正仓院文书《写章疏目录》中记有《新修本草》2帙，20卷。其后《日本国见在书目录》亦载有《新修本草》20卷。但因日本发生兵燹之祸，《日本国见在书目录》中所著录的书，大部分散佚了，所以《新修本草》亦因此而遭到损失。日本丹波元胤在编《中国医籍考》时，就标注此书已佚。据日本中尾万三和森鹿三二氏的研究，在19世纪30年代，日本学者狩谷掖斋、浅井紫由、小岛宝素等，在日本京都仁和寺中，发现《新修本草》旧抄本，并将其加以摹写，使《新修本草》复见于世。

（二）《新修本草》在日本医学界的影响

《新修本草》东传日本，对日本医学界影响很大，日本政府把《新修本草》作为学医者必读之书。日本古史《续日本书记》卷39，记有日本桓武天皇延历六年

（787）四月典药寮奏说："苏敬著《新修本草》与陶隐居著《本草经集注》相比较，增一百余条，亦今采用草药，既合敬说，请行用之，遂许焉。"901—922 年日本醍醐天皇延喜年间曾规定："凡读医经者，《太素经》限四百六十日、《新修本草》三百一十日、《小品》三百一十日、《明堂》二百日、《八十一难经》六十日。……凡医生皆读苏敬《新修本草》。"（日本古史律令《延喜式》）

在日本，《新修本草》还是医家著述的重要参考书。日本醍醐天皇延喜十八年（918），深江辅仁撰《本草和名》，将《新修本草》中每个药物的正名、别名全部录入书中。和深江辅仁年代相近的还有日本源顺撰《和名类聚抄》，引用《新修本草》资料亦很多。

1854 年森立之辑《本经》也参考了《新修本草》。森氏序云："至于每卷各药次序更不可问……则依现存旧钞《新修本草》次序以补之。《新修》所缺，则又依《本草和名》以足之。"

（三）《新修本草》在中日文化交流史上的作用

《新修本草》对于中日文化的交流，起了重大的促进作用。根据唐代正史所载，唐代与日本交往频繁，日本有很多高僧到长安学习，并带走大批中国书籍，《新修本草》亦因此而传入日本。日本学者冈西为人在他所辑《新修本草·概论》一文中说："在日本，所用以研读之本草书籍，向来以奈良时代（710—794 年）所传入之《新修本草》为主。"

日本的很多书目，对《新修本草》都有记载。最早在《写章疏目录》中记有《新修本草》2 帙 20 卷。《日本国见在书目录》载有《新修本草》20 卷。其后的《经籍访古志》卷 7，载有《新修本草》20 卷，聿修堂藏。宝素堂藏书目录，载有《新修本草》10 卷，是传录六七百年前的重钞天平三年岁次辛未书生田边史书写卷子本。多纪元坚献纳医学馆医书目录，有《新修本草》10 卷，是写本 10 册。东京帝室博物馆汉书目录，有《新修本草》10 卷，上题"司空上柱国英国公臣奉敕修"。日本弘化二年（1845），多纪元坚校读过一次，并加有小注，是写本 10 册。另有森立之摹写本存日本京都大学图书馆中。观海堂书目《政字号》，有《新修本草》10 本 10 卷，是养安院藏本。日本故宫博物院书目（医家）有摹写古钞本《新修本草》10 卷。留真谱新编第七有《新修本草》，题注"司空上柱国英国公勋等奉敕修"。日本医学史资料展览目录第一有《新修本草》1 册，是吴秀三抄写的。

日本学者对《新修本草》还进行了校读、刊印、整复。19 世纪初，日本大学者涩江全善、森立之、小岛尚真、曲直濑正真等对《新修本草》进行了校读，这些都充分说明《新修本草》对日本文化界的影响是很大的。

日本大版本草图书刊行会于1936年影印唐写卷子本《新修本草》，此本残存卷4、卷5、卷12、卷17、卷19，共5卷，末附中尾万三《唐新修本草之解说》（日本）。说明《新修本草》不仅有实用价值，而且有文献历史价值。

1889年中国学者傅云龙于日本影刻《新修本草》卷4、卷5、卷12、卷13、卷14、卷15、卷17、卷18、卷19、卷20，共10卷，另加印补辑卷2，合共11卷，刊入《籑喜庐丛书》之二。1955年群联出版社即以此书缩小影印，题名《新修本草》，分装上下2册，下册末附有陈榘、傅云龙和范行准等跋文。1957年上海卫生出版社将群联出版社所出版的《新修本草》复印，合订成1册。1981年上海古籍出版社又将清末罗振玉得之于日本京都的《新修本草》摹写天平原卷本，加以影印。该残卷本的每卷卷末差不多都有森立之的识跋。10卷中，卷13、卷14、卷18、卷20等摹自仁和寺本，由于仁和寺本原藏已佚，这些就为《新修本草》在日本的渊源递嬗，提供了重要的实证和线索。

由于《新修本草》散佚不全，中日学者都曾做过《新修本草》的辑复。尚氏从中华人民共和国成立前就开始收集有关书本的资料，至1958年辑成初稿，后经范行准审阅，于1962年由芜湖医学专科学校油印发行，书前并有范行准序1篇，又于1981年3月由安徽科学技术出版社出版。这些刊印、摹写本和整复本，引起中日两国本草研究者的广泛关注和重视，为两国文化交流做出了巨大贡献。

十二、关于日本传抄《新修本草》回归中国的情况

关于日本古代无名氏传抄《新修本草》卷子，回归中国的情形，尚氏认为有下列几种。

（一）1889年傅云龙影刻《新修本草》11卷本

清末傅云龙（名德清），官兵部郎中，于光绪十五年（1889）夏由美国回到日本，见驻日本使馆官员陈榘购得《新修本草》传抄本卷4、卷5、卷15等3卷，甚爱之。陈即相赠。继而傅氏又遇书商登门，购得《经籍访古志》云所存10卷（包含以上3卷），俱为小岛知足家藏旧抄本。另外，又获小岛知足家藏补辑本卷3。其先后共得11卷（卷3、卷4、卷5、卷12、卷13、卷14、卷15、卷17、卷18、卷19、卷20）。

在卷 3 末记有："嘉永二年（1849）岁次己酉四月二十一日据家大人新辑本，书写如其行款字样，一仿天平原卷旧式云。尚真。"由此可见，该卷 3 本为尚真的父亲所辑，是尚真誊录。

傅氏将购得的 11 卷，于 1889 年夏重抚上木，影刻，刊入《籑喜庐丛书》卷 2。书的版面高 24 厘米，宽 16 厘米。书的页 1、页 2 有用篆字书写的文字："唐卷子本新修本草十卷，补辑一卷"，尾附三行小字："籑喜庐丛书之二，光绪十五年夏德清傅氏刊于日本。"接着就是各卷次第，开头就是卷 3。卷 3 的页 1 首行为"新修本草玉石等部上品卷第三"，旁注"新井文库"字样。全书装订十分精美，日本各大图书馆均有收藏。

按，本书自我国北宋后已亡佚，无人论及，到 1932 年范行准发傅氏《籑喜庐丛书》卷 2 收载此书残卷，旋即撰文介绍，始引起国人注意。

1955 年群联出版社即以此书缩小影印，题名《新修本草》，分装上、下 2 册，下册末尾附有陈榘、傅云龙和范行准等的跋文。1957 年上海卫生出版社将群联出版社出版的《新修本草》复印，合订成一册。中国现在流行的《新修本草》正是 1889 年傅云龙自日本影刻回归的。

（二）1901 年罗振玉收藏日本传抄卷子本

上虞罗振玉于光绪二十七年（1901），奉两江、湖广两督之命赴日本视察教育时，于日本东京书肆购得《新修本草》影抄本 10 卷（10 册）。该书每卷后均有森立之手跋，当是日本森氏所藏。1985 年，日本传抄卷子本《新修本草》由上海古籍出版社影印成 2 种版本：一种是原卷影印本，一种是缩印本，前者为线装本，后者为平装本。平装本书前印有"据上虞罗氏后书钞阁藏日本森氏旧藏影写卷子本缩印，原写卷款式不同，卷四首七行，行格高 214 公分，宽 168 公分"。

所存 10 卷为卷 4、卷 5、卷 12、卷 13、卷 14、卷 15、卷 17、卷 18、卷 19、卷 20。各卷末有森氏手跋，记该卷据某某藏本所抄。

例如，本书卷 19 末有两处记文。一处记文为："第四、第五、第十二、第十七、第十九凡五卷，以浅井氏紫山三经楼藏本传抄。"一处记文为："第四、第五、第十二、第十五、第十七、第十九，右新修本草陆本。其第十五狩谷卿云游京师时传录见赠。其他五卷传录浅井紫山三经楼藏本。天保五年（1834）岁在敦祥冬十月廿七日。小岛质记。右跋就小岛氏原本而写。"

按，狩谷卿云即日本汉学家狩谷掖斋，他最先发现《新修本草》残卷抄本。森立之云："世始得窥古本草之真，则卿云之功为至巨也。"《笺注倭名类聚钞·序》记有"森立之与掖斋交而传其学。"

又如本书卷 20 末有小岛质记文，森立之转录云："第十三、第十四、第十八、第二十。岁在壬寅（1842）一品准后法亲王朝觐于京师之时传录此四卷。原卷仁和寺宫宝库所藏云。弘化丙午（1846）九月既望。小岛质记。右就小岛宝素堂本而录此跋文。"

总之，本书所存 10 卷，其中卷 4、卷 5、卷 12、卷 17、卷 19 是据浅井紫山三经楼藏本传抄。卷 13、卷 14、卷 18、卷 20 是据仁和寺宫宝医库藏本传抄。卷 15 为狩谷掖斋所抄。

（三）1936 年日本武田氏影印仁和寺本

日本京都仁和寺旧藏古抄本，部分转入国药商武田长兵卫的杏雨书屋中，其制药部内"本草图书刊行会"于昭和十一年（1936），将杏雨书屋所存仁和寺本卷 4、卷 5、卷 12、卷 17、卷 19 共 5 卷，用珂珞版影印，并附中尾万三《新修本草解说》1 册。

次年（1937 年）本草图书刊行会又将尾张德川黎明会所藏卷 15，用同法影印，卷首附狩谷掖斋给浅井的信。

2 次影印合成 1 部，分为 2 帙，前一帙含卷 4、卷 5、卷 12、卷 17、卷 19 共 5 卷，后一帙含卷 15。（日本冈西为人《续中国医学书目》页 136）

（四）回归 3 本比较

以上回归 3 家，即傅云龙影刻本（以下简称"傅本"）、罗振玉收藏本（以下简称"罗本"）、武田氏影印仁和寺本（以下简称"武本"）。兹将 3 本比较如下。

1. 卷数

傅本 11 卷，罗本 10 卷，武本 6 卷。三家相同卷次为卷 4、卷 5、卷 12、卷 17、卷 19，共 5 卷。傅本、罗本相同卷次为卷 4、卷 5、卷 12、卷 13、卷 14、卷 15、卷 17、卷 18、卷 19、卷 20，共 10 卷。傅本比罗本多卷 3。该卷 3 是小岛知足从《政和本草》辑出，仿天平款式补缀而成。其卷末记有："嘉永二年（1849）尚真据其父所辑本，仿天平写本款式誊录。"

2. 祖本

3 家都有卷 15，卷末同载有"天平三年岁次辛末七月十七日书生田边史"题记，说明它们的祖本均为天平抄本，即《宝素堂藏书目录》所云："《新修本草》十卷残本，是传录六七百年前重钞天平三年岁次辛末书生田边史书写卷子本。"

罗本在题记后，另注有："《万叶集》卷十八载天平二十年（748）田边史福麿歌数首并列"一条。按，《万叶集》是日本最古的和歌集，其作者大伴家持为718—785年间人，与田边史是同时代人。说明田边史确实是天平时人。天平三年相当于唐开元十九年（731），距《新修本草》成书之659年，仅72年。田边史既抄于唐时，诸本又据以影抄，则抄本可以保持《新修本草》原貌。

天平抄本原是20卷，后遭兵燹之祸仅残存10卷。涩江全善《经籍访古志》卷7曰："往岁守谷卿云西上，观一缙绅家旧钞，即五六百年前人据天平钞本誊录。"这就说明罗本、傅本残存10卷，当属天平钞本誊录者。

3. 题记

罗本有题记，而傅本、武本无题记。

罗本各卷末均有森立之题记，说明罗本原为森立之旧藏。题记内容不一，有记据何本抄者，有记校读者，有记小岛质跋文者。

从题记据何本抄，可以看出罗本10卷中，有5卷（卷4、卷5、卷12、卷17、卷19）据浅井紫山三经楼藏本抄；有4卷（卷13、卷14、卷18、卷20）据仁和寺宫宝库藏本抄；有1卷（卷15）为狩谷掖斋赠小岛学古。

但罗本卷13、卷14、卷18、卷20据仁和寺藏本抄，与武本据仁和寺藏本（卷4、卷5、卷12、卷15、卷17、卷19）影印，其卷次并不相同。武本卷次与罗本所据浅井紫山藏本的卷次相同，这就说明浅井紫山藏本亦可能来源于仁和寺。

罗本有据《医心方》《证类本草》校读后作的注，注文笔迹似为森立之所记。

4. 传录款式

3家抄本，书写款式基本一样。傅本、罗本款式几乎全同，武本稍异，在每页行数和每行文字、小字数目不尽相同。罗本、傅本每页7行，大字、小字分书，大字每行14～17字，小字每行20～24字。武本每页8行，每行大字17～19字，小字每行27字左右。

它们之间，不仅每页行数和每行大、小数不同，而且在文字上也有差异。例如，卷12木部上品"栢实"条大字中，"令人耐风寒"的"令"字，罗本、傅本俱作"金"，而武本作"令"。

按，罗本、傅本是影抄，而武本是影印，则它们所据的底本当同此。

又，武本卷4、卷5、卷12、卷17、卷19据仁和寺本影印，罗本卷4、卷5、卷12、卷17、卷19据浅井紫山本影抄。则仁和寺藏本和浅井紫山藏本，不是源于同一种底本了。如果是出于同一种底本，不应有上述的差异。由此可见，浅井紫山藏本及仁和寺藏本，其卷次虽相同，但它们誊录的底本未必相同。或者底本相同，由书写手誊录时改变了底本款式亦属可能。

5. 文字舛误

3家抄本在款式上大体相同，但抄的笔迹不尽相同，在文字件误上互有出入。

将傅本、罗本文字比较，有很多不同。例如，罗本卷4"水银"条注文有"烧麁末"，傅本作"烧麁未"。罗本卷5"礜石"条注文有"一日一夕"，傅本作"百一名"。同条罗本有"今人黄土"，傅本作"今人黄主"。罗本卷13"素椒"条注文有"猪椒"，傅本作"楮椒"。罗本卷13"桑根白皮"条注文有"案老槀（桑）树"傅本作"桒老槀树"。罗本卷14"巴豆"条注文有"桐耐如此耳"，文中"如"字傅本作"知"。罗本卷14"郁核"条注文有"亦可噉之"，句中"噉"傅本作"散"。类似此例很多。

将上例比较，末与未，一日与百，土与主，猪与楮，案与桒，如与知，噉与散等，显系抄者笔误。从文义上看，多为傅本误，罗本不误。但也有例外，傅本卷17"芋"条注文有"性滑中下石"，句中"石"，罗本误作"右"。

此外傅本还有脱漏。罗本卷5"锻灶灰"条注文有"此即今锻铁灶。中灰耳，兼得铁"，此文最后7字，傅本脱。又如罗本卷15"羖羊角"条，在羊肉一行末，罗本有"及头"二字，傅本亦脱。

6. 字的写法

罗本、傅本有不同。

罗本卷17"大枣"条小注有"大来"二字，傅本写作"大棶"。罗本卷15"鹿角"条注文有"主风虚"，句中"主"，傅本写作"去"。类似此例很多，此处从略。

以上3家回归的抄本，虽出于同一个天平本，经不同书写手辗转传抄，出现各种差异，也是正常现象。宋代《开宝本草》编纂时，搜得各种抄本《新修本草》也是各不相同。正如《开宝本草序》云："朱字墨字，无本得同。"

十三、艾晟校《大观本草》增补
陈承"别说"的探讨

唐慎微《证类本草》于大观二年（1108），由杭州仁和县尉艾晟校订，增加陈承《重广补注神农本草并图经》的"别说"及某些方子，并冠以大观年号，更名为《经史证类备急大观本草》，简称《大观本草》。

《中国人名大辞典》页281云："艾晟，宋真州（今江苏仪征）人。字子先，崇宁（1102—1106）进士。政和（1111—1118）试广嗣，中一等，擢秘书省校书郎，兼编修六典文学。寻判隰、沣、越三州，所至有声，终考功员外郎。"

一般人认为艾晟是医官，并认为《大观本草》是上之朝廷的官刊本。但尚氏认为，艾晟并非是医官，他是"通仕郎行杭州仁和县尉管句学事"。另外《大观本草》也非官定本。从艾晟的《大观本草序》，可知其非官刊本。艾晟序云："集贤孙公得其本而善之，邦计之暇，命官校正。"此序所云，即由集贤院学士孙氏出资，通过其属官，将《证类本草》校正刊行。此与由政府任命修订者不同，如《政和本草》的修订，即题有"奉敕撰"等字样，即属官修。

艾晟校订《证类本草》时，也增加了一些方子。例如艾晟在《大观本草》卷9（柯刻本《大观本草》卷9）"蒴草"条下（页61）增加"治劳瘵方"。其方中全文和《普济本事方》页74（1959年上海科学技术出版社出版）所载相同。日本丹波元胤《中国医籍考》云："《本事方》载蒴草治吐血痨瘵方曰：'乡人艾孚先尝说此事，渠后作《大观本草》，亦收入集中。'孚先当是晟字。"

嘉庆十九年（1814）叶刻《本事方释义》卷5，所载"衄血劳瘵吐血咯血"条下有"神传蒴草膏"云："或云是陆农师夫人，乡人艾孚先尝说此事，渠后作《大观本草》，亦收入集中，但人未识，不苦信尔。"《大观本草》卷7页11"络石"条引"背痈方"云："《图经》云：'薜荔治背痈'。晟顷寓宜兴县张渚镇，有一老举人聚村学，年七十余，忽一日患发背，村中无他医药，急取薜荡……傅贴遂愈。乃知《图经》所载不妄。"

按，此方中有"晟"，则此方当由艾晟所增，类似此例很多。疑墨盖下所出无名单方，或为艾晟增入。此外，还有下列各方，疑为艾晟所增。药名前号码为《大观本草》卷、页次。

5，8 铅丹治疟方　5，29 锻灶灰治疮方　6，56 车前子治泻方　9，61 蒴草治劳瘵方 12，11 枸杞子治疽 7，11 络石治发背痈方 7，21 蒲黄催生方 11，17 豨莶有成讷、张泳方（与《本事方》页101同） 21，10 蜻蟟治疮方 27，15 莱菔治偏头痛 29，5 蒜治疟方

艾晟校订《大观本草》时，还取陈承书中"别说"，加入《大观本草》中，此可从《大观本草》卷3，"丹砂"条的注文证实之。其注云："晟近得武林陈承编次《本草图经》本参对，陈于《图经》外又以'别说'附著于后，其言皆可稽据不妄，因增入之。"

检柯刻本《大观本草》引"别说"的药物共有44条，兹列举如下。药名前号码为柯刻本《大观本草》卷、页次。

3，1 丹砂 5，4 自然铜 8，36 贝母 12，19 琥珀 3，9 玉泉 5，28 车脂 9，15 天麻 12，21 榆皮 3，26 禹馀粮 5，32 花乳石 9，17 阿魏 12，43 沉香 3，30 青石脂 6，8 菖蒲 9，44 茅茛 12，46 藿香 3，32 白石脂 6，46 柴胡 9，50 胡黄连 13，5 竹叶 4，16 石膏 6，59 木香 10，8 天雄 13，24 茗苦茶 4，29 密陀僧 6，7 细辛 10，15 大黄 13，37 乌药 4，33 铁 6，80 赤箭 10，22 莨菪 15，5 天灵盖 5，5 砒霜 7，15 黄芪 12，5 菌桂 25，12 小麦 5，15 代赭 8，15 当归 12，11 枸杞 26，6 腐婢 5，19 腊月雪 8，22 芍药 12，14 柏实 5，20 热汤

关于陈承的历史，林希《重广本草图经序》中有记载，兹将序中所载有关内容，摘录如下。

（1）序云："阆中陈氏子承，少好学，尤喜于医，该通诸家之说。……承之学虽出于图书，而精超绝，有奇疾，众医腭眙不知所出，承察其脉曰：当投某剂刻良愈，无不然。"

此段介绍陈承原籍是阆中（今四川南充）人，少好医学，通晓诸家之说，其学出于读书，相当于今日的自学成才，医术很高明。因后行医于江淮杭浙，故又称他为余杭人。方勺《泊宅编》云："余杭人陈承亦以医显……陈好用凉药……俗语云：'藏用檐头三斗水，陈承箧里一盘冰。'"

（2）序云："承之先世为将相，欧阳子所谓四世六公者，承其曾孙。"

此段介绍陈承祖先为将相。欧阳修所撰《太子太师致仕赠司空兼侍中文惠陈公神道碑并序》云："高幢巨毂，四世六公。惟世有封，秦楚及齐，尚书中书，仪同太师。"文惠即陈尧佐。文惠，因家居阆中，遂为阆州阆中人，尧佐的兄和弟皆封为公，其兄尧叟，谥文忠；弟尧咨，谥康肃。尧佐是陈承的堂曾祖。陈承的曾祖

父讷，封齐国公，祖昭汶封楚国公，父省华封秦国公。从陈承曾祖到陈承共四世，其封为公者共6人，故称四世六公。据《宋史》所载，陈承曾祖陈尧叟"有《集验方》刻石桂林驿"。

（3）序云："承少孤，奉其母江淮间，闭门疏食以为养，君子称其孝。"此言陈承自幼丧父，奉养母亲于江淮间。

（4）序云："承尝患二书传者不博，而学者不兼有，乃合为一，又附以古今论说，与己所见闻，列为23卷，名曰《重广补注神农本草经并图经》。书著其说，图见其形……元祐七年（1092）四月朔……长乐林希序。"此言陈承合《嘉祐本草》及《本草图经》二书为一书，并附以己说。

南宋陈衍《宝庆本草折衷》云："陈承尝编《神农本草》与《图经》二书并聚为一，发明余蕴，以古今论说与己所见闻立为议论一篇，篇首端冠以'谨案'二字，间列图经之后。"

艾晟修唐慎微《证类本草》，摘引该书陈承"谨案"资料，列于相应条文之下，并冠以"别说云"字样。

宋代《太平惠民和剂局方》在大观年间（1107—1110）经当时名医陈承、裴宗元、陈师文等校正。书首有他们3个人共同写的《进表》。在此表的后面，题署3个人的职称。陈承排在首位，其职称为"将仕郎措置药局检阅方书"。裴宗元排列第二，其职称为"奉议郎守太医令兼措置药局检阅方书"。陈师文排列在最后，其职称为"朝奉郎守尚书库部郎中提辖措置药局"。

陈承从编成《重广本草图经》（1092）到校正《太平惠民和剂局方》（1107—1110），相隔15～18年。

十四、《日华子本草》成书年代的探讨

《日华子本草》原名《日华子诸家本草》，因本书是汇集诸家本草编纂而成，一般文献引作《日华子本草》，亦有引作《大明本草》者。掌禹锡《嘉祐本草》引作《日华子》。《本草纲目》有些药物条文中引作"《大明》"或引作"《日华》"。

（一）《日华子本草》成书年代的争议

《日华子本草》成书年代说法很多。一说《日华子本草》成书于北齐年间（550—577）。《古今图书集成·医部全录·医术列传四》引《古今医统大全》云："日华子，北齐雁门人，深察药性，极辨其微，本草经方，多由注疏，至今是赖。"

二说《日华子本草》成书于唐代开元年间（713—741）。《古今图书集成医部全录·医术列传四》引《鄞县志》云："日华子姓大，名明。自号日华，唐开元时人，精于医，深察药性，极辨其微，集诸家本草近世所用药，分其门类，详其性质，别其功用，凡20卷。"又云："明正统间（1436—1449），三山（福建古省城名）郑珞守宁（宁波）见元代《延祐志》（延祐为元代仁宗年号，为1314—1320），因标注云：'陈藏器与日华子俱四明人，《志》逸其名，今补之。'"陈邦贤《中国医学人名志》云："日华子，唐四明人，姓大，名明。一曰北齐雁门人，深察药性，极辨其微，集诸家本草，近世所用药，各以寒温性味华实虫兽为类，凡20卷。即所谓《大明本草》是也。"

三说《日华子本草》成书于五代十国吴越时。范行准《两汉三国南北朝·隋唐医方简录》一文中，在第十五《五代十国》标题下云："日华子诸家本草20卷，《医籍考》著录，吴越人撰。撰人不知姓氏，据《嘉祐本草》辑。"

四说《日华子本草》成书于北宋初年，北宋掌禹锡《嘉祐本草·补注》引《书传》云："《日华子诸家本草》，国初开宝（968—976）中，四明人撰，不著姓氏，但云日华子大明，序集诸家本草，近世本草所用药，各以寒温性味华实虫兽为类，其言近用，功状甚悉，凡二十卷。"《本草纲目》卷1上引文同此。李时珍并说："按十家姓，大姓出东莱，日华子盖姓大，名明也。或云其姓田，未审然否。"丹波元胤《中国医籍考》引文同《本草纲目》。冈西为人《宋以前医籍考》引《东医宝鉴·历代医方》云："《日华子本草》，宋人所著，不著姓名。"又云："按《嘉祐本草》所引，《日华子》有533条（笔者辑本统计是603条，若按引的次数计算，包括序论'七情畏恶'中所引总共达643起）。"

以上四说，究竟哪一说是对的呢？

（二）尚氏的观点

第一说《日华子本草》成书于北齐，不能成立。《古今医统大全》说日华子是北齐人，这是从《日华子鸿飞集论》一书抄来的。丹波元胤《中国医籍考》云："《日华子鸿飞集论》一卷存，题言曰：昔有日华子，北齐雁门人也，幼年好游猎，忽一日同行数人，各执弓矢，出于雁门，岭南见征鸿数只飞过，坠于道旁。日华子又张弓而射之，群雁皆弃所舍庐去书二卷，日华子收之，乃览其文，是昔时皇帝岐伯问答论眼证书，故曰《鸿飞集论》。"按，《鸿飞集论》是眼科书籍，虽题《日华子》，未必是《日华子本草》，而《古今医统大全》视二书为一人所作，是不对的。

第二说《日华子本草》和陈藏器《本草拾遗》同为唐代开元年间作品，也不能成立。按，《证类本草》卷11"何首乌"条，掌禹锡引《日华子本草》云："其药无名，因何首乌见藤夜交，便即采食有功，因以采人为名。"

何首乌的故事发生在什么时候呢？苏颂《本草图经》云："唐元和七年（812）僧文象遇茅山老人遂传其事，李翱因著方录云。"据此可知何首乌的故事发生在唐元和七年，假如日华子是唐开元时人，而开元早于元和近百年，那么日华子怎么会知道近百年之后的事情呢？《日华子本草》成书于唐代开元年间之说，不攻自破。

第三说《日华子本草》成书于吴越时期，亦有待考证。吴越是唐末五代十国之一，吴越始于907年，终于978年钱俶降宋，共72年。吴越持续时间即从北宋尚未建立前53年起，到北宋建朝后18年止。范氏未指明《日华子本草》成书在这72年中的具体什么时间。

第四说《日华子本草》成书年代在北宋初年开宝年间，即968—976年，是掌禹锡所主张的。李时珍《本草纲目》、丹波元胤《中国医籍考》、冈西为人《宋以前医籍考》均从掌氏之说。掌氏虽然讲《日华子本草》在开宝年间由四明人日华子所作，其实在开宝年间，四明属吴越所管辖，尚未被宋所亡，掌氏是以宋代年号来计算年份，而不以吴越年号来计算年份。所以范行准说《日华子本草》成书于吴越时代也是对的。根据掌氏所说《日华子本草》成书于开宝年间，折合吴越王朝，相当于吴越末年，即钱俶嗣立后21年至28年（吴越自宝正六年，即931年，不用年号）。

但从另一些资料来看，《日华子本草》成书年代似在吴越初年，即吴越钱镠天宝年间（908—923）。

日本源顺所撰《和名类聚钞》卷10"荫蓣"条下引《日华子》云："水蓼，味辛，冷，无毒。"查《证类本草》卷11"水蓼"条，掌禹锡按《日华子》云："水蓼，味辛，冷，无毒。"两者所引文全同。

《和名类聚钞》是什么时候著的呢？据《和名类聚钞·序》云："《和名类聚钞》，日本源顺撰……此书盖为醍醐天皇第四公主勤子内亲王所撰，其自序不著年月，考村上天皇天历五年（951）撰《和歌集》，彼土所谓梨壶五歌仙之一，即后周广顺元年（951），醍醐卒于后唐明宗长兴元年（930），此书撰于（后）梁、（后）唐间（后梁亡于923年，后唐兴于924年）。"

假如《和名类聚钞》确实成书于后梁后唐年间，而《和名类聚钞》引有《日华子本草》，则《日华子本草》应成书于《和名类聚钞》之前，即吴越钱镠天宝年间。从吴越天宝年间到北宋开宝年间，平均相隔时间约51年，即半个世纪。

根据《和名类聚钞》所引《日华子》资料来看，则《日华子本草》似比《开宝本草》早半个世纪。另外从两书内容来看，《日华子本草》所载的内容，似比《开宝本草》要早些。例如《证类本草》卷11"何首乌"条引《日华子》说："何首乌味甘，久服令人有子。"《开宝本草》说："何首乌味苦涩，久服长筋骨，益精髓。"

比较两家所说，《日华子》所言接近唐代《何首乌传》的传说。称何首乌味甘（甘指补养而言），久服令人有子（因何首乌原是一个人名，老而无子，采食此药而有子，故以采食者为药名）；而《开宝本草》从实际经验出发，何首乌口尝，味苦而涩，久服能补血强壮身体，故说它"久服长筋骨，益精髓"。按发展观点，《开宝本草》所言何首乌性味功用比《日华子本草》更切合实际，这显然是后来居上的表现。

在《日华子本草》书中，有些文章仍带有唐代医学的习气。唐代医家对中风方很重视，如唐代名医张文仲《随身备急方》谓："风有一百廿种。"《证类本草》卷7"防风"条引《日华子》云："防风治卅六般风。"同书卷18"野驼脂"引《日华子本草》云："骆驼治风下气……脂疗一切风疾。"这些话都是承袭唐代医学重视风疾的表现。

从上述资料来看，《日华子本草》成书似在《开宝本草》之前。

从文献角度来看，《日华子本草》与唐代陈藏器《本草拾遗》是可相提并论的。掌禹锡著《嘉祐本草》所增补的药物都取之于陈藏器《本草拾遗》和《日华子本草》。例如《证类本草》卷11"鸭跖草""山慈菇"等药，都是《嘉祐本草》新增的药，而掌禹锡在这些药条文末尾均标注"新补见陈藏器、日华子"等字样。说明《日华子本草》和陈藏器《本草拾遗》有同等重要的地位。

后梁、后唐间，日本人源顺撰的《和名类聚钞》引用我国佚书很多。其中也引有陈藏器和日华子之书，该书"葳蕤"条、"续断"条，分别引有《本草拾遗》，"蒴藋"条引有《日华子》。《日华子本草》和陈藏器《本草拾遗》齐名，而且又被《开宝本草》以前的文献所引用。这就提示《日华子本草》成书的时间是早于《开宝本草》的。而《开宝本草》是成书于开宝年间，那么《日华子本草》成书时间，当在开宝以前，即有很大可能性成书于吴越钱镠天宝年间。

十五、《海药本草》考

《海药本草》是唐末五代李珣所著，是中国最早的一部外来药的专著，原书久佚，它的内容散存于各种古书中。尚氏在 20 世纪 50 年代就对该书进行辑复。

（一）《海药本草》的基本情况

《通志·艺文略》云："《海药本草》六卷，李珣撰。"《本草纲目》云："《海药本草》凡六卷，唐李珣所撰，珣盖肃代时人。"按，唐代有两个李珣，一是唐睿宗李旦的孙子李珣，另一个是唐末五代时李珣。据《旧唐书》睿宗三子传，说李旦之孙在玄宗天宝三年（744）已死，并云因早卒而无事迹可传，当非《海药本草》作者。所以五代时李珣应为《海药本草》的作者。《本草纲目》说珣为肃代时人，存疑。

吴任臣《十国春秋》卷 44 "李珣传"云："李珣，字德润，梓州（今四川三台）人，昭仪李舜玹之兄也。珣以小辞为后主所赏……著《琼瑶集》若干卷。"李珣原在前蜀做官，925 年前蜀亡后，李珣即到南方游历，并在南方作了很多词，他的词中记述了很多南方物产和风景，如孔雀、象、豆蔻、荔枝、椰子、越王台、海潮等。

李珣因家庭是卖香药的，又游历过岭南，对香药及岭南物产和番药都很熟悉，加以他本人擅长文学，所以能写出一部外来药的专著——《海药本草》。

《海药本草》原书已佚，它的内容为后世本草所援引，其中以《证类本草》为最多，其他如宋代傅肱《蟹谱》、洪刍《香谱》等书亦有援引。明代李时珍《本草纲目》引述的也不少。但是李时珍所引，并非直接来自原书，多是从《证类本草》及其他书中间接转引的。

宋代唐慎微作《证类本草》时，所引《海药本草》资料，是作为补充前代本草之不足而摘录的，所录内容必以前代本草所无为主，例如"藤黄""车渠"等条即是；前代本草从未收载过的即全文抄录；如果某些药与前代本草部分内容不相同，即节录其不同的内容，其余相同的部分不录。例如《证类本草》卷 7 "海根"条，唐慎微援引《海药本草》云："海根，胡人采得蒸而用之。余并同。"引文中"余并同"，是说海根条文还有其余的部分和前代本草内容相同，用"余并同"三字概括之。

尚氏以人卫本《政和本草》为底本，用 1904 年柯逢时影刻的《大观本草》为校本，并以《本草纲目》为旁校本，参考傅肱《蟹谱》、洪刍《香谱》及其他诸书，辑录《海药本草》药物131条。这个数字当然不是原书药物总数，原书所载药物总数，应大于此数。

在131条辑文中，除藤黄、海红豆等16味药条文完整外，其余115味药物条文，皆是残缺不全。有的条文仅有一点功用部分，如"黄龙眼"条，仅有"功力胜解毒子也"；有的条文仅有畏恶，如"补骨脂"条仅有"恶甘草"三字。

（二）《海药本草》的体例与条文内容

《海药本草》原书虽佚，但从残存131条文中，仍可窥其大概。

在药物类别方面，从所辑131条来看，有13条是玉石类，38条是草类，48条是木类，3条是兽类，17条是虫鱼类，11条是果类，1条是米类。按照《新修本草》药物分类的旧例，则《海药本草》对药物亦应分为玉石、草、木、兽禽、虫鱼、果、菜、米等类。唯《海药本草》残存药，未见有禽类和菜类药。

在药物书写体例方面，可从辑文完整的条文考察之。今存《海药本草》完整的条文有16味药。把这16味药条文进行比较，可以看出李珣对药物条文的编写，似有一定的体例。先药名，次引文献说明产地、形态、特性，再次性味，再次主治功用及其他。兹举例说明如下。

"海蚕沙"（药名），谨案《南州记》（引用前代文献）云："生南海山石间（产地），其蚕形大如拇指，沙甚白如玉粉状，每有节（形态和特性）。味咸，大温，无毒（性味）。主虚劳冷气……（主治功用）。"余下15味药物条文书写体例，基本与海蚕沙相同，在用词上仍袭《新修本草》旧例。引前代文献多冠以"谨案"二字。对于药物功效，多冠以"主"或"疗"字等。

在药物条文内容方面，涉及范围很广。举凡药名释义、药物出处、产地、形态、品质优劣、真伪鉴别、采收、炮制、性味、主治、附方、用法、禁忌、畏恶等各个方面都有记载。虽然不是每个药都按这些条目叙述，但大体上，在不同的药物中，这些条目都有所涉及。现在各举一例说明如下。

关于药物名词解释，如"落雁木"条："雁衔至代州雁门（今山西代县雁门关），皆放落而生，以此名。"

关于药物文献出处，李珣作《海药本草》所取的材料，除李珣目睹外，大多根据文献摘录，所录文献均注明出处。例如"瓶香"条注明陈藏器，"槟榔"条注陶弘景，"龙脑香"条注《别录》等。

《海药本草》对药物形态记载较详，例如"丁香"条："二月三月花开紫白色，至七月方始成实，大者如巴豆，为之母丁香，小者实之为丁香"。

对药物品质优劣记载，例如"乳香条"："紫赤如樱桃者为上"；"蒟酱"条："实状若桑椹，紫褐色者为上，黑者是老不堪"。

对药物真伪的鉴别，例如"蛤蚧"条："凡用炙令黄熟，熟捣，口含少许，奔走，令人不喘者是其真也"；"琥珀"条云："凡验真假，于手心热磨，吸得芥为真。"

药物的采收，"豆蔻"条："三月采其叶，细破阴干之"；"橄榄"条："木高大难采，以盐擦木身，则其实自落"。

对于药物炮炙记载较多，"仙茅"条："用时竹刀切，糯米泔浸"；"石决明"条："凡用先以面裹熟煨，然后磨去其外黑处并粗皮，捣烂之，细罗，于乳钵中，再研如面"；"阿勒勃"条："凡用先炙令黄用"；"贝子"条："烧过入药中用"。

关于药物炮制，"柯树皮"条："采皮，以水煮，去滓，复炼，候凝结丸为度"；"返魂香"条："采其根皮于釜中，以水煮，候成汁，方去滓，重火炼之如漆"。

对于药物使用方法，有内服、外用、含漱、佩戴、焚烧香气辟疫、煮水浴、染须发等用法。

对于药物畏恶，"波斯白矾"条："火炼良，恶牡蛎"；"甘松香"条："得白芷、附子良"；"补骨脂"条："恶甘草"。

但是有些内容亦不可靠，如"青蚨"条："人采得，以法末之，用涂钱以货易，昼用夜归"。

（三）《海药本草》的特点

《海药本草》特点很多，兹分述如下。

1. 收外来药很多

如龙脑香出律国，没药出波斯国，金屑出大食国，降真香出大秦国，肉豆蔻出昆仑国，偏桃人（即扁桃仁）出卑占国，艾纳香出剽国，延胡索出奚国，缩沙蜜生西戎诸地等。从出产数量来看，产于波斯国者有 15 种，产于大秦国者有 5 种，产于西海者有 5 种，产于岭南者有 10 种，产于广南者有 10 种，产于南海者有 32 种。所以本书称为《海药本草》是名实相符的。

2. 收录香药很多

香药有两种概念，一指有香味的药物，二指外来药。古代阿拉伯商人贩卖的香药，其中如石硫黄、珊瑚、琥珀等均无香味，但也称为香药。此处所讲的香药指有香味的药。本书所收载的香药有数十种，如丁香、乳香、茅香、迷迭香、降真香、甘松香、沉香等。其中丁香、沉香、乳香至今仍然是很常用的中药。这些香药在当时多作焚香用，或作熏衣用，或作佩戴用。《海药本草》为什么会收录这么多香药呢？一方面由于李珣以香药为家业；另一方面是受当时风气所影响。当时权贵们都把香药当作最豪华的享乐。宋代陈敬《陈氏香谱》说：“唐明皇君臣多有沉、檀、脑、麝为亭阁。”

3. 记载五石散和炼丹之事很多

服五石散是从魏晋开始的，到了隋唐五代，此风仍在流行。唐代柳宗元亦提倡服石钟乳。柳氏《与崔连州论石钟乳书》云：“食之使人荣华温柔……寿考康宁。”因此本书记载这方面的资料很多。如“菴摩勒”条云：“凡服乳石之人，常宜服也。”“含水藤”条云：“丹石发动，亦宜服之。”又本书对烧丹之事记的亦不少，如“金线矾”条云：“多人烧家用。”“波斯白矾”条云：“多入丹灶家。”李珣收集炼丹资料，可能是受其弟李玹的影响。黄休复《茅亭客话》卷4云：“李玹好摄养，以金丹延驻为务。”所以李珣书中涉及养生炼丹辟谷的很多。如“乳香”条云：“仙方多用辟谷。”“桄榔子”条云：“久服轻身辟谷。”

4. 参考资料很多

在131种药物条文中，援引前代书名或人名有58次。所引书名大都是六朝时书，也有唐代的书。从书的种类来看，有历史、地志、杂记、方书、本草等。如返魂香引《汉书》和《武王内传》、珊瑚引《晋书》，波斯白矾等引《广州记》，通草等引《徐表南州记》。总计所引书名有52个，其中有些书名是同书异名。

5. 对前代本草补正很多

例如“迷迭香”条，陈藏器云：“迷迭香味辛，温，无毒。主恶气，令人衣香，烧之去鬼。”李珣补充说：“迷迭香性味平，不治疾，烧之祛鬼气。合羌活为丸，夜烧之，辟蚊蚋。”“白附子”条，《别录》云：“主心痛血痹，面上百病，引药势。”李珣云：“主治疥癣风疮，头面痕，阴囊下湿，腿无力，诸风冷，人面脂甚好。”又如“宜南草”条，李珣说：“此草生南方，故作南北字。今人多以男女字，非也。”

（四）《海药本草》的意义

《海药本草》是我国第一部外来药的专著，也是对唐末五代南方出产药物的总结，同时也是最早的地方本草专著。通过对本书的研究，可以了解唐末五代时外来药的情况和我国南方产药情况。书中收载大量外来药并标明其产地，说明我国在唐代与中亚、南亚以及西亚各国之间的文化交流频繁且保持友好关系，使许多外来药移植于我国，成为中药的组成部分。当时有很多外籍人定居中国，成为外裔华人。如李珣，其祖先原是波斯人，通过丝绸之路，定居长安，唐末战乱，随僖宗入蜀，在四川梓州（今四川三台）出生；李珣及其弟妹数人就成为波斯裔四川人。其次，本书有利于全面系统地研究我国本草学的发展，对于祖国医药遗产的整理和发掘也有一定的帮助。

十六、《本草衍义》考

尚氏对《本草衍义》的作者、著作经过、成书时间及该书的价值等问题，提出了自己的见解，依据充分可信。

（一）作者

《本草衍义》为寇宗奭所著，寇氏为北宋末时人，里贯不详。按日本河田罴《静嘉堂秘籍志》卷7 "本草衍义"条云："宗奭，莱公曾孙，著有莱公勋烈一卷，见《郡斋读书后志》。"按，莱公即寇准（961—1023），准字平仲，华州下邽（今陕西渭南）人。则寇宗奭原籍应是陕西下邽。但十万卷楼丛书本所载陆心源《重刻本草衍义序》又云："宗奭里贯无考。"

另外，《本草衍义》曾4次提及西洛："尝自岷州（今甘肃西和）出塞，得生青木香，持归西洛（今山西寿阳）"（"木香"条）；"今入药绝少，西洛亦有之"（"无患子"条）；"西洛有万安山，山腹间有寺，尝两登是山"（"玉泉"条）；"如西洛潜溪绯是也"（"牡丹"条）。从这几个西洛的记载可以看书寇氏对西洛很熟悉，也许寇氏曾经乔居西洛。

按，寇宗奭多旅居外地，从《本草衍义》条文中，可知寇氏在下列各地任过职。

"尝官陕西"（"柏"条）；"尝官永、耀（今陕西铜川耀州）间"（"白杨"条）；"尝官于永、耀间"（"菊花水"条）；向承乏吴山"（"桑寄生"条）；"尝于顺安军（河北高阳）"（"矾石"条）；"尝于顺安军"（"乌蛇"条）；"嘉祐（1056—1063）年过丰沛（今江苏徐州）"（"榆皮"条）；"尝官于澧州（今湖南澧县）"（"鸬鹚"条）。《付寇宗奭札》曾提到寇氏任过澧州司户曹事之职，后来充当收买药材所辨验药材的职务。

（二）著作经过

作者鉴于当时掌禹锡等所撰《嘉祐本草》和苏颂《本草图经》两书的排列与释义还有疏误，因考诸家之说，并亲自搜求访辑，10 余年后撰成《本草衍义》。其编纂方法悉依二经类例，分门条析，乃衍序例 3 卷，内有名未用，及意义已尽者，更不编入。其《本经》《别录》、"唐本先附""开宝今附""嘉祐新补、新定"之目，缘《本经》（指《嘉祐本草》）已著目录内，更不声说，依旧作 20 卷及目录 1 卷，订名为《本草衍义》。

本书是按《嘉祐本草》目次编排的。本书卷 1 "序例上"云："今则编次成书，谨依二经类例，分门条析。"所谓二经，即指《嘉祐补注神农本草经》和《本草图经》（本书卷 5 "花乳石"条所提《本经》《图经》，即指此二书而言）。

从本书的序例，可了解到本书是根据《嘉祐本草》目次编排的。

但杨守敬《日本访书志》卷 9 "本草衍义"条云："此书通篇药名次第，全与唐苏敬《新修本草》相符。……寇氏盖以《证类本草》分门增药为非是，因就《新修本草》而作《衍义》也。"1956 年商务印书馆重刊本书的《出版说明》云："本书的分部排列，都按唐《新修本草》。"这种说法，显与本书序例不合。

（三）成书时间

本书卷 1 "序例上"题有政和六年（1116）丙申岁记。又本书的《付寇宗奭札》，亦记有"政和六年十二月二十八日"。故是书著成时间，当在 1116 年。

在《付寇宗奭札》文中，有下列一段话："太医学状：承尚书省批送下提举荆湖北路常平等事刘亚夫状；承直郎澧州司户曹事寇宗奭撰成《本草衍义》二十卷，申尚书省投纳后，批送太医学看详，申尚书省。本学寻牒送众学官看详去后，今据博士李康等状：上件寇宗奭所献《本草衍义》，委是用心研究，意义可采。"

从这一段话中，可看出本书曾申请送审过。寇氏在澧州（今湖南澧县），申送尚书省（是中央机构，在当时京都开封），经过"太医学看详""送众学官看详"，这同今日大家审阅情况相同。这种审阅，亦是在政和六年进行的。

清·杨守敬《日本访书志》卷9"本草衍义"条云:"政和六年,曹孝忠又奉命校刊慎微之书（指《政和本草》),何以寇氏一不议及。"要知《本草衍义》在政和六年才完成,曹孝忠奉命校刊慎微书时,寇氏书已送太医学审阅了,又如何能议及呢?

（四）内容

本书分序例和药物两大部分。序例3卷,相当于总论部分;药物17卷,相当于各论部分。

序例分上、中、下3卷。序例上为卷1,序例中为卷2,序例下为卷3。序例上主要介绍一些药物发展史,及寇氏编写本书的原因和经过,并阐述寇氏医学思想。序例中是纠正前代本草的错误,并提示医家用药应注意的事项。序例下是介绍寇氏治病的经验。

寇氏医学思想如下。①提倡防病为主:在本书序例中强调"不治已病,治未病""善服药,不若善保养"。②治病先明八要。指出在望、闻、问、切的基础上,辨明八要。八要,即虚、实、冷、热、邪、正、内、外。这与今日所言重视四诊八纲相同。③提倡医德,序例指出为医者"宜博施救拨之意,不必戚戚沽名,龊龊求利"。

药物部分共17卷,载药470种,按玉石、草、木、兽禽、虫鱼、果、菜、米谷等分类。计:玉石上,载药20种;玉石中,载药23种;玉石下,载药26种;草上上,载药22种;草上下,载药14种;草中上,载药16种;草中下,载药26种;草下上,载药15种;草下下,载药33种;木上,载药20种;木中,载药26种;木下,载药34种;兽禽,载药45种;虫鱼,载药62种;果部,载药34种;菜部,载药31种;米部,载药23种。

其中有些药物,多是并条论述。卷11将"白蔹""白及"并为一条进行论述,谓二物多相须而行。又,"乌头""乌喙""天雄""附子""侧子"并为一条论述。卷5"铁矿""生铁""铁落""铁精""针砂""铁华粉""钢铁"等亦并为一条。卷14中"枳壳""枳实"并为一条。卷7中"苍术""白术"并为一条。卷16中"发髲""乱发"并为一条。卷8中"防风""黄芪"并为一条。卷17中"蛞蝓""蜗牛"并为一条。

有些药物,前后重复。例如"水红子"已见卷12,但卷19中"蓼实"条下又附"水红"。前后文繁简虽异,但主要内容全同。

本书对各个药物论述，有点像笔记形式。主要是补充过去本草未备之言，因而涉及范围较广。对于药物产地、形态、采收、鉴别、炮制、制剂、性味、功效、主治、禁忌等各个方面，在不同药物中，作一二点论述之。并非每一个药对各个方面都有介绍，这是本书与过去正统本草论述的不同之处。

兹将本书药物有关各个方面论述举例如下。

产地："甘草"条"今出河东西界"；"人参"条"今之用者，皆河北榷场博易到，尽是高丽所出，率虚软味薄，不若潞州上党者味厚体实"。

形态："王瓜"条"体如栝楼，其壳径寸，一种长二寸许，上微圆，下尖长，七八月间熟，红赤色，壳中子如螳螂头者，今人又谓之赤雹子"。

采收："赤箭"条"八月采根晒干"；"朴硝"条"是初采扫得，一煎而成"。

鉴别："牛黄"条"亦有骆驼黄……为其形相乱也。黄牛黄轻松，自然微香，以此为异"。"菊花"条云："近世有二十余种，惟单叶，花小而黄，绿叶色深小而薄，应候而开者，是也。""枫香"条云："枫香与松香，皆可乱乳香，尤宜区别；枫香微黄白色，烧之尤见真伪。""桑寄生"条云："此药真者难得，尝得真桑寄生，下咽必验如神。"

炮制："苍术"条"须米泔浸洗，再换泔，浸二日，去上粗皮"；"地黄"条"地黄……以细碎者洗出研取汁，将粗地黄蒸出曝干，投汁中，浸三二时，又曝，再蒸，如此再过为胜"。

制剂："巴戟天"条"巴戟半两，糯米同炒，米微转色，不用米。大黄一两，剉，炒，同为末，熟蜜为丸"；"椿木叶"条"樗根白皮一两，人参一两为末，每服二钱匕"；"犬胆"条"黄狗脊骨一条，肉苁蓉、菟丝子、杜仲、肉桂、附子、鹿茸、干姜各一两，蛇床子、阳起石各半两。将前八味同杵，罗为末，次入阳起石，并狗脊末，用熟枣肉五两，酥一两，同和，再捣千余下，看硬软，丸如小豆大"。

性味："白术"条"气味亦微辛，苦而不烈"；"苍术"条"气味辛烈"；"酸枣"条"微热"；"芜荑"条"性温"；"枳实""枳壳"条"小则其性酷而速，大则其性详而缓"。

功效："乌药"条"和来气少，走泄多"；"猪苓"条"行水之功多"；"没药"条"通滞血"；"厚朴"条"平胃，散中"。

主治："桔梗"条"治肺热气奔促，嗽逆，肺痈，排脓"；"棕榈"条"治妇人血露及吐血"；"夏枯草"条"治瘰疬、鼠漏"。

禁忌："椿木叶"条"忌油腻、湿面、青菜、果子、甜物、鸡、猪、鱼腥等"。"蠡鱼"条"发故疾，亦须忌尔"。

其他："黄药"条"治马心肺热有功"。"榆皮"条"将中间嫩处，剉、干，砲为粉，当歉岁，农将以代食。嘉祐年（引者注：1056—1063 年）过丰、沛，人阙食，乡民多食此"。"无石子"条"今人合他药染髭"。"柘木"条"亦可旋为器。叶饲蚕曰柘蚕"。"木槿"条"湖南，北人家多种植为篱障"。"橡实"条"木善为炭"。"桦树皮"条"湖南、北甚多，然亦下材也，不堪为器用。嫩皮，取以缘栲栳与箕唇"。类似此例很多，仅言日用，无医药内容论述。

（五）流传

本书由寇宗奭侄子寇约在宋宣和元年（1119）刊刻，当时与《证类本草》分别流行。自金人张存惠将本书分条附于《证类本草》之中，明人因之，而单行本遂微。清初亦无刊本，所以《四库全书》亦未著录。到清末光绪三年（1877）归安（今浙江吴兴）陆心源，以所藏南宋麻沙本重梓，本书又得流传。宣统二年（1910）武昌柯逢时，用杨惺吾从日本获南宋椠，加以影印。书末附有庆元修板校勘衔名，称江南西路转运官，题庆元乙卯（1195）秋八月癸丑识。该本当为宋南渡后江西漕司所刻。

宋代书志，对本书名称有两种记载。《通志艺文略》《直斋书录解题》记为《本草衍义》。《郡斋读书后志》《文献通考》记为《本草广义》。

柯逢时影刻《本草衍义》跋云："疑宣和（1119）所刊，当名广义，迨庆元（1195）时，避宁宗讳。乃改广为衍。"

（六）价值

1. 补充《嘉祐本草》药物内容之不足

本书收罗药物，虽见录于《嘉祐本草》，但所记内容，都是《嘉祐本草》药物所无。如《嘉祐本草》新增"菩萨石、水银粉、马瑙、石蛇、铅霜、古文钱、菊花水、浆水、蓬砂"等药，本书均加以补充。

例如"胡芦巴"条，"《本经》云：'得蘹香子、桃仁，治膀胱气甚效'。尝合，惟桃仁麸炒各等分"。文中《本经》是指《嘉祐本草》，因为葫芦巴是《嘉祐本草》新增的药物。此条是寇氏把"《本经》云：'得蘹香子、桃仁'"加以说明，并详述具体配制及操作。这对临床应用价值极大。因此金元时名医李东垣、朱丹溪等都很推崇本书。而且朱丹溪还有《衍义补遗》之作。

2. 纠正前人之误

过去本草卷 1 合药分剂中，有"用桂一尺者，削去皮毕，重半两为正"。寇氏批评说："既言广而不言狭，如何使以半两为正。"

又如过去讲药性，只言四气五味。寇氏认为："凡称气者，即是香臭之气，其寒、热、温、凉，则是药之性。其序例中气字，恐后世误书，当改为性字，则于义方允。"

又如过去本草序例，笼统只讲"一物一毒，服一丸如细麻子之例"。寇氏批评说："缘人气有虚实，年有老少，病有新久，药有多毒少毒，更在逐事斟量，不可举此为例。"

寇氏对封建礼教的批判。寇氏说："今豪足之家妇人，居奥室之中，处帏幔之内，复以帛幪首臂，既不能望神色，又不能殚切脉，此医家之公患，世不能革，医者不免尽理质问，病家见所问繁，以为业医不精，往往得药不肯服。"

对于本草各条考订，不仅以书证书，而且根据实际观察进行考订。像水味不因菊花而香，鼹鼠不能遗溺生子，玉泉为玉浆之伪，都以亲身体验，推翻前人传闻误说。

卷 3 中"玉泉"条，寇氏怀疑玉泉能否治病，曾两次登西洛万安山，询问寺僧，证实玉泉并不能治病。卷 16 "鸬鹚"条，因陶弘景说："此鸟不卵生，口吐其雏"。寇氏云："尝官于澧州，公宇后有大树一株，其上有三四十巢，日夕观之，既能交合，兼有卵壳布地，岂得雏吐口中，是全未考寻，可见当日听之误言也。"卷 6 "石燕"条，苏颂《本草图经》说："或云生山洞中，因雷雨则飞出。"寇氏批评说："既无羽翼，焉能自石穴中飞出。"卷 5 "水银"条，寇氏对水银毒性申述极详，古代方士谓从水银能制成不死之药，其实受其毒致死者不可胜计，寇氏力劝世人不可误服，并列举前世之人受其毒致死若干例。

3. 指出用药应注意的事项

①病有新、久、虚、实不同，不能以一药而治众人之病。②用药必须择州土所宜者，则药力具，用之有据。如上党人参、川蜀当归，齐州（今山东济南）半夏，华州（今陕西华阴）细辛。③用药剂量宜足，不足则不效。例如理中丸，服鸡子黄大则效，服杨梅许则不效。④用药宜识病知脉，药宜对症，用量相当，如此应手而效。为医不审证求脉，孟浪乱投，便致危困，如此药杀人也。

由于历史条件所限，本书也存在一些缺点。有些解释近于唯心，例如"丹雄鸡"条云："巽（卦名）为鸡为风，鸡鸣于五更者，日将至巽位，感动其气而鸣也。体有风，人故不可食。""伏翼"条云："白日亦能飞，但畏鸷鸟不敢出。此物善服气，故能寿，冬月不食，亦可验矣。""蚱蝉"条云："古人以为饮风露，信有之，盖不粪而溺，亦可见矣。"

（七）刊本

本书最早由寇宗奭侄寇约刊于宣和元年（1119）。此后本书多有与《证类本草》合刊行世者，其最早的刊本是南宋淳熙十二年（1185）江西转运司刻时，附在《证类本草》书末。

此外，在南宋嘉定年间（1208—1224）刘信甫节编的《新编类要图注本草》42卷，以及元初平阳张存惠于1249年重刊《政和经史证类本草》时（改书名为《重修政和经史证类备用本草》），均将《本草衍义》的内容分条附入其相应的药物项内。

十七、《本草纲目》引《日华子本草》文误注例

《本草纲目》是以《政和本草》为蓝本编撰的，所引《日华子本草》资料来源于《政和本草》。尚氏用《大观本草》（武昌柯逢时光绪三十年影宋并重校刊本）、《政和本草》（人民卫生出版社1957年影印本）同金陵版《本草纲目》（上海科学技术出版社1993年影印金陵版）进行核对，发现《本草纲目》所引《日华子本草》资料的出处与前两者不同，表现为4种情况，如表1至表4。

金陵版《本草纲目》所引"日华子"文，出现表1至表4所述4种情况，其原因与李时珍在编纂《本草纲目》时，所据《证类本草》版本不同有关，各种不同版本的《大观本草》，其中存在互异文字；各种不同版本《政和本草》，也存在互异文，这些互异文都能造成表1至表4所述情况的产生，特别是那些质量差的版本，或错误多的版本，更易出现这些情况。其次是在编纂时对文献出处标注有误，或使其脱漏，或因誊清时抄写有讹误，没有经过很好的校对，也会产生这些情况。再次是刊刻说误，没有经过精确的校对，亦可能出现这些情况。按，胡承龙在刻金陵版《本草纲目》时，刚刚刻好时李时珍即去世，全书没有经过李时珍过目，从而遗留表1至表4所述的讹误。这些讹误，给后人刊刻《本草纲目》时带来不少以讹传讹的错误，同时也给研究人员在引用时带来一些讹误。从文献角度讲，这些说

误应予以纠正才对。

表1　《本草纲目》误注《日华子本草》文为其他文

《本草纲目》药名 卷，页	注文	作《日华子本草》者		《本草纲目》 误注
		《大观本草》卷，页	《政和本草》页	
松节 34，2795	治脚弱，骨节风	12，6 （"弱"作"软"）	291（同左）	弘景
硝石 11，1147	畏杏仁、竹叶	3，15	85	徐之才
淫羊藿 12，1277	紫芝为之使，得酒良	8，39	206	之才曰
石硫黄 11，1160	曾青为之使，畏细辛、蚩蠊、铁	4，10	102	之才曰
殷蘖 9，1036	熏筋骨弱并痔瘘及下乳汁	4，28 （"熏"作"治"）	113（同左）	别录
白马茎 50，3799	有齿，水磨服	17，1	374	别录
柰 30，2600	肺壅	23，40	478	别录
海松子 31，2671	逐风痹寒气，虚羸少气，补不足，润皮肤、肥五脏	23，40 （"润"作"消"字）	478（同左）	别录
松萝 37，3106	令人得眠	13，39	330	甄权
钩藤 18，2016	客忤胎风	14，44	357	甄权
橘皮 30，2616	破癥瘕痃癖	23，5	461	甄权
椒目 32，2707	膀胱急	14，4	340	甄权
神曲 25，2295	化水谷宿食、癥结积滞，健脾暖胃	25，14（"癥结积滞"作"癥气"）	492（同左）	药性
黄牛肉 50，3776	补益腰脚	17，7	378	孙思邈
萝卜（莱菔） 26，2385	平，不可与地黄同食	27，15	506	孙思邈

《本草纲目》药名 卷，页	注文	作《日华子本草》者		《本草纲目》 误注
		《大观本草》卷，页	《政和本草》页	
芡实 27，2435	通九窍	27，10	500	孟诜
马芹 26，2411	令人得睡	29，12	522	孟诜
扁豆 24，2265	补五脏	25，15	493	孟诜
狸屎烧灰 51，3913	主鬼热疟疾	17，23（鬼作"寒"）	386（同左）	孟诜
水苏 14，1510	头风目眩及产后 中风恶血不止	28，13（恶作"及"）	514（同左）	孟诜
白马溺 50，3803	洗头疮白秃	17，17	374	孟诜
合欢 35，2921	叶可洗衣垢	13，44	332	藏器
人牙齿 52，3981	除劳，治疟、 蛊毒气、入药烧用	15，3	364	藏器
榼藤子 18，1933	飞尸	14，41；5，22	356	藏器
玻璃 8，948	惊悸心热，能安心明目	（青琅玕条下：玻璃 安心、止惊悸、明目）	132（同左）	藏器
冬青皮 36，3035	补益肌肤	12，38	306	藏器
酒 25，2311	社坛余胙酒，治孩儿语迟， 纳口中佳，又以喷屋四角， 辟蚊子	25，5 （"纳口中佳"作 "以少许吃口吐酒"）	488（同左）	藏器
茅针 13，1361	通小肠	8，46	208	藏器
穬麦 22，2188	作饼食	25，15	493	肖炳
狸骨 51，3913	治一切游风	17，23 （无"一切"二字）	386（同左）	保鼎

《本草纲目》药名 卷，页	注文	作《日华子本草》者		《本草纲目》 误注
		《大观本草》卷，页	《政和本草》页	
原蚕蛾 39，3226	壮阳事，止泄精、尿血，暖水脏，治暴风、金疮、冻疮、汤火疮，灭瘢痕	21，16	429	时珍
苦参 13，1343	杀疳虫，炒存性，米饮服，治肠风泻血并热痢	8，14（"炒存性，米饮服"作"炒带烟出为末，饭饮下"）	198（同左）	时珍
韭 26，2334	壮阳，止泄精，暖腰膝	28，5（壮作"益"）	511（同左）	宁原
甘松香 14，1421	下气	9，52	236	开宝
豆蔻 14，1431	消酒毒	23，1	460	开宝
硇砂 11，1150	北庭砂	5，7	125	四声
蛤蜊 46，3543	润五脏，止消渴，开胃，治老癖为寒热，妇人血块，宜煮食之	22，4	441	禹锡

表2　《本草纲目》误注其他文为《日华子本草》文

《本草纲目》药名 卷，页	《本草纲目》误注下列文为《日华子本草》文	《大观本草》卷，页	《政和本草》页	《大观本草》《政和本草》注作其他文
鼠妇 41，3302	气癃不得小便，妇人月闭血瘕，痫痉寒热，利水道	12，31	455	本经
桃蠹虫 41，3279	桃蠹虫（按"桃蠹"二字最早见于《本经》，非《日华子本草》）	23，25（在桃核仁条中）	472（同左）	本经
狼毒 17，1772	苦、辛、有毒	11，16	268	药性论
茛草 16，1745	治一切恶疮	11，50	281	药性论

《本草纲目》药名 卷，页	《本草纲目》误注下列文为《日华子本草》文	《大观本草》卷，页	《政和本草》页	《大观本草》《政和本草》注作其他文
槐皮 35，2916	治男子阴疝卵肿	12，11	294	药性论
石龙芮 17，1897	逐诸风，除心热燥	8，45	208	药性论
鹿茸 51，3879	补男子腰肾虚冷，脚膝无力，夜梦鬼交，精溢自出，女子崩中漏血，赤白带下，炙末，空心酒服方寸匕	17，4	376	药性论
椿木皮 35，2888	肠风下血不住，肠滑泻（《大观本草》《政和本草》作"肠滑、痨疾，泻血不住"）	4，15	344	药性论
麦冬 16，1656	定肺痿吐脓	6，49（定作治）	156（同左）	药性论
枇杷叶 30，2630	治呕哕不止	23，22	469	药性论
琥珀 37，3097	治产后枕痛	12，19	297	药性论
白前 13，1377	主一切气	9，43	233	药性论
蛇床子 14，1400	小儿惊痫，煎汤浴，大风身痒	7，40	186	药性论
黄连 13，1305	杀小儿疳虫（《本草纲目》作"杀虫"）	7，8	175	药性论
椿木皮 35，2888	女子血崩及产后血不止，赤带	4，15	344	孟诜
豹肉 51，3851	耐寒暑	17，27	386	孟诜
麋角 51，3894	补虚劳	18，15	390	孟诜

《本草纲目》药名 卷，页	《本草纲目》误注下列 文为《日华子本草》文	《大观本草》卷，页	《政和本草》页	《大观本草》《政和本草》注作其他文
驴皮 50，3809	覆疟疾人，良	18，6	390	孟诜
雁肪 47，3582	治耳聋	19，8	400	孟诜
茄子 28，2482	醋磨，傅肿毒	29，8	520	孟诜
淋石 52，3997	石淋，水磨服之，当得碎石随溺出	5，29	135	今附（开宝本草）
地衣草（仰天皮） 22，2123	卒心痛中恶，以人垢腻为丸，服七粒，又主马反花疮，生油调傅	4，44	120	藏器
兔肉 51，3926	热气湿痹	17，21	385	藏器
鲤鱼肉 44，3416	妊娠身肿	20，19	419	陈藏器
水银粉 9，979	畏磁石、石硫黄，忌一切血	2，42	74	陈藏器
酸模 19，2060	茎叶俱细，节间生子，若荛蔚子	11，13	267	蜀本图经
苦苣 27，2442	叶，傅蛇咬	27，20	508	嘉祐本草
龟甲 43，3368	无毒，蜀漆为之使，畏芫花、甘遂、狗胆。	21，14	431	药对
茅针 13，1362	止吐血衄血，傅灸疮	8，46	208	唐本注

表3　《本草纲目》引《日华子本草》文脱漏标记

《本草纲目》药名 卷，页	《本草纲目》引下列文均脱漏出处	作《日华子本草》者	
		《大观本草》卷，页	《政和本草》页
铜弩牙 8，920	气味，平，微毒	5，26	133

《本草纲目》药名	《本草纲目》引下列文均脱漏出处	作《日华子本草》者	
卷，页		《大观本草》卷，页	《政和本草》页
雄鹊肉 49，3685	治消渴疾	19，15	404
舂杵头细糠 25，2327	卒噎，刮取含之（《大观本草》《政和本草》作"治噎，煎汤呷"）	25，11	491

表4　《本草纲目》所引《日华子本草》文不见《证类本草》

《本草纲目》药名	《本草纲目》所引下列文均注出处为《日华子本草》	《大观本草》《政和本草》在相同药名下无此文	
卷，页		《大观本草》卷，页	《政和本草》页
甘蕉 15，1618	花主治心痹痛、烧存性，研，盐汤点服二钱	11，22	270
锡 8，914	主治恶毒风疮	5，11	127
蘘草 15，1619	大明曰：平	30，16	546
豆蔻 14，1426	破冷气作痛，止霍乱	23，1	460
乌贼鱼 44，3468	干煮名鲞	21，11	428

十八、有关《雷公炮炙论》炮制方法的阐述

《雷公炮炙论·序》云："直录炮、熬、煮、炙，列药制方，分为上、中、下三卷，有三百件。"（见《证类本草·序例上》）据此可知本书是论炮、熬、煮、炙等制药方法的。原书已佚，部分内容散存于《证类本草》中。

《证类本草》记载引有"雷公曰"的药物是242条（冈西为人《宋以前医籍考》作252条），但《雷公炮炙论·序》中，援引药名有52种。在这52种药名中，有17种和242条内药名相同，另有18种药名和《证类本草》药名相同，但无"雷公曰"等引文。另外有17种不见录于《证类本草》，如"修天""神锦""根黄"等。

尚氏将《证类本草》引有"雷公曰"条文中，有关炮炙资料综述如下。

（一）有关药料洁净和挑选等操作

1. 挑拣

挑拣是除去非药用部分，保留药用部分。兹将《雷公炮炙论》中有关要挑拣的药物，归类如下。

（1）去杂质。蝉花去甲上土，吴茱萸去叶核及杂物，当归去尘至尖头处。

（2）去除非药用部分。包括植物药及动物药两类。

1）植物药有去根、须、芦头、茎、节、挺、蒂、叶、皮、膜、子、核、心、瓤等。

去根：如蜀漆、茵陈蒿、营实、香薷、蛇含等。去须：如白薇、白前、芦根、栀子等。去头：如桔梗、藜芦、女萎等。去茎：如甘遂、刘寄奴等。去节：苏方木去节；麻黄去节并沫，若不尽，服之令人闷。去挺：如荜茇。去蒂：如豆蔻、丁香、旋覆花等。去叶：如马兜铃、淫羊藿等。去皮：如桃仁、郁李仁、蓖麻子等，以及百部去心皮，辛夷、厚朴、榉树皮、橡实、石决明去粗皮，杏仁、蕤核、酸枣去皮及尖，黄芪、荜澄茄去皱皮。去膜：如桔梗去白膜，蔓荆子去蒂下白膜，马兜铃去隔膜，栝楼去壳和皮革膜。去子：如槐实去单子。去核：如山茱萸去内核，楝实去核，桑螵蛸去核子。去心：如菟耳、枸杞子。去瓤：如枳壳。

2）动物药去其非药用部分，如伏翼、虾蟆去爪肠，蜘蛛去头足，一切蛇去胆并上皮。

2. 刷

刷去药物表面尘土。如肉苁蓉，用棕刷刷去沙土。

3. 刮

用金属工具除去药物表面非药用部分。如荜茇，以刀刮去皮粟子令净方用，免伤人肺，令人上气；商陆、白杨、白蘘荷，用铜刀刮去上粗皮；骨碎补去上黄毛。

4. 削

削是用刀除去药物表面非药用部分。如杜仲，削去粗皮；木瓜，削去硬皮；白芷，削去上皮。

5. 揩、拭

是以粗布擦去药物表面的非药物部分。如络石，用粗布揩去茎蔓上毛；枳壳拭去焦黑。

（二）有关药物破碎及研粉等操作

1. 劈

用手或刀把质软的整块药物分成小块。如附子、牛黄、麝香，劈破；杏仁、蕤核，劈作两片；牡丹，钢刀劈破；黄芪，手劈令细。

2. 剥

用于将质软整块的药物剥开。如牛黄剥之。

3. 刮

用金属工具，把质松易碎的药物刮成粉。如滑石，用刀刮之。

4. 切

切是用刀将药物切成段或切成小块，或切碎。如仙茅，铜刀切；商陆、续断、皂荚，细切。

5. 剉

是锉的借用。锉，原是对质地坚硬的药物用金属锉成细粉，但一些质软的药物就不好锉了。要把质软的药物弄成细碎，只有把药物放在木砧上用刀细剁，古人称此法为剉。

6. 槌

用铜锤猛击药物，使之破碎。如槐实，用铜锤槌之；磁石、皂荚，槌令细。

7. 舂

系用木或石制的臼和杵，用以粉碎药物，如牵牛子，临用舂去黑皮；蒺藜，于木臼中舂，令皮上刺尽。

8. 捣

系用石、铁或钢制的臼和捣杵，用以捣碎或去皮。如苏方木、莎草，于石臼中捣。丹砂，碎捣之。犀角、白垩、密陀僧、茯苓、海蛤、琥珀、栝楼，于臼中捣令细。雄黄、枳壳、恶实，虎骨、芦荟等捣如粉。鹿茸，捣作末。桔梗，捣作膏。

9. 捣筛

如栀子、莨菪、白僵蚕、皂荚、雌黄于臼中捣筛。

10. 碾

系用石制成碾槽及碾轮，来回滚动，以挤压粉碎药物。如胡椒、蛴螬于石中碾碎成粉；阿胶、蝉花，碾细用之。

11. 研

将药物放在研钵内，用研杵旋转研磨，使药粉碎成极细的粉末。如芒硝，入乳钵中研如粉用；磁石，入乳钵中研细如尘。又如犀角，研万匝，免刮人肠也。其他如石决明、龙骨、太一馀粮、石钟乳、砒霜、丹砂，还有郁李仁、巴豆、白蘘荷、胡葱等，研如膏；钩吻，研绞取自然汁等。

12. 磨

如蓬莪术，于砂盆中用醋磨令尽。

13. 飞

系将药料与水（或药汁）共细研，搅拌，将含有药粉的水倾出，静放使其沉淀，分出干燥，至成极细粉末为度。如石钟乳、雄黄水飞，澄去黑者；生甘草水飞；伏龙肝以滑石水飞；白垩盐汤飞等。

（三）有关淘洗及干燥等操作

1. 淘洗

（1）淘。用水清洗颗粒的药物。如牵牛子入水中淘。其他有桑螵蛸、丹砂、滑石、紫菀等淘令净。

（2）洗。用清水或药水除去药物表面附着的泥土或其他不洁之物。如仙茅用清水洗，吴茱萸用盐水洗，枇杷叶、石硫黄以甘草汤洗，雄黄醋洗。

（3）浴。是用温热药水洗。如龙骨，先以香草煎汤浴两度。

2. 干燥操作

（1）拭干。即用干粗布擦去药物表面的水湿。如丹砂、石钟乳、雄黄、砒霜、石决明，拭干。

（2）阴干。系将药物放在室内通风处，任其自然干燥。如郁李仁、苏方木、莎草、续断、桑寄生、五加皮、蛴螬、虾蟆、白花蛇、茵陈蒿，阴干用。

（3）悬令风干。系将药物悬挂在屋檐下，任其风吹干燥。如百部于檐下悬令风吹干。其他药物还有瓜蒂、白杨、马兜铃、蝉花、椿木、泽兰等。

（4）晒干。将药物放在日光下暴晒，称为晒干，或称曝干。如吴茱萸、海藻、常山、秦艽等，日干。云母、滑石、石钟乳、前胡、白芷、芍药、麻黄、大黄、狗脊等，晒干。香薷、仙茅、刘寄奴、商陆等，曝干。

（5）焙干。系将药物以火烘焙使干。如紫菀、王不留行……火上焙干。还有黄连、鹿茸等。

（6）炙令干。系将药物放在火旁炙烤令干。如鳖甲、巩石火畔炙之令干。蓬莪术，醋磨火畔吸令干。

（7）蒸干。系将药物放在容器内，置水浴锅上加热使干。如蒟酱用生姜汁蒸干。

（四）有关药物炮制操作

1. 浸

系将药物加清水或其他液体（如酒、醋、米泔、童便等）浸泡，使其柔润，便于切制，兼有减低毒性、改变药性的作用。

（1）酒浸。《雷公炮炙论》有载，当归、补骨脂、密蒙花、常山、百部等，酒浸一宿。

（2）苦酒浸。苦酒即是醋。《雷公炮炙论》有载，白花蛇苦酒浸。

（3）水浸。楮实用水浸醋三日。王不留行、石榴、黄连、桑螵蛸用浆水浸等。

（4）甘草水浸。款冬，甘草水浸。枸杞，熟甘草汤浸一宿等。

（5）汤浸。《雷公炮炙论》有载，郁李仁先汤浸，后蜜浸一宿；杏核仁，沸汤浸少时去皮膜。

（6）米泔浸。射干、蚯蚓糯米水浸一宿。还有白僵蚕、白薇等。

（7）蜜浸。紫菀，蜜浸一夜。其他有五味子、黄柏等。

（8）牛乳浸。《雷公炮炙论》有载，槐实，用乌牛乳浸；莨菪，黄牛乳浸。

（9）生羊血浸。虎睛，生羊血浸。

（10）猪脂浸。《雷公炮炙论》有载，阿胶，猪脂内浸一宿。

（11）童溺浸。《雷公炮炙论》有载，草蒿，用七岁儿童七个溺浸七日七夜。

（12）药汁浸。蛇床子，以浓蓝汁并百部草根自然汁二味同浸三伏时。辛夷，芭蕉水浸一宿。仙茅，乌豆水浸。

2. 蒸

将药材置木或竹制的蒸笼内，于开水锅上加热蒸之。蒸法有单蒸、酒拌蒸、浆水蒸、腊水蒸、蜜蒸、生羊血蒸、加辅料蒸。

（1）单蒸。海藻、诃梨勒，蒸一伏时；白杨、蒲黄、酸枣、王不留行，蒸半日。

（2）酒拌蒸。如恶实，酒拌蒸。还有柏实酒拌蒸一伏时。

（3）浆水蒸。营实用浆水拌令湿蒸一宿。

（4）腊水蒸。大黄洒腊水蒸从未至亥。

（5）蜜蒸。徐长卿拌少蜜令遍，用瓷器盛，蒸三伏时。还有密蒙花拌蜜令润蒸。

（6）生羊血蒸。白马茎、生羊血蒸半日。

（7）加辅料蒸。莽草，甘草、水蓼同蒸。漏芦，生甘草拌相对蒸，从巳至申。还有败酱，入甘草叶拌相对蒸。白芷，以黄精蒸一伏时。防己，剉车前草根相对同蒸半日。女萎，拌豆淋酒蒸。

3. 煮

将药材与清水或液体辅料（如酒、醋、药汁等）同煮。

（1）水煮。蕤核，水煮一伏时。辛夷、蝉花、楝实，用浆水煮。还有石钟乳，五香水煮；乌贼鱼骨，血卤水煮。

（2）酒煮。鹿茸，以无灰酒煮其胶阴干。白花蛇，一切蛇干湿须酒煮过用。

（3）醋煮。如茛菪，头醋一镒，煮尽醋为度。

（4）加辅料煮。蓖麻子，盐汤煮半日。巴豆，以麻油并酒等煮。水银，以紫背天葵并夜交藤自然汁二味，同煮一伏时，其毒自退。

4. 煎

原含有熬的意思，凡有汁加热使干谓之煎。后来把药材加水缓煮，亦称煎。如栝楼，作煎，搅取汁，冷饮任用。莴苣，用作煎，捣取自然汁，缓缓于锅子中煎如稀饧。云母，以天池水煎。鳖甲，与头醋下火煎。

5. 炼

是煎炼。石蜜，炼蜜一斤只得十二两半。熊脂，炼过就器中安生椒，炼了，去脂草并椒，入瓶中。按，椒有防腐作用。

6. 炒

将药材置锅中加热，并不停地翻搅。如贝母，拌糯米于鏊上同炒，待米黄熟，然后去米。另外还记有药材与液体辅料共炒（今日则称为炙）。如淫羊藿，羊脂炒；卫矛，酥缓炒。

7. 熬

即干煎。《方言》曰："熬，火干也。"实同炒相似。如蚯蚓，山茱萸熬；桑螵蛸，于瓷锅中熬令干；甘遂，熬令脆用之；蒺藜子，缓火熬焦熟。

8. 炙

是用火直接烤炙。

（1）单纯炙。阿胶，于柳木火上炙，待泡。腽肭脐，微火上炙令香。蛇蜕、伏翼，炙令干。

（2）加辅料炙。黄柏蜜涂，文武火炙。鹿茸，以好羊脂拌天灵盖末，涂于鹿茸上，慢火炙之，令内外黄脆。

9. 焙

意同烘，用微火缓缓地烘焙。如石钟乳、天麻，缓火焙之；蒲黄，隔三重纸焙令色黄；葶苈子，以糯米相合焙。

10. 炮

将药物置塘灰中烧至爆裂为度。贝母，柳木灰中炮令黄。附子，炮令皱。肉豆蔻，以糯米作粉，使热汤溲，裹豆蔻，于塘灰中炮，待米团子焦黄熟。

11. 煅

用高温处理药物的方法。

（1）直火煅。是将药材直接放在火上烧至通红。真牡蛎火煅，入火中烧令通赤；石灰下火煅，令腥秽气出。

（2）闷火煅。将药材置密闭容器中煅之。一般多用于植物药或部分动物药。头发，入瓶子，以火煅之，令通赤。矾石、硝石，瓷瓶盛，于火中煅，令内外通赤。

本书对于药物炮制改变药性、炮制时注意事项、炮制时药料的选择等，都有论述。炮制改变药性，如白垩，水飞过免结涩入肠；半夏，上有隙涎，若洗不净，令人气逆，肝气怒满等。炮制时注意事项，如桂，勿令犯风；茵陈蒿，勿令犯火；灰藋，勿令犯水；修治一切角忌盐；木瓜，勿令犯铁；玄参，勿令犯铜。炮制时对药料的选择，有芦根，要逆水芦根；头发，"凡使之，是男子，年可廿已来，无疾患，颜貌红白，于顶心剪下发是"。

从上述资料来看，《雷公炮炙论》有下列几个特点。

本书专论制药，是我国最早的炮炙专著。陶弘景对炮炙虽有系统的总结，但未成专著。本书总结了古代炮制的经验，在我国药学界有深刻的意义与影响，后世炮制书常以"雷公"或"炮炙"来命名。直到现在，制药业中仍尊雷公为炮炙的始祖。所以本书是一部很重要的炮炙文献。

本书保存了古代很多炮制史料，是研究我国中药炮制的重要参考资料，同时也反映了中药炮炙的概念是在衍变的。

本书研究可揭示后人托古之风。有些制药方法并非出于雷公，但著书者硬挂雷公之名。明代李中梓《雷公炮制药性解》，所引《雷公炮炙论》资料很少，亦署名雷公。又如明代缪希雍《炮炙大法》，开头即有"按雷公炮制法有十七种：炮、燀、煿、炙、煨、炒、煅、炼、制、度、飞、伏、镑、撒、晒、曝、露"。其中燀、煿、煨、度、伏、镑、撒、露等法，皆不见于《雷公炮炙论》条文中。例如煨法，在宋代才提到用面裹肉豆蔻煨。但《雷公炮炙论》将肉豆蔻用糯米粉以热汤溲裹之，于塘灰中加热至米团子焦黄熟的加工方法，称为"炮"。可见煨、燀、煿等法，不一定都是雷公创造的，但是著书人因找不出创造者是谁，即统统托名雷公。故以上十七种炮制法被称为"雷公十七法"。

本书是一部极有价值的实验记录文献。其对疑似药物的鉴别和制药时所用辅料的数据，都是宝贵的记录。例如自然铜，"若修事五两，以醋两镒为度"；紫草"每修事紫草一斤，用蜡三两"。对于疑似药鉴别，有石膏"凡使不用方解石，方解石虽白不透明，其性燥"；菟丝子"勿用天碧草子，其样真相似，只是天碧草子味酸涩并黏，不入药用"。

由于受历史条件的限制，书中也有些迷信东西。如"龙骨……妇人采得者不用""夫修事朱砂，先于一静室内焚香斋沐，然后取砂，以香水溶过了……"类似例子很多，应批判对待。

十九、"药性趋向分类论"的提出

（一）历代本草分类法

在50余年的本草研究中，尚氏发现历代本草药物多数按自然属性分类，少数按非自然属性分类。

1. 按自然属性分类

《周礼·天官冢宰》曰："疾医以五药养其病。"郑康成注："五药，草、木、虫、石、谷也。"

梁代陶弘景《本草经集注》，按自然属性将药物分为玉石、草木、虫兽、果、菜、米谷、有名无实 7 类。

唐代苏敬《新修本草》，沿用陶氏分类，将其中草木、虫兽分为草、木、兽禽、虫鱼，共分 9 类。

宋代本草沿用唐代本草分类，将其中兽禽分为人、兽、禽 3 部。

明代本草分类沿用宋代本草分类，但是分得更详细。例如《本草品汇精要》将草部又分为草之草、草之木、草之飞、草之走；对禽、兽、虫、鱼又各分羽、毛、鳞、甲、蠃 5 类。又如《本草纲目》细分为 16 部 62 类。

清代本草多数是按自然属性分类。

自陶弘景创自然属性分类后，历代主流本草皆宗之。随着时代发展，其分类项目越来越细。

2. 不按自然属性分类

（1）按三品分类。《本经》将药物按毒性分上、中、下三品。无毒为上品，稍有毒为中品，有大毒为下品。

（2）按阴阳分类。《蜀本草》云："羽毛之类，皆生于阳而属于阴；鳞介之类，皆生于阴而属于阳。"金代成无己按《素问·至真要大论》"辛甘发散为阳，酸苦涌泄为阴，咸味涌泄为阴，淡渗泄为阳"分阴阳。明代杜文燮《药鉴》有"药性阴阳论"专题，主张医者应首察病源，次辨药力，论证则由标本而及经络，审药则由阴阳而及畏恶相反。详论药性，述其主治功用。

（3）按法象分类。所谓法象是古人根据自然现象而取类比象。例如梁代陶弘景注《本经》时，将上、中、下三品药性和自然界时序（从正月到十二月）以及万物生长过程联系，即以法象名之。

陶弘景序云："上品药性，亦皆能遣疾，但其势力和厚，不为仓卒之效，然而岁月常服，必获大益，病既去矣，命亦兼申，天道仁育，故云应天，法万物生荣时也。……中品药性，疗病之辞渐深，轻身之说稍薄，于服之者，祛患当速，而延龄为缓，人怀性情，故云应人，法万物成熟时也。……下品药性，专主攻击，毒烈之气，倾损中和，不可常服，病愈即止，地体收杀，故云应地，法万物枯藏时也。"

《蜀本草》云："凡天地万物，皆有阴阳，大小，各有色类。寻究其理，并有法象。故羽毛之类，皆生于阳，而属于阴；鳞介之类，皆生于阴，而属于阳。"又云："空青法木，故色青而主肝；丹砂法火，故色赤而主心；云母法金，故色白而主肺；雌黄法土，故色黄而主脾；磁石法水，故色黑而主肾。余皆以此推之，例可知也，此谓法象。"

张元素的弟子李杲（1180—1251）创有"药类法象"。《素问·阴阳应象大论》曰："天有四时五行以生长收藏，以生寒、暑、燥、湿、风。"李氏基于此，取药99 种，按五行配五气、四时、升降浮沉化等法则形象来分。（见表5）

表5　药物按五行配五气、四时、升降浮沉分类表

五行	木	火	土	金	水
五气	风	暑	湿	燥	寒
四时	春生	夏长	长夏成	秋收	冬藏
升降浮沉	升	浮	化	降	沉

元代王好古师承东垣，故王氏《汤液本草》基本上沿用李氏理论。他在书中首列"五脏苦欲补泻药味"，说明各药性味对于人体的影响，从而概括地介绍用药原则。并转录李氏《药类法象》96 味，按风升生、热浮长、湿化成、燥降收、寒沉藏等分类。每药标明气味。王氏所作本草部分，仍按自然属性分，每药标气、味、有毒、无毒、归经及转录诸家主治。

（4）按脏腑分类。即按五脏六腑分类。

明代江涵暾《笔花医镜》、清代吴古年《本草分队》将药物按五脏六腑分为11 类，每类细分温、凉、补、泻4 小类，每小类又分猛将、次将。

清代凌奂采用吴古年的分类法，按脏腑列11 类，各类又分温、凉、补、泻之猛将、次将。诸药下设"害"（毒副作用）、"利"（功用、配伍）、"修治"（炮炙、药品鉴别）3 项论述。书名《本草害利》。

关于脏腑分类，最早金代张元素已提出，其根据是《素问·脏气法时论》中"肝苦急，急食甘以缓之"之论，即："甘草缓肝急，五味子收心缓，白术燥脾湿，黄芩泻肝逆，黄柏、知母润肾燥。"又，《素问·脏气法时论》有"肝欲散，急食辛以散之，用辛补，酸泻之"。他以药联系之："川芎散肝，细辛补肝，白芍泻肝；芒硝软心，泽泻补心，黄芪、甘草、人参缓心；甘草缓脾，人参补脾，黄连泻脾；白芍敛肺，五味子补肺，桑白皮泻肺；知母坚肾，黄柏、泽泻泻肾。"

张氏认为，药有五味，五脏有苦欲，各随脏气喜恶不同，产生不同补泻作用。例如同一酸味芍药，既能敛肺，又能泻肝。同是辛味药，细辛能辛散，知母、黄柏能辛润。同是苦味药，白术味苦燥湿，黄连味苦泻火。

他在《珍珠囊·诸品药治主治指掌》中对90 种药，辨药性之气味阴阳厚薄、升降浮沉补泻，六气十二经，归经引经，并扼要介绍每种药几点主要功效，使药性

体系更为完善。

此外张氏根据《中脏经》"分辨脏腑虚实寒热"、孙思邈"脏腑虚实辨证"、钱乙《小儿药证直诀》"五脏虚实辨证"，拟定"脏腑标本寒热虚实用药式"，以五脏六腑为纲，述各脏腑本病、标病，以补、泻、寒、热等治法为目的，类列有关药名。《本草纲目》卷1转录之。张寿颐（张山雷）为之补正，易名《脏腑药式补正》。

（5）按经络分类。即药物归经分类。明代顾逢伯《分部本草妙用》论药强调归经，清代岳含珍《分经本草》、唐千顷《本草分经分治》、吴应玑《本草分经》、盛壮《药性分经》等，皆依据药物归经分类。

清道光十八年（1838）陈仲卿著《寿世医窍》，将药物按十二经及冲、任、督三经，营、卫等分类，各类药物简注药性。

清道光二十年（1840）姚澜著《本草分经》，将全书以十二经及命门分类。奇经为纲，又设不循经药品一节，类列诸药，各经之下，又分补、和、攻、散、寒、热6类。另设"总药便览"，按草、木、虫、鱼14类备载药名，药名下注归经。清代张节《本草分经》，将全书药物分列在十二经、三焦、命门、奇经八脉之下，形成分经药名名录。清代夏翼增《引经便览》，亦按归经分类，全书按十二经及冲、任、督、带分类。每经之下，立"引经药诀"，将该经全部药名编为七言诗。按脏腑、经络分类，一药可入数脏、数腑、数经；每一脏、一腑、一经可有多种药，不及按自然属性或功效分类检索方便。所以按脏腑、经络分类，并不为医家所欢迎，因此这种分类只在清代末流行。

（6）按十剂分类。即宣、通、补、泻、轻、重、滑、涩、燥、湿十剂分类。

中国历代主流本草，均按药物自然属性分类，不便临床检阅应用。清代沈金鳌从临床应用出发，收集常用药420种，按"十剂"进行分类。每一剂中，又按自然属性分类。例如宣剂收药96种，按草、木、谷、菜、果、金石、鸟、兽、鳞、介、虫等分部。其余各剂中药物排列次序同此。

清道光二十年包诚著《十剂表》，全书根据他的老师张琦《本草述录》所载药物，按"十剂"与归经相结合类列成表，表中横排为十剂，纵列为十二经。各药注性味、入脏、功效等，卷前有"十剂解"，注释"十剂"义理及适应证，继列73种药名、正名及别名。

（7）按治疗分类。最早见于《本经》。《本经》对药物分类，除按药性三品分类外，亦按药物治疗分类。《本经·序录》云："疗寒以热药，疗热以寒药，饮食不消以吐下药，鬼疰蛊毒以毒药，痈肿疮瘤以疮药，风湿以风湿药。"文中热药、寒药、吐下药、毒药、疮药等，都是按治疗分类。

（8）按脉象分类。1795年清代龙柏著《脉药联珠药性考》。该书按脉象分类，以脉象浮沉迟数为纲，草木金石为部类。各药内容取自《本草纲目》，编为四言歌诀。

（9）按病症分类。将主治某一类疾病的药物，归并在一起论述。兹举例如下。

清代邹澍《本经序疏要》，立病名92种，每病罗列主治相同的药物，各药注其性味、功效。

清代王铨《本草因病分类歌》，对杂病罗列主治相同的药述之。

清代孙丰年《治痘药性说要》，记述孙氏一生中治痘用药经验，兼述痘疹饮食诸品。

（10）按药物作用分类。将作用相同的药归纳在一起，一般分为解表药、清热药、祛暑药、祛风湿药、祛寒药、泻下药、利水渗湿药、安神药、平肝熄风药、开窍药、止咳化痰药、理气药、理血药、补血药、收涩药、消导药、驱虫药、涌吐药、外用药等。其中有些类别又细分小类，如解表药分为辛温解表药、辛凉解表药；清热药分为清热降火药、清热明目药、清热解毒药、清热燥湿药、清热凉血药；泻下药分为缓下药、攻下药、峻下逐水药；利水渗湿药分为利水消肿药、利尿通淋药、利湿退黄药；安神药分为重镇安神药、养心安神药；止咳化痰药分为止咳平喘药、清化热痰药、温化寒痰药；理血药分为活血化瘀药、止血药；补益药分为补气药、助阳药、补血药、养阴药。

临床应用本草，多按药物作用分类。清代黄宫绣《本草求真》，将药物按作用分为补、涩、散、泻、血、杂、食物7类，每类各分为若干子目，如在补类中又分为温中、平补、补火、温肾等。其优点是有利于临床应用检阅。

（11）按药性分类。即按药性寒、热、温、平等分类。如清代何岩《何氏药性赋》、清代蒋介繁《本草纲目择要》以及诸家歌赋类本草，都是按药性分类。

早在金代，医家刘完素即创立多层次药性分类。

《素问·阴阳应象大论》曰："阴味出下窍，阳气出上窍。味厚者为阴，薄为阴中之阳；气厚者为阳，薄为阳中之阴；味厚则泄，薄则通；气薄则发泄（发汗），厚则发热。"刘完素将其同实际药物相联系。例如："附子、干姜，味甘温大热，为纯阳之药，为气厚者也；丁香、木香，味辛温平薄，为阳中之阴气不纯者。故气所厚则发热，气所薄则发泄。"

刘氏在《素问病机气宜保命集·药略》中列举65味常用药之功效，以形、色、性、味、体为主干，建立药性多层次体系分类。如下。

"形有真假，分为金、木、水、火、土。

色有深浅，分为青、赤、黄、白、黑。

性有急缓，分为寒、热、温、凉、平。

味有厚薄，分为辛、酸、咸、苦、甘。

体有润枯，分为虚、实、轻、重、中。"

在上述体系分类中，刘氏说："轻、枯、虚、薄、缓、浅、假宜上，厚、重、实、润、深、真、急宜下，其中平者宜中，余形、色、性、味皆随藏（脏）腑所宜处方。"

刘完素生在北方，当时南北对峙，北方为金人所占，而南宋偏安南方。

南宋陈无择《纂类本草》也有近似多层次药性分类，他在《纂类本草》中，即按名、体、性、用等项解说药物。陈氏所著《三因极一病证方论》卷2"纪用备论"中提及药性有功、能、气、味、性、用等分类。如下。

"安魂育神益气定魄守志者，百药之功也。

通润悦泽轻身润泽益精者，百药之能也。

开明利滑肤坚肌强者，百药之气也。

酸苦甘辛咸者，百药之味也。

收敛干焦甜缓敛涩滋滑者，百药之性也。

衄衃溢汗呕吐涎涌泄利者，百药之用也。"

到明末，贾所学《药品化义》将刘完素、陈无择两家分类糅合为一体，建立多层次分类，以"药母"名之，其中既含刘完素"形、色、性、味、体"分类，又有陈无择"功、能、气、味、性、用"分类。这种"药母"分类，亦称"辨药八法"。立"体、色、气、味、形、性、能、力"8个条目为纲，纲下分列子目。（见表6）

表6　辨药八法表

纲子目		说明
体	燥、润、轻、重、滑、腻、干	
色	青、红、黄、白、黑、紫、苍	
气	膻、臊、香、腥、臭、雄、和	上4项（体、色、气、味）
味	酸、苦、甘、辛、盐（咸）、淡、涩	为天地产物生成之法象
形	阴、阳、木、火、土、金、水	下4项（形、性、能、力）
性	寒、热、温、凉、清、浊、平	为医人格物推测之义理
能	升、降、浮、沉、定、走、破	
力	宣、通、补、泻、渗、敛、散	

贾氏曰："当验其体，观其色，臭其气，嚼其味……唯辨此四者宜先，而后推其形，察其性，原其能，定其力。则凡厚薄、轻重、缓急、躁静、平和、酷锐之性及走经、主治之义，无余蕴矣。"朱家宝在《药品化义·序》中云："贾九如《药品化义》一书，以八法辨五药（草、木、虫、石、谷），分隶十三门。明辨以晢，而于俶诡峻烈之品，抉剔尤严。使夫读是编者，通其条贯。"

（12）按声韵、笔画、拼音分类。唐代萧炳将小学声韵（平、上、去、入）应用于药物分类，开创后世笔画、拼音、部首等排列药物的先河。《嘉祐本草》云："萧炳取本草药名上一字，以四声（平、上、去、入）相从，以便检阅，凡五卷。"近代萧步丹直接仿照萧炳的方法，对药物进行分类，编成《岭南采药录》。近代的中药辞典，按药名首一字笔画排列，亦是源于此。现代药物书末附的索引，或按部首字笔画分类，或按部首字拼音分类（用拉丁字母拼音）。

（二）尚氏"药性趋向分类法"

尚氏积研究本草 50 余年之经验，仿效金元医家所创的"药类法象"，提出一种新的药物分类方式——药性趋向分类。

"药类法象"就是以药物作用趋势，效法一年四季植物生长现象进行分类。古人把四季春、夏、秋、冬植物生长划分为春生、夏长、秋杀、冬藏四大过程。春天植物发芽生长向上伸出，表现升的作用；夏天植物枝叶茂盛，向外散出，表现散的作用；秋天植物叶片与果实向下降落，表现降的作用；冬天植物养分贮藏于根芽，以待过冬，表现收藏的作用。

金元医家将植物生长所表现的升、散、降、收的现象，同药物作用趋势相联系，对药物进行分类，称为"药类法象"。这种分类法最先创于张元素（见《医学启源》下篇），后由其弟子李东垣命名为"药类法象"。例如：升麻、葛根能升高血压，透发斑疹，表现升的作用。麻黄、桂枝能发汗，散风寒，表现散的作用。大黄、芒硝能泻下，表现降的作用。麻黄根、糯稻根能止汗，表现收的作用。

各个药物作用趋势，是升散或降收，与它的温、热、寒、凉四性和酸、苦、辛、甘、咸五味有关。药性温热表现升散作用，药性寒凉表现降收作用，药味辛、甘表现升散作用，药味酸、苦、咸表现降收作用。总体来说，辛、甘、温、热俱有升散作用，酸、苦、咸、寒、凉俱有降收作用。李时珍也云："酸咸无升，甘辛无降，寒无浮，热无沉。"可资佐证。

药物升降除受原药物性味影响外，亦受其他药物性味影响。李时珍说过："升者引之以咸寒，则沉而直达下焦；沉者引之以酒，则浮而上至巅顶。"又云："一物之中，有根升而梢降。"

金元医家，将药物作用趋势同春、夏、秋、冬植物发展阶段相联系进行分类。认为"升"象征春，"散"象征夏，"降"象征秋，"收"象征冬。植物在春、夏是升散阶段，在秋季是降落阶段，在冬季是收藏阶段，呈冬眠状态。春夏升散和秋天降落都是活动阶段，称之为"行"。冬季植物呈冬眠状态，是不活动阶段，称之为"守"。

升和降，散与收，都是药物动态作用趋向，它们都呈运行动态趋势，可以用"行"字概括之。还有些药作用趋势，倾向于固守状态，可以用"守"字概括之。

据药物作用趋势，将药物分行、守两大类。行类含上行、下行、通行、化行。上行以升散为主，如升举下陷，发散外邪；下行以降下为主，如平降喘咳，泻下利水；通行以通畅为主，如气血不通作痛，用通行药使气血通即可止痛；化行以转化为主，如食积、痰饮通过转化，成为无害物。守即固守，不固守即出现虚损，对虚损宜补。守类含补益和收涩两类。

二十、"十剂"探源

（一）"十剂"释名

徐之才曰："药有宣、通、补、泄、轻、重、淫、滑、燥、湿十种，是药之大体，而《本经》不言，后人未述。凡用药者，审而详之，则靡所遗失矣。"

"宣剂［之才曰］宣可去壅，生姜、橘皮之属是也。

通剂［之才曰］通可去滞，通草、防己之属是也。

补剂［之才曰］补可去弱，人参、羊肉之属是也。

泄剂［之才曰］泄可去闭，葶苈、大黄之属是也。

轻剂［之才曰］轻可去实，麻黄、葛根之属是也。

重剂［之才曰］重可去怯，磁石、铁粉之属是也。

滑剂［之才曰］滑可去着，冬葵子、榆白皮之属是也。

涅剂［之才曰］涩可去脱，牡蛎、龙骨之属是也。

燥剂［之才曰］燥可去湿，桑白皮、赤小豆之属是也。

湿剂［之才曰］湿可去枯，白石英、紫石英之属是也。"

以上录自《本草纲目·序例上·十剂》。

（二）"十剂"来源的探讨

凡言"十剂"皆说出于北齐徐之才。此说首见于《本草纲目》，以后各家本草如《本草备要》《本草从新》《要药分剂》以及各种医学史如陈邦贤《中国医学史》、南京中医学院《祖国医学史讲义》等皆从此说。

丹波元坚《药治通义》卷 11 "功用大体"一题下注云："按禹锡等曰，谨按徐之才《药对》、孙思邈《千金方》、陈藏器《本草拾遗》序例如后。而其首节，《千金方》论处方引《药对》；第二节至第九节，即《千金》文；仍知第十节说药之大体，第十一节论五方之气，即陈氏之言……"

这两个说法皆从《证类本草》中掌禹锡谨按徐之才《药对》、孙思邈《千金方》、陈藏器《本草拾遗》序例文定的。李时珍定"十剂"为徐之才所创，丹波元坚定"十剂"为陈藏器所创。这两种说法，究竟谁对呢？尚氏认为，两说都有疑义。

按，掌禹锡引徐、孙、陈三家资料是混合在一起写的，并未标明某文出于某家，所云"诸药有宣通补泄轻重涩滑燥湿"等语，并未标注来源，而徐、孙、陈三家书，除孙氏书存外，徐、陈二家书皆亡，无从对证，如何能肯定呢？

在《本草纲目》以前诸书，言十剂多注明陶隐居云，如宋寇宗奭《本草衍义》、王好古《汤液本草》皆云："陶隐居云，药有宣通补泄轻重涩滑燥湿，此十种今详之，惟寒热二种，何独见遗……今特补此二种。"此因寇宗奭见陶隐居所言十种，缺寒热二种，特补二种。

清代本草如《本草备要》《本草从新》《要药分剂》又不加考察，认为是陶弘景在徐之才十剂基础上，增加寒热二剂，那就错得更离奇了。

按，《北齐书》说徐之才活了 80 岁，在北齐武平二年（571）还在担任尚书令的官，假如徐在 572 年去世，那么徐的生年即在 492 年，而陶弘景作《本草经集注》的时间是在 500 年，这时徐之才还没到 10 岁，这怎么能说陶弘景在徐之才十剂上加寒热二剂呢？

徐之才著有《药对》，但陶弘景在他的《本草经集注》中已引用了《药对》，那么陶弘景所见到的《药对》当然不是徐之才所著的《药对》。李时珍也认为陶氏以前已有此书，盖黄帝时雷公所著，之才增饰之尔。

宋代寇宗奭既说陶隐居言十剂，那么十剂在徐之才《药对》以前已有了，不然陶隐居怎么会讲到十剂呢？李时珍又说徐之才增饰前人的书而成《药对》，那么十剂在徐氏《药对》的蓝本中即有了，就不能说"十剂"是北齐徐之才首创的。

丹波元坚《药治通义》卷11"功用大体"一题下注云："按禹锡等曰，谨按徐之才《药对》、孙思邈《千金方》、陈藏器《本草拾遗》序例如后，而其首节，《千金方》论处方引《药对》；第二节至第九节，即《千金》文，仍知第十节，说药之大体，第十一节论五方之气，即陈氏之言，无可复疑，寇氏引为陶隐居，误不待辨。"

昔日笔者对丹波元坚的意见，持有不同的看法。一是徐之才《药对》和陈藏器《本草拾遗》皆失传，无从对证，难断谁是谁非，后人所引是有力的凭据，不可不信，寇氏既引为陶隐居，那么寇氏必有所本，不能武断寇氏所引是错误的；二是寇宗奭在他《本草衍义》一书中，所引前人资料皆标注出处，如在"东壁土""柳华""羚羊角""虎骨"等药中，所引《本草拾遗》的资料，皆注明"陈藏器云"等字样，假如十剂内容是出于陈藏器，寇氏为什么不注明"陈藏器云"等字样呢？寇氏既标注陶隐居云，则十剂内容必被陶氏书转录过，否则寇氏是不会随便说的。但从敦煌出土陶弘景《本草经集注·序录》看，确无"十剂"内容，只因《嘉祐本草·序例》将"十剂"内容列入"梁陶隐居序"上半截之后，寇氏遂误"十剂"为陶隐居所云。

（三）"十剂"之说提出者的讨论

1. "十剂"的提出

十剂即宣、通、补、泄、轻、重、滑、涩、燥、湿十剂。它是方剂分类法的一种。

宋代掌禹锡《嘉祐本草·序例》云："诸药有宣、通、补、泄、轻、重、涩、滑、燥、湿，此十种者是药之大体。"则《嘉祐本草》称"十剂"为"十种"，未讲是谁提出来的。

宋代寇宗奭《本草衍义》卷1"序例上"云："陶隐居云：'药有宣、通、补、泄、轻、重、涩、燥、湿'，此十种今详之，惟寒热二种，何独见遗？如寒可去热，大黄、朴硝之属是也。如热可去寒，附子、桂之属是也。今特补此二种，以尽厥旨。'"照寇氏的说法，"十剂"是陶隐居（即陶弘景）提出的。而寇氏补充了寒、热两种。后来王好古作《汤液本草》时，在十剂之末，转录了寇氏的话。

宋代成无己《注解伤寒论》《伤寒明理论》曾多次引用十剂作为注解的依据。

金代刘完素《素问病机气宜保命集》"本草论第九"即以"十剂者宣通补泻轻

重涩滑燥湿"为标题，详加论述，并对十剂中每剂的名称加以说明。但是刘完素亦未讲十剂是谁提出的。

金代张子和《儒门事亲》卷1在"七方十剂绳墨订"的标题下，引用了十剂，并加以论述。但张氏仅言"剂有十，旧矣"。亦未言明十剂是谁提出的。

明代李时珍作《本草纲目》，言明十剂是出于徐之才，并引徐之才曰："药有宣、通、补、泄、轻、重、滑、涩、燥、湿，十种，是药之大体，而本经不言，后人未述。凡用药者，审而详之，则靡所遗失矣。"并在各剂之下注有"之才曰"三字。从此以后，凡言"十剂"，均作"徐之才曰"。如清代沈金鳌《要药分剂》即以"十剂"为纲对药物进行分类，在每剂开头，皆有"徐之才曰"字样。

2. 对"十剂"提出者的分析

从以上文献来看，指明"十剂"之说来源者，一是宋代寇宗奭指明为陶弘景提出，二是明代李时珍指明为徐之才提出。由于李时珍《本草纲目》是权威性著作，翻印的多，流传较广，说"十剂"出于徐之才已成习惯了，没有怀疑的必要。但是从"十剂"内容和文献的记载，又不像是出于徐之才。兹分别讨论如下。

（1）在"十剂"内容上，有唐代以后的药物。如"十剂"中重剂云："重可去怯，即磁石、铁粉之属是也。"查铁粉是《开宝本草》新增的药，《证类本草》卷4"玉石中品"有铁粉，条末标明"今附"二字。今附即代表铁粉是《开宝本草》编纂时增附的药。《本草纲目》卷8金石部"钢铁"条下所列"铁粉"，亦注明出"宋开宝"。而徐之才是北齐时（550—577）人，在隋、唐、宋以前。那时是否已将铁粉作为常用药很难说，如果有，为何《新修本草》不收录？后直到唐代中期，陈藏器《本草拾遗》在"针砂"条才提到铁粉。则铁粉出现似在徐之才之后。

（2）讲"通"的作用。陈藏器《本草拾遗》才开始记载。例如《证类本草》"通草"条，引陈藏器云："通草……利大小便，宣通烦热。"又"防己"条，引陈藏器云："按木、汉二防己，即是根为名，汉主水气，木主风气宣通。"其他古本草皆少"宣通"的记载。

（3）从《嘉祐本草》序例来看"十剂"产生的时代。《证类本草》卷1"序例上"页37~39是宋代掌禹锡《嘉祐本草》序例的全文，约1300字。掌氏在这个序文开头注云："臣禹锡等谨按徐之才《药对》、孙思邈《千金方》、陈藏器《本草拾遗》序例如后。"从该注文可以了解掌氏这个序文，是按徐之才《药对》、孙思邈《千金方》、陈藏器《本草拾遗》三家资料撰写而成的。但掌氏在这个序文中，并未注明徐、孙、陈三家之文的起止。

我们仔细研究掌氏的序文，大致可分为三段：第一段，"夫众病积聚……夫处方者宜准此"（《证类本草》页 37 下 19 行至页 38 上 18 行）；第二段，"凡诸药子人……务令极细"（《证类本草》页 38 上 19 行至页 38 下 12 行）；第三段，"诸药有宣、通、补、泄……不遂其宜耳"（《证类本草》页 38 下 13 行至页 39 上 17 行）。

查《千金方》卷 1 "序例处方第五"所引《药对》曰的文字，与掌氏序例第一段文字相同。说明掌氏序例第一段文字是出于徐之才《药对》。

《千金方》卷 1 "序例合和第七"的文字，与掌氏序例第二段文字基本相同。说明掌氏序例第二段文字是出于《千金方》。

掌氏在序文开头，言明序例文采自徐之才《药对》、孙思邈《千金方》、陈藏器《本草拾遗》三家文字并组合而成。掌氏序例文分三段，第一段出于徐之才《药对》，第二段出于孙思邈《千金方》。余下第三段，当是出于陈藏器《本草拾遗》。但是《本草纲目》把掌禹锡序文第一段文字注为陈藏器文，把第三段包含有"十剂"内容的文字，注为徐之才文，是值得商榷的。

上述三点，论证"十剂"之说似应是陈藏器提出，而不是徐之才。李时珍说"十剂"出于徐之才是可疑的。

至于寇宗奭说"十剂"出于陶弘景，亦可疑。因为敦煌出土的陶弘景《本草经集注》中，并无"十剂"的内容。寇宗奭为什么要说"十剂"出于陶弘景呢？

因寇氏著《本草衍义》是以《嘉祐本草》为蓝本。《嘉祐本草》向上推溯源于《开宝本草》，《开宝本草》源于《新修本草》，《新修本草》源于陶弘景《本草经集注》（以下简称《集注》）。《集注》共 7 卷，其卷 1 为"序录"，后世本草转录"序录"，皆冠以"梁陶隐居序"。"梁陶隐居序"原是 1 卷，到《新修本草》被分割为 2 卷，即前半截析为卷 1，后半截析为卷 2。《开宝本草》《嘉祐本草》以至《证类本草》皆沿袭《新修本草》旧例，其序例卷 1 包括陶隐居序的前半截，其序例卷 2 包括陶隐居序的后半截。而序例卷 1 标有"梁陶隐居序"标题，但序例卷 2 没有"梁陶隐居序"标题。而《嘉祐本草》作者在其书序例卷 1 末增加《千金方》《药对》《本草拾遗》三书中部分序文，在该序文涉及有"十剂"内容。由于掌氏未明确指出"十剂"是谁家书序中的内容，因而后世作者对此"十剂"的出处，就有不同的理解。宋代寇宗奭作《本草衍义》认为"十剂"资料在"梁陶隐居序"

之后，则"十剂"当是出于陶隐居，所以《本草衍义》转录"十剂"，冠以"陶隐居"云。《汤液本草》《东垣试效方》皆沿袭寇氏说。明代李时珍《本草纲目》理解《嘉祐本草》掌禹锡所增序文中"十剂"是出于徐之才，故订"十剂"为北齐徐之才所创。自此凡言"十剂"，皆谓出于徐之才。

通过本文考证，"十剂"既不出于陶弘景，也不出于徐之才，而是出于陈藏器《本草拾遗》。

（四）金陵版《本草纲目》所注"十剂"出处辨疑

金陵版《本草纲目》所注"十剂"文献出处有下。

《本草纲目》卷1页308有"十剂"标题，列举"宣、通、补、泄、轻、重、滑、涩、燥、湿"十种。在每剂之下，附有例证。每个例证开头，均注有"之才曰"。但是《本草纲目》在各卷具体药物"发明"项目中，论及上述各剂例证时，所注文献出处，又不是"之才曰"，而是他人。兹将出处注他人的例子列举如下。

"通剂"的"通可去滞，通草、防己之属是也"。此例在《本草纲目》卷1页309"通剂"下，注出处为"之才曰"；在卷18页2008"防己"条、"通草"条"发明"项目中，均注出处为"杲曰：本草十剂云"。

"补剂"的"补可去弱，人参、羊肉之属是也"。此例在《本草纲目》卷1页309"补剂"下，注出处为"之才曰"；在卷12页1206"人参"条、卷50页3751"羊"条"发明"项目中，均注出处为"杲曰：本草十剂云"。

"泄剂"的"泄可去闭，葶苈、大黄之属是也"。此例在《本草纲目》卷1页310"泄剂"下，注出处为"之才曰"；但卷16页1699"葶苈"条"发明"项目中，注出处为"杲曰：本草十剂云"。

"轻剂"的"轻可去实，麻黄、葛根之属是也"。此例《本草纲目》卷1页310"轻剂"下，注出处为"之才曰"；但卷18页1961"葛根"条"发明"项目中，注出处为"时珍曰：本草十剂云"。

"重剂"的"重可去怯，磁石、铁粉之属是也"。此例《本草纲目》卷1页311"重剂"注出处为"之才曰"；但卷10页1055"磁石"条"发明"项目中，注出处为"藏器曰"。

"滑剂"的"滑可去着，冬葵子、榆白皮之属是也"。此条《本草纲目》卷1页311"滑剂"下注出处为"之才曰"；但卷35下页2955"榆白皮"条"发明"项目中，注出处为"时珍曰：本草十剂云"。

"涩剂"的"涩可去脱，牡蛎、龙骨之属是也"。此条《本草纲目》卷1页312"淫剂"下注出处为"之才曰"；但卷43页3359"龙骨"条"发明"项目中，注出处为"时珍曰"。

"燥剂"的"燥可去湿，桑白皮、赤小豆之属是也"。此条《本草纲目》卷1页313"燥剂"下注出处为"之才曰"；但卷36页2958"桑白皮"条"发明"项目中，注出处为"时珍曰：十剂云"。

"湿剂"的"湿可去枯，白石英、紫石英之属是也"。此条《本草纲目》卷1页313"湿剂"下，注出处为"之才曰"；但卷8页955～957"白石英"条、"紫石英"条"发明"项目中，均注出处为"藏器曰"。

综观上述"十剂"，《本草纲目》在各卷所注文献出处有四，即"之才曰""杲曰：本草十剂云""时珍曰：本草十剂云""藏器曰"。

按，文献出典，最早者只有一家，不会有四家；《本草纲目》同一部书对同一种"十剂"资料，为何有四家不同出处呢？这可能是因《本草纲目》在编纂时，先后所见到的文献出处有所不同。《本草纲目》编纂，前后历时30余年，共成52卷，各卷所参考文献各不相同。由于各卷所参考文献不同，因而对同一资料所注文献出处，也就二异了。例如《本草纲目》卷1页308"十剂"的编纂，可能是参考人卫本《政和本草》卷1页37序例上"掌禹锡序例"而来的。

掌禹锡序例中有"药有宣、通、补、泄、轻、重、涩、滑、燥、湿，此十种者，是药之大体，而本经不言之，后人亦所未述……凡用药者，审而详之，则靡所遗失矣"。此文与《本草纲目》卷1页308"十剂"序言全同。唯《本草纲目》冠有"徐之才曰"，而"掌禹锡序例"无"徐之才曰"。

那么《本草纲目》引"掌禹锡序例"为何要冠以"徐之才曰"呢？此与《本草纲目》对"掌禹锡序例"理解有关。

掌禹锡在序例的前面，有个简短的说明："臣禹锡等谨按徐之才《药对》、孙思邈《千金方》、陈藏器《本草拾遗》序例如后。"

掌禹锡序例文共有三段：第一段为"夫众病积聚皆起于虚……"，第二段为诸药炮炙，第三段为"十剂"内容。此三段文，用《千金方》核对，第一、二两段均与《千金方》同。

第一段文，与《千金方》卷1"处方第五"同，在此文开头，并冠以"药对曰"。说明第一段文是出于《药对》。第二段文，与《千金方》卷1"合和第九"同。则第二段文即是出于《千金方》。在掌禹锡三段序文中，既然第一段文出于

《药对》，第二段出于《千金方》，那么剩下第三段"十剂"文，当出于陈藏器《本草拾遗》。

由于《本草纲目》将"掌禹锡序例"中第一段文误解为"陈藏器文"，第二段文为《千金方》无误，第三段文误解为"徐之才《药对》文"。所以《本草纲目》卷1"十剂"序，是取掌禹锡序例第三段文，冠以"徐之才曰"编纂而成，并将掌禹锡序例第三段文中"十剂"文献出典，均注为"之才曰"。

但宋以后的人，如成无己，其《注解伤寒论》《伤寒明理论》引掌禹锡序例中"十剂"资料，均注出处为"本草曰"。李杲著述中引"十剂"资料时，亦注出处为"本草十剂云"。当《本草纲目》在各卷具体药物"发明"项下，论及"十剂"资料，转引李杲著述，亦注出处为"杲曰：本草十剂云"。

《本草纲目》编纂历时30余年，共成52卷，各卷在不同时期，所参考文献不同，因而对同一个"十剂"资料，即所注文献出处亦互异。或注"本草曰"，或注"杲曰"，或注"之才曰"，但多数是注"之才曰"。其实注"之才曰"是出于误解。

根据《政和本草》卷1所载掌禹锡序例的说明文，参合《千金方》卷1的"处方第五""合和第七"所引的文献研究，尚氏认为"十剂"应出于陈藏器《本草拾遗》，而不是出于徐之才《药对》。由于《本草纲目》是权威性著作，流传广，言"十剂出于徐之才"已深入人心，大家习以为常，故难以更改掉。

（五）"十剂"出处存在历史性误解

十剂即宣、通、补、泄、轻、重、滑、涩、燥、湿十种。它是方剂分类法的一种。

宋代掌禹锡《嘉祐本草·序例》云："诸药有宣、通、补、泄、轻、重、涩、滑、燥、湿，此十种者是药之大体。"则《嘉祐本草》称"十剂"为"十种"，未讲明其出处。

宋代寇宗奭《本草衍义》卷1"序例上"云："陶隐居云：'药有宣、通、补、泄、轻、重、涩、滑、燥、湿'。此十种今详之，惟寒热二种，何独见遗？如寒可去热，大黄、朴硝之属是也。如热可去寒，附子、桂枝属是也。今特补此二种，以尽厥旨。"

照寇氏的说法，"十剂"是陶隐居（即陶弘景）提出的，他又补充了寒、热二种。后来王好古作《汤液本草》时，在"十剂"之末，转录了寇氏的话。

比寇宗奭《本草衍义》成书晚两年的《圣济经》（有宋徽宗御制序于政和八年五月十一日）卷 10 审剂篇，对十种解释时，于每种名称后续以"剂"字。例如："郁而不散为壅，必宣剂以散之""留而不行为滞，必通剂以行之""不足为弱，必补剂以扶之""有余为闭，必泄剂以逐之""轻剂所以扬之""重剂所以镇之""涩剂所以收之""滑剂所以利之""燥剂所以除湿""湿剂所以润枯"。吴提注云："病有不同，剂亦随异。"

宋代成无己《注解伤寒论》《伤寒明理论》曾多次引用"十剂"作为注解的依据。例如《注解伤寒论》卷 3 葛根汤方末云："本草云：'轻可去实，麻黄、葛根之属是也。'"《伤寒明理论》脾约丸方注云："本草曰：润可去枯""成无己公言：本草曰"，未讲明是谁提出的。但《伤寒明理论》的药方论序云："制方之体，宣、通、补、泻、轻、重、涩、滑、燥、湿，十剂是也。"则成无己将此"十种"改为"十剂"，并视为制方之体。自此以后，"十剂"之名就形成了。

金代刘完素《素问病机气宜保命集》本草论第九以"十剂者宣、通、补、泻、轻、重、涩、滑、燥、湿"为标题，详加论述，并对十剂中每剂的名称加以说明。但是刘完素亦未讲十剂是出于何处。金代张子和《儒门事亲》卷 1 在"七方十剂绳墨订"的标题下，引用了十剂，并加以论述。但张氏仅言"剂有十，旧矣"，亦未言明其出处。

明代陈嘉谟《本草蒙筌》总论，对"十剂"亦加以引用与发挥，但未指明出于何处。明代李时珍作《本草纲目》，言明"十剂"是出于徐之才，并引徐之才曰："药有宣、通、补、泄、轻、重、涩、滑、燥、湿十种，是药之大体，而本经不言，后人未述。凡用药者，审而详之，则靡所遗失矣。"并在各剂之下注有"之才曰"三字。从此以后，凡言"十剂"，均作"徐之才曰"。如清代沈金鳌《要药分剂》即以"十剂"为纲对药物进行分类。在每剂开头，皆有"徐之才曰"字样。

明代缪希雍《本草经疏》卷 1 "论十剂本义"，对每剂加以解释，在释文开头，均冠以"之才曰"，说明缪氏亦认为"十剂"出于徐之才。在释文最后，又立"十剂补遗"云："陶隐居续入寒热二剂。"

清代汪昂《本草备要》、吴仪洛《本草从新》等，在其凡例中均注云："此十剂也，陶弘景加寒、热二剂。"此皆承袭缪氏之说。

按缪氏说法，可能是理解寇宗奭《本草衍义》序例有问题。寇氏在其书序例中先言"陶隐居云"，接着寇氏本人说："今详之，惟寒、热二种何独见遗，今特补此二种，以尽厥旨。"缪氏将《本草衍义》序例"陶隐居云……今特补此二种，以尽厥旨"一节文字，全视为陶隐居所云。缪氏既认定"十剂"出于徐之才，则寒、热二剂当为陶弘景（即陶隐居）所续。

按，陶弘景和徐之才同为南北朝时人，徐在北朝北齐做官，陶弘景在南朝南齐做官，当时南北对峙，互不往来，陶弘景如何能在徐之才"十剂"上加"寒、热"二剂？从两人年龄上看，据南北史记载，徐之才比陶弘景晚生四十多年，陶弘景作《本草经集注·序录》（即《证类本草》中"梁陶隐居序"）时，徐之才尚在儿童时代，则陶氏如何能在徐之才"十剂"上加"寒、热"二剂？所以缪氏之说难以成立。

总之，"十剂"最早见录于掌禹锡《嘉祐本草·序例》。掌氏将此序例放在"梁陶隐居序"上半截之后。因寇宗奭以为"十剂"是出于"陶隐居云"。查敦煌出土《本草经集注·序录》，并无"十剂"内容，则寇氏的说法不能成立。又掌禹锡的序例是糅合徐之才《药对》、孙思邈《千金方》、陈藏器《本草拾遗》三家文字而成，校以《千金方》，则"十剂"文字是属于陈藏器《本草拾遗》，而《本草纲目》视为徐之才《药对》文，所以《纲目》书中著录"十剂"出于"徐之才曰"。

第四章　学术经验

尚志钧教授在古本草文献里专注研究了数十年，并在整理研究中探索出一整套方法，形成自己的风格，人们尊称为"尚派"。除了本章介绍的尚氏善于运用目录学、版本学、校勘学诸方面经验以外，最为关键的是他阅读了大量相关书籍，不仅阅读了一些孤本、善本本草名著，还手抄笔录了大量资料，全面系统核实了诸多文献记载，有条理地建立起本草书籍、本草人物与单味中药3个系统的大量卡片档案，由源及流地加以整理。他把主要精力放在宋前本草名著，并以此为突破口，上溯下引，追根求底，查清中药的品种、生态、药源、药性、功用主治等概貌。自辑复唐《新修本草》后，1962年起又开始辑复《肘后方》。以上两书辑复的线索，旁征博引，上下串通，构成了他辑复古本草著作的一张联合网图，进入了左右逢源、得心应手的佳境，于是便又有《吴普本草》《别录》《本草图经》《海药本草》等16部名著辑复出版。从某种意义上讲，这就是尚氏治本草学方法和经验的成功之处！

一、尚志钧整理古本草文献的基本方法

（一）掌握资料

在进行本草文献研究时，首先要学会查阅资料和收集资料，以便掌握资料。

1. 查阅资料

中国医药学历史悠久，历代文献浩如烟海。从事本草文献研究必须掌握查找中医药文献资料的方法和步骤，否则就会在浩瀚的文献海洋中，茫无头绪，浪费时间和精力。初学的青年人，常因面对众多的中药文献不知从何入手，或被某些大部头书的繁杂体例弄得眼花缭乱。原因是不明了各家本草或各种中药书籍的源流，也不知道如何去查。为此，必须学会查阅资料的方法。

查阅资料的方法，有下列数点。

（1）从最早年代开始查，逐年查到近期，直到文献资料够用为止。

（2）从近期的文献查到最早年代，直到所需要的文献资料够用为止。

（3）使用文章后面所附的参考文献进行查找。根据文末的参考文献目录，逐一追踪查找。一般追溯 10 年，大致能满足要求。

（4）利用书名索引（目录）、篇目（文题、题目）索引、期刊目录等，以便查出所需要的资料。研究某类题目，应按学科的分类系统来查文献资料。常用的索引有动植物名称索引、分子式索引、化学成分索引、药理作用索引及号码索引、方剂名索引、临床病证索引、针灸穴名索引、人名索引、地名索引等。

2. 收集资料

为掌握资料，除查阅外，平时还要注意收集资料。

收集本草资料，要注意深度和广度。在深度上，对每一个问题都要收集到当前发展动态为止。在广度上，凡与本草有关的问题，都要收集。例如与本草有关的人物（古今药学家）、药物（古今用的药物）、本草书（古今本草的书）等。

（二）整理方法

掌握本草资料后，就要进行整理。一般是用传统的文献整理方法，如考据学、校勘学、目录学、版本学、辨伪、考古、训诂、辑佚等。同时，本草内容涉及面广，举凡动物学、植物学、矿物学、历史、地理、生物学、化学、药理学、中医学……都有联系。在整理时，要与各个学科之间相互配合，这样可以提高整理古本草的质量。所以整理古本草文献，并不是简单地"标标点点，改几个错字"，那不可能达到本草文献整理的目的。

清代孙德谦《刘向〈校雠学〉纂微》，归纳刘向、刘歆父子对汉成帝以前古书整理、校订，所取得经验有 23 点，兹转录如下：

备众本，订脱误，删重复，条篇目，定书名，谨编次，析内外，待刊改，分部类，辨异同，通学术，叙源流，究得失，撮指意，撰序叙，述疑似，准经义，征史实，辟旧说，增佚文，考师承，纪图卷，存别义。

为了能够更好地整理本草文献，有必要对我国本草书的产生、形式，以及古书目录、版本、校勘、考据、辑佚、注释、语译等一系列问题，作进一步的了解。

二、尚志钧运用目录学的经验

从事本草文献研究的人，为什么要了解古籍目录学呢？因为中国几千年来有关药物资料的记载，除历代医方、本草收录外，非医药书记载的亦很多。例如在《本草纲目》一书中，除收录明以前各种方书、本草内容外，还收录各种非医药书的内容。试看《本草纲目》卷1"序例上"，所引用的书名有1084种，其中本草书仅42种，医书84种，余下958种均非医药书。这就说明《本草纲目》中药物资料有很多是出自非医药书。这些非医药书，在古籍中如何去查找？这就需要了解并具备古籍目录知识，否则将无从下手。

目录是著录一批相关的文献，并按照一定的次序编排而成的文献工具书，不是指书籍正文前所载的目次。

图书目录是提供和推荐图书资料的有力工具，也是读者自学、科学研究、查考图书资料和图书馆参考咨询工作中经常使用的重要工具书。它不仅提供查找图书的线索，而且可以丰富图书知识，指导人们阅读。如果要了解古今本草文献资料的年代、著者、版本、存佚、收藏单位等情况，则必须查找目录书。

唐代长孙无忌等所撰《隋书·经籍志》云："古者史官既司典籍，盖有目录以为纲纪。"可见，目录学对治学是有重要意义的。特别是那些具有"提要"式的中医药目录，如清代江苏名医曹禾所著的《医学读书志》及近代曹炳章所撰的《中国医学大成总目提要》等，对学习中医药的人帮助很大。余嘉锡在《四库提要辨证》序里说："余之略知学问门经，实受《提要》之赐。"又如清代学者王鸣盛在《十七史商榷》卷7中指出："凡读书最切要者，目录之学。目录明，方可读书；不明，终是乱读"。

通过目录学，可以有目的地选读，这样就能够提高阅读效果而事半功倍。

通过书目，可以找到学习本草学的途径。如果想进一步钻研某一专题，也可在本草书目的分类中找到有关该题的专著书目，沿着目录的线索去搜集资料，借助书目这把钥匙来登堂入室。换句话说，选择科研课题，首先必须详尽地占有材料。马克思指出："研究必须充分地占有资料，分析它的各种发展形式，探寻这些形式的内在联系。只有这项工作完成以后，现实的运动才能适当地叙述出来。"俄国的文献学家布留索夫在其所著的《论目录学对科学的意义》一文中说："学问与其说是知识的储蓄，倒不如说是善于在书海中找到需要的知识的本领，这话是对的。"可见目录学知识对了解资料起到"导航图"和"定向器"的作用。所以通过本草目录学的知识，也可以了解本草学的源流和概貌。

通过本草目录学所著录的序跋、例言等来掌握该本草书的主要情况，并可了解该本草书的存、佚、卷数、撰者、注者、校订者、书名出处等。梁启超《佛家经录在中国目录学之位置》云："著书足以备读者之顾问，实目录学家之最重要之职务也。"

根据目录学本身的著作年代，亦可判断收录的古本草的著作与传世年代；也可以根据一书的内容、作者的事迹、书的评价，了解一些本草书籍版本的情况。

通过目录学，可以了解某些书版本的好坏。有些书目，在书名下著有原刊本、翻印本、影印本、残本、百衲本、精校本、抄本、手稿本等版本名称。通过书目，可以知道一些书有哪些版本以及刻印传抄情况。过去，有些学者还专门编辑、收藏善本书的书目。

通过目录学，可以看到祖国本草学是中华各兄弟民族共同创造的精神财富。

通过目录学，可以了解国外，尤其是日本和朝鲜的汉医和东医本草书籍的流传情况。

因此，目录学好像是旅游者的向导，它能带你到达所要去的地方，减少你走弯路的时间。换句话说，它是研究古代本草学的指南针，又是认识祖国本草学遗产的望远镜。为此，我们必须懂得一些图书目录知识。

有了目录学，才能知道祖国本草学遗产有些什么宝贵的典籍，从哪里去寻找我们所要研究参考的资料。

三、尚志钧运用版本学的经验

（一）版本的分类

版本分善本和普通本。对于本草文献研究来说，善本的价值尤其重大。因此，本节主要介绍善本的知识，而对于普通本则从略。

1. 善本的标准

什么样的本子算善本，各家所定的标准，并不一致。王重民撰的《中国善本书提要》，所收的书都是清代以前的书。凡是清代和清代以前的木刻本线装书，都可视为善本。时代越早，其版本越珍贵，如宋元刻本较明清刻本更珍贵。

2. 善本的种类

善本的种类很多，从刊本时代讲，有宋本、元本、明本、清本；从刊本地区上讲，有闵本、麻沙本、浙本、川本、曹司本；从刊本出处上讲，有殿本、经厂本、监本、家刻本；从书的形式上讲，有原本、稿本、抄本、卷子本；从书的现存状况上讲，有珍本、孤本。

好的善本，是十分珍贵的。流落在国外的善本，有人将其摄成胶卷，用放大读书机阅读；有的加以影印，阅读亦很方便。

（二）版本的收藏

书是传播知识的工具，同时也是商品。有些古书还有文物性质，可视为古董，所以清代有很多人都喜欢收藏书籍。

清代洪亮吉《北江诗话》卷3论述藏书有以下几种。

（1）考订家。钱大昕（少詹）、戴震（吉士），得一书必推求本原，是正缺失，是为考订家。

（2）校雠家。卢文弨（学士）、翁方纲（阁学），辨其版本，注其错伪，是为校雠家。

（3）收藏家。鄞州范氏的天一阁、钱塘吴氏的瓶花斋、昆山徐氏的传是楼，搜采异本，上则补石室金匮之遗亡，下可备通人博士浏览，是谓收藏家。

（4）赏鉴家。吴门黄丕烈（主事）、鄣镇鲍廷博（处士），第求精本，独嗜宋刻，作者的旨意纵未尽窥，而刻书的年月最所深悉，是为赏鉴家。

（5）掠贩家。吴门钱景开、陶五柳，湖州的施汉英诸书贾，于旧家中落者，贱售所藏，富室嗜书者要求其善价，眼别真赝，心知古今，闽本、蜀本，一不得欺，宋椠元椠，见而即识，即为掠贩家。

（三）版本的质量

版本质量与刻书校对有关，精校则质量好，反之质量差。就是宋椠，如因雕刻前校对不精，其质量亦有差异。南宋·陆放翁《跋历代陵名》云："近世士大夫所至，喜书刻书版，而略不校雠，错本书散满天下，更误学者，不如不刻之为愈也。"

北宋亡后，平阳（又名平水，今山西临汾）代替汴京（河南开封）地区，为黄河以北的出版中心。平阳盛产纸，质地坚韧，私人开设书坊很多。叶德辉《书林清话》云："金元分割中原不久，乘以干戈，惟平水（今山西临汾）不当要冲，故书坊时萃于此。"

宋代刻书在北方以山西平阳最盛，南方以四川、浙江以及福建的建阳麻沙镇最盛。

按 麻沙原系镇名，在福建省南平市建阳区西 35 千米处，地产榕树，木质松软，易于雕版。南宋时镌书人居于此，世因号所刻本名麻沙本。

麻沙本质量良莠不齐，其精刻精校初印的本子，质量较高。但有些书商草率，雕版并不加详校，更由于木质松软，多印则版模易磨灭，致使印出的版本，不仅不清楚，而且还有错误。陆放翁《老学庵笔记》卷 7 记一则故事：一考官命《周易》上一题云："乾为金，坤又为金，何也？"考生不能对。一考生身怀监本《周易》至帘前请教考官曰："先生恐是看了麻沙本，若监本则'坤为釜'也。"考官一看监本，果然是"釜"字，麻沙脱漏上面两点，但讹为"金"字。

南宋朱熹《建阳县学藏书记》云："建阳（今在福建）麻沙版本书籍行四方者，无远不至。"

藏书家一向以宋元本为最神奇，有的精刻麻沙本亦是珍如瑰宝。

清代黄丕烈为清代校勘家之一，而生平聚书酷嗜宋版，严可均《铁桥漫稿》讥黄氏有古董气而佞宋版。

（四）版本的鉴别

版本有真伪优劣，需要鉴别。鉴别版本方法很多，兹将其要点介绍如下。

（1）卷数、装订形式、注明所见书卷数及残缺情况、册数。例如《政和本草》一般是 30 卷本，或连目录计算，则为 31 卷；《大观本草》一般是 31 卷，连目录算，即是 32 卷。

（2）行数与字数。每半页（线装本由两个半页叠成一页，线装本半页相当于平装本一页）有多少行，每行大字是多少，每行小字是多少，这是鉴别线装版本的一项明确的特征。

（3）版框。其高、宽、大、小，翻刻本与旧本常有差异，就是按照旧版原样雕刻，亦难以达到每页版框尺寸大小完全相同，总有一定的差别。如果用旧版重抄重画板框，则高宽大小变化就更大。甚至同一雕版，每因印刷次数过多，版框亦会发生变化。从版框尺寸大小，亦可提供判定某一种版本的参考。

（4）首页署名。古籍线装书首卷第一页多署作者、编者、校者姓名、籍贯、别号、字号，以至子孙、好友、刻书家等姓名、籍贯、字号或堂名，有的书口上还记有刻工的姓名。在翻刻时，以上多有改动，如署名字数多寡及排列形式和位置常有变动，这些变动有助于版本的判断。

（5）序文、书后（跋）、牌记。以上是辨别本籍版版本重要的依据，从其中的记载可以了解该书的历史沿革以及该书本次校刊过程。序文、书后（跋）、牌记等文末均记有时间。从各序、跋、牌记的时间，可以推断该书各次刊刻的时间。明代书商为以假乱真，冒充最早的刊本，常把最原始的序、跋、牌记全部抹掉，蒙骗外行，冒充原始刻本。

如《大观本草》序、跋、牌记等所署年月有二：①题"年号下系甲子"，例如《大观本草》有元大德壬寅年刊本。②题"年号下系若干年"，例如《大观本草》有元大德六年刊，元大德壬寅年即大德六年，同为公元 1302 年。

（6）翻印旧刻本中署名、序、跋、牌记等。当以上有残损，或因流传久，失其序文跋语，或因书名翻刻抽去序跋，剜掉牌记，遇到此等情况，偶不留意，就会在著录上造成错误。对此等情况，还需要另据纸质、印色作旁证。如果是影印本，纸质、印色无法可辨，即根据书中文字变化和书志的记载，详加研究，考订雕版时间和印刷年代，进而估计刻版的价值。

例如：美国国会图书馆所藏《经史证类大全本草》有 3 种刊本，《政和本草》有 10 种刊本。这些刊本都是根据各种特征综合判定的，其中有一套《重修政和经史证类本备用本草》，其卷 1、卷 2、卷 7、卷 8 题有重校人胡驯、陈新，其末卷尾配补有校督人胡大庆、冀为珩姓名。

按，胡大庆、冀为珩是嘉靖三十一年（1552）陈凤梧刊本的校督人。而胡驯、陈新是天启四年（1624）曹尔桢刊本校督人。则此本应定为 1624 年曹尔桢所重刊。所配补的部分，乃是误录嘉靖三十一年刊本拼凑的，非曹尔桢刊本原有部分。

（7）收藏家印记。从收藏家生活年代，可推知此书刊刻的年代。

例如北京图书馆所藏晦明轩本《政和本草》，卷内有明代藏书家"无锡葛元化""长洲顾仁效水东馆收藏图籍私印""毛晋"等印记。

美国国会图书馆藏嘉靖二年（1523）陈凤梧刊本《政和本草》，其卷内有"谭莹之印""元珍氏""栽杏堂"等印记。

（8）一种书随着翻刻次数增多，校刊姓名和序跋的篇目亦随之而增多。从历次刊刻所增的序跋，可以了解本书源流及刊刻的经过和校勘编修情况。

（9）从书中所引的资料，可以推断该书成书的年代。例如唐慎微《证类本草》成书时间，《中国医学史讲义》（1964年上海科学技术出版社出版）认为是1082年。但《证类本草》"所出经史方书"有初虞世方。据陈振孙《直斋书录解题》卷13记有："《养生必用书》三卷，灵泉山初虞世和甫撰。绍圣丁丑序。"按，绍圣丁丑即宋哲宗赵煦绍圣四年（1097年）。则唐慎微《证类本草》成书时间，不会早于1097年。至于说在1082年，当然是可疑的。

又如晦明轩本《政和本草》，一般认为金泰和刊本为最早。详细研究，晦明轩本《政和本草》并非刻于金，而是刊于元初。

晦明轩本《政和本草》没有记载具体时间，只记载5个"己酉"年。一是晦明轩本记末题"泰和甲子下己酉"；二是麻革为《政和本草》作序，题"己酉孟秋望日"；三是《政和本草》刘祁跋题"己酉中秋日"；四是《政和本草》各类书名下注"己酉新增衍义"；五是《政和本草》卷30末题"泰和甲子己酉岁初日辛卯刊毕"。这5个"己酉"都是同一个年代的己酉。从第3个"己酉"刘祁跋来看，刘祁生卒年为1205—1250年（见《金史》卷226刘祁传），而1205—1250年，只有1249年是"己酉"。在刘祁跋讲到张存惠在己酉年刻《政和本草》增加寇氏衍义，而麻革为《政和本草》作序题"己酉"，应是1249年。

对《政和本草》所题"己酉年"的问题，清代钱大昕、钱谦益、程瑶田等，均作有解释。现在把他们解释介绍如下。

清代钱大昕《十驾斋养新录》（四部丛刊本）卷14"证类本草"条云："旧题记云'泰和甲子下己酉冬'，实元定宗后称制之年，距金亡有十六载矣，而存惠犹以泰和甲子统之，隐喻不忘故国之恩。或以为金泰和刻，则误矣。"

此文中所云定宗后称制之年，即1249年。按，元代定宗在位仅3年（1246—1248），有人说己酉为定宗四年，其实到第4年，定宗已不在了，由其后称制。

又此文末"或以为金泰和刻，则误矣"，是指《四库提要总目》卷103和《四库书目邵注》卷10，两书皆云"……翻刻金泰和甲子晦明轩本"。按，金泰和甲子是1204年，比甲子下己酉（1249）早45年。1204年是金代，1249年已进入元代。晦明轩本实成于元代而非成于金代。

清代钱谦益《牧斋有学集》（四部丛刊本）卷46"跋本草"云："金源代以夷狄右文，隔绝江右，其遗书尤可贵重，平水（即平阳，今山西临汾）所刻本草，题泰和甲子下己酉岁。金章宗泰和四年（1204）甲子，当是宋宁宗嘉泰四年（1204）也，至己酉岁为宋理宗淳祐九年（1249），距甲子45年，距金之亡

（1234）已 15 年。犹言泰和甲子者，蒙古虽灭金未立年号，又当女后摄政，国内大乱之时，而金人犹不亡故国，故以已酉系泰和甲子之下舆。"

清代程瑶田《通艺录》（安徽丛书本）古书求解《证类本草》后云："泰和，金章宗年号，甲子为泰和四年，实宋宁宗嘉泰四年也。下已酉者，元定宗后称制之年也，为宋淳祐九年，时平阳地属元，元初承金未建元，故上溯金章宗甲子以统之。"

（10）从书的避讳字，来判断该书版本翻刻的时代。例如：瞿氏铁琴铜剑楼著录金刊本《经史证类大全本草》31 卷，卷首有艾晟序。后有墨图记，题金贞祐二年（1214）嵩州（今河南登封）福昌县夏氏书籍铺印。

但在艾晟序中，唐慎微作唐谨微，并在"谨"字下注有"元从心从真避御名今易"十字。

此书既为金代刊本，不应避"慎"字讳。避"慎"字讳，应在南宋孝宗赵睿时或赵睿以后的事。赵睿的"睿"字读"慎"音，故避讳改慎为谨，又当时慎县因避讳改为梁县。

从避讳字来看，此本翻刻，当为书商用宋刊复刻，除避讳改字外，其余皆沿用旧制。

（11）从书中改用某些字来判断版本翻刻的时间。晦明轩本《政和本草》自从明成化四年（1468）经山东巡抚原杰重刊后，书中果仁之"人"，全改作"仁"。

清代段玉裁《说文解字注》云："果仁之字，自宋以前本草方书诗歌记载，无不作'人'字，自明成化重刊本草，乃尽改为'仁'字，于理不通。"

明代成化以后，皆据成化本复刻，所复刻本，其书中果仁之"人"皆作"仁"。今日人卫本《政和本草》，全书中果仁之"仁"字，皆作"人"。

（12）从书中某些文字倒置，亦可判断版本刊刻时间。例如人卫本《政和本草》卷 10"钩吻"的性味辛温"有大毒"。成化本《政和本草》翻刻时，卷 10"钩吻"条将"有大毒"，颠倒为"大有毒"。成化以后，翻刻《政和本草》皆沿误为"大有毒"。《本草纲目》卷 17"钩吻"条气味下，亦作"大有毒"，李时珍注云："其性大热。《本草》毒药止云：有大毒，此独变文曰：大有毒，可见其毒之异常也。"按《千金翼方》卷 3"钩吻"及《大观本草》卷 10"钩吻"条，俱作"有大毒"，可见人卫本《政和本草》是正确的，而成化本《政和本草》误刻为"大有毒"，则《本草纲目》所据版本有误。

（五）古版本并非完全可靠

古版本不是因为它历史长久，纸墨陈古可贵，而是因它未经过多次翻刻，错误相对要少些，印刷术发达后，翻刻次数越多，校勘不精，其衍、脱、讹误、颠倒等错误就越多。

清代卢文弨曾说："所见九经小字本，南宋本已不如北宋本，明之锡山泰氏本不如南宋本，今文翻刻本者更不及焉。"

按事物发展，应是后来居上，而如卢文弨所云，反而退步，则与发展观点不符。这是因为刻书者，不精于校对，加以学术水平低，工作粗心，所刻之书，讹误越来越多，故产生今不如昔的感觉。

由于刻本舛错多，所以校勘家多重视古本，故在今日得唐写卷子本断片残页，亦珍若拱璧。

不过唐代卷子本，其脱误亦多。

例如日本传抄卷子本《新修本草》卷5"戎盐"条（群联出版社影印，页73~74）陶隐居注文末尾为"而戎盐、卤咸最为要用"。在"要用"之后，卷子本即漏92字。持以《证类本草》卷5页129"戎盐"条校之，所脱漏92字为"又巴东朐䏰县北岸有盐井……如此二说并详"。

此因当时抄写人没有很好校对，而产生脱漏，所以唐代卷子本亦不尽可据，所存脱误，必资后世刊本订正之。

校刊重事实，不必过于拘泥古本、旧本。

有的版本杂乱要辨伪。如《竹林寺女科》有30多种刊本，名称也各异，常见书名有《宁神秘要》《妇科秘要》《竹林寺女科秘书》《萧山竹林寺妇科》《竹林寺女科秘传》《竹林寺女科》《竹林寺三禅师女科三种》等。

有的商人假著名，滥于刊刻。陈修园书只有《南雅堂医全集》16种，为陈氏手著。而书商把别人著作夹入陈修园全集中，形成若干种：有9种本、14种本、18种本、21种本、23种本、28种本、30种本、32种本、36种本、40种本、48种本、50种本、52种本、60种本、70种本、72种本等。

（六）校勘或引证古籍本草要重视版本

写文章或编书，大部分资料是引用别人的。例如唐慎微编纂《证类本草》几乎全部是引证别人的资料，唐慎微自己的论述几乎未曾见到。从《证类本草》向上推溯，有掌禹锡《嘉祐本草》、马志《开宝本草》、苏敬《新修本草》、陶弘景《本草经集注》等，他们书中绝大部分资料，都来自前代本草。换句话说，他们是引证别人的资料。他们引证的方法，或全文照录，或删节，或摘其大意，或糅合数家文字；引证后，大多数用各种方式，标明其出处。

唐以前古本草都是靠手工抄写的，抄时如不注意，往往会抄错字、句，或增衍，或脱漏，或颠倒，或讹误，或跳行，或段落不分等，加以抄后未经过仔细校对，则抄本错误重重。这样错误的抄本，被别人拿去抄，再犯如上的毛病，那就会错上加错。如是抄本，其错误程度，就会一次比一次加重。

北宋初开宝年间（968—975）马志等作《开宝本草》时，所搜集到的各种《新修本草》抄本，几乎没有一本是完全相同的。所以《开宝本草·序》说："然而载历年纪，又踰四百，朱字墨字无本得同，旧注新注，其文互阙。"这就是因为抄录后没有经过仔细校对，发生各种各样错误，其错误程度，亦随抄的次数和抄者粗心的程度而增加。

宋代本草，因印刷术的发达，书的翻刻量多，流通广，读者亦易于获得。在翻刻时，缮写上模前，如未能经过仔细校对，亦会产生衍、夺、讹误、颠倒、错行、错简舛错，这些舛错若未经过改正，一旦刻成窠模后，便会给所印的书带来很多错误，下次另一书商据此误本再翻刻，若再犯上述的毛病，所翻印的书，其错误就更多。如是翻刻下去，其错误之多，是可想而知的。读者和写文章的人，不加择别，随便引证错误的资料，就会给中药科研带来恶劣的影响。所以，校勘或引证古本草资料，一定要讲究版本。

（七）《政和本草》版本辨伪

1.《政和本草》版本情况

《政和本草》即是《重修政和经史证类备用本草》的简称。凡 30 卷，载药 1746 种，集唐宋以前各家医药名著以及经史传记、佛书道藏等书中有关本草学的知识。在明代李时珍《本草纲目》刊行以前，上下五百年间，一直被作为研究本草的范本。

本书作者是宋代唐慎微，原书名为《经史证类备急本草》；在宋大观二年（1108）经艾晟等重修之后，被作为官定本刊行，并改名《经史证类大观本草》，至政和六年（1116），又经医官曹孝忠重加校订，再次改名为《政和新修经史证类备用本草》；后于淳祐九年（1249），即蒙古定宗后称制之年，有平阳书肆晦明轩主人张存惠，把寇宗奭《本草衍义》随文散入书中，作为增订本，又改名为《重修政和经史证类备用本草》。该本图版多，绘刻清晰。明王世贞推崇此本为古本中的精刻。书首"晦明轩"重修版记云："今取《证类》本尤善者为窠模，增以寇氏《衍义》，别本中方论多者，悉为补入。……凡药有异名者，取其俗称注之。如蚤休云紫河车，假苏云荆芥之类是也。图像失真者，据所常见皆更写之，如竹分淡、苦、篁三种，食盐著古今二法之类是也。"可见在重修时，附加了《衍义》，增注些俗名。图版也多据实物订正重摹上刊，毕期真实，正是"借图以辨药之真赝，诠定诸家之说，以验草、木、根、茎、花、实之微"。是书纸墨刻工，比过去精美得多，达到当时雕版艺术的最高峰。

在现存《政和本草》中，有几十种刊本，它们都叫"晦明轩本"。在各卷首页第1行，皆题"重修政和经史证类备用本草卷第××"，下注"己酉新增衍义"6个小字。目前最易得的本子，有1468年明代成化四年戊子刊本（以下简称"成化本"）、1921—1929年商务印书馆影印本（以下简称"商务本"）及1957年人民卫生出版社影印本（以下简称"人卫本"），此即元明以来所刊数十种版本中的3种。

在版本学家心目中，都以宋元刊本为最宝贵、最珍奇，它的商品价值也最大。明代书商为牟取暴利，往往弄虚作假，以伪乱真，都宣传自己的刊本是最原始的版本。

例如1921—1929年商务本《政和本草》所据的底本，一般被认为是最原始的本子。在书序前有4页，页1是空白，页2中间有个长方框，框内印文："此为金刻善本，间有原板残损，墨印模糊之字，因医书重要，未敢取校他本，率加修补；其中残存字画，足以辨明覆本之伪者，触处皆是。读者勿以版印摩灭而少之。商务印书馆谨白。"

页3有两行大字为"重修政和备用本草"，一行小字为"四部丛刊初编子部"。页4中间有两行字为"上海商务印书馆印金泰和刊本"。

商务本《政和本草》，一再声称是"金泰和刊本"，表明其影印所据的底本，是金泰和张存惠所刻原始刊本。这样就可以提高该书的价值。从"晦明轩"牌记看，像是金泰和本。但从细节问题来看，并不像金泰和原始刊本。因为后人翻刻的《政和本草》均题金泰和晦明轩本。例如今日现存各种刊本《政和本草》都标注为"晦明轩本"，令读者无法弄清哪一家是原始的真本。没有真正的"晦明轩原始底本"做标准，那么对商务印书馆和人民卫生出版社两家影印的底本就不太好判断其真伪了。我们只能拿成化刻本《政和本草》来比较。成化本刊于明代成化四年，即 1468 年。哪一本与成化本相同的情况越多，其刊刻的时间距离成化本就越近；相同情况越少，其刊刻时间就离成化本刊刻时间越远。在未比较之前，先将成化本介绍如下。

成化本《政和本草》30 卷，书首有三序，一个牌记，一个引书目录，一个全书总目录。

第一是"重修证类本草序"，题为"岁己酉孟秋望日贻溪麻革信之序"。

第二是"政和新修经史证类备用本草序"，题"曹孝忠谨序"。

第三是"重刊本草序"，题"成化四年岁次戊子冬十一月既望资善大夫兵部尚书兼翰林学士知制诰经筵官淳安商辂序"。

第四是龟形重修牌记，题"泰和甲子下己酉冬日南至晦明轩谨记"。

第五是"证类本草所出经史方书"。

以下即是《政和本草》总目录。

卷 1 是序例上，卷 2 是序例下，卷 3 至卷 30 是药物。书末有皇统三年字文虚中"书证类本草后"及刘祁序跋，该跋题"己酉中秋日去中刘祁云"。后有木记云"大德丙午（1306）岁仲冬望日平水许宅印"。

2. 成化本与人卫本的区别

成化本是在成化四年（1468）刊的，有明显时间特点，商务印书馆影印的底本和人民卫生出版社影印的底本皆无时间。但商务本和成化本除序跋有差异外，其余皆同，而成化本与人卫本不仅在序跋有差异，而且在许多细节上都不相同。现在把它们的不同点比较如下。

（1）版本行数与字数的比较。商务本和人卫本，皆署"金泰和刊本"，可是它们每半页版面行数，及每行大字小字的数并不相同。商务本每半页 12 行，大字每行 23 字，小字每行 23 字；人卫本每半页 11 行，大字每行 20 字，小字每行 26 字。假如两个影印的底本都是晦明轩原始刻本，其半页行数及每行大小字的数目当相同。如今两个底本每半页行数不相同，每行大小字的字数又不相同，则两个底本中必有一个与晦明轩原始刊本不相同。换句话说，在商务本和人卫本的底本中，必有一个是假的。

查成化本每半页是 12 行，每行大字 23 字，小字也是 23 字，与商务本正相同。由此可证，商务本刊刻时间与成化本相近，而人卫本刊刻时间与成化本相隔较远。

在古籍版本中，每半页行数和每行字数，是鉴定版本的重要依据之一。从旧本翻刻时，每当行数与字数改变时，往往会发生药物条文分割或合并的现象。兹举例如下。

例如人卫本页 89 有"流黄香"条。全条共 64 字。前 40 字即自"流黄香"到"三千里止"，后 24 字起于"南州异物"到"从西戎来"。

成化本卷 3 页 43"流黄香"条割成 2 条，即前 40 字（流黄香……三千里）为一条，后 24 字（南州异物……从西戎来）为另一条。

商务本卷 3 页 92 全同成化本。

成化本和商务本把"流黄香"割成 2 条，当是由于改版的缘故。按"流黄香"条共 64 字，在旧版每行是 20 字。由于抄旧本的人误把前 2 行字作一条，把后 24 字作另一条抄，这样就使流黄香一条文字写成 2 条文字。即前 40 字在每行 20 字时，刚好是占满 2 行，改成每行 23 字时，即占不满 2 行。从表面形式看，即前 40 字变成独立一条，后 24 字就形成另一条。

又如人卫本卷 30 页 539，"石耆"与"紫加石"是相邻的两条，前条是 21 字，刚好占满一行，与后条文字相连在一起。但成化本、商务本改版成每行 23 字时，在抄旧本的人，不知是两种药，误把紫加石并在石耆条内，从外表形式看就变成一条了。

在成化本中，把 1 种药的条文分成 2 种药，或把 2 种药的条文并写成 1 种药，其例是很多的。奇怪的是，凡成化本中出现这样的例子，在商务本中也同样存在，无一例外。

（2）脱漏行次的比较。在版本翻刻时，抄旧本的人，往往把旧本整个一行脱漏。例如成化本卷 7 页 26"决明子"条引"图经曰"，其文末为："又有一种马蹄决明，叶如江豆，子形似马蹄，故得此绿豆者。"查人卫本在该文"此"与"绿"之间，尚有"又名萋蒿子亦谓之草决明，未知孰为入药者，然今医家但用子如"26 字，刚好是人卫本小字一行，而成化本正好脱漏一行。这就提示成化本所据的底本，每行小字也是 26 字，在改版时由每行 26 字改成 23 字，抄底本的人刚好脱漏 26 字。而商务本又恰恰与成化本相同，足证商务本的底本是据成化本复刻而来的。

类似此例很多，这些例子的产生，都因成化本翻刻时，把旧本每行字数改变，抄旧本者不识药物条文内容，加以抄写人粗心大意，遂产生分条、并条、脱漏等现象。这些现象都提示成化本翻刻所据旧本子是每行大字 20 字，小字 26 字。这正与人卫本每行大小字数相吻合。换句话说，人卫本应早于成化本。

（3）黑底白字标记的比较。《证类本草》将《本经》药及文献出处均刻成黑底白字。商务本及成化本脱漏黑底白字标记很多，而且商务本脱漏的情况又与成化本完全相同。

例如《政和本草》卷 2 序例下"诸病主治药"及"七情畏恶相反药"，在人卫本都有黑底白字标记，但在商务本及成化本皆脱漏黑底白字标记。

成化本卷 6 页 6 菖蒲、卷 6 页 50 龙胆、卷 6 页 55 白英、卷 16 页 4 麝香、卷 17 页 5 鹿茸、卷 30 页 44 姑活等《本经》药，均无黑底白字标记，商务本对此 6 味药亦无黑底白字标记，但人卫本对此 6 味药有黑底白字标记。

成化本卷 7 页 24 "天名精"条中"小虫，去痹，除胸中结热，止烦渴"作墨字别录文，商务本页 183 同，人卫本页 182 作白字《本经》文。

成化本卷 10 页 10 "半夏"条中"一名地文，一名水玉"作墨字《别录》文，商务本页 253 同。人卫本页 245 作黑底白字《本经》文。

成化本卷 8 页 30 "贝母"条中"无毒"二字作黑字《别录》文，商务本页 209 同。人卫本页 245 作黑底白字《本经》文。

成化本卷 3 页 32 "紫石英"中"轻身"二字，卷 6 页 28 "牛膝"条中"酸"字，卷 6 页 37 "独活"条中"甘"字，卷 6 页 40 "车前"条中"无毒"二字，卷 10 页 28 "蛇合"条中"疗"字，卷 8 页 30 "贝母"条中"无毒"二字，皆刻成黑底白字《本经》文。而商务本与成化本情况完全相同。但人卫本皆不作黑底白字《本经》文。

成化本与商务本中"黑底白字"标记脱漏的情况完全相同，而与人卫本不同。这很明显地提示商务本的底本是从成化本复刻的。

（4）版面模糊痕迹的比较。成化本与商务本在某些版面上出现白色缝状痕迹，或夹杂大小不规则的污点痕迹，以及印字模糊不清等痕迹，这些痕迹所在版面位置及其形态大小以及字迹模糊不清程度，均相同。反过来看，人卫本在相应的版面上均无此等现象，这就提示商务本是出于成化本。

例如成化本卷 6 页 29 "茺蔚子"条中有的字，从横断面折开，形成裂纹状白线，商务本页 152 同。人卫本页 153 无此裂纹状白线。

成化本卷 6 页 52 "细辛"条文中，在"行、除"等字横断面中折开，形成裂纹状白线，商务本页 163 同。人卫本页 164 无此裂纹状白线。

成化本卷 23 页 8，"大枣"条中黑底白字的黑底上，夹杂很多不规则样式大小不等的白点（犹如印版涂墨不足时印的样子），使白字模糊不清，商务本页 496 "大枣"条全同。人卫本页 462 大枣条无此现象。

类似此例很多，此处从略。

（5）误字的比较。凡成化本出现某种误字，而商务本亦同样出现某种误字。两书主要误字，与人卫本相应条中正字的比较如下。（见表 7）

表 7 《政和本草》之成化本、商务本主要误字与人卫本正字的比较

成化本		商务本页	药名	成化本、商务本药名条文中的句子	成化本、商务本相同的误字	人卫本页	人卫本药物条文中的正字
卷	页						
8	6	197	菓耳	滕痛	滕	195	膝
3	26	84	石胆	畏羌花	羌	89	芫
3	32	87	紫石英	长石为之便	便	98	使
3	36	89	黑石脂	出頪川	頪	94	颖
4	3	95	雄黄	疗自痛	自	101	目
6	9	142	菊花	木枸杞为之使	水	144	术
6	11	143	人参	疗心痛	痛	145	腹
6	25	150	菟丝子	一名赤綱	綱	151	纲
6	46	160	薏苡仁	荬音毯	毯	161	毯
3	26	89	石胆	臣郢切	臣	89	巨
8	36	212	茅根	一名地管	管	209	菅
9	7	224	水萍	一名水藓	藓	219	蘇
10	14	255	大黄	黄芩为之使	芩	246	芩
10	39	268	及巳	主瘘蚀	瘘	258	瘘
17	7	397	白马茎	主不详	详	374	祥
11	25	282	鬼臼	辟不详	详	271	祥
11	30	273	女青	辟不详	详	273	祥
17	1	397	白马茎	马通徽温	徽	374	微
18	7	416	驴屎	屎主癥癖、牝驴屎驳驴屎	屎	390	尿
23	29	506	桃核仁	桃凫	凫	471	枭
6	61	168	卷柏	好容颜	颜	168	体
7	7	174	蘼芜	去三盅	盅	175	虫
30	27	579	施州瓜藤	图经曰瓜涞荼	荼	535	藤

　　从这个表中可以看出，成化本与商务本所出现的误字全部相同。而人卫本无此等误字。由此可证商务本的底本是据成化本复刻的。

　　（6）某些字书写的比较。不同版本《政和本草》所书写的字各不相同。有用简本，如断、斷、盐、饥、饑；有用近似的字，如疸痔、疽痔，辟瘟、辟温，酒炮、酒炮；有用不同的字，如蛇合、蛇全，令人、利人；有用异体字，如蛇、虵；有的字笔画增减，如柏、栢，蚀、蝕；有的笔画变异，如梦、夢等。在这些变异字中，成化本与商务本是一致的，而人卫本并不相同。

兹举一些例子如下。

例如"五脏"的"脏"字，成化本、商务本全书中皆作"臟"，而人卫本作"藏"。

"补五脏"的"补"字，成化本、商务本皆作"補"，人卫本作"補"。

胡燕窠内土，有"浸淫疮绕身"，成化本、商务本将"绕"字写成"遍"字，人卫本作"绕"字。

白青、决明子有"生豫章"，成化本、商务本将"章"定成"章"，人卫本仍作"章"。

石决明有"主目障"，成化本、商务本将"障"字写成"憧"，人卫本仍作"障"。

苏合香有"无梦"，成化本、商务本将"梦"字写成"夣"，人卫本作"夢"。

像这样的例子，在全书中到处皆可见，举不胜举，由于篇幅所限，此处从略。这些例子，也可提示商务本的底本，是用成化本复刻的，否则相同的例子不会有如此之多。

（7）文字颠倒的比较。有些字倒置，成化本与商务本是一致的，而与人卫本不同。例如成化本卷10页25"钩吻"条"大有毒"，商务本页261同此，人卫本页252作"有大毒"。这也可以提示商务本的底本是用成化本复刻的。

《本草纲目》卷17页1228（人卫校点本）"钩吻"条气味下作"大有毒"，此乃据成化本之类的刊本所致。在成化本以前的文献，如《大观本草》及《千金翼方》卷3"钩吻"条俱作"有大毒"，此与人卫本相吻合。所以人卫本应早于成化本。

（8）果仁的"仁"字比较。明代成化四年山东巡抚原杰在山东翻刻此书时，将书中果人之"人"，悉改为"仁"。清代段玉裁《说文解字注》云："果人之字，自宋元以前，本草方书、诗歌记载无不作'人'字，自明成化重刊本草，乃尽改为'仁'字，于理不通，学者所当知也。"从此以后，明代原杰翻刻本被翻刻时，书中果人之"人"全作"仁"。

而商务本全书果人之人皆作"仁"。说明商务本的底本是根据成化本削去序跋翻刻的。而人卫本全书果人之人皆作"人"，由此可证人卫本是成化以前的本子。

（9）错简的比较。商务本《政和本草》页26下第14行和15行相邻2行有错简。第14行文为："经三品合三百六十五为主，又进名医别品，亦三百六十五。"第15行为："合七百三十种，精粗皆取，无复遗落，分副科条，区畛物类。"

在第 14 行中第 16 字"别"字，与第 15 行中第 16 字"副"字互为错简。所错的位置，正好在相邻 2 行第 16 个字。

在第 14 行中"名医别品"，敦煌出土《本草经集注》（群联版页 4 第 4 行）作"名医副品"。

在第 15 行中"分副科条"，敦煌出土《本草经集注》（页 4 第 5 行）作"分别科条"。

又，成化本、商务本卷 6 有"蓼荞""鳖菜""甘家白药" 3 条文字互为错简。

①蓼荞……亦食其苗如葱韭。亦捣傅蛇咬疮。生高原。如小蒜而长。产后作羹食之，良。②鳖菜……白花，花中甜，汁饮之如蜜。③甘家白药……岂天资之乎？

成化本、商务本在"蓼荞"条末 20 字（即画有曲线的文字），错简在"鳖菜"条末；又把"鳖菜"条末 5 字（即"汁饮之如蜜"）错简在"甘家白药"条末。不仅成化本、商务本存在这样的错简，凡据成化本翻刻的本子，也同样存在这样的错简。其错简的原因是成化本在翻刻时，误将底本相邻 2 个版面互为颠倒。而蓼荞、鳖菜、甘家白药 3 味药的条文是跨前后两版面的，当版面被颠倒后，跨版面的文字，被拆开了，于是就形成了 3 种药的条文相互错简。而人卫本《政和本草》无此错简（详见商务本《政和本草》复制本说明）。

这种错简，在成化本《政和本草》及据成化本重刊的《政和本草》中，同时存在。由此可知商务本的底本是据成化本翻刻的。

从以上各方面资料比较来看，商务本除序跋比成化本少几篇外，其他各种情况，完全与成化本相同，但是人卫本并不与成化本相同。根据《说文解字注》段玉裁所注，《政和本草》果仁之"仁"，在成化以前均作"人"，而人卫本全作"人"，所以人卫本的底本应早于成化本。

在版本每行字数上，成化本、商务本每行大小字皆 23 字，人卫本每行大字 20字，小字 26 字。而成化本、商务本中"流黄香"的分条，"石者"与"紫加石"并条，"白肌石"与"龙石膏"并条，"山慈石"与"石濡"并条，都是在改版时，由 20 字转变成 23 字的过程中，抄旧本之人不识药名，误将某些药分条，或将另一药并条；其分条并条都发生于相邻的 2 种药，共前 1 种药条文字数刚好是 20或 40，正好是版本每行大字 20 字的倍数。容易同相邻的后药搅在一起，出现并条的现象。在版本小字数目，成化本、商务本每行 23 字，人卫本每行 26 字，成化本、商务本"决明子"条引"图经曰"文所脱漏的 26 字，正好是版本每行 26 字的一行。这些事实都证明，成化本是从每行大字 20 字、小字 26 字的版本翻刻时所发生的舛误。此外在错简上，商务本又与成化本完全相同，这些资料足以证明商务本的底本就是成化本。根据《经籍访古志》所云，明成化本是根据元大德丙午本翻刻。由此可推知元大德丙午刊本，每行大字应是 20 字，小字应是 26 字。而人卫本每行大字 20 字，小字 26 字，又与元大德丙午年（1306）相同。但据丁日昌《持静斋书目》所云，元大德丙午年刊本，署有"大德丙午岁仲冬望日平水许宅印"。而人卫本无此印记，说明人卫本可能是张存惠最原始的刻本。反过来看，商务本除缺少几篇序跋外，一切情况全同成化本。由此可知，商务本的底本，是明代书商用成化本或成化复刻本，抹去序跋，进行翻刻，冒充金泰和的刊本，商务印书馆据明刊冒充本为原始金泰和晦明本，是不可信的。

四、尚志钧运用校勘学的经验

对同一种古籍，用不同版本和有关资料进行相互勘比，核对其文、句、篇、章的异同，加以订正各种谬误，称为校勘。即考查核对为校，复核审订为勘。这种研究工作对古籍整理来说，是一种不可缺少的学问。

早在西汉时就已开始校书，汉成帝河平三年（前 26），政府派陈农求遗书于天下，将求得之书藏于秘府（皇宫藏书处）。命刘向校经传、诸子及诗赋，步兵校尉任宏校兵书，太史令尹咸校数术，太医鉴李柱国校方技。每校完一书，刘向撰写一录，论其子归，辨其讹误。魏晋之际，有王叔和校《伤寒杂病论》。隋唐之际，有杨上善校《黄帝内经太素》及《黄帝明堂经》。唐代王冰校勘《黄帝内经素问》，并在序言中云："受得先师张公秘本，文字昭晰，义理环周。其中简脱文断，义不相接者，搜求经论所有，迁移以补其处。篇目坠缺，指事不明者，量其意趣，加字以昭其义。……错简碎文，前后重叠者，详其指趣，删去繁杂，以存其要。……凡所加字，皆朱书其文，使今古必分，字不杂糅。"

北宋时专设"崇文院"以校理群书。据程俱《麟台故事》载：嘉祐二年，置校正医书局于编修院，以苏颂、陈检等为校正医书官。苏颂所校医药书并作序的有《补注神农本草总序》《本草图经序》《校定备急千金要方序》等。明代编有《普济方》。清代有《古今图书集成医部全录》。

对于卷帙浩繁的巨著，宜集众力合作，正如汉代刘韵所言："一人不能独尽其径，或为雅，或为颂，相合而成。"前人对于校勘古籍，积累了很多的经验。有人把这些经验总结起来，写成专著。如刘知几《史通》、郑樵《通志·校雠略》都是总结过去校勘古籍的经验。到清代，章学诚把我国古代有关校勘书籍的经验，做了全面的总结，撰成《校雠通义》3 卷。此书原是 4 卷，成于乾隆四十四年（1779），2 年后，游大梁途中遇盗遗失。到乾隆五十三年，章学诚将友人所抄存的前 3 卷校正，即成今日流传的 3 卷。第 4 卷已不可复得。该书旨在宗刘向，补郑玄，以正世俗，所以此书实为我国古代校雠学之大成。

（一）古本草存在的错误

葛洪《抱朴子·遐览篇》言："书三写，鱼成鲁，虚帝成虎。"这是说古书传抄因字形相似而产生讹误。本草古籍流传至今约七百年，由于年代久远，历代传抄或翻刻时，因校对不精发生"鱼鲁豕亥"之误，屡见不鲜；伪误（讹文）、衍（增文）、夺（脱文）、重叠、颠倒、妄删误改、错简、错版及缺页现象至今犹存。如不进行校勘整理，必存疑于古人，或留惑于后代。

古本草存在上述的错误，究其原因，有下列几点。

（1）自然原因。因年移代革，丝韦磨破或断绝，简册随之或脱或乱，或虫蛀霉烂，或腐或蚀，从而造成文字残损缺落。

（2）人为的因素。唐代以前的书籍靠手工抄写，稍不留神就会抄错，尔后又不仔细校对，此错即贻误他人。别人传抄若再犯同样毛病，其错会越来越多。《开宝本草》重定序言："朱字墨字，无本得同，旧注新注，其文互阙。"《新修本草》自成书后，经过 400 年的传抄，其中《本经》文朱字和《别录》文墨字，没有一本书是相同的；陶弘景做的旧注和苏敬做的新注，各书本也是互有缺失的。

宋代本草书由雕版印刷，因刊刻校勘不精或任意改动，也会使书中错误丛生。南宋周辉在《清波杂志》卷 8 中载："印版文字，讹舛为常。盖校书如扫尘，旋扫旋生。"南宋陆游在《跋历代陵名》中载："近世士大夫，所至喜刻书版，而略不校雠，错本书散满天下。"

（3）文字书写的变迁。中国文字存在有异体现象，如"粗"字，就有麤、麁、觕多个形式。至于秦篆、汉隶、魏晋正草、六朝唐代俗书等书写文字中以讹传讹就随处可见了。

明代李时珍《本草纲目》的许多错误中，有几个错误就是因文字造成的。如此书卷 29 "大枣"条引《肘后方》的一个方剂，是取"枣心木"，这个枣字就是与桑字相误而致。因枣古写为"棗"，桑字古写为"桒"，因该两字字形相似，故桑心木被误成枣心木了。所以说李时珍在书中误出此方，即没有枣心木这一方。

清代孙诒让《札迻》序言："秦汉文籍，谊旨奥衍，字例文例，多与后世殊异……复以竹帛梨枣，抄刻屡易，则有三代文字通假，有秦汉篆隶之变迁，有魏晋正草之混淆，有六朝唐俗书之流失，有宋元明校刊之羼改，遂径百出，多歧亡羊。非覃思精勘，深究本源，未易得正也。"

（二）古本草校勘的目的

对古本草进行考订，从求版本归于一式。弄清版本源流，找出通行版本中存在的问题，以提高版本质量。

（1）补阙订伪。将古本草全面校勘，是正文字，举凡讹误、衍、夺、颠倒、错简、错版等都要校正。至于为古本草作注，也应精心校勘，如此才能帮助人们正确理解古本草的真义。若据误字作注，反而损害原本真义。有很多本草因历代传抄翻刻，所存在的问题未经校勘订正，而引用的人又不加择别随便乱引，造成较多引证舛误。

（2）删去重复，除去衍字。

（3）补其不足，增补脱漏的文字。

（4）条理篇目，改正错简。

（5）整理出范本，精校精注，使足本无阙，以求恢复其书原貌或接近其原貌。

（三）校勘方法的应用

校勘的方法分4种，即对校、他校、本校和理校。

1. 对校

对所校的书，从多种版本中选出最佳本为底本，用其余各种版本与底本逐字逐句地勘比，将其异点（衍、夺、讹、错简、颠倒、疑点等）用校记注出，称为对校。

近代学者陈垣在《元典章校补释例·校书四例》中言："以同书之祖本（指最早的刻本）或别本（指同一种书的另一种版本，或称异本）对读，遇不同之处，则注于其旁。此法最简单、最稳当，纯属机械法。其主旨在校异同，不校是非。故其短处在不负责任，虽祖本或别本有误，亦照式录之。而其长处在不参己见，得此校本，可知祖本或别本的本来面目。故凡校一书，必先用对校法，然后再用其他校法。"

2. 他校

以他书校本书，即用本书所引用过的其他现存古书作为校本，或其他古籍引用有本书的内容，用来校勘的方法，称他校。①他校本成书在本书之前，其文为本书所引，这个本子如属善本，可作为校勘的依据。如《新修本草》引用有《本草经集注》的内容，所以吐鲁番出土的《本草经集注》残卷亦可用作校本。②他校本成书在本书之后，他书引用本书文的，如是好的版本，也可作为校勘的依据。如校勘《新修本草》，可用宋代的《证类本草》作校本，因《证类本草》引用《新修本草》的资料。③据旧注校勘。古籍中的注文多是经过前人用多种异本校勘后而作的注释。他们在作注前，已搜罗多种异本，详加校勘，细加别择，将校勘结论写入注中。如汉代郑玄，唐代孔颖达、陆德明、贾公彦，宋代朱熹为群书作注，事先都经过精密校勘。所以古代文、史、哲中的旧注，保存着丰富的校勘资料。清代孙星衍在《校定神农本草经序》中言："按薛综注《张衡赋》，引《本草经》太一禹馀粮，一名石脑，生山谷，是古本无郡县名。《太平御览》引《经》上云：生山谷或川泽，下云生某山某郡，明生山谷《本经》文也。"

进行他校时，首先应广泛搜集他校本，选择善本。凡书中引文注明出处者，即可检阅所引原书作为他校本以校之；若书中引文未注明出处，可从早于本书的其他古籍中寻求线索，辨别出处，追本溯源以校之。本草古籍中所引的书名，往往只注简称，今日多不易了解。如《证类本草》中所引的"本草"或"本经"，其所指书名往往不是固定的，即在不同篇内所指书名并不相同。

进行他校时，所发现的疑点，应考订真伪，辨明是非，分别做出正确处理。底本有明显讹误、脱漏者，应据他校本改；如无明显讹误及脱漏者，不可改底本，只在校记中注明同异。如记底本某某，他校本某某。值得注意的是古人引书，多节引大义，或加化裁，很少直接抄录原文，所以在行文上与所引书的文字多数是不同的。

清代卢文弨《抱经堂文集》20 卷中有《与丁小雅论校正方言书》一文，言："大凡昔人援引古书，不尽皆如本文，故校正群籍，自当先从本书相传旧本为定。况未有雕版以前，一书而所传各异者，殆不可以偏举，今或但据书家所引之文，便以为是，疑未可也。"

在对校诸本文字相同情况下，其文理、医理稍有疑义时，或诸本互异时，难以判定何者为是，采用他校，问题往往可得到很好的解决。

3. 本校

在同一本书中，进行前后文对校，称为本校。即底本中的疑义、矛盾之处，可以本书内容的前后文勘比，择正确部分为据，改正错误部分。

例如人卫本《政和本草》卷3"丹砂"条引"别说云"的文中有"鼎近得武林陈承编次《本草图经》"句，句中的"鼎"字何解？据本书卷7"络石"条所引"脊痛"方有"晟顷寓宜兴县张诸镇"一文，可知"鼎"字应作"晟"字，晟是艾晟，他在《证类本草》增入陈承的"别说"，改书名《大观本草》。

又，《政和本草》卷19"鹜肪"条中有"又云《本经》用鹜肺"句，句中"肺"据前文药名应作"肪"。

又，商务本《政和本草》目录（页10）有"衡洞根"药名，同书卷10（页269）药物有"衝洞根"，可知"衡"应作"衝（冲）"。

本校可以改正谬误，或列述诸说，但不可妄下雌黄，必须择善而从，以求版式一致。

凡底本原文前后不一，显有错误和矛盾，当据一处改正。并应注文"某某"，原误作"某某"，据本书某卷某篇改。

4. 理校

以医药理论（理法方药）、文理（文义、文气、文例）、文章结构体例、语法、音韵及训诂等方式进行校勘，称为理校。

理校时，应对所校之书的各方面问题细加体会，只有对书中内容融会贯通，方能理出头绪，纠谬正误。理校必据确凿理由才可用。驾驭准，掌握好，可收良效；反之则产生错误。当数说难从，或底本文义不顺的情况下，可采用理校。

理校贯穿在本校、对校、他校之中，每校必须有理有据，求精求实。若单用理校，对删、补、改文时要特别慎重，做到持之有据，言之有理。

史学家陈垣在《元典章校补释例·校书四例》中言："遇无古本可据，或数本互异而无所适从之时，则须用理校。此法须通识为之，否则鲁莽割裂，以不误为误，而纠纷愈甚矣。故最高妙此法，最危险者亦此法也。"

例如《政和本草》卷14"白杨树皮"条有"《图经》曰：'其形如杨柳相似，以生冰岸，故名水杨。'"文中"冰岸"的"冰"字，无论在自然道理上，或文理上都讲不通。从前后文看，"故名水杨"，当然是生水岸而得名，故冰当为水之误。

如文字并无错误，但文义与医药理论相悖时，可据医药理论校之。

例如《普济方》卷182所载的"沉香降气丸"一方中有"附子二两、炒去毛"，按，附子表皮光滑无毛，此处必有误。查《瑞竹堂经验方》中载有此方，其药是"香附子二两，炒去毛"。可见《普济方》在此方中脱一"香"字，使药名发生错误。

在此四校中，对校为四校基础，理校可视为四校指南。不运用理校，易失去校勘意义和价值。滥用理校，反会失去校勘准则。所以理校要用，但必须慎之又慎。

对校和他校是用别的书来校，即求证于本书以外的有关记载，故称为"外证"或"旁证"。用比本书较早的旧抄本、旧刻本、本书的旧注本，或其他类书均可来校正讹误，补缀遗佚。

本校和理校是从本书之内求证，故称"内证"或"本证"。从本书本篇的文理、医理、文字、修辞、语法、音韵、义例等进行比较，以求校正谬误，订正衍脱。

校勘时，根据具体情况，或以单一法来校勘，或多法并用。其中理校最难把握，精审也是此法，易误亦在此法。

（四）校勘要求

校勘应精选版本，仔细认真，勘而有据，参考群书。

底本越早越好，名家精校的版本亦佳。主校本选次于底本的著作。参校本以其他本如小书店铅印本或石印本均可。他校本是其他书引用本书资料的著作。

校勘古本草除应选好底本外，应广求副本，包括各种复刊本与佚文的副本，以勘异同。对正讹补阙，应据宋元旧本以订讹误，做到不偏主，不盲从。备载诸本，附于其末以供参考。

校者自己要真正读懂底本，并应熟悉前人整理的情况。遇到有疑难处，要查阅资料，应反复推敲，正确处理。

在初校（死校）时要逐句逐字地勘比，一字也不能放过。终校时，要提出个人的意见或倾向性意见。有问题的原文要进行处理（如改、删、补、移等）。问题不大的原文不作处理，只在校勘记中交代。遇到歧处，要能做正确的处理。凡需校勘的字词，多次重复出现者，每见必校。

朱希祖《郦亭藏书题跋记》言："择一本为主，而又罗列各本之异同，心知其善者，固当记注于上。即心知其误者，亦当记注于上，以存各本之真面。"又云："使后世读此书者，得参校其异同，斟酌其是非，择善而从。"

总之，要求校而不漏不误。对原书内容不删节，不改编，力求恢复或接近本书原貌，使之成为最佳本。

勘比古本草，应选善本作为校勘的依据，若不得善本，往往会不误而误。一般而言，最早的刊本是最好的版本。若定出 2 种以上的底本，应有主次之分。但有些本子经过名家整理，如清代乾隆刊本等，往往会优于早期的刊本。所以用最早的刊本为底本，不一定完全正确。

校勘时宜多参考群书，有些疑难问题单用同种书来校未必能获得解决，必须参考多种本子才行。

对宋元以前的古本草，重用对校和他校，善用本校，慎用理校，四校合参。明清以来的古本草，用对校、他校及本校即可，运用理校要特别慎重。

校勘只限于所校书因传抄翻刻时所致的错误，对作者学术见解中的明显错误，则只宜指正，不宜改正。

校勘应重视本草古籍源流与其学术源流。宋代郑樵《通志》载："辨章学术，考镜源流。"考证古籍传抄刊刻、版本异同，即掌握版本史学。凡他书与本书有源流关系，都应重视。

总之，校勘本草是一个复杂的问题，并非标标点点，改几个错字，要具有本草学一般知识和精审判断能力。对所校之书，应深知其义例，明其述作之本末。能以类统杂，执简驭繁。不仅识别后世传写之讹，且能纠正作者原本之谬，而不仅是局限于文字异同的校勘。

《重刊明道二年〈国语〉序》言："校定之学，识不到，则指瑜为瑕，而疵类更甚，转不若多存其未校定之本，使学者随其学之深浅以定其瑕瑜。古书坏于不校者甚多，坏于校者尤多。坏于不校者以校治之，坏于校者久且不可治。"

（五）校勘处理

校勘凡需改正的，必须证据确凿可靠而有说服力。对于据理判断的，应把理讲清楚。

对于复刊本所增加的序跋，价值较大者，可酌情补入。序跋的校勘与训诂，按正文处理。

以原始底本或现存最早的本子为底本，作为编排次序的依据，并记其异点，叶德辉称之为"死校"。若选择各本主要异点注之，即作选择性注，叶氏称之为"活校"。

以最佳本为依据，参校各种底本和校本，勘比其异同。对其明显有误处，虽是底本也予以改正。可记"原本作某某，今据某本改，或据某本删补"。

凡目录与正文标题不一或互异者，可互勘订正。目录凌乱不堪者，可重新编排。均不出校记，只在点校说明中讲明。

校勘宜多，但出注宜少，反之则不符要求。出校注要适当，避免校注重复。即在某一篇中，底本有误，校本正确，而此误多处重复出现，只注一次，并注明"下同"，不再重复出注。若同一问题出注过多，就显得烦琐了。

整理的书稿应讲究齐、清、定。即资料齐全，稿件清楚，字迹工整，定稿后不要改动。经审稿、修改加工的稿件，原则上定下来后不要随便更动。

凡底本有避讳字、异体字，径改，不出注。

底本中有明显错字、衍文、脱漏而校本不误，可据校本改正，应注明底本原作"某"，现据何本改。

底本不误，而校本误，则保持底本原状，不改也不出注，必要时可出校记。

底本、校本均误，但主参本不误，可参考主参本，并用本校法和理校法勘正。一般不改底本，只出校记，注明主参本"某"作"某"。

底本、校本、主参本均误，不改底本，出校记，注明"某"疑作"某"。底本、校本、主参本互异，但其文义均可通者，不改底本，出校记，注明各本异文，标明版本。

底本中虚词有误，应据别本校正，若虽与他校本互异而无关宏旨者，不出校记。

凡底本内容无误，仅与其他同类本互异（如药名、主治、剂量等），不出校记。

凡底本有明显脱漏，据他本增补时，注文要说明其依据。如底本有明显脱字，应据校本增补，可记"某某"原脱，据某本或某卷补。例在日本传抄卷子本《新修本草》卷5"戎盐"条的陶弘景注文末，就脱漏"又马东胸膠县北岸大有盐井……如此二说并未详"92个字，校以人卫本《政和本草》（页192）可知。

凡校本比底本文多，又无法判断底本是否有脱文时，可记"某某"，此后，某本或某卷有"某"字。例《新修本草》卷11"女青"条陶隐居注文"弥宜识真者"，其"者"后，在《本草纲目》卷16同条有"又云：今市人用一种根……乃云是女青根，出荆州"一段文字。

凡底本脱文无据补入时（找不着字补），用虚阙号"□"，按所脱字数用之；无法计算脱的字数时，用"▨"补入示之。二者均不出校记，仅在点校说明中举例述及。例敦煌卷子本《本草经集注》（1955年群联出版社出版，页91）有"右壹百四十种口□□使，其余皆无"。文中3个虚阙号表示原有3个字残缺不清。据文义，尚氏认为是"有相制"3个字。

底本中的引文，用他校本勘比。所引之文属经典著作，而引文有不同处，不改底本，只一一注明。所引之文为其他书籍的，而引文有不同处，若不违背原书文义，即其文义可通者，也不改底本，亦不出注。如违背原书文义，或文义不通者，不改底本，但应出注，说明原书"某"作"某"。加注应说明引文出处和原著书名。古本草引文多是节引大义。例如，敦煌本《新修本草》卷10"钩吻"条的注文有："人自求死者，取一二叶，手挼汁出，掬水饮，半日即死。"而《政和本草》卷10同条节引文作"人误食其叶者皆致死"。宋代本草只节引其大义，并非原文照录。

底本引用他书资料处，凡属缩引、义引、节引而不失原意者，不出校记。

类书引文，多约取其辞或节用书意，切不可据类书改校本。如《北堂书钞》《艺文类聚》及《太平御览》等类书，征引古书多是约取其辞或节用书意，因此这些类书所载的引文很难与古人原本符合。所以不能据此而改校本。例《太平御览》卷991页3引《本经》文："玄参，一名重台……治腹中寒热，女子乳，补肾气。"按，"女子乳"在《证类本草》卷8页203同条作"女子产乳余疾"。此为《太平御览》引文约取其辞。又，晋代刘逵注《蜀都赋》有："《神农本草经》曰：菌桂出交趾，圆如竹，为众药通使。"按，"众药通使"在《证类本草》卷12页290同条作"诸药先聘通使"，这是类书引文节用书意。

底本引用具体史实，或人、地、年代的记述或书名，有明显错误的，不改其原文，可在校记中说明。例如《本草纲目》卷1序例"历代诸家本草"中的《别录》，据敦煌残卷本《本草经集注·序录》应作《本草经集注》。

底本出现疑是疑非，一时找不出更多诸本来校正，应通览全篇，就所引诸校本列述于后。不宜轻易改动，以保留底本原貌。或标注，或列述。清代朱一新的《无邪堂答问》载："国朝（清朝）人于校勘之学最精，而亦往往喜援他文以改本文，不知古人同述一事，同引一书，字句多有异同，非如今人之校勘家，一字不改窜易也。今人动以此律彼，专辄改定，使古书皆失真面目。凡本义可通者，即有他书显证，亦不得轻改，古文词义简奥，又不当以今人文法求之。"

（六）校勘资料的撰写

校勘资料有说明、校记、按语、后记等说明，介绍作者生平、学术思想、著述情况，书的价值、版本及流传，前人对该书的整理，自己校勘该书依据的底本、主要校本、整理方法与体例、正文和目录增删等情况。校记，是校勘记语，要写得精练，表达准确，即用简单的文字和清晰的语言表达。所引书名应统一，版本要交代。按语，为剖析原文和评述得失，要求议论公允，语言中肯。解释歧义及疑难力求精审，重在发掘内涵，不附会，不回避，不偏激。内容提要，只限于概述某书、某篇（章或段）的中心内容，应言简意赅，扣题精当。重在总括全文，述明主题。后记，是校勘后的一篇论文，一般在校完一部书后才写，除包括说明的内容，还应就存在的问题概括交代一下。

（七）校勘举例

1. 刻书者误改字

例顾炎武的《日知录》卷 18 记载，明朝山东人刻《金石录》，其中李易安后序有"绍兴二年（1132）元黓岁壮月朔"文，因刻书人不知其义，误将"壮月"妄改为"牡丹"。这句话是指写作时间，其"元黓（音'义'）"是天干"壬"的别名。壮月即八月。

2. 传抄因字形致误

例如商务本《政和本草》卷 3 页 89 "黑石"条有"出类川"，其中"类"的繁体为"類"，与"穎"字形同，实为"出穎川"。同书卷 5 页 129 "戎盐"条引陶隐居文有"味咸若……又巴东朐䏰县比岸"。其中的"若"为"苦"之误，"比"为"北"之误。

3. 传抄因字音致误

例《政和本草》卷 5 页 126 "硇砂"条，引青霞子文有"硇砂为五今贼也"，其中"今"为"金"之误。又，《六因条辨·春温辨论》有"人生一小天地"，其中的生当为"身"之误。

4. 脱字致误

《普济方》卷 101 "诸风门·风邪"中有"紫石英丸……每服空心食前，用粥饮下丸"。其下字后脱数字"十"，即用粥饮下十丸。因《圣济总录》卷 14 也载有此方，作"粥饮下十丸"。

5. 误后人读书旁记为正文

古人读书，见有所感，辄附录其辞以旁注书上，后人刻书或传抄时窜入原书，误为正文。例《政和本草》卷 3 玉石下"不灰木"条引陈藏器文末有"中和二年于李宋处见传"10 个字。按，"中和"是唐僖宗第 3 个年号，中和二年即 882 年。

而陈藏器的《本草拾遗》成书于唐开元二十七年（739），比中和二年早143年，陈氏书不会记录这么多年后的事。此为后人读陈氏书时加在书旁的注文，后被刻书者误审为正文。

6. 因字误致使医文不通

《灵枢·热病》有"热病，面青脑痛，手足躁"文。此文与医理不合，因热病应面赤，而面青是寒病，再者古人只言头痛，未见有脑痛之词。查《脉经》卷7节13的某篇中有此文，面青脑痛在这里作"两胸胁痛"，胸繁体作"胷"，"胷"与"青"形近。胁繁体作"脇"，脑繁体作"腦"，"脇"与"腦"形近，"两"与"面"形近，所以两胸胁痛，被误为面青脑痛了。

五、尚志钧运用考据学的经验

考据又称为考证，是研究古代典籍的文字音义、名物象数及典章制度的一种方法，注重言之有据，信而有征，实事求是。汉代经师治学，重名物训诂，考据多以文字学为基础，尊信《尔雅》及《说文解字》，强调所言必有所据。清代人对此推崇之，提倡无征不信，学风朴实。所以考据又称为"朴学"，朴学一词最早见于《汉书·儒林传》。

（一）考据的产生

中国从有文字开始，延续至清末，积累了大批文化典籍。这些典籍因为年代久远，社会变迁的关系，难以阅读或有残缺，有必要进行整理。或注释，或语译，或加以分析批判，以去伪存真，说明价值。因而产生了考据这一门学科，它是为对文化遗产进行科学整理的需要而出现的。

（二）考据的作用

考据能辨别书的真伪，使残缺的书能整理而完整，使难懂难读之书易于读懂理解，提高古籍的实用价值。清代许多考据名家，终生从事这项工作，铢积寸累，先难后易，态度严谨朴实，所作著述的学术价值很高，是后人学习的榜样。

（三）考据的要求

考据工作要求读书认真，留心细节问题，遇疑即记，或问同仁老师；凡立一义，必有证据，不执一自是，无证则否定；选择证据资料，应以最早出现者为主。

按年代顺序，用前代证据否定后代，但不能用后代证据否定前代。从文献种类讲，经书的证据可以否定传记，而传记的证据不能否定经书；孤证不据，若找不到旁证姑存之，待有续证则信之，若遇有力的反证则推翻弃之；不隐匿证据也不曲解证据，更不作诡辩术伎俩，搜罗同类证据材料，加以排比，寻求通则；引用前代材料作证，应注明出处；与同仁商讨问题，应以事实说理，切不可讥笑，注重学术争鸣，则真理愈辩愈明；考据问题既要注重深度又要顾及广度，但不要钻牛角尖以免陷入狭窄小圈中；行文应字句简洁精练，不离题生枝。切忌辩论不极乎幽隐，考核不究乎邃密，说一句话必引数十百家之义，解一字必衍成数千言之文，论一题而积稿盈尺，有征引而无论断，不能钩玄提要，使人难以明了，这种矜奇炫博、浪费时间与笔墨纸张的做法，实不可取。

（四）考据的应用

考据多用于古书或书中资料的辨伪。

1. 古书辨伪

古籍中常有后人或同时代人伪托之作。西汉刘向核书时已发现书有真伪了。《汉志》对书的真伪已有著录。隋代僧人法经《众经书目》立有"疑伪"一门。胡应麟《四部正讹》、姚际恒《古今伪书考》、张心澂《伪书通考》、郑良树《续伪书通考》都是考据伪书的专著。据《伪书通考》记载，古今书掺杂伪赝者有1000多种。

最早的本草专著《本经》也是托伪之作。《淮南子·修务训》载："世俗之人，多尊古而贱今，故为道者，必托之于神农、黄帝而后能入说。"

据《四库全书总目》"珍珠囊指掌补遗药性赋"条下载："考《珍珠囊》为洁古老人张元素著，其书久已散佚，世传东垣《珍珠囊》为后人所伪托，李时珍《本草纲目》辨之甚详。是编首载寒热温平四赋，次及用药歌诀，但浅俚不足观，盖庸医至陋之本，而亦托于呆，妄矣。"此也说明《珍珠囊补遗药性赋》是伪托之作。

《本草易读》托名汪昂，其内容粗浅杂乱且文字水平低劣。《南方草木状》有人考证也是伪托之作。

出现伪书多因借前贤之名，可尊其书，以期后世矜其名，或激于私愤，或徇于公赏，或盗袭前人之书为己书，或攘时流之说为己说，或因书亡佚，有好事伪作之或部分伪作之。

如何辨别伪书，梁启超《中国历史研究法》在第五章列有 12 条方法：①其书前代从未著录，或从来无人征引而忽然出现者；②久经散佚而忽有异本突出者；③今本来历不明者；④从其他方面可以考见今本所题作为不确者；⑤今本与前人称引之原本有歧者；⑥书中载事迹，有在作者本人之后者；⑦其书虽真，然一部分确有经后人窜乱之证据者；⑧书中所言与事实相反者；⑨两书同载一事绝对矛盾者；⑩其书文体与该书所处时代文体不同者；⑪其书所言之时代状态与前时情理相去悬殊者；⑫其书之思想与其时代不相衔接者。

以上 12 条规则，凡有其一者，即可判断为伪书。

伪书不可尽弃，退后时代，亦可反映所退时代作品的学术观点。《伪书通考》载："伪书不一定是无价值的无用的书，但如根据某部书来考察某个时代的思想或情况，或著书做论文引用到某部书某段或某句文字，如所根据的或所引的是伪书，或是有问题的伪书，认为它所说的，是那个所伪托的时代的思想或情况，那就错了。"

《本经》中的药学理论及药数，当然不能当作神农时代的作品，但它可以反映其后时代的学术观点。其中有很多理论和药物，至今仍能在临床实践中应用。伪书的书名虽是伪托，但书的学术价值和应用价值并未丧失。

2. 资料辨伪

资料的真伪，对本草文献研究十分重要。真的资料可以得出正确的结论，伪资料则使所做的结论错误。可见伪的资料比资料不全或没有资料更糟糕。凡是伪书或伪资料，皆不能引用作为立论的依据。

资料真伪的程度不一，或全伪，或部分是伪的，或因后人增修掺入。《颜氏家训·书证》载："秦人灭学，董卓焚书，典籍错乱，非止于此。譬尤本草，神农所述，而有豫章、朱崖、赵国、常山、奉高、真定、临淄、冯翊等郡县出诸药物，皆由后人所羼，非本文也。"

据《汉书·地理志》所载：豫章（今江西南昌）为高帝（刘邦，在位时间为前 206—前 194）时置，朱崖（今海南琼山）为武帝元鼎六年（前 111）开，赵国（今河北邯郸）为高帝四年（前 203）改，常山（今河北元氏县）高帝置，奉高（今山东泰安）高帝置，真定（今河北正定）为武帝元鼎四年（前 113）置，临淄（今山东临淄）师尚父所封，冯翊（今陕西大荔）武帝太初元年（前 104）改。颜之推是北齐黄门侍郎，他在《颜氏家训·书证篇》列举《本经》药物产地有汉时制定的地名，认为这是后人增入而非原书所有。

同是一段文字或一句话，在不同书籍记载中，或被不同书籍援引时，往往出现有异文存在。如何确定哪个异文正确，有时亦用考证方法来解决。

如卷子本《新修本草》卷15"发髲"条文的开句为"疗小儿惊热下"。《千金翼方》卷3和《证类本草》卷15"发髲"条此句作"疗小儿惊热"，无"下"字。《本草纲目》卷52"发髲"条此句作"疗小儿惊热百病"。

按，发髲的这句条文原为《别录》文，后世的医书援引中就出现三种不同的异文。究竟哪个异文是正确的？尚志钧先生在辑复《新修本草》"发髲"条文时，对此句考证为"疗小儿惊热下痢"。按，《千金方》卷15治痢单方有"乱发煎鸡子黄止痢"的记载。又，《外台秘要》卷25亦云："乱发止痢。"《小儿卫生总微论方》卷10胎中病"褥疮"条引刘禹锡言："因阅本草有云，乱发合鸡子黄煎，消为水，疗小儿惊热下痢。"

盖《别录》原文有"下痢"二字，《新修本草》抄录时脱漏"痢"字。宋代本草编者因"疗小儿惊热下"句中的"下"字不可解被误作衍文而删去，《本草纲目》则据陶弘景注文将此句改为"疗小儿惊热百病"，都与《别录》原文不合。通过考证才能解决不同异文的是非。

（五）多读辨伪专著

为了更好地掌握和应用辨伪，提高考据效果，须多参考阅读一些辨伪专著。前人的辨伪著作有唐代刘知几撰的《疑古》和《惑经》，两篇著述中所列有可疑史实30余条。明代胡应麟的《四部正讹》提出有辨伪八法。清代姚际恒的《古今伪书考》是引用前人资料而成，但由于论据不足，遭到后人非议，后被黄云眉加以补正，辑成《古今伪书考补正》。黄氏将历代有关论证列于前，时人之说附于后。所列资料多是摘录，黄氏个人见解极少。今人张心澂所著的《伪书通考》，是将宋濂《诸子辨》和《四部正讹》及《古今伪书考》三书糅为一体。以书名为纲，将某一书的辨伪资料汇集在同一书名下，旁征博引，详加考证，并附以张氏按语。全书收录伪书1104种，按经、史、子、集、道藏、佛经分类。其子部医家类收有医经、本草书等21种，如《雷公炮炙药性解》《珍珠囊指掌补遗药性赋》等。在总论中介绍有辨伪缘由、方法、规律及条件等内容。

（六）考据学的鼎盛时期

考据学始于唐代而盛于清代。为何清代考据成风，这与当时统治政策有关。清代是以东北少数民族武装取得中国统治权的，康熙、雍正、乾隆几朝为镇压和清除汉人的反抗，对宋、明以来的古籍进行清理，把汉人在书中对东北和满族的所谓有"违碍"（如胡、夷、狄字）的篇、章、句全部清除掉。这就需要很多文人从事考订工作。

满清入关后，为防止明代的遗老反清，政府对知识分子也采取压迫政策而兴文字狱。当时有关政治、经济方面的论述极易触犯清廷。一般知识分子只好把精力集中到文化典籍方面的研究，有不少文人从壮年到老年，终日钻在故纸堆里。也有一些文人做了大官后，网罗一群学者，帮他编书、著书、校书及印书。一些寒士或初出道的读书人，被做官的人家聘请做家庭教师，这些人借有钱人家的藏书多而可以阅读钻研，日久变得博学多才，对古书也能进行注释、考证、校勘、匡谬及辨伪等工作。

自从清初黄宗羲、顾炎武、阎若璩、胡渭等诸家的著作陆续问世，便形成了考据学风气。他们研究的学科涉及范围很广，如经学、历史、地理、子书、医药典籍、天文、算术、金石、书画、草木及鸟兽虫鱼之类，无所不包。

清学者的做法，一是资料的收集和整理，二是对资料的考证和评论。他们整理典籍的工作包括辨伪、校勘、翻印。如对亡佚的书进行辑佚，残缺的书加以补缀；对文字难认的给以音韵训诂，文义难懂的进行注释；对名物制度加以解释考证；对学术著作加以评论；对地方志、年谱进行编修；对类书组织编纂。这些工作在清代已形成了风尚，尤以乾隆、嘉庆两朝最为风行。上至王公大臣、下至书生寒士，以及富商大贾等，在不同程度上都参与了这些工作。

在清代200多年中，知识文人通过考据对古籍做了大量工作，使书中讹误得以纠正，文义变得清晰，大量汇集前人心血的著作得到传承。所以清代乾嘉时期也是封建文化欣欣向荣的时期。

清代学者考据整理的书籍，其数量之多远胜过前人。如谕令陈梦雷为主编纂的《古今图书集成》共1万卷，其中有医药书籍520卷。乾隆时特设经、史、子、集四部的"四库全书"馆，由纪晓岚负总责，为时10年编成《四库全书》，共收书籍3503种，其中有医药书籍191种。经史子集的书籍如孙星衍的《尚书今古文注疏》、段玉裁的《周礼汉读考》、刘台拱的《论语骈枝》、钱大昕的《二十二史考异》、杨守敬等的《水经注疏》、王夫之的《楚辞通释》。医药方面有吴谦等的《医宗金鉴》，赵学敏的《本草纲目拾遗》，吴其浚的《植物名实图考》及其《植物名实图考长编》等名著。还有很多训诂字书等，如阮元的《经籍籑诂》，官修的《康熙字典》《佩文韵府》和《骈字类编》等大部头著作。

清代出现了一批考据名家，他们有阎若璩、胡渭、惠栋、戴震、钱大昕、段玉裁、王念孙及王引之等。他们有严肃的学风、实事求是的治学态度。

清代文人以经学为研究对象，形成了汉学与宋学之争的两个派别。清人遵从汉学，但不受郑玄、孔安国、许慎、王弼、杜预、孙颖达及陆德明等人的束缚。他们有自己的创见，为中国古籍解决很多疑难问题。

清道光、咸丰以后，一批政治改革家和学术改革先行者如魏源、龚自珍等，起来反对、放弃乾嘉学派的传统，兴起经世之学。自此，乾嘉学派已到没落之途。

六、尚志钧运用文献标记的经验

（一）本草文献标记的作用

1. 保存历代本草资料

今天我们能了解各代本草资料，主要是通过古本草中所做的文献标记。如果没有文献标记，那就无法了解古本草的情况。最早在本草书中做标记的是陶弘景，以后历代本草书编者，都沿用陶弘景的办法，在本草书中，对前代引文都做了不同的标记。这对古本草资料保存起了很重要的作用。

2. 便于读者查阅检索

可根据所标出处，查找原书。

3. 显示药物某些内容

例如药物性味，在《新修本草》中用有颜色圆点表示。《证类本草》卷1序例下"诸病主治药序"末，有《开宝本草》注云："唐本以朱点为热，墨点为冷，无点为平。"这就说明，《新修本草》"诸病主治"中药物性味，用"红点""黑点"标记之。

4. 概括某一类文字的内容

例如《证类本草》各卷目录，都有"凡墨盖子已下并唐慎微续证类"。同书卷1序例下"诸病主治药"的前面有"凡墨盖子下并唐慎微续添"。这个墨盖子"▮"标记，就能概括唐慎微的《证类本草》中续添的内容。

5. 区分文字的段落

古本草有时叙述几种不同内容的文字，往往是连串在一起，看不清其间的段落，这时以圆圈"○"插在各段文字之间，能使文字段落分明。

6. 区分文中不同的内容，避免混淆

（1）例如《证类本草》卷10页259"豚耳草"条末的注文有"百一方：豚耳草多种，未知何是？菘菜白叶，亦名膝耳。颜氏家训马苋一名豚耳，马齿苋也。又车前叶圆者亦名豚耳"。

按，《证类本草》所引的注文都用小字书写，唯所引书名用大字书写。此条注文开头"百一方"是用大字书写为标记，但注文中"颜氏家训"，也是书名，并未用大字书写作标记。不用大字书写作标记，就容易误"颜氏家训"文是"百一方"之文。"百一方"即《补阙肘后百一方》，是梁代陶弘景所撰，"颜氏家训"是北齐颜之推所著，颜氏晚于陶氏。故"百一方"不可能引用"颜氏家训"。在此注文中"颜氏家训"应作大字书写。

（2）又如处方中药物炮炙，药名用大字书写，药物炮炙用小字书写。即用大、小字体来区分药名与炮炙的不同。如果不用大、小字体作标记，即易发生混淆。

例如《普济方》卷102"鹿髓煎丸"中，有"厚朴去粗皮，生姜汁炙"两味药。后一味"生姜汁"言"炙"，殊不可解。查《圣济总录》有此方，是作"厚朴去粗皮，生姜汁炙"。在此文中，"厚朴"是药名，用大字书写；"去粗皮，生姜汁炙"是厚朴的炮炙文，当用小字书写。由于翻刻时，误将"炮炙文"也刻成大字，遂误"厚朴""生姜汁"为2味药。

（二）本草文献标记方法

古本草所引的资料，都不出注"参考文献"，多以文献标记方法表示之。

古本草所用的标记方法有下列几种。

1. 用文字注明作标记

例如《新修本草》编纂时，凡是新增的药物，均在其条文末注"先附"二字。《开宝本草》编纂时，对新增药，亦在条文末标注"今附"2字。

2. 用颜色作标记

例如《新修本草》编写，将《本经》文用红字书写，称为"朱书"；将《别录》文用黑字书写，称为"墨书"。又如《开宝本草》将《本经》文印成黑底白字，将《别录》文印成黑字。

3. 用字体大小作标记

例如《新修本草》全书中，凡正文均用单行大字书写，全书中注文用双行小字书写。即用大小字体来区分正文和注文。

4. 用符号作标记

《证类本草》编纂，是以《嘉祐本草》为基础，并入《本草图经》和唐慎微集录的资料。全书中对唐慎微集录的资料，都加墨盖子"▉"为标记。

（三）宋以前本草文献标记概况

《证类本草》是宋以前本草的总结，书中各方面内容，都由前代本草发展而来，在文献标记上，也是由前代本草发展而成。为此先把宋以前主流本草文献标记，回顾如下。

1.《本草经集注》的标记

陶弘景作《本草经集注》时，取《本经》药和《别录》药各365种。陶氏为了区分这两类药的来源，采用红、墨字书写，对《本经》药物条文用红笔书写，称为"朱书"；对《别录》药，用墨笔书写，称为"墨书"。这是中国本草史上最早用不同颜色的字作为标记，以表示文献出处的不同。另外，陶氏还用大字、小字来区分书内正文和注文的不同。正文用大字书写，注文用小字书写。这样就可以把书中大字所标记正文中《本经》文、《别录》文，和小字所标记陶氏注文区分开来。

2.《新修本草》标记

唐代苏敬修《新修本草》时，除沿用陶氏红字、墨字，大字、小字作为标记外，还用"说明文字"作标记。

例如《新修本草》书中，正文全用大字书写，注文皆用小字书写。正文大字属《本经》文，用红字书写；属《别录》文用墨字书写；属《新修本草》新增药，虽用大字书写，但在条末加说明文"新附"二字为标记。在《新修本草》全书中，凡大字条文末尾标记"新附"二字，说明该条即是《新修本草》新增的药物。

《新修本草》对书中注文采用小字书写，小字注文出于陶氏所注，不加任何标记。小字注文出于《新修本草》所注，冠以"谨按"二字为标记。这样标记就可以把《新修本草》书中各家文字都能分辨出来。

3.《开宝本草》的标记

宋以前的书，都是手工抄写的，到宋代开始用雕版印刷。那时还没有发明套印技术。《新修本草》中朱书《本经》文，无法印成红色。为此，不得不改用阴阳文来区分。即把《本经》文雕成阴文，印成黑底白字，如此便可同其他文区分了，所以《开宝本草》除沿用大字、小字作为标记外，对《本经》文采用黑底白字来标记。对大字正文，出于《本经》文，印成白大字；出于《别录》文，印成黑大字；出于《新修本草》新增药，在条文末，用小字"唐本先附"四字为标记。出于《开宝本草》新增药在条文末，用小字"今附"二字为标记。

对小字注文，出于《本草经集注》陶弘景注文，冠于"陶弘景云"。出于《新修本草》注文，冠以"唐本注"。出于《开宝本草》所注，冠以"今按""今注""今详"等标记。

4.《嘉祐本草》标记

《嘉祐本草》标记，全袭用《开宝本草》标记。在正文大字中，凡出于《嘉祐本草》新增药，在条末标记"新补"或标记"新定"。在小字注文中，凡出于《嘉祐本草》所注，俱标记"臣禹锡等谨按"。其余标记，悉同《开宝本草》。

（四）《证类本草》文献的标记

《证类本草》是在《嘉祐本草》基础上编修而成的。所以《证类本草》资料由《嘉祐本草》《本草图经》及唐慎微所引用的经、史、子、集、方书等资料汇编而成。唐慎微仅把资料汇集，他本人并无注释。但是《证类本草》采纳前人所著本草的内容，均明确标注原出处，这也是我国本草在发展过程中形成的一个优良传统。兹将《证类本草》对文献出处标注介绍如下。

1.《证类本草》对《本草经集注》资料标记

《证类本草》对《本草经集注》资料进行标记时，分以下四种情况。

（1）将《本经》资料，印成黑底白字大字。

（2）将《别录》资料，印成墨书大字。

（3）将七情畏恶相反资料，印成双行小字，续在条文大字末尾。

（4）将陶隐居注文，印成双行小字，冠以"陶隐居"黑底白小字。

2.《证类本草》对《新修本草》资料标记

（1）将《新修本草》新增药印成大字，在文末注以"唐本先附"。

（2）将《新修本草》的注文，印成双行小字，在注文开头冠以"唐本注"黑底白字。

3.《证类本草》对《开宝本草》资料标记

（1）将《开宝本草》新增药，印成大字，在条文末注以"今附"。

（2）将《开宝本草》注文，印成双行小字。在注文前或冠以"今注"，或冠以"今按"，或冠以"又按"，或冠以"今详"。《开宝本草》注文多列在"唐本注"之后。

"今注"，是《开宝本草》作者自己的注文。"今按"，是引用前代文献论述的注文。"又按"在"今注""今按"之后，又进一步考证后辨误的注文。"今详"表示自家据医药理论作考证性的注文。

4.《证类本草》对《嘉祐本草》资料标记

（1）将《嘉祐本草》新增药，书写成黑大字，在条文末，或注以"新补"，或注以"新定"。

"新补"，表示该药是从前代本草书中摘录的。从某书摘录的，即注以"新补见某书"。"新定"表示该药是当时习用的药，文献尚未记载过。如海带、葫芦巴之类，由太医讨论，定为新增的药。

（2）对新补药物三品的分类，是按同类药排列在同一品级。例如绿矾、柳絮矾是新增的，它与矾石是同类的，矾石列在玉石上品，则新增的绿矾、柳絮矾也列在玉石上品。同理，山姜花次于豆蔻，扶栘次于水杨。

（3）有些药，前代本草并未收录为正品，但在注文中已有论述，对这些药不再另立为条，其注文在某药物条文下，即在目录的相应药名下，标明"续注"字样。例如卷5"砒霜"条下，所引《日华子本草》的注文中，提到另一同类药，如"砒黄"的性味主治功用。这味"砒黄"算是一味药，但不抽出另立为一条，只是在卷5目录中"砒霜"条下，标明"砒黄续注"字样。同理，在"垣衣"条下续注地衣，"通草"条下续注燕复，"海藻"条下续注马藻。

（4）对《嘉祐本草》的注文，墨书成双行小字，在注文开头冠以"臣禹锡等谨按"黑底白小字。在此标记下，依次标列所引用文献及内容。若是掌氏自家注说，则冠以"今据"。若引用某书资料作注，即冠以"某书"白字为标记。

（5）这里要说明的一点，就是《证类本草》在编纂时，曾从《嘉祐本草》中某些药物条文或注文中，分析出一些药目，并将这些药目及其内容抽出另立为条，作新药来看待，书写成单行大字，在条末注以"新补见某某"，该新分条的药，在目录中亦立为新增药名，并在药名下注"元附某某条下，今分条"等小字。

例如《政和本草》页22目录卷27"苦苣"条下注有"新补"二字，表示苦苣为《嘉祐本草》新增药。同页目录卷29"白苣"条下又注云："莴苣附，元附苦苣条下，今分条。"此注文中"今分条"，当是《证类本草》编纂时所分。

兹将新分条药列举如下。

青石脂、赤石脂、黄石脂、白石脂、黑石脂5条自"五色石脂"条分出(《大观本草》卷3页30~32)。

铁浆自"铁精"条分出(《大观本草》卷4页30)。

翦草自"白药"条分出(《大观本草》卷9页61)。

薰陆香等6条自"沉香"条分出(《大观本草》卷12页43~47)。

人齿、耳塞自"天灵盖"条分出(《大观本草》卷15页5)。

人溺等6条自"人屎"条分出(《大观本草》卷15页3)。

蚌蛤等8条自"马刀"条分出(《大观本草》卷22页4~6)。

虾条新补见孟诜(《大观本草》卷22页7)。

胡麻油自"胡麻"条分出(《大观本草》卷24页6)。

生大豆自"大豆黄卷"条分出(《大观本草》卷25页1)。

白苣、莴苣自"苦苣"条分出(《大观本草》卷29页10)。

生姜自"干姜"条分出(《大观本草》卷8页3)。

瑿自"琥珀"条分出(《大观本草》卷12页20)。

以上共分条36味。

5.《证类本草》对《本草图经》资料标记

凡资料来自《本草图经》,即列在《嘉祐本草》注文之后,作双行小字注文。并在注文的开头,冠以"图经曰"大字。另外还将《本草图经》独自的2卷草药图文放入《证类本草》卷30、卷31,称为《本经》外草类和《本经》外木蔓类。

6.《证类本草》对唐慎微新增的资料标记

(1)唐慎微所增的内容,称为"唐慎微续添",并用墨盖子"▉"标记之。并在各卷目录中注云:"凡墨盖子已下并唐慎微续证类。"

在墨盖子下有两种资料。

一为唐慎微新增的8味药,在此8味的条文头上均加有墨盖子"▉"标记。在各卷目录中,凡有唐慎微新增药,均列"若干种唐慎微续补",并在"补"字下注有"墨盖子下是"5个小字。唐慎微续补的药有灵砂、井底砂、降真香、人髭、称猴、缘桑螺、蝉花、醍醐。这些药不论在目录中或在正文中,皆冠有墨盖子标记。

二为唐慎微对某些药物增加的本草内容及单方、验方内容,亦用墨盖子,与前文隔开。所增加的本草内容或单方验方,均作双行小字书写,并将注文原始出处,用大字冠在注文的开头。

这里要说明的是，在《证类本草》开始编纂时，其墨盖子下资料，全出自唐慎微所增。到《大观本草》，其墨盖子下"别说"和某些无出处的单方为艾晟所增。到晦明轩《政和本草》，其墨盖子下，除保留艾晟所增资料处，又添张存惠增入的寇宗奭《本草衍义》内容。

此外在《政和本草》中，有些药物条文下脱漏墨盖子。如人卫本《政和本草》页106"食盐"、页208"茅根"、页130"大盐"、页87"朴硝"、页92"白石英"等条，均脱漏墨盖子的标记。

（2）唐慎微将《本草图经》各个药图插在每个药的前面。又将《本草图经》独自的2卷草药图文放入《证类本草》卷30、卷31，称为《本经》外草类和《本经》外木蔓类。

（3）唐慎微将其他书中未经掌禹锡收入《嘉祐本草》的完整药物条文，集中地附在某些卷次之末，称为"某某余"。如"唐本余""食疗余""陈藏器余""海药余""图经余"。

总之，《证类本草》文献标记，依《嘉祐本草》。正文用大字：《本经》文系黑底白字；《别录》文用黑字；《新修本草》文注以"唐本先附"；《开宝本草》文注以"今附"；《嘉祐本草》新增者或用"新补"（择自文献），或用"新定"（取于时医）。注文用双行小字：《本草经集注》者冠以"陶隐居"；《新修本草》者冠以"唐本注"；《开宝本草》者冠以"今按"（据文献）或"今注"（从时医）；《嘉祐本草》者冠以"臣掌禹锡谨案"。在《证类本草》中，唐慎微新加者，皆冠以墨盖子"◼"作为标志。所以，依旧能严谨地保持文献的原来面目。

七、尚志钧辑校古本草的基本功

辑或校某一本医药古书的工作，除全面了解某一本医药古书的历史和内容外，还要掌握一些基本功。兹将这些基本功，简介如下。

（一）要认识难字

现存古医药书，绝大多数为宋元以后刊行本，所用字体多为小楷或宋字，少数古抄医药书的字体，也多是楷中夹行书。总体上来说，除了一些现代不用的古冷僻难字外，一般古医药书的字，是可以认识的，只有较少数字比较难认。古书的繁体、竖行，会给许多普通读者带来阅读障碍；而古人习用的一些俗字、别体字，也常难倒一些有相当学力的人。

例如"肉"字，在成化本《政和本草》都刻成"宍"，在日本传抄的卷子本《新修本草》写成古体"宍"，或写成"宍"。这个古体"宍"字，在某些药物条文中，又转写成"完"。例如1985年上海古籍出版社影印《新修本草》页212"雉完味酸"，同书页195有"完味辛"。这两个"完"字，实由古肉字"宍"转变而成。倘若没有多种版本对读，你根本无法弄清"完"即是"肉"字。

又如"延季"实为"延季"的形讹。"季"即古"年"字。

（二）要理解词义

古医药书中词义，只有理解了才能够正确地应用，否则，会影响辑复中的取舍，或造成误注误改。

例如，《新修本草》卷4"雄黄"条陶隐居注云："始以齐初梁州平市微有所得。"在此注中，有"平市"一词。此词在《政和本草》卷4"雄黄"条的陶隐居注中作"互市"。"互市"的词义，即南北朝对峙时，在交界处，互派使臣主持商品互相交易的地方。称之为"互市"。那么《新修本草》为什么称"平市"呢？这是古字形讹所致。"互"字古体为"乐"，"乐"字形与"平"相近，抄写人不懂词义，遂误"互市"为"平市"。

又如，《本草和名》卷7"续断"条的别名，有"一名槐生"。查《政和本草》卷7"续断"条作"一名槐"，并无"生"字。其原文为"续断，一名槐，生常山山谷"。摘录的人未弄清"续断，一名槐"的词义，误将"生"字录入上句，遂误"一名槐"为"一名槐生"。

再如，《本草和名》卷16"鼺鼠"条"有一名飞生"。在"生"后引注文为"陶景注云：暗夜行飞行生"。查《政和本草》"鼺鼠"条引陶隐居注作"暗夜行飞行，生人取其皮毛以与产妇持之"。在此注文中，"生"应属下句，摘录的人不明词义，误入上句。

（三）要辨清异文

中医药古籍，经后人研读或整理时，多加注文或按语。这些注文或按语，对正文而言，多属异文。有些异文因传抄或翻刻时不注意，往往误入正文。在校注或辑录时，要能辨清。

例如，《政和本草》卷10"豚耳草"条引《补阙肘后百一方》云："豚耳多种，未知何是，菘菜白者亦名豚耳。"《颜氏家训》"马苋"条云："一名豚耳，马齿苋也。又车前叶圆亦名豚耳。"

按，《补阙肘后百一方》，是陶弘景整理葛洪之《肘后方》后改名而成。《颜氏家训》是北齐颜之推著的书。陶弘景是南朝梁时人，比颜之推早，陶氏作《补阙肘后百一方》时，颜之推尚未出世。则陶氏书中的《颜氏家训》当为后人所增的异文，误入正文。

又如，《政和本草》卷6"不灰木"条（页136）引陈藏器云："不灰木要烧成灰，即研破，以牛乳煮了，便烧黄牛粪，烧之成灰。中和二年于李宏处见传。""中和"是唐僖宗第三个年号，中和二年即882年。据宋代钱易《南部新书·辛集》云："开元二十七年，明州人陈藏器撰《本草拾遗》。"开元二十七年即739年，比中和二年要早143年。即陈藏器作《本草拾遗》时，不可能记载143年以后的事情。上述的文字是后人读《本草拾遗》时的注文，后误入正文，遂误为陈藏器书的正文。

（四）要考证辨误

古籍在流传中不免发生差误，作为古籍辑校者，不能简单地阅读原文，而应负有尽力纠正原文错误的责任。在纠正时，要有证据。

《本草纲目》卷38收载"草麻绳索"。李时珍在该条主治项下云："主治大腹水病，取三十枚去皮，研水三合，旦服，日中当吐下水汁。"

在此方中是"取三十枚去皮研"。查《本草纲目》收录此方，原出《肘后方》所载治大腹水病方的条文。两书中的"草麻绳索"究竟是何物？植物的根、茎，或带有皮壳的果实、种子等，均须去皮，但植物根或茎是不必研的，只有植物果实或种仁能研。据此，"草麻绳"应是某些植物种子。

从"草麻绳索"作用来看，言"旦服，至日中时，当吐下水汁"，则此种子当有致泻和催吐作用。查有致泻作用的植物种子有巴豆、千金子、蓖麻子、郁李仁、火麻仁等。那么"草麻绳索"当是此等种子的一种。

又，《医心方》卷10"治水癥"第四方云："范汪方治水癥病，草麻熟成好者廿枚，去皮，杯中研令熟，不用捣，水解得三合，宿不食，清旦一顿服尽，日中许，当吐下清黄水如葵汁。"《外台秘要》卷20"水癥"方所引文同。

从上述资料来看，蓖麻在《外台秘要》《医心方》作草麻，草、草字形相近，因传抄舛错，故误革麻为草麻。

蓖麻子去皮研之，水解之治腹水，此方最早出《范汪方》。后来《肘后方》转录此方。宋以前书的传播，都是靠手工抄的。由于《肘后方》传抄时误蓖麻为草麻。明代李时珍作《本草纲目》时，不知《肘后方》中"草麻绳"由"蓖麻纯熟"讹误而来。遂立"草麻绳索"一条，列在《本草纲目》卷38"服器部"。

（五）要合理取舍

中医药古籍由于流传广，传抄或翻刻次数多，其舛误也多，加以引用的人选择内容不同，使同一个方子或同一味药，其内容及文字在不同版本中互有出入。对这些不同的文字，应当做到合理取舍。

例如，《新修本草》卷15"发髲"条末有"疗小儿惊热下"。《证类本草》卷15"发髲"条末作"疗小儿惊热"。《本草纲目》卷52"发髲"条作"疗小儿惊热百病"。《小儿卫生总微论方·胎中病论》引刘禹锡云："因阅本草有'乱发合鸡子黄煎消为水，疗小儿惊热下痢'。"（苏颂《本草图经》引刘禹锡《传信方》文字同上）

以上四家书，对同一条发髲的主治各不相同。在此四家，如何取舍，当取"疗小儿惊热下痢"为可信。因刘禹锡云"疗小儿惊热下痢"是出自本草。则《新修本草》亦当是"疗小儿惊热下痢"，因脱"痢"字，遂成"疗小儿惊热下"。到宋代，因"疗小儿惊热下"的"下"字不可解，遂省去，乃成"疗小儿惊热"。《本草纲目》又改成"疗小儿惊热百病"。

又如，《肘后方》《外台秘要》《千金方》《证类本草》同载一个熨阴颓方"以故布及毡掩肿处，取热柳枝，更互拄之"。

此方中，"故布"及"更互"，在《肘后方》中作"故纸""更取"，在《外台秘要》《千金方》《证类本草》作"故布""更互"。从医理上看，以"故布""更互"义长，当取"故布""更互"为合理。

再如，《外台秘要》卷29引《肘后方》疗烫火所灼未成疮者方："取暖灰以水和习习尔以敷之"。《医心方》卷18引葛氏方治烫火所灼未成疮者方："取冷灰以水和沓沓尔以渍之"。

比较此二方，内容基本相同，所用个别字不同。上方有"习习"，下方有"沓沓"。"沓沓"是融合貌。从药理角度看，下方文字比上方文字义胜，当取下文较合理。

（六）要搜齐资料

中医药古籍，历代各家著作都有引用。所以有些书虽亡佚，但其内容散在后代若干书中，辑校时当遍搜无遗，使之不漏。对已收之书，应无遗漏；已收之文，亦不当漏录。

例如，孙星衍等辑的《本经》即脱漏"石下长卿"条，但其他各本均有此条。

又如，日本传抄卷子本《新修本草》卷5"戎盐"条陶弘景注文，校以《证类本草》卷5"戎盐"条，即脱漏92字："又巴东朐䏰县北岸有盐井，盐水自凝生粥子盐，方一二寸，中央突张如伞形，亦有方如石膏、博棋者。李云戎盐味苦，臭，是海潮水浇山石，经久，盐凝着石取之。北海者青，南海者紫赤。又云卤咸即是人煮盐釜底凝强盐滓，如此二说并未详。"

同理卷5"白垩"条的《新修本草》注，校以《证类本草》"白垩"条《新修本草》注，脱漏15字："胡居士言，始兴小桂县晋阳乡有白善。"

以上两例，说明现存最早的古本草亦有脱漏，在辑校时，就不能全以最早本为依据，仍须据后出本校之，如此方可避免遗漏。

（七）要依据好的版本

尚氏在年轻时摘录药物资料，是按古书草书归类的。如属《别录》药，归在《别录》类。摘到《新修本草》药，即归入《新修本草》类，余类推。

中华人民共和国成立前，尚氏在摘录陈藏器《本草拾遗》资料时，曾在《本草纲目》卷15草部摘录过"錾菜"。该条《本草纲目》注出典为"拾遗"。并引陈藏器曰："錾菜生江南阴地，似益母，方茎对节，白花。苗，味辛，平，无毒。主治破血，产后腹痛，煮汁服。"

后又录商务本《政和本草》卷6引陈藏器"錾菜"条文为"錾菜，味辛，平，无毒。主破血，产后腹痛，煮汁服之，亦捣碎傅丁疮，生江南国荫地。似益母，方茎对节，白花，花中甜。捣傅蛇咬疮，生高原，如小蒜而长，产后作羹食之，良"。

把《本草纲目》所引錾菜同商务本《政和本草》所引"錾菜"条文进行比较，商务本《政和本草》文长。在"白花"之后，尚多"花中甜。捣傅蛇咬疮，生高原，如小蒜而长，产后作羹食之，良"23字。在此23字中，所言产地"生高原"与上文"生阴地"不合；所言形态"如小蒜而长"与上文"似益母，方茎对节，白花"不符。尚氏当时怀疑此23字可能是另一条的文字，但又找不出证据，未敢否定。

到1957年，尚氏购得人卫本《政和本草》，将过去所辑陈藏器资料进行全面核对。在核到"錾菜"条时，发现人卫本《政和本草》卷6所载"錾菜"条文与

《本草纲目》"蔏菜"条文基本相同。但是《本草纲目》比人卫本《政和本草》少"花中甜汁，饮之如蜜"8字。再把人卫本《政和本草》同商务本《政和本草》"蔏菜"条核对，发现商务本《政和本草》比人卫本《政和本草》少"汁饮之如蜜"5字。而商务本《政和本草》又比人卫本《政和本草》多"捣傅蛇咬疮，生高原，如小蒜而长，产后作羹食之，良"20字。

商务本《政和本草》蔏菜条文为何比人卫本《政和本草》及《本草纲目》多20~23字呢？当时弄不清这个问题。又无机会外出查资料，尚氏只好存疑待考。

后来尚氏又用人卫本《政和本草》往下核对。对到"蓼荞"条时，发现《本草纲目》、商务本《政和本草》、人卫本《政和本草》三书所引同一条"蓼荞"，其条文差异很大。

《本草纲目》卷26菜部"薤白"条附录有蓼荞，注出处为"拾遗"，并引藏器曰："味辛，温，无毒。主霍乱腹冷胀满，冷气攻击，腹满不调，产后血攻胸膈刺痛，煮服之。生平泽。其苗如葱、韭。"

商务本《政和本草》卷6所载"蓼荞"条文，大体与《本草纲目》相同，唯无"生平泽"3字。又，"其苗如葱韭"5字，商务本《政和本草》作"亦食其苗如葱韭也"。

人卫本《政和本草》卷6"蓼荞"的条文比《本草纲目》及商务本《政和本草》多"亦捣傅蛇咬疮。生高原，如小蒜而长，产后作羹食之，良"21字，尚氏发现此21字，与商务本《政和本草》所载"蔏菜"条所多出的23字基本相同。这时就怀疑蔏菜与蓼荞可能有错简，究竟是何本错简，没有证据，未敢断定。

后来尚氏又往下核对，对到"甘家白药"条，又发现《本草纲目》、商务本《政和本草》、人卫本《政和本草》三书同引陈藏器"甘家白药"条文也不相同。

在讲核对之前，先把过去对"甘家白药"摘录的情况介绍一下。

按，《本草纲目》卷18草部"白药子"条下附录中有"甘家白药"。《本草纲目》注出典为"拾遗"，并引陈藏器曰："味苦，大寒，有小毒。解诸药毒，水研服，即吐出。未尽再吐。与陈家白药功相似。二物性冷，与霍乱下痢人相反。出龚州以南，生阴处，叶似车前，根似半夏，其汁饮之如蜜。因此而名。岭南多毒物，亦多解毒物，岂天资之手？"

后来摘录到商务本《政和本草》卷6"甘家白药"条，其文如下："甘家白药，味苦，大寒，有小毒。主解诸药毒，与陈家白药功用相似，人吐毒物疑不稳，水研服之，即当吐之，未尽又服；此二药性冷，与霍乱下痢相反。出龚州以南。甘家亦因人为号。叶似车前，生阴处，根形似半夏。岭南多毒物，岂天资乎？汁饮之如蜜。"

把此文和《本草纲目》所引"甘家白药"条文比较一下，大义相同。所不同者，商务本《政和本草》引文中"甘家亦因人为号"，《本草纲目》作"其汁饮之如蜜，因此而名"，这两者意义相差很远。在商务本《政和本草》引文中"甘家白药"的名称是因人姓甘而得的名号。在《本草纲目》引文中，说"甘家白药"的名称是因其汁饮之如蜜而得名的。因无旁证，不能断定谁是谁非。

又，"汁饮之如蜜"5字，商务本《政和本草》列在文末，与"甘家白药"条全文的文义，不仅文理首尾不相连贯，而且医理亦不通。按，"甘家白药"的性味为"味苦"，与"汁饮之如蜜"味甘不相符。

又，"甘家白药"的作用有"水研服即吐"，与"其汁饮之如蜜"也不合。甜如蜜的东西是很难有催吐作用的。

根据以上的理由，可知商务版《政和本草》所引"甘家白药"条末的"汁饮之如蜜"5字，疑是异文窜入本条，不像本条中文字，但无证据，不好否定。

话再说回来，在尚氏用人卫本《政和本草》核对"甘家白药"时，发现人卫本《政和本草》所引陈藏器的"甘家白药"条文，并无"汁饮之如蜜"5字。这就使他更加怀疑《本草纲目》及商务本《政和本草》"甘家白药"条文中"汁饮之如蜜"5字，是异文窜入。

这时尚氏翻阅过去所辑陈藏器资料，直至翻到"鏨菜"条，在人卫本《政和本草》的"鏨菜"条文中，找到"花中甜汁，饮之如蜜"，再把《本草纲目》及商务版《政和本草》的"鏨菜"条文仔细看一下，均无"汁饮之如蜜"5字，而在"甘家白药"条下均有此5字。查人卫本《政和本草》正相反。如把"汁饮之如蜜"5字列在"鏨菜"条就讲得通，若列在"甘家白药"条中就讲不通。因此他就确定，"汁饮之如蜜"5字是错简。在此错简中，《本草纲目》同商务本《政和本草》是错的，而人卫本《政和本草》则是正确的。

从"鏨菜""甘家白药"的错简来看，《本草纲目》与商务本《政和本草》相同，这就提示《本草纲目》所参考的《政和本草》与商务本《政和本草》影印的底本，可能是同系列的版本，这种版本与人卫本《政和本草》影印的底本是不相同的。

除掉"鏨菜"与"甘家白药"有错简外，在上面还提到"鏨菜"与"蓼荞"存在错简，商务版《政和本草》"鏨菜"条有"捣傅蛇咬疮，生高原，如小蒜而长，产后作羹食之，良"20字。商务本《政和本草》"蓼荞"条无此20字。而人卫本《政和本草》正相反。究竟哪个是正确的，哪个是错误的，不好断定。

不下定论，那这些辑文就不好用，一定要找出哪个是正确的。

后来尚氏就思考，错简在条文相邻时才易发生，但查《本草纲目》对"蓼菜""甘家白药""蓼荞"的记载，发现三药分隔很远。在《本草纲目》中，"蓼菜"列在卷15，"甘家白药"列在卷18下，"蓼荞"列在卷26。此三药在《本草纲目》中分列在三处，相隔很远，不可能造成错简。

再查《政和本草》对此三药排列，发现此三药同列在《政和本草》卷6。人卫版《政和本草》及商务版《政和本草》卷6的目录皆有此三药，兹将含此三药的部分目录抄录如下（为了研究方便，在所抄的药名前，加个自然序码）："1. 蓼菜 2. 益母草 3. 蜀胡烂 4. 鸡脚草 5. 难火兰 6. 蓼荞 7. 石荠宁 8. 蓝藤根 9. 七仙草 10. 甘家白药"。

在此10味药中，1、6、10即本文所讨论的药，但它们相隔亦很远，怎么会错简呢？

于是尚氏又将人卫本《政和本草》及商务本《政和本草》中正文核对一遍。发现人卫本《政和本草》的正文药物排列次序与目录相同。而商务本《政和本草》的正文药物排列次序为："1. 蓼菜 7. 石荠宁 8. 蓝藤 9. 七仙草 10. 甘家白药 2. 益母草 3. 蜀胡烂 4. 鸡脚草 5. 难火兰 6. 蓼荞"。这时尚氏才发现是商务本《政和本草》整个版面排列颠倒了。把商务本《政和本草》正文药物排列次序，按人卫本《政和本草》正文顺序重排，即把7、8、9、10四味药，按人卫本《政和本草》顺序组成一个版面。再把2、3、4、5、6五味药，亦按人卫本《政和本草》正文顺序组成一个版面，将这两个版面进行对调，即能恢复原来目录的次序。这样所有的错简均得到改正，而上述各种矛盾也就全部不存在了。前面的"蓼菜""蓼荞""甘家白药"之所以出现不合理问题，正是由于商务版《政和本草》的两个版面颠倒，而此3味药正处在版面颠倒相接处，因而就产生了上述各种矛盾。而《本草纲目》参考的《政和本草》是属于商务本《政和本草》底本的系列本。所以《本草纲目》援引此3药的条文，也就出现了错简。

从这个例子来看，同一种《政和本草》因版本不同，所刊的正误也不同。在现存各种版本《政和本草》中，以人卫本《政和本草》为最佳。

尚氏辑的陈藏器《本草拾遗》参考了各种本草，如《大观本草》《政和本草》《大全本草》《本草纲目》等。每一种书，都有很多种版本。《政和本草》中，尚氏主要是以人卫本《政和本草》为依据的。

（八）要正确断句

古人抄书、刻书多无标点，今人摘引时，则需加上标点符号。加标点时首先要明晰文章意义。对原文理解如有误差，则往往造成句读差误。

在精选版本基础上，要注重断句。由于古籍文字深奥，必须精汉语、明医理，如此才能正确断句标点。

如《灵枢经》："神乎神，客在门。"有人断句为"神乎，神客在门"。同一句，因断法不同，意义亦不同。

因文史知识不足而误断，可使文义晦涩不通。例如《万氏妇人科》（明代万密斋撰，1983 年湖南人民出版社出版）前有裘琅小叙，叙中一段断句为"昔、王念斋，明，府尹，吾西昌日，曾授梓官衙，后解组携板以去，故江左传布不广"。

按，"王念斋"，人名；古知府或郡守，亦称"明府"；"尹"，谓主事，治理。如此，句读应为："昔，王念斋明府，尹吾西昌日……"

凡句读难明，疑窦丛生，诸说并存者，应予辨明。例如，《政和本草》卷 17 兽部中"品鹿茸"条有"散石淋，痈肿，骨中热疽，养（《政和本草》误作'痒'）骨，安胎，下气，杀鬼精物，不可近阴，令痿。久服耐老。四月五月解角时取"。这一段文字是讲鹿茸主治功用及采收时节的，文义连贯，首尾相从。可是各种《证类本草》将此文从"养骨"二字处析为两橛，把"养"以上列为言鹿茸，把"骨"以下列为言鹿骨，殊误，要知文末有"四月五月解角时取"，明言为鹿茸采收时节，并非言鹿骨采收时节。此据医理药理校勘《政和本草》鹿茸条断句有误。

又如，1957 年人民卫生出版社影印《本草纲目》卷 43 页 1574"龙条"集解文的断句，误为："［时珍曰］按罗愿《尔雅翼》云。龙者鳞虫之长。王符言其形有九。似头。似驼角。似鹿眼。似兔耳。似牛项。似蛇腹。似蜃鳞。似鲤爪。似鹰掌。似虎是也。"

正确的断句应该是这样：［时珍曰］按罗愿《尔雅翼》云："龙者鳞虫之长。王符言其形有九似：头似驼，角似鹿，眼似兔，耳似牛，项似蛇，腹似蜃，鳞似鲤，爪似鹰，掌似虎，是也。"

校点本《本草纲目》第 1 册（1977 年人民卫生出版社出版）页 52"神农本草经名例"载陶弘景曰："其贵胜阮德如、张茂先辈、逸民皇甫士安。"这几句话从表面理解，张茂先是大官司空，因称贵胜。阮德如、皇甫士安是隐逸不仕，因称逸民。

对不对呢？不对，其实这几句话，原先是指三个人名，即"张茂先、裴逸民、皇甫士安"，由于"裴"误为"辈"，加以断句不妥当，把 3 个人改变成 2 个人了。

不过这种错误，由来已久了，1957 年人民卫生出版社影印 1885 年合肥张绍棠味古斋重校刊本《本草纲目》卷 1 上页 357 上栏第 9 行也是这样断句的："其贵胜阮德如张茂先辈。逸民皇甫士安。"

这次人卫版校点本《本草纲目》是据 1603 年有夏良心、张鼎思序的江西刻本作为底本而校的。由于底本是如此断句，所以校点本亦承袭其旧。

按，《本草纲目》原是以《证类本草》为蓝本而编纂的，《证类本草》没有断句。《本草纲目》按原文抄录加以断句的（见 1957 年人民卫生出版社出版的《证类本草》，页 33 上栏 14～15 行），说明《本草纲目》"辈"字之误是由《证类本草》而来的。

现在要问，何以见得《证类本草》是有错误呢？我们将陶弘景《本草经集注》拿来核对一下即可明白：1955 年群联出版社影印的《本草经集注》页 22 说："其贵胜阮德如、张茂先、裴逸民、皇甫士安。"此文与《本草纲目》文比较一下，除"裴""辈"不同外，其余皆同。因为李时珍未见过陶弘景《本草经集注》，仅以《证类本草》为底本而抄录，由于《证类本草》有误，所以李时珍亦承袭了《证类本草》之误。

张茂先是什么人呢？张茂先为晋朝大司空，即著《博物志》的张华，他是晋范阳方城（今河北固安南）人，学问很渊博，亦精于经方、本草。后世本草书常引用张茂先的话。例如《证类本草》卷 6 页 147 下栏 9 行"天门冬"条就有关于张茂先的资料："此方以颠棘为别名，而张茂先以异类，《博物志》云……"同书卷 12 页 196 下栏倒 4 行"茯苓"条亦有关于张茂先的资料："一名江珠，张茂先云：'今益州永昌出琥珀。'"

裴逸民是什么人呢？裴逸民为晋河东闻喜（今山西闻喜）人，是裴秀的少子，裴秀为东晋司空，裴逸民又名裴頠，博学多才，善医经，通明方药，名闻于时，官至尚书仆射。

皇甫士安又名皇甫谧，幼名皇甫静，安定（今甘肃平凉西北）人，年二十，不好学，游荡无度，或以为痴。后得叔母任氏之教，勤于学业，遂博综典籍百家之言，以著述为务，自号玄晏先生，著《礼乐圣真论》《黄帝针灸甲乙经》《皇甫士安依诸方撰》《皇甫谧曹歙论寒食散方》。后得风痹，犹手不辍卷，武帝频下诏，敦逼不已，并不应。太康三年（282）卒，时年六十。

八、尚志钧本草文献研究的思考

尚氏认为，本草方面历代都有发展，药物变化也很大，有必要进行全面、系统的总结，这对振兴中医药、继承和发扬祖国医学遗产，保证中医临床用药安全有效，为教学、科研提供参考资料来说，都是一件十分重要的工作。为此，扎实地研究本草文献，是当今不可忽视的重要课题。

尚氏在研究本草文献中提出以下几方面的看法，这是尚氏的思考，也是后学者应当思考的。

（一）调查摸底

从古到今，我国究竟有多少种本草文献？哪些在国内尚存？哪些已经流落到国外？哪些已残缺不全？哪些已经亡佚？其内容如何？价值如何？谁也回答不出来。为此，必须对我国历代本草文献进行摸底。尚氏认为具体做法有如下方面。

从历代书志、方书及文、史、哲注文中，从全国各大图书馆（重点为中国中医研究院主编的《全国中医图书联合目录》《上海中医药大学馆藏图书目录》《中国医籍大辞典》等）现存书目中，了解我国从春秋战国到现在，究竟有多少种本草专著。将其名称查出后，进行分类登记。

本草文献可分为本草经类（包括本草经注解本），综合本草类，药效类，地方性本草类，炮制、鉴别、别名类，歌括类（包括歌诀及便读），类书、图谱类，食物本草类（包括食养、食疗、烹制方法），药用植物及驯养类，单味药类（包括单味药文献、单味药考证、生物学研究、药理研究、化学分析、临床应用），杂著类（包括本草史料、用药理法、艺文、近代中药研究资料、辞典、药典及其他杂著）。然后对各类本草著作中的每一种都建立档案，将作者、成书年代、卷数、序跋、凡例、目录、主要内容、特点、价值、版本、散存情况，详加记述，分类存放。

对于清以前的本草文献，至今尚存者，由于没有标点，僻字多，刊刻错误多，均须加以校勘、标点、注释，以利于后人阅读；对残缺不全者，要补辑完整，并加以校勘、标点、注释；对亡佚的本草文献，要尽可能地辑复，并加以校勘、标点、注释。

对于流落海外的本草文献，要复制回来，整理出版。

对于外国人以及海外华人著述的本草文献，亦应加以收罗汇集。

在收集历代本草文献时，对那些已经校勘、标点、注释的版本，应适当重印。重印的套数应能够满足全国各省、市（县）及高等医药院校、医药研究单位、医疗单位、药检部门等图书馆的需要，使从事教学、科研、医疗等的工作人员能就地查阅。

在收齐历代本草文献后，还要编写 2 本参考书。一是《历代本草述要》，即把上述历代本草文献档案资料汇编成册；二是《本草内容索引》，即把历代本草文献内容，按药名（包括别名）、性味、主治、病名、炮制、采收、种植、驯养、产地、图谱、配伍宜忌、鉴别、形态、药理、化学成分、组方（包括作为主药、配药、辅助药的方剂）等，列出详细索引。有条件的地方，还可将此索引贮存到电子计算机内，以方便检索。

对于清末以来，在报纸杂志上发表的有关中药研究的资料，亦按上述方法进行处理。

我国现存的本草文献，据 1957 年龙伯坚的《现存本草录》收载，仅有 278 种，到 1960 年《全国中医图书联合目录》收载本草文献数增至 704 种，版本多达 1560余种。近年来又陆续搜集到一些旧著本草及新著本草，其总数应超过 704 种，加上历代亡佚的本草，其总数就更多了。再从历代书志、历代藏书家的目录、历代方书和文、史、哲注文中以及全国各大图书馆现存书目中，了解我国从春秋战国到现在的本草书目，就可以得出近似的总数。

（二）进行分类

可分为本草经类（包括本草经注解本）；综合本草类（包括大部头本草类）；药效类；地方性本草类；炮制、鉴别、别名类；歌括类（包括歌诀及便读）；类书、图谱类；食物本草类（包括食养、食疗、烹制方法）；药用植物及驯养类；单味药类（包括单味药文献、单味药考证、微生物实验研究、药理研究、化学分析、临床应用）；杂著类（包括本草史料，用药方法，艺文、近代中药研究史料、辞典、药典及其他杂著）。

1. 对每一种本草建立文献卡片

在每类本草中，对每一种本草书建立文献卡，把每一种本草书的作者、成书年代、卷数、序跋、凡例、目录、主要内容、特点、价值、版本、散存情况，详加记述。同类本草中，各个本草排列次序，按年代顺序存放。

2. 对每味药建立文献卡

尚氏将历代本草及近百年来报纸杂志对每味药所载内容，制成专目分类卡。

（1）单味药书目索引卡。从古到今有哪些书和报纸杂志对单味药记载的书目索引。

（2）单味药专题索引卡。单味药专题索引卡，含性味、主治功用、鉴别、栽培、产地、产地加工、炮炙、保管、制剂、化学分析、药理实验、毒理实验、抗菌实验、历史文献等。将每味药专题文献出典详加记载。

（三）整理研究

整理研究对象有二，一是历代本草著作，二是历代使用的药物。兹分述如下。

1. 核实历代本草文献中的药名与实物

我国地大物博，历史悠久。不同时代、不同地区、不同学识水平的医药学家，他们所写的本草著作，尽管药物名称相同，但所指的实物不一定完全相同。宋代苏颂编撰《本草图经》时，要全国进呈实物。几乎每一个药名，都有很多种不同的实物。《证类本草》卷8"前胡"名下有5种不同的药图；同书卷6"黄精"名下有10种不同的药图。因此，对历代本草文献中药名与实物应当核实，以正本清源。

怎样做好核实工作，尚氏认为可从以下几个方面来研究。

（1）从药名演变来研究。同一个药名，在不同时代，所指实物不同。例如通草，在明以前的本草文献中，是指木通；在明以后则是指通脱木。又，同一药名，在某些实物作为正名，在另些实物又作别名。例如紫河车，原是人的胞衣正名，但在蚤休中又作别名。再如白头翁，以其近根处生白绒毛，状如白发翁，故名。后来有人把类似这样的植物，也叫白头翁，因此同一药名白头翁，就有7种不同的实物。对此，应当详加研究，确定正名与实物。

（2）从药物产地变迁来研究。例如人参，在清以前产于山西上党，名党参。那时的党参是五加科植物人参，由于长期供不应求过度采挖而绝了种。后来当地人就以桔梗科植物冒充人参。从此上党的人参，就不是五加科植物而是桔梗科植物了。通过药物产地变迁，可以了解同一药名，在不同时代或不同地区，所指实物也不相同。

（3）从古代文献中对药物形态描述和采收季节来研究。例如《证类本草》卷9"零陵香"，是《开宝本草》新增的药。《开宝本草》对其形态描述为："生零陵山谷，叶如罗勒。"《南越志》："燕草，又名薰草，即香草也。"《山海经》云："薰草麻叶方茎，气如蘼芜。"事实上，《开宝本草》，把好几种有香味的药，拼在一起，统名之为"零陵香"。古人以名同而归类，不从实质上来分辨。按《证类本草》卷30"薰草条"陶注："燕草状如茅。"茅的形态如茅草，和罗勒叶及麻叶方茎，相差甚远。因此《开宝本草》零陵香条，从条文所描述形态来分析，就包含好几种植物。

（4）从药物疗效来研究。古人往往把不同的药物，因疗效相同而并为一条。例如《证类本草》卷10"椿木叶"条，载有两种药图，一为椿木图，一为樗木图。椿木、樗木外形相似，功用相同，故并为一条。实际上椿木一条就包含有2种不同植物。

（5）利用现代动物、植物、矿物分类学来研究。把历代本草文献中每个药物所记载的各种资料，进行综合分析，再运用植物分类学、动物分类学、矿物分类学来确定药名与实物。

除上述几点外，还有其他很多方法可用。如药物特征、形色气味、理化特性、生长习性、用药历史以及出土实物等。

2. 对历代本草著作的整理

对历代本草著作的整理，尚氏初步提出以下一些做法。

（1）对于清以前的本草，至今尚存者，由于过去没有标点，僻字多，刊刻错误多，均须加以校勘、标点、注释，以利于后人阅读。

（2）对于清以前的本草，残缺不全者，要把它补起来，加以校勘、标点、注释。

（3）对于清以前亡佚的本草，要辑复它，并加以校勘、标点、注释。

（4）对于流落海外的本草，要复制回来。

（5）对于外国人著述的本草以及海外华人著述的本草，亦加以收罗汇集。

（6）复印宋、元本古籍本草和明刊善本本草，普及宋、元本（清人视宋、元本为神奇）。

（7）辑佚古本草，要了解古佚本草书名、作者、卷数和内容。从许多丛书、类书中沙里淘金似地辑出亡佚的本草。

（8）校释古本草，以便于阅读。

在上述各种本草中，对那些校勘、标点、注释的本子，进行重印，使全国各省、市（县）及高等医药院校、医药研究单位、医疗等单位的工作人员能就地获得查阅的方便，也节省了他们的时间、精力和费用。

（四）编写本草各种参考资料

在搜罗历代本草，经过整理研究后，再编写一些参考资料。

（1）编写《历代本草述要》，即把上述历代本草档案袋内资料汇编成册。

（2）编写各种索引，以利检索。即把历代本草内容，按药名（包括别名）、性味、主治、病名、炮制、采收、种植、驯养、产地、图谱、配伍宜忌、鉴别、形态、药理、化学成分、组方（包括作为主药方子，作为配药的方子，作为辅助药方子）等，做出详细索引，为教学、科研、医疗等工作人员提供检寻的方便。有条件的地方，藉此索引，将历代本草内容分别储存到电子计算机内，制成相应数据库，以供读者使用。

对于清末以来，在报纸杂志上发表的有关中药研究资料，亦按上述方法进行处理。

（3）编写单味药丛书。把每一味药，从古到今有关的生产供应知识以及文献历史知识，全面地有系统地汇编成册。写成综合性单味药丛书，提供教学、科研临床查阅的方便。

（4）编写本草各种工具书，如字典。

（5）编写本草图谱，为读者提供方便。

（6）编写各种专门性本草。按食物、动物、海洋动物药、外来药等分类编纂，供查检使用方便，更有利于研究参考应用。

（7）编写各种本草史料，如本草发展史、药性发展史、炮制史等。通过各种发展史，可以找出本草各方面发展的规律。

（五）撰写能反映当代本草成就的专著

我国历代基本上都有代表性本草著作产生，秦汉有《本经》，魏晋南北朝有《别录》和《本草经集注》，唐代有《新修本草》，宋代有《证类本草》，明代有《本草纲目》，清代有《植物名实图考》和《本草纲目拾遗》。那么我们这个时代，应当也有我们当代的代表性本草著作，并能反映中华人民共和国成立以来我们在本草研究方面取得的研究成就和特点。《中药大辞典》《中华本草》等在这方面已有相当的成绩。

尚氏认为，当代本草在内容上，分总论、各论两大部分。

1. 总论

在总论方面，着重介绍历代本草专著发展情况，历代药物分类发展概况，药性总义发展概况，药物炮制发展概况，诸症主治药的发展，毒药与解药发展，服食宜忌概况，药不宜入汤酒的概况，七情畏恶药例发展概况（指配伍宜忌）等。

2. 各论

在各论方面讲两个问题，一是收载哪些药，二是每个药包括哪些内容。

（1）收载的药物。凡古今文献所记皆收，务使全备。所收药物拟分三级，如下。

1）一级。常用药，以全国统编中药教材中收载的药物为主。

2）二级。一般药，药房不售、成方少用的地方药和民间药。

3）三级。冷僻药，历代本草方书中"有名无用"类，或现在基本上不用的药。

（2）每个药应包括的内容。主要有药物的正名、别名、药性等，具体如下。

1）药物正名（主名）。即现代和历代的通用名。

2）别名。即现代和历代所用的别名（异名）。包括同一地区的不同用名和不同地区习惯用名。对正名和别名的产生原因和变异，要做必要的解释。

3）药性。包括药物性味、归经、升降浮沉、有毒无毒等。很多药物的药性，历代本草所记不一致。应在综合所有本草文献基础上，从本草学、方剂学、临床治疗学等各种不同角度，重新研究，提出看法。把各家所述的不同药性，从实际出发，求其统一。

4）主治功用。按历代增衍次第介绍功能，按功能分别介绍单用主治和配方主治，并列举名方来阐述本药在各个方中作为君药或臣药或为佐使药等的作用。

5）配伍及宜忌。阐述药物与药物之间组合应用的意义，同时注意相畏、相恶、相杀及禁忌事项。如妊娠禁忌、食忌、十八反、十九畏等。

6）产地。对历代产地要作今释。说明药物产地古今的变迁，说明同一药物在同一时期的不同产地，并寻求该药道地药材。

7）种植与驯养、采集与贮藏。

8）加工炮制。每味药的各种炮制法及意义。炮制对药性的影响，并简述该药炮炙发展史。

9）功用及用法。

10）现代研究。基元确定，化学成分，药理实验，剂型改进，生药组织鉴定等。

11）按语。讨论历代对药物认识的疑点，总结临床和药理新发展，对该药研究的设想及其他。

另外，对编写本书的目的和要求，也应做一些介绍。

编写目的：为教学、科研、临床、中医药发展史研究、中药资料编纂等提供参考。

编写要求：对历代中药文献广采博收，务求全备；所取资料，力求精练、正确。资料经加工后，能反映药物的发展性和系统性；防止资料罗列、繁琐、重复、杂乱等弊病。

附录一 尚志钧辑复整理、注释、集纂、编撰著作书稿简目

一、辑复本

1. 《补辑〈肘后方〉》

晋·葛洪原著，梁·陶弘景增补，尚志钧辑校。

1983 年 11 月由安徽科学技术出版社出版。

《补辑〈肘后方〉（修订版）》

晋·葛洪撰，梁·陶弘景增补，金·杨用道再补，尚志钧辑校。

1996 年 4 月由安徽科学技术出版社出版。

2. 《名医别录（辑校本)》

梁·陶弘景集，尚志钧辑校。

1964 年完成辑校工作，约 27 万字；1966 年书稿丢失；1977 年 11 月尚氏又撰成一部"简化稿"，并于 2 年后由皖南医学院油印发行；1984 年该书原稿失而复得，并于 1986 年 6 月由人民卫生出版社正式出版。

3. 《吴普本草》

魏·吴普撰，尚志钧辑校。

1962 年 12 月由芜湖医学专科学校油印发行，1987 年 2 月由人民卫生出版社出版。

2005 年 1 月，以《吴氏本草经（辑校本）》为名［附焦循辑《吴氏本草》校注］由中医古籍出版社出版。

4.《雷公药对》

北齐·徐之才撰，尚志钧、尚元胜辑校。

1987 年完成辑校工作，1990 年 4 月由皖南医学院油印发行，1994 年 12 月由安徽科学技术出版社出版。

5.《雷公炮炙论》

南朝刘宋·雷敦原著，尚志钧辑校。

1966 年前予以辑录；1983 年 9 月由皖南医学院油印发行；1991 年 12 月与《濒湖炮炙法》合并，由安徽科学技术出版社出版。

6.《药性论》

唐·甄权撰，尚志钧辑校。

1982 年 12 月完成辑校工作；1983 年 10 月由皖南医学院油印发行；2006 年 9 月与《药性趋向分类论》合刊，并由安徽科学技术出版社出版。

7.《新修本草（辑复本）》

唐·苏敬等著，尚志钧辑校。

尚氏于 1947 年开始本书的辑校工作，1958 年完成初稿。1962 年 12 月书稿由芜湖医学专科学校油印发行［当时的书名为《（补辑）新修本草》］，范行准先生为之作序，同时油印的还有《〈新修本草〉论文集》（1961 年）一册。本书，1978 年 1 月荣获安徽省革命委员会授予的"新修唐本草科技成果奖"；1981 年 3 月由安徽科学技术出版社以《唐·新修本草（辑复本）》为书名出版；2004 年 7 月由安徽科学技术出版社再版，后获 2005 年中华中医药科学（著作）二等奖。

8～10.《食疗本草（考异本）》附《食性本草（考异本）》《食医心镜（重辑本）》《食医心镜（续集）》

其中，《食疗本草（考异本）》（唐·孟诜撰，唐·张鼎增补，尚志钧辑校），1975 年 11 月整理出；《食性本草（考异本）》（南唐·陈士良撰，尚志钧辑校），1976 年 8 月初稿草就，1983 年 8 月辑成定稿；《食医心镜（重辑本）》（唐·咎殷撰，尚志钧辑校），1992 年 3 月重辑；《食医心镜（续集）》（尚志钧集），集于 2003 年春。

以上 4 书以《食疗本草（考异本）》为总名，其他 3 书为附篇，于 2003 年 9 月由安徽科学技术出版社出版。

11.《本草拾遗》

唐·陈藏器撰，尚志钧辑释。

1973 年整理成稿，2002 年 7 月由安徽科学技术出版社出版，2003 年 12 月荣获第 4 届全国优秀古籍整理图书奖二等奖。

12.《四声本草》

唐·萧炳撰，尚志钧辑校。

该书取本草药名上一字，按平、上、去、入四声相从编撰而成，以便讨阅。1976 年 12 月整理成稿，2006 年 9 月与《药性论》合刊由安徽科学技术出版社出版。

13.《海药本草》

五代·李珣撰，尚志钧辑校。

1982 年汇集成初稿，1983 年 8 月由皖南医学院油印发行，1985 年 8 月修订成定编，1997 年 8 月由人民卫生出版社出版。1999 年 12 月华夏出版社出版的《中国本草全书·第七册》转载此辑本。

14.《日华子本草》

五代·日华子撰，尚志钧辑校。

1981 年 2 月整理出，1983 年 10 月由皖南医学院油印，2005 年 7 月由安徽科学技术出版社合刊出版。

15.《蜀本草》

五代·韩保昇撰，尚志钧辑复。

该书是五代时蜀国的国家药典性本草。1983 年 12 月整理成稿，2005 年 7 月由安徽科学技术出版社合刊出版。

16.《开宝本草（辑复本）》

宋·马志等编，尚志钧辑复。

1989 年整理成稿，1998 年 5 月由安徽科学技术出版社出版，1999 年 8 月荣获第 12 届华东地区科技出版社优秀科技图书二等奖。

17.《嘉祐本草（辑复本）》

宋·掌禹锡撰，尚志钧辑复。

该书体例严谨，标记明晰，引文广博，取材精审，在中国本草史上有很重要的地位。全稿约 35 万字，于 1986 年 10 月整理成稿，2009 年 1 月由中医古籍出版社出版。

18.《本草图经》

宋·苏颂撰，尚志钧辑校。

1966 年以前整理成稿；1983 年 9 月定编，同年 10 月由皖南医学院油印发行；1994 年 5 月由安徽科学技术出版社出版。

二、校注本

1.《〈诗经〉药物考释》

尚志钧撰。

1985 年整理成稿。

2.《〈山海经〉植物药考释》

尚志钧撰。

1980 年整理成稿。

3.《〈五十二病方〉药物注释》

尚志钧撰。

该书通过药物考释，辨析药物品名，对理解古籍内容有很大的帮助，同时对研究单味药物的发展史，有重要的参考价值。全稿约 60 万字，1982 年整理成稿，1985 年 4 月由皖南医学院油印发行。

4.《本草经集注》

梁·陶弘景撰，尚志钧辑校。

1962 年 12 月由芜湖医学专科学校油印发行；1985 年 6 月由皖南医学院油印发行；1994 年 2 月由人民卫生出版社出版。

5.《证类本草》

宋·唐慎微撰，尚志钧等校点。

1993 年 5 月由华夏出版社出版。

6.《大观本草》

宋·唐慎微撰，尚志钧校点。

2002 年 4 月由安徽科学技术出版社出版，2003 年 10 月荣获第 16 届华东地区科技出版社优秀科技图书二等奖。

7. 《〈绍兴本草〉校注》

南宋·王继先等撰，尚志钧校注。

2007 年 1 月由中医古籍出版社出版。

8. 《本草纲目（金陵初刻本校注）》

明·李时珍撰，尚志钧、任何校注。

校注本分上、下册，于 2001 年 9 月由安徽科学技术出版社出版，2002 年 5 月荣获第 15 届华东地区科技出版社优秀科技图书一等奖。

9. 《本草和名》

尚志钧、夏铭霞、尚元藕等校点。

该书由古代日本深江辅仁编纂，收集了《新修本草》及唐以前诸医药古籍中药名的著作，对研究中药药名源流演变有重要的参考价值。全稿约 8 万字。1991 年校点。

三、集纂和编撰

1. 《〈新修本草〉论文集》

尚志钧撰。

全书集尚氏有关《新修本草》研究论文 10 篇，于 1980 年由皖南医学院油印交流，后全文附于《新修本草》中正式出版。

2. 《濒湖炮炙法》

明·李时珍撰，尚志钧集纂。

"文革"中集录初稿，1984 年 4 月定编，同年 10 月由皖南医学院油印发行，1991 年 12 月与《雷公炮炙论》合刊由安徽科学技术出版社出版。

3. 《脏腑病因条辨》

尚志钧编。

1977 年 10 月由安徽省卫生局中西医结合办公室铅印发行；1989 年 9 月由安徽科学技术出版社正式出版，同时由香港上海书局重印，作为海外版发行。

4. 《本草经文献概要》

尚志钧撰。

1994 年 7 月附刊于华夏出版社出版的《中医八大经典全注·神农本草经》之后出版。

5. 《中国本草要籍考》

尚志钧著。

全书 50 万字，1991 年定稿，2008 年由安徽科学技术出版社正式出版。

6. 《药性趋向分类论》

尚志钧著。

1993 年 7 月撰成初稿，2006 年 9 月由安徽科学技术出版社与《药性论》合刊出版。

7. 《药性歌赋集纂》

尚志钧著。

1994 年 1 月撰成初稿，2006 年 7 月由安徽科学技术出版社合刊出版。

8. 《历代中药文献精华》

尚志钧、林乾良、郑金生著。

全书 39 万余字，于 1989 年 5 月由科学技术文献出版社出版。

9. 《中国矿物药集纂》

尚志钧著。

全书 70 万字，于 2009 年由上海中医药大学出版社出版。

附录二　尚志钧公开发表的学术论文

1. 尚志钧. 我国最早的药典《唐本草》［J］. 医学史与保健组织，1957，1（4）：275－277.

2. 尚志钧. 学习本草史课程的体会［J］. 药学通报，1959，7（5）：248－249.

3. 尚志钧. 学习中医学概论阴阳五行的体会［J］. 药学通报，1959，7（7）：366－367.

4. 尚志钧. 学习中药药性的体会［J］. 药学通报，1959，7（12）：644－647.

5. 尚志钧. 阿片输入中国考［J］. 人民保健，1959，1（6）：573－575.

6. 尚志钧.《唐本草》发行1300周年纪念［J］. 北京中医学院学报，1959，1：25－29.

7. 尚志钧. 我国历史上第一部药典——《唐本草》［J］. 药学通报，1959，7（10）：498－501.

8. 尚志钧.《神农本草经》重复十八种药问题的研究［J］. 北京中医学院学报，1960，1：65－67.

9. 尚志钧. 学习中药作用的体会［J］. 药学通报，1960，8（3）：155－158.

10. 尚志钧.《吴普本草》的研究［J］. 哈尔滨中医，1960，3（3）：71－73.

11. 尚志钧.《本经》药品属初探［J］. 北京中医学院学报，1960，2（2）：151－153.

12. 尚志钧.《唐本草》目录的研究［J］. 北京中医学院学报，1960，2（2）：158－162.

13. 尚志钧. 野菜食用问题［C］. 芜湖医专论著汇编，1960，3：7－10.

14. 尚志钧. 为什么要修订《唐本草》［C］. 芜湖医专论著汇编，1960，3：20－24.

15. 尚志钧. 现存《唐本草》残卷的考察［J］. 哈尔滨中医，1960，3（5）：52－53.

16. 尚志钧. 我国历史上最早的医药院校——唐代"太医署"［J］. 哈尔滨中医，1960，3（6）：63－65.

17. 尚志钧.《神农本草经》来源及其辑本存在问题的讨论［J］. 哈尔滨中医，1960，3（7）：61－62.

18. 尚志钧. 中药炮炙发展的初探［J］. 哈尔滨中医，1960，3（9）：57－60.

19. 尚志钧."炮制"的概说［J］. 哈尔滨中医，1960，3（10）：52－54.

20. 尚志钧. 泻下药［J］. 哈尔滨中医，1960，3（5）：68－69.

21. 尚志钧. 敦煌出土《本草经集注序录》的考察［J］. 中国医药学报，1986，1（1）：40－41.

22. 尚志钧. 祛暑药［J］. 哈尔滨中医，1960，3（6）：68－69.

23. 尚志钧. 祛寒药［J］. 哈尔滨中医，1960，3（8）：85－86.

24. 尚志钧. 化痰药［J］. 哈尔滨中医，1960，3（10）：72－73.

25. 尚志钧. 补养药［J］. 哈尔滨中医，1961，4（2）：56－57.

26. 尚志钧. 助阳药［J］. 哈尔滨中医，1961，4（3）：56－57.

27. 尚志钧.《本草经集注》对药物炮炙和配制的贡献［J］. 哈尔滨中医，1961，4（3）：64－66.

28. 尚志钧.《神农本草经》佚文考［J］. 哈尔滨中医，1961，4（4）：61－63.

29. 尚志钧. 清热药［J］. 哈尔滨中医，1961，4（4）：54－55.

30. 尚志钧.《雷公炮炙论》著作年代初探［J］. 哈尔滨中医，1961，4（5）：54－56.

31. 尚志钧. 固涩药［J］. 哈尔滨中医，1961，4（5）：67－68.

32. 尚志钧. 养阴药［J］. 哈尔滨中医，1961，4（6）：67－68.

33. 尚志钧. 开窍药［J］. 哈尔滨中医，1961，4（7）：54－55.

34. 尚志钧. 关于《唐本草》的研究［J］. 哈尔滨中医，1961，4（7）：55－56.

35. 尚志钧. 外用药［J］. 哈尔滨中医，1961，4（11）：49－50.

36. 尚志钧. 谈谈八阵（一）［J］. 哈尔滨中医，1962，5（4）：52－53.

37. 尚志钧. 谈谈八阵（二）[J]. 哈尔滨中医, 1962, 5（5）: 53 – 54.

38. 尚志钧. 谈中药方剂 [J]. 药学通报, 1963, 9（3）: 97 – 102.

39. 尚志钧. 有关汞及炼丹的历史 [J]. 哈尔滨中医, 1963, 6（3）: 52 – 54.

40. 尚志钧. 从《证类本草》所引资料看陶弘景的本草贡献 [J]. 药学通报, 1963, 9（6）: 272 – 273.

41. 尚志钧. 祖国历史上最早的栓剂——蜜煎导方 [J]. 药学通报, 1963, 9（3）: 103 – 104.

42. 尚志钧. 介绍《本草衍义》兼论其编纂中的几个问题 [J]. 药学通报, 1963, 9（5）: 235 – 237.

43. 尚志钧. "十剂"来源的探讨 [J]. 黑龙江中医药, 1965, 2: 22 – 23.

44. 尚志钧. 宋代本草著作的概况（一）[J]. 上海中医学院中医图书介绍, 1966, 3: 1 – 10.

45. 尚志钧. 宋代本草著作的概况（二）[J]. 上海中医学院中医图书介绍, 1966, 4: 15 – 23.

46. 尚志钧. 述整复《唐本草》意义 [J]. 浙江中医学院学报, 1980, （1）: 44 – 45.

47. 尚志钧. 《本草纲目》误《本草经集注》为《名医别录》[J]. 新中医（增刊）, 1980, （2）: 50.

48. 尚志钧. 对《中药学》药名文献来源标注的商榷 [J]. 成都中医学院学报, 1980, （2）: 56 – 58.

49. 尚志钧. 《神农本草经》中的"七情药"的探讨 [C]. 中医研究院编中药研究资料, 1980, 1: 11 – 12.

50. 尚志钧. 《山海经》荣草释 [J]. 中华文史论丛, 1980（3）: 186.

51. 尚志钧. 孙星衍等所辑《神农本草经》中有关《吴普本草》问题的商榷 [J]. 成都中医学院学报, 1980, 4: 61 – 62.

52. 尚志钧. 《五十二病方》与《山海经》[J]. 湖南中医学院学报, 1980（1）: 12 – 15.

53. 尚志钧. 《五十二病方》中药物制备工艺考察 [J]. 湖南中医学院学报, 1980, 1: 38 – 42.

54. 尚志钧. 从《五十二病方》应用水银来看我国古代制药化学的成就 [J]. 药学通报, 1980, 15（9）: 21 – 22.

55. 尚志钧. 《五十二病方》制剂概况 [J]. 中成药研究, 1981, 1: 20.

56. 尚志钧. 《五十二病方》残缺字试补［J］. 长沙马王堆医书研究专刊，1981，2：64－65.

57. 尚志钧. 《五十二病方》与《神农本草经》［J］. 长沙马王堆医书研究专刊，1981，2：78－79.

58. 尚志钧. 宋代本草概况及其特点［J］. 中华医史杂志，1981，11（3）：158－162.

59. 尚志钧. 整复《肘后方》的意义［J］. 黑龙江中医，1981，1：44－45.

60. 尚志钧. 整理现存本《肘后方》之浅见［J］. 安徽中医学院学报，1981，1：26－28.

61. 尚志钧. 对姚振宗关于《名医别录》考证的质疑［J］. 中华医史杂志，1981，11（3）：182.

62. 尚志钧. 中国历史上最早的中成药制药厂［J］. 中成药研究，1981，（7）：43－45.

63. 尚志钧. 《名医别录》作者及成书年代讨论［C］. 中华医学会安徽分会医史论文汇编，1982，1：18－30.

64. 尚志钧. 罗天益《卫生宝鉴》著述年代辨疑［J］. 中华医史杂志，1982，12（1）：19.

65. 尚志钧. 《五十二病方》简介［J］. 皖南医学院学报，1982，1（1）：46－47.

66. 尚志钧. 《神农本草经》文掺杂方士思想的考察［C］. 中华医学会安徽分会医史论文汇编，1982（1）：47－48.

67. 尚志钧. 诸家辑本《神农本草经》皆出于《证类本草》白字［J］. 江苏中医杂志，1982，3（2）：38－39.

68. 尚志钧. 《日华子本草》成书年代的探讨［J］. 中华医史杂志，1982，12（2）：114－116.

69. 尚志钧. 从《新修本草》在日本的流传看中日文化的交流［J］. 北京中医学院学报，1982，3：19－20.

70. 尚志钧. 《雷公炮炙论》成书年代的讨论［J］. 中成药研究，1982，4：45－46.

71. 尚志钧. 《本草纲目拾遗》评介［J］. 安徽中医学院学报，1982，4：55－56.

72. 尚志钧. 李珣及其《海药本草》小考［J］. 江苏中医杂志，1982，5：45.

73. 尚志钧. 《五十二病方》药物炮制概况［J］. 中药通报，1982，7（6）：

17 – 20.

74. 尚志钧．《雷公炮炙论》有关炮制方法的概述（上）［J］．中成药研究，1982，10：20 – 21.

75. 尚志钧．《食疗本草》考［J］．皖南医学院学报，1983，2（1）：48 – 49.

76. 尚志钧．《本草经集注》概述［J］．安徽中医学院学报，1983，2：51 – 52.

77. 尚志钧．《嘉祐本草》概述［J］．皖南医学院学报，1983，2（2）：65 – 66.

78. 尚志钧．《雷公炮炙论》有关炮制方法的概述（下）［J］．中成药研究，1983，4：22 – 23.

79. 尚志钧．《证类本草》白字《本草经》文原出于陶弘景之手［J］．安徽中医学院学报，1983，2（4）：39 – 41.

80. 尚志钧．《蜀本草》的考察［J］．中华医史杂志，1983，13（4）：237 – 239.

81. 尚志钧．关于《名医别录》的整复［J］．江苏中医杂志，1983，4（5）：3 – 4.

82. 尚志钧．《日华子本草》的考察［J］．中成药研究，1983，10：16 – 17.

83. 尚志钧．《本草求真》简介［J］．皖南医学院学报，1984，3（1）：44 – 45.

84. 尚志钧．《食性本草》考［J］．安徽中医学院学报，1984，3（1）：58 – 59.

85. 尚志钧．《本草纲目》所题陈藏器诸虚用药凡例质疑［J］．中华医史杂志，1984，14（1）：58.

86. 尚志钧．《本草图经》简介［J］．中成药研究（增刊），1984，1：78 – 79.

87. 尚志钧．《日华子本草》炮炙的概述［J］．中成药研究（增刊），1984，2：29 – 30.

88. 尚志钧．《本草崇原》简介［J］．皖南医学院学报，1984，33（2）：43 – 48.

89. 尚志钧．《神农本草经》名义辨［J］．安徽中医学院学报，1984，3（2）：53 – 55.

90. 尚志钧．《本草纲目》引《肘后方》疑义举例［J］．江苏中医杂志，1984，5（4）：36 – 37.

91. 尚志钧．寇宗奭和《本草衍义》［J］．中华医史杂志，1984，14（3）：146 – 149.

92. 尚志钧．"十剂"之说提出的讨论［J］．中成药研究，1984，5：44 – 45.

93. 尚志钧．《吴普本草》的若干研究［C］．华佗学术讨论会资料汇编，1984，11：80 – 93.

94. 尚志钧.《五十二病方》郁、茋、庶、蜀椒、茱萸考释 ［J］.中成药研究，1985，1：31 – 32.

95. 尚志钧.《名医别录》作者的讨论 ［J］.中华医史杂志，1985，15（2）：112.

96. 尚志钧.《五十二病方》攻□、樿、产齐赤考释 ［J］.中药材，1985，3：42 – 43.

97. 尚志钧.《神农本草经》七情考 ［J］.安徽中医学院学报，1985，4（3）：53 – 55.

98. 尚志钧.《本草备要》简介 ［J］.皖南医学院学报，1985，4（3）：206 – 208.

99. 尚志钧.《濒湖炮炙法》考察 ［J］.安徽中医学院学报，1985，4（4）：50 – 56.

100. 尚志钧.《汤液本草》中药味专精出处的讨论 ［J］.江苏中医杂志，1985，6（4）：39 – 40.

101. 尚志钧.《五十二病方》冥蚕种、食衣白鱼、长足考释 ［J］.中药材，1985（4）：48 至封三.

102. 尚志钧.《药性论》考察 ［J］.中成药研究，1985，6：45 – 46.

103. 尚志钧.《五十二病方》跪、蛇、全虫蜕考释 ［J］.中药材，1985，5：45 – 46.

104. 尚志钧.《雷公药对》考略 ［J］.江苏中医杂志，1985，6（11）：39 – 40.

105. 尚志钧.2000 年的本草文献研究 ［J］.2000 年的中医药，1985，60（集）：168 – 171.

106. 尚志钧.《五十二病方》用药方法概况 ［J］.湖南中医学院学报，1986，6（1）：41 – 42.

107. 尚志钧.《证类本草》白字考异 ［J］.安徽中医学院学报，1986，5（1）：49 – 52.

108. 尚志钧.《海药本草》成书年代考 ［J］.北京中医学院学报，1986，9（2）：40 – 41.

109. 尚志钧.敦煌出土《本草经集注·序录》的考察 ［J］.中国医药学报，1986，1（2）：40 – 41.

110. 尚志钧.《重修政和经史证类备用本草》也要校点 ［J］.安徽中医学院学报，1986，5（2）：50 – 51.

111. 尚志钧.《五十二病方》鳝鱼血、鲋鱼、蠸考释 ［J］.中药材.1986，3：

52－53.

112. 尚志钧．《五十二病方》鯢鱼考释［J］．中药材，1986，4：54－55.

113. 尚志钧．《五十二病方》药物瓣、囱、坶和量簧考释［J］．中药材，1986，5：49－50.

114. 尚志钧．《本草纲目》引《本草经》文化裁举例［J］．江苏中医杂志，1986，7（7）：26－27.

115. 尚志钧．《五十二病方》菫葵、毒菫、苦、仆纍考释［J］．中药材，1986，6：45－47.

116. 尚志钧．从药物产地看《五十二病方》的产生时代［J］．湖南中医学院学报，1986，6（4）：44－45.

117. 尚志钧．《海药本草》的考察［J］．中华医史杂志，1987，17（1）：35－37.

118. 尚志钧．《本草经集注》的研究（一）［J］．基层中药杂志，1987，1（1）：5－8.

119. 尚志钧．《历代本草概况》［J］．中国医药学报，1987，2（1）：41－42.

120. 尚志钧．《本草纲目》草麻绳索考释［J］．中药材．1987，1：47－48.

121. 尚志钧．《本草纲目》标注其他资料为《本草经》文的讨论［J］．北京中医学院学报，1987，10（1）：22－23.

122. 尚志钧．《本草经集注》研究（二）［J］．基层中药杂志，1987，1（2）：5－10.

123. 尚志钧．《历代本草概况》（续）［J］．中国医药学报，1987，2（2）：38－40.

124. 尚志钧．《五十二病方》药物厚柎、朴、白付考释［J］．中药材，1987，（2）：49－50.

125. 尚志钧．王好古著述年代讨论［J］．江苏中医，1987，8（6）：29－30.

126. 尚志钧．《神农本草经》目录的讨论（上）［J］．安徽中医学院学报，1987，6（2）：43－47.

127. 尚志钧．《本草纲目·序例》辨误两则［J］．成都中医学院学报，1987，2：30－31.

128. 尚志钧．《神农本草经》目录的讨论（下）［J］．安徽中医学院学报，1987，6（3）：52－57.

129. 尚志钧．《五十二病方》百草末、屋荣蔡、禾、陈稿、荆箕药物考释［J］．中药材，1987（3）：45－46.

130. 尚志钧．《五十二病方》灶末、灶黄土、甕鑿处土、囷土、井中泥、冻土考释 [J]．中药材，1987，4：49 – 50.

131. 尚志钧．《五十二病方》药物丹、水银、青考释 [J]．中药材，1987，5：48 – 49.

132. 尚志钧．《本草经集注》研究（三） [J]．基层中药杂志，1987，1（3）：1 – 6.

133. 尚志钧．《本草经集注》研究（四） [J]．基层中药杂志，1987，1（4）：1 – 3.

134. 尚志钧．《本草拾遗》的研究 [J]．皖南医学院学报，1987，6（3）：224 – 226.

135. 尚志钧．《本草纲目》甘家白药条文错简例 [J]．江苏中医，1987，8（10）：42 – 43.

136. 尚志钧．治疗痰饮眩晕的一点经验 [J]．光明中医，1987（4）：22 – 23.

137. 尚志钧．《政和本草》版本讨论 [C]．全国药学史本草学会论文集（上册），1987，10：27.

138. 尚志钧．《吴普本草》成书年代的考察 [J]．中华医史杂志，1987，17（4）：241 – 242.

139. 尚志钧．《五十二病方》药物消石、恒石、澡石、封殖土考释 [J]．中药材，1988，11（1）：42 – 43.

140. 尚志钧．《本草经》白兔藿、鹿藿的试释 [J]．中药材，1988，11（3）：48 – 49.

141. 尚志钧．《五十二病方》药物蒴根、笑莫、莤夷考释 [J]．中药材，1988，11（4）：43 – 44.

142. 尚志钧．《本草经集注》研究（五） [J]．基层中药杂志，1988，2（1）：37 – 39.

143. 尚志钧．《本草经集注》研究（六） [J]．基层中药杂志，1988，2（2）：31 – 32.

144. 尚志钧．《本草经集注》研究（七） [J]．基层中药杂志，1988，2（3）：32 – 33.

145. 尚志钧．敦煌本《本草经集注·序录》和《证类本草》引陶隐居序的考察 [J]．中华医史杂志，1988，18（2）：124 – 126.

146. 尚志钧．商务本《政和本草》错简例［J］．北京中医学院学报，1988，11（2）：46－47．

147. 尚志钧．谈本草文献的研究［J］．安徽中医学院学报，1988，7（2）：51－52．

148. 尚志钧．《本草纲目》天行斑疮流行时间质疑［J］．成都中医学院学报，1988，11（2）：41－42．

149. 尚志钧．孙星衍辑《本草经》释通草、络石、麦门冬质疑［J］．江苏中医，1988，9（3）：31－32．

150. 尚志钧．《本草纲目》断句误例二则［J］．江苏中医，1988，9（6）：39－40．

151. 尚志钧．孙星衍辑《本草经》释苦菜质疑［J］．江苏中医，1988，9（8）：39－40．

152. 尚志钧．《太平惠民和剂局方》的成书概况［J］．中成药研究，1988，5：35－36．

153. 尚志钧．顾观光辑《神农本草经》药物合并和分条的讨论［J］．中药通报，1988，13（11）：55－57．

154. 尚志钧．《本草纲目》版本简介［J］．安徽中医学院学报，1988，7（4）：45－49．

155. 尚志钧．《五十二病方》药物"蒿、青蒿、白蒿"考释［J］．中药材，1988，11（6）：42－43．

156. 尚志钧．论《吴普本草》和《本草经集注》之关系［J］．中华医史杂志，1989，19（2）：125－127．

157. 尚志钧．商务影印《政和本草》版本辨伪［J］．中国医药学报，1989，4（2）：51－52．

158. 尚志钧．麦饭石源流考［J］．中成药，1989，11（4）：34－35．

159. 尚志钧．《本草经》蓬蔂考释［J］．中药材，1989，12（1）：41－43．

160. 尚志钧．《本草经》苦菜释［J］．中药材，1989，12（2）：47－48．

161. 尚志钧．《五十二病方》五谷、米、谷汁、泽泔、黍潘考释［J］．中药材，1989，12（5）：43－44．

162. 尚志钧．《神农本草经》菖蒲考释［J］．中药材，1989，12（8）：36－38．

163. 尚志钧．《神农本草经》桐叶考释［J］．中药材，1989，12（11）：44－45．

164. 尚志钧. 五代时期的本草著作及其特点［J］. 安徽中医学院学报, 1989, 8（4）: 48－51.

165. 尚志钧. 对汪广庵《注解神农本草经》的质疑［J］. 皖南医学院学报, 1988, 7（4）: 232－235.

166. 尚志钧.《四部总录》书目辨疑一则［J］. 江苏中医, 1989, 10（1）: 39－40.

167. 尚志钧.《本草纲目》注其他资料为《别录》文举例［J］. 江苏中医, 1989, 10（4）: 47－48.

168. 尚志钧.《五十二病方》与《肘后方》勘比分析（上）［J］. 中医临床与保健, 1989, 1（1）: 44－47.

169. 尚志钧.《五十二病方》与《肘后方》勘比分析（下）［J］. 中医临床与保健, 1989, 1（3）: 47－50.

170. 尚志钧. 从《五十二病方》探讨我国古代本草的历史渊源［J］. 基层中药杂志, 1989, 3（1）: 36－37.

171. 尚志钧. 从医药角度探讨《万物》与《山海经》的时代关系［J］. 中医临床与保健, 1989, 1（3）: 47－50.

172. 尚志钧. 本草文献研究的意义及作用［J］. 基层中药杂志, 1989, 3（2）: 30－32.

173. 尚志钧. 本草文献研究概述［J］. 基层中药杂志, 1989, 3（3）: 34－36.

174. 尚志钧.《证类本草》版本概述［J］. 基层中药杂志, 1989, 3（4）: 38－39.

175. 尚志钧.《神农本草经》白瓜子考释［J］. 中药材, 1989, 12（12）: 47－48.

176. 尚志钧. 历代主要本草矿物药发展概况［J］. 皖南医学院学报, 1990, 9（2）: 56－59.

177. 尚志钧. 对李当之药录的考察及评价［J］. 安徽中医学院学报, 1990, 9（1）: 53－55.

178. 尚志钧. 李时珍十种著作提要［J］. 中医临床与保健, 1990, 2（1）: 36－38.

179. 尚志钧. 汪讱庵及其《本草备要》［J］. 安徽中医学院学报, 1990, 9（2）: 61－63.

180. 尚志钧.《本草图经》的考察［J］. 安徽中医学院学报, 1990, 9（3）:

51－54.

181. 尚志钧.《本草纲目》标注《本经》药物总数的讨论［J］.安徽中医学院学报，1990，9（4）：52－54.

182. 尚志钧.《名医别录》考［J］.陕西中医学院学报，1990，13（3）：36－37.

183. 尚志钧.《本草图经》特点及其评价［J］.中药材，1990，13（10）：46－48.

184. 尚志钧.从《饮膳正要》看忽思慧对元代保健医学的贡献［J］.中医临床与保健，1990，2（2）：55－57.

185. 尚志钧.南宋新安医学家张杲的保健观［J］.中医临床与保健，1990，2（3）：51－52.

186. 尚志钧.古籍本草版本知识（上）［J］.基层中药杂志，1990，4（1）：33－35.

187. 尚志钧.古籍本草版本知识（下）［J］.基层中药杂志，1990，4（2）：26－29.

188. 尚志钧.《证类本草》文献研究（一）［J］.基层中药杂志，1990，4（3）：36－37.

189. 尚志钧.古方用矿石治痈疽例［J］.皖南医学院学报，1990，9（4）：57－58.

190. 尚志钧.《开宝本草》研究［J］.中华医史杂志，1990，20（4）：236－239.

191. 尚志钧.唐代本草概况及特点［J］.安徽中医学院学报，1991，10（1）：49－51.

192. 尚志钧.润州剪草的本草考证［J］.安徽中医学院学报（增刊），1991（1）：33－34.

193. 尚志钧.明代安徽名医陈嘉谟和《本草蒙筌》［J］.中医临床与保健，1991，3（1）：49.

194. 尚志钧.《本草图经》概说［J］.长春中医学院学报，1991，7（3）：18－21.

195. 尚志钧.辑校要掌握基本功［J］.杏苑中医文献杂志，1991（2）：5－7.

196. 尚志钧.《证类本草》文献研究（二）［J］.基层中药杂志，1991，5（1）：35－37.

197. 尚志钧.《证类本草》文献研究（三）［J］.基层中药杂志，1991，5（2）：

35 – 37.

198. 尚志钧.《本草纲目》新增药品出处分析［J］.时珍国医国药研究，1991，2（2）：49 – 53.

199. 尚志钧.《证类本草》文献研究（四）［J］.基层中药杂志，1991，5（3）：36 – 38.

200. 尚志钧.《法古录》评议［J］.中华医史杂志，1991，21（2）：76 – 78.

201. 尚志钧.《大观本草》的刊本［J］.基层中药杂志，1991，5（4）：41 – 43.

202. 尚志钧.丹砂矿物药的综述［J］.院南医学院学报，1991，10（4）：266 – 268.

203. 尚志钧.《续说郛》引"李当之药录"辨疑［J］.北京中医学院学报，1992，15（1）：34 – 35，

204. 尚志钧.山茱萸原植物考证［J］.中药材，1992，15（1）：45 – 46.

205. 尚志钧.《政和本草》增入寇氏衍义［J］.基层中药杂志，1992，6（1）：35 – 37.

206. 尚志钧.艾晟校《大观本草》增补陈承别说［J］.基层中药杂志，1992，6（2）：36 – 37.

207. 尚志钧.《本草经》药物产地的考察［J］.基层中药杂志，1992，6（3）：41 – 43.

208. 尚志钧.对《药性论》作者及成书时间的讨论［J］.安徽中医学院学报，1992，11（2）：57 – 58.

209. 尚志钧.对宋人校改《千金翼》引《唐本草》文考证［J］.杏苑中医文献杂志，1992，2：5 – 7.

210. 尚志钧.《太平御览·药部》简介［J］.基层中药杂志，1992（增刊）：181 – 184.

211. 尚志钧.华佗在五禽戏等预防保健方面的成就及影响［C］.华佗学术研讨会论文汇编，1992，2：93 – 96.

212. 尚志钧.今日流传单行本《神农本草经》文是陶弘景整理的［C］.第六届全国药史本草学术会议论文集，1992：11 – 15.

213. 尚志钧.《本草经》矿物药空青等释义［J］.皖南医学院学报，1992，11（2）：129 – 130.

214. 尚志钧.《本草图经》概述［J］.中国药学杂志，1992，27（增刊）：

29 – 32.

215. 尚志钧.《证类本草》中黑字《别录》药来源的讨论［J］. 中医药学报，1992，（5）：47 – 50.

216. 尚志钧. 陶弘景集《名医别录》的考察［J］. 基层中药杂志，1993，7（2）：1 – 4.

217. 尚志钧. 孙星衍等辑《神农本草经》题吴普述质疑［J］. 基层中药杂志，1993，7（3）：1 – 2.

218. 尚志钧.《本经》不见于《名医别录》识［J］. 杏苑中医文献杂志，1993，2：8 – 9.

219. 尚志钧. 爵床与紫葛的本草考证［J］. 时珍国医国药研究，1993，4（1）：1 – 2.

220. 尚志钧.《本草图经》说明文中所引书目概览［J］. 长春中医学院学报，1993，9（35）：39 – 42.

221. 尚志钧.《政和本草》药物新分条的探讨［J］. 北京中医学院学报，1993，16（5）：18 – 20.

222. 尚志钧. "大苦" 原植物考证［J］. 中药材，1993，16（10）：39 – 41.

223. 尚志钧. 再评《新华本草纲要》［J］. 中药材，1993，16（8）：45.

224. 尚志钧. 四库全书《证类本草》版本的讨论［J］. 中国药学杂志，1993，28（10）：635.

225. 尚志钧. 陶隐居所云 "十剂" 辨疑［J］. 中国医药学报，1993，8（2）：61 – 62.

226. 尚志钧. 中药菊花的本草考证［J］. 中华医史杂志，1993，23（2）：114 – 117.

227. 尚志钧. 现行单行本《神农本草经》文是陶弘景整理的［J］. 中华医史杂志，1993，23（1）：64.

228. 尚志钧.《名医别录》作者的争论［J］. 吉林中医药，1993（增刊）：154.

229. 尚志钧. 麻黄的本草考证［J］. 中药材，1993，12：208 – 209.

230. 尚志钧. 食物本草同名异书的讨论［J］. 中药材，1993，12：209 – 310.

231. 尚志钧.《证类本草》陶序和《名医别录》历史关系之辨析［J］. 中华医史杂志，1994，24（1）：38 – 40.

232. 尚志钧.《证类本草》药图的考察［J］. 浙江中医杂志，1994，29（1）：46.

233. 尚志钧.《名医别录》药中有的产生时代并不晚于《本草经》药［J］. 基层中药杂志，1994，8（1）：27 - 28.

234. 尚志钧.《神农本草经》出于汉代本草官之手［J］. 杏苑中医文献杂志，1994，2：19 - 20.

235. 尚志钧. 对《政和本草》中"唐本余"的探讨［J］. 北京中医药大学学报，1994，17（2）：33 - 34.

236. 尚志钧.《五十二病方》厚柎的再讨论［J］. 山东中医杂志，1994，13（4）：174.

237. 尚志钧.《政和本草》《大观本草》同异考［J］. 中国药学杂志，1994，29（3）：179 - 180.

238. 尚志钧.《本草图经》厚朴的品种考证［J］. 中药材，1994，17（4）：42.

239. 尚志钧.《中药志》山豆根一药历史引文的异议［J］. 中国药学杂志，1994，29（6）：369.

240. 尚志钧.《神农本草经》药物基原考证方法探讨［J］. 中医文献杂志，1994，2：19，30.

241. 尚志钧. 银州柴胡的原植物再讨论［J］. 中药材，1994，17（9）：40 - 42.

242. 尚志钧. 麻黄去节除沫的讨论［J］. 中成药，1994，16（11）：46.

243. 尚志钧.《吴普本草》引神农、黄帝等药性资料的考察［J］. 江西中医学院学报，1994，6（4）：35 - 36.

244. 尚志钧. 贝母药用历史及品种考察［J］. 中华医史杂志，1995，25（1）：38.

245. 尚志钧.《救荒本草》考察［J］. 基层中药杂志，1995，9（1）：3.

246. 尚志钧. 现行《神农本草经》的经文来源于陶弘景《本草经集注》［J］. 皖南医学院学报，1995，14（2）：161.

247. 尚志钧. 考据学在本草文献上的应用［J］. 中医文献杂志，1995（4）：5.

248. 尚志钧.《子仪本草》辨伪［J］. 中华医史杂志.1996，26（1）：54 - 55.

249. 尚志钧. 金陵版《本草纲目》所注"十剂"出处辨疑［J］. 基层中药杂志，1996，10（2）：5 - 6.

250. 尚志钧.《神农本草经》中的"七情表"探讨［J］. 中医文献杂志，1996，4：11 - 12.

251. 尚志钧. 金陵版《本草纲目》引《日华子本草》误注例［J］. 中华医史杂志，1997，27（1）：59 - 61.

252. 尚志钧．古本《本草经》佚文考［J］．北京中医药大学学报，1997，20（5）：24－27．

253. 尚志钧．徐之才和《雷公药对》［J］．中华医史杂志，1997，27（3）：167－169．

254. 尚志钧．陶弘景作《本草经集注》所据的《本草经》讨论［J］．皖南医学院学报，1998，17（2）：206－207．

255. 尚志钧．吴普所引神农药性与《证类》"本经药"所引神农药性同异考［J］．中华医史杂志，1998，28（3）：161－164．

256. 尚志钧．日华子和《日华子本草》［J］．江苏中医，1998，19（12）：3－5．

257. 尚志钧．《神农本草经》书名出现时代讨论［J］．中华医史杂志，1999，29（5）：135－138．

258. 尚志钧．陶弘景《本草经集注》对本草学的贡献［J］．北京中医药大学学报，1999，22（3）：7－8．

259. 尚志钧．杨上善《黄帝内经太素》时代考［J］．江苏中医，1999，20（5）：42－43．

260. 尚志钧．《开宝本草》研讨［J］．基层中药杂志，1999，13（1）：50－51．

261. 尚志钧．金陵版《本草纲目》引孟诜《食疗本草》出处讨论［J］．中华医史杂志，2000，30（3）：166－168．

262. 尚志钧．《石药尔雅》简介［J］．基层中药杂志，2001，15（3）：34．

263. 尚志钧．《证类本草》"墨盖"下引"唐本""唐本注"讨论［J］．中华医史杂志，2002，32（2）：83－84．

264. 尚志钧．日本望氏刻《大观本草》及其底本讨论［J］．中华中医药杂志，2002，1（5）：68－70．

265. 尚志钧．清代本草概况和特点［J］．中华中医药杂志，2002，1（7）：82－86．

266. 尚志钧．我与安徽出版——安徽出版五十年纪念文集［M］．合肥：安徽文艺出版社，2002．

267. 尚志钧．《新修本草》药物合并与分条对药物总数的影响［J］．中华医史杂志，2003，33（3）：173－176．

268. 尚志钧．《诗经》药物考释之一——果赢［J］．中医药文化，2007（3）：43．

附录三　国内外学者评介尚志钧学术经验

一、着其先鞭让世界上第一部药典灿然复见于世
——《新修本草》序

距今 1300 年前，我国已出现了世界第一部药典《新修本草》。在唐显庆二年（657）苏敬上言重修本草，诏从其请，遂召集许敬宗等诸名医 22 人从事编纂工作。它实际是由苏敬负责主纂的。苏敬是一位在医学上具有多方面丰富学识的名医。至显庆四年全书完成，计正文 20 卷，目录 1 卷，连同药图、图经部分，共 54 卷。

这部具有世界第一部药典意义的《新修本草》是在 5 世纪陶弘景《本草经集注》一书的基础上编写的。当时我国国威远震，中外文化交流频繁，这些也都能从这部本草中反映出来；当时世界上的许多新药，被这部本草所吸收。由于它具有世界性的本草内容，所以在问世之后，它很快流传到近邻朝鲜、日本，并被当作学习本草的教科书。

它流传了 360 余年。到了宋开宝六年（973），政府又在此书的基础上连续纂修成所谓"新定""重定"的两部《开宝本草》。之后，它好像功成身退似的日渐消隐，其地位就被《开宝本草》所替代。此后，簿录学家也很少有关于此书的著录。直到光绪十五年（1889），傅云龙得到日本天平年间卷子本残卷，在日影刻以归之后，它才以残缺的形貌重返祖国。但其仍不为我国医家所知。虽然有人在 1935 年于杂志上刊登我所辑录的《新修本草》一书的消息，但仍没有人注意它。直到 1937 年我在杂志上发表"六朝写本陶弘景《本草经集注序录》"一文后，医家才开始知道此书残卷已在祖国流行多年了。

不过，虽然这部本草表面上消沉了 1000 余年，和其他亡佚了的医书一样，同被医家所遗忘，但实际上它的内容，始终支配着我国每个医家的处方用药，因为一般临床医家所用之药，很少能超过此书所收的药物范畴。这诚如古人所说：百姓日用而不知。但是，由于亡佚，它不能充分发挥自身应有的作用，也是事实。必须经过一番整复工作，它才能充分发挥作用。正因如此，外人很早就注意到它，遂想代庖而着其先鞭，这对口称热爱祖国医学的我国医家，是一个辛辣的嘲讽。

所谓佚书整复的工作，也就是佚书的辑补工作。它在我国来说，并不始于今日，早在宋代就已经开始了。我国 12 世纪有名的书志学家郑樵，在他的《校雠略》中，已提出这一工作的重要性，并在《书有名亡实不亡论》中，指出这种工作的原则。他说："书有亡者，有虽亡而不亡者，有不可不求者，有不可求者。"接着，他又指出了各家求取亡书的方法，其中也涉及求取医家虽亡而不亡之书的方法，恰好举出了辑录《新修本草》诸书的方法："《名医别录》虽亡，陶隐居已收入《本草》；《李氏本草》虽亡，唐慎微已收入《证类》。"此说基本上是正确的。因为他是一位兼擅医方、本草的学者。不过事实上《名医别录》（简称《别录》）并没有全被陶隐居《本草》所收；《证类》所收《李氏本草》（即《唐本草》）文字也与原书文字不一样，郑樵只言其大略而已。反之，我们也并不迷信唐卷子本，如此书卷子本卷 5 "戎盐"条，陶弘景注中就脱去 90 多字。又，此条，如我们校以《北堂书钞》《西溪丛语》诸书，则二者连《别录》之文也有所脱误。盖当时所据既均是写本，难免脱误，也难于一致。总之，郑樵好像在 800 年前已为我们今天从事此书的整复工作，做出了具体的指导了。其实，辑录医书，也在 800 年前就开始了，并且所辑之书恰好也是本草，那就是王炎的《本草正经》《神农本草经》，它的序文现尚存于王炎《双溪六集》中。

郑樵说，"书有名亡实不亡"的事例，确可用于描述亡佚已有千余年的《新修本草》。因它实际上既存于唐慎微的《证类本草》中，又存在于今天流传最广的李时珍《本草纲目》中。那么，我们不去辑录它可不可以呢？当然是可以的。但是对提高祖国医学的水平来说，研究和发挥《新修本草》一书，自有它的一定重要性，而这种整复工作，也正有它的积极意义。因为我们用流传不很普遍的《证类本草》，总有一种前后阻隔、蒙翳而没有系统的感觉；如其用《本草纲目》，则更有混乱之感。因为《新修本草》在李时珍《本草纲目》中已全被脔切，并被混在其他的本草中，成为一种杂烩了。这对系统地研究此书来说，是何等的不便！那么，它对我们研究工作效率的妨碍，自更不用说了。

亡书的整复工作，不但对研究祖国医学来说是一个重要的工作，而且对研究其他文化科学等，也是如此。抛开清代许多学者在此类工作上做出的卓越成就不说，以我国现代文学革命的巨人鲁迅而论，他也为研究中国文学，如小说等的历史，花了很多时间，辛勤地做了此种古书整复工作，先后辑成《会稽郡故书杂集》《嵇康集》《古小说钩沉》等书。从本质上来说，我们这种工作也正和鲁迅辑录佚书的工作相同，无非为了给自己和别人在研究工作上提供便利而已。

我开始做中国医学历史研究工作时，即感到资料的不足，查看了汉、隋、唐、宋诸史艺文经籍志所著录的医书。如汰去重复，被著录的恐还不及千种，且留给我们的完整医书，更是只有这样寥寥可数的几部，元明医书也十亡七八。这对有系统的研究工作来说，是非常不够的。我受前贤此种启示，遂仿清·严可均的《全上古三代秦汉三国六朝文》一书之例，先后辑成《全汉三国六朝唐宋医方》（简称《全医方》）及《元明医学钩沉》两书。由于我在研究整个中国医学历史，所以我所辑录的医书是全面的，本草书仅占其中的一部分。

此种整复的辑佚工作，可说是没有止境的。因为一个人绝不能读尽天下之书，并且有种种客观上不能克服的困难，如需要的书籍不能都看到等，所以所辑之书终究有缺点。我开始从事此种工作远在 30 年前，直到中华人民共和国成立后才因工作关系，放下来；但近 10 年来仍不忘宿好，还是断断续续地做些补苴工作。我的这两部书都仿严可均之例，并以人为纲。以第一部《全医方》而言，其汰重去复，得 4000 余家，合 800 卷，在内容上已超过了严可均之书。近来，时有朋友要我以《全医方》中的书名为纲，写出一个目录先行发表，以供大家参考。经过初步整理发现，自汉至宋（包括金、元在内），约有 1200 种医书。这数字已超过宋以前诸史艺文经籍志所著录的医书的总和。

在中华人民共和国成立之前的 20 多年中，我在辑佚方面的工作只有极少数的几位师友支持，很少有人做与此同类的工作。不想 3 年前尚志钧先生在北京学习时，忽以他所辑的《新修本草》一书的原稿见示，这诚使我感到犹如《庄子》上所说空谷足音之喜。他竟为此书的整复工作，花去整整 10 年的时间。其用心的精专和锲而不舍的毅力，都是使我十分感动的。由此始知世固未当无同路之人，这也反映了我这独学面墙的孤陋。他原是一位受过科学陶冶的药学专家，善能运用科学的律令，所以他补辑之书，义例也十分精整。但他竟谬以我为识途之马，要我对他提些意见，这是使我为难的问题。不得已，我只好提些不怎么重要的不同看法。其后尚志钧先生返回原工作单位，我们仍时用通信的方式往来商榷一些问题，彼此都感到赏识之乐。尚志钧先生此书不久遂定稿而欲公之于世，但受到历史上的因袭关系的影响，当时没有顺利出版。

在医学上向来存在着学用的矛盾问题。关于此问题，有一则小故事，或许也是大家知道的。相传明初名医戴原礼在某处开业，门可结网，十分冷清；但他对门的一家医馆，却车马阗咽，门庭若市。有一天，他看到这家的医生叫病家在药中加一块锡作药引。戴原礼是朱丹溪的高足，是很有学问的名医，他觉得医书上很少有用锡作药引的事。一天他忍不住这种怀疑，走过去请教这位医生，后者就以书为证，拿书给戴原礼看，原来书上写的是"饧"字，戴原礼才恍然大悟，无语而退。这和认"肾"字为"贤"字的医生，比认得"肾"字的医生生意好，是同一类型的故事，这里不再多说。

历史上固然不止上面所举的这些学用矛盾的明显例子，就是我们亲自见闻或处理过的类似的例子也不少。有一位不学之徒，用剪贴的办法，把清·张文虎《舒艺室续笔》、俞樾《读书余录》等书剪贴成书，而把这些书名及作者姓氏抹去，不到一星期就"著"成一部读《内经》的什么笔记，而在自序上却说费了10年功夫才著成此书。一般读者多属临床家和学生等，既不知其底细，更看不出它的错误。我另在《医书记伪记禁记毁录》（简称《医书三记录》）中记之。我以为这类情况，和上面"锡"与"饧"、"贤"与"肾"之例并无两样。

上面所说的是由认识水平所造成的学用上的矛盾。还有一种主观上的偏见（当然也和认识的水平有关）所造成的此种矛盾。他们认为中医精华在经验，因而偏重临床报告和验方的搜集，尤其为了追求十万、百万的"验方"数量，费了很大的劲。可是他们除了没有想到征集了这么多的"验方"之后如何处理外，还没有想到下面两个问题，即：许多病，往往由于病人生理机制调节而自愈，并非因针药而愈，否则，认"饧"作"锡"的医生，也不会走红了；许多有关验方的报告缺少统计上的必要条件，而错误或虚伪的统计和浮夸的报告，更不用说了，因而不能用理论去驾驭而运用之。《淮南子》的"好方非医也"就是对此一针见血的话。俗语"千方易得，一效难求"和清人"藏方十楼而不能治愈一病"之叹等，都是从无数次实践中得出来的结论。

其实，学用即理论与实践，两者相结合，是真理，我们学习过毛泽东同志的《实践论》的人都知道。学与用二者本身并没有矛盾，而所谓矛盾，都是由于人们的认识和处理问题时的不当所产生的。如学而不能致用，那是脱离实际的无用之学；而偏执不切实际之用，则势必走上浮夸、虚伪、圆谎的道路，危害更大。毛泽东同志说的"科学是老老实实的学问，任何一点调皮都是不行的"，就是此种道理。所以我们必须批判这种不切实际之用，抛弃它。

我们今天在中医方面的出版，毕竟不完全同中华人民共和国成立前那样处于出版《医学三字经》加《汤头歌诀》、《内经知要》加《药性赋》的低级状态，已经有了一定的发展。如所出版罕见的金刻孤本《重修政和经史证类备用本草》及篇幅巨大的如明·朱橚召集名医所撰的《普济方》等书，都是中华人民共和国成立前不能做到的。像尚志钧先生这部具有研究性而能结合到实际应用的书，也是应该予以出版的。

今此书在尚志钧先生的工作单位领导同志的支持下，在坚决执行党的"百花齐放，百家争鸣"，及党在中医政策上实事求是、普及与提高并重的正确方针政策的指导下，克服困难，得以出版。这对提高祖国医学水平，是一个不小的贡献。不但如此，我们知道从事重辑《新修本草》者，中外不止一家，而其书俱未能问世。今尚志钧先生所辑之书竟能拔籥先登而最先出版，使1300年前世界上第一部药典的原貌，灿然复见于世，是值得我们庆幸的一件事。至于那些卷子本的《新修本草》今后只好退居于名实相符的抱残守缺的地位，不能与尚志钧先生此书相提并论，那更不用赘言了。

范行准

1962 年 11 月 3 日于北京

出版者注：本文是范行准先生为当时的芜湖医专内部油印本尚志钧辑《新修本草》所写的序。

二、尚志钧妙手回春精校释
两部旧本草焕发新光彩

唐宋盛世的两部本草名著《本草拾遗》和《大观本草》均是由我国著名的本草文献学家尚志钧教授辑释、点校完成，并于 2002 年由安徽科学技术出版社正式出版。这是继卫生部 1982 年规划的 11 部重点中医药古籍整理出版之后的又两部重要文献整理研究新成果，诚为中医药界的一大喜事。

《本草拾遗》是唐代陈藏器所撰的总结唐代药物学的一部名著。被誉为世界第一部国家药典性质的《唐本草》编撰时新增药物只有 114 种，而《本草拾遗》载药数比《唐本草》的新增药要多 6 倍。该书收罗广博，内容丰富，学术价值很大，世人对之评价很高，用明代李时珍的话来说："藏器著述，博极群书，精核物类，订绳谬误，搜罗幽隐，自本草以来一人而已。"书于 739 年编成，但原书早佚。此次尚教授根据《证类本草》《医心方》诸书中所辑的该书资料，加以归类排比、编辑，恢复此书旧貌。书中对每个药物条文来源均标明出处，对于辑录中诸家文字上的增减参差一一作了校勘；可贵的是，还对古本草中所列重要药物的品种，必要时加以考证，阐明其科属，使之更富科学性。尚教授又对原书中较生僻的地名、病名等加以诠释而显现诸多特点，这比以前一般文献整理只限于辑复、点校又大大深入了很多，可视为对中医药古籍整理研究工作的一大跨越。举例言之。

1. 对药物品种的考证

①五叶莓：尚教授据《唐本草》注、《蜀本图经》《大观本草》等记述，考证为葡萄科植物乌蔹莓。②通草：在考证《神农本草经》《药性论》《食性本草》《本草图经》诸书之后释云："古书之通草，即今之木通，今之通草，即古之通脱木。"说明了古今时代不同，药物品种有所变迁，进一步证实了"药材品种变迁论"的正确性。③木蜜：释为鼠李科植物枳椇的木。④对女萎、萎蕤二物同传的问题，尚教授在辑释《本草拾遗》时论述深透。⑤蓝蛇：释为有毒的土公蛇、蝮蛇科动物。并对难以理解的"有约"二字诠释为"颈细如约"。

2. 对古地名、国名的考释

①西国诸番：在中国西境有多种兄弟民族居住，当时统称为西国诸番。②康国：疑为《汉书·西域传》中康居国，在今新疆以西。③佛逝国：指古代东罗马

帝国。④婆罗门：指古印度。⑤牙门：四川峨眉县西南有二山突起，为大峨、中峨、小峨之秀峰，《博物志》名牙门。⑥巴西（甘露条）：指四川绵阳（见《中国历史地图集》第5册页65~66）。

3. 对中医病证的考释

①心黄：《诸病源候论·黄病诸候》谓黄疸有二十八候，有汗黄，无心黄。汗为心之液，疑汗黄即心黄。②三虫：见《诸病源候论》，为长虫病、赤虫病、蛲虫病的合称。③蛊毒：出《肘后方》《诸病源候论》，症状复杂，变化不一，可见于一些危急病证，如恙虫病、血吸虫病、肝硬化、重症痢疾。④飞尸：出《肘后方》，"飞尸者，游走皮肤，洞穿脏腑，每发刺痛，变作无常也"。⑤痰癖：指痰气凝结所致癖证。

再者《本草拾遗》辑释不仅首次辑复了失传千年的本草名著，弥补了佚书的空缺，还对本草文献学中长期存在的一些疑团予以解决。如《本草拾遗》和"陈藏器余"的关系问题，尚教授通过"海马"和"水马"二条的研究对比，认为海马为海龙科动物多种海马的通称，海马条与水马条文同，水马是《开宝本草》所引陈藏器本草文作为鼺鼠的释文，海马为《证类本草》唐慎微所引"陈藏器余"之文。由此可见"陈藏器余"即陈藏器《本草拾遗》。这一新的论证，前人未有任何报道。

综上对全书的考释，涉及古代历史、地理、博物、医药、文字学等诸多学科，非博学之士，难以担此重任。

除此以外，尚教授通过全书的辑释，还发现了《本草拾遗》原文有个别关键的错字而予以纠正，如"蚱蜢"条，文中的"石蟹"，实为"石斛"之误，为此将该条中的"蟹"字改为"斛"字。主要是根据《证类本草》卷6"石斛"条有陶隐居注云："石斛……桑灰汤沃之，色如金，形似蚱蜢髀者为佳。"尚教授对文献钻研之精深，治学态度之严谨，令人敬佩不已。回忆在20世纪80年代，我曾见过尚教授最初对《本草拾遗》辑复的油印本，而此次见到的则是辑释本，辑复与辑释虽然仅是一字之差，但后者对书质量的提高则极为明显，何况《本草拾遗》又是积尚教授本人数十年对多部本草辑复的经验而出版的新书，使古老的著作注入了新的活力，从而增加了它的科学性、实用性和可读性。

《大观本草》这次出版的新版本，是尚教授以1211年刘甲本《经史证类备急本草》为底本点校而成的。《证类本草》对长期以来的手抄本草资料进行了历史上最后一次大规模的整理，成为北宋以前本草渊薮，它的学术价值和对原始文献的保存价值，早为人所共知，无须多述。此前尚教授曾辑复过《本草图经》和点校过《证类本草》，积累了丰富的本草资料，且《大观本草》就是《证类本草》加陈承的《本草别说》内容而成。故此次对《大观本草》的点校，其更是轻车熟路，故本书质量必然较前更有提高；何况《大观本草》国内仅有少数木刻线装本，尚无普及本，因而能见《大观本草》者寥寥无几；且《大观本草》比《证类本草》内容丰富，则此书现时公开出版，其实用性因而也就更大，定会受到中医药界人士的欢迎。

辑释的《本草拾遗》和点校的《大观本草》用纸精良，版面设计、印刷和装帧均属上乘，前者为 32 开本，后者为 16 开本，书后有药名索引，便于全书检索。两书对研究药物发展史和研究本草文献都有很重要的参考价值，我爱读此二书，故乐为之评介。

谢宗万

2002 年 11 月 14 日

三、凌寒独自开
——本草学家尚志钧和他的《本草人生》

自《墨子·贵义》"譬若药然草之本"论出，《神农本草经》夜世，此后药物之学概称"本草"。其学"师道有风，源远流长"。中国药学史上，名家灿现，著述迭出，排列着一座座丰碑。在当代，尚志钧教授以其 60 余年披坚执锐的探寻，蹈厉正气搏书海，在继绍中药学理论的同时，使那些医药宝库中的重宝，走出封尘，重现于世。这位不懈奋斗的老骥，在探骊取珠之际，也润融了瑰宝的灵性，以其治学过程，展现了他人生的辉煌。

孔子说："士志于道。"尚公就是以他的人生理想和对待祖国文化遗产的责任尽瘁于本草而依托生命的。他在已经出版 22 部医药专著和发表近 300 篇论文之后，现在又把《本草人生——尚志钧本草文献研究文集》一书奉献于世。这部著作包括：已出版著作的提要和钩稽解说本人所提出的理论，已发表的部分论文，对古今药学研究方法的整理和尚公本人治学的体会。这是祖国的文化遗产，也是作者的成就，是他的心血，也是他的功夫，是"硬功夫"也是"笨功夫"。这部著作以其增益了我国的科学财富而令人欣慰。

尚公从 20 世纪 50 年代起就把本草文献学研究定为自己的主攻方向。此前的西药专业知识、实验技术乃至企业和医政管理经验，都成为他新目标的铺垫。中药、方剂和承载它们的历代本草著作，是他的日新之学也是他的研究对象，注释考证与点校辑佚是他的工作也是他的方法，他从来就把学习和研究融为一事。这是一项"望龙光知古剑，觇宝气辨明珠"的工作，既是对吴普、陶弘景、苏敬以来历代药学家们的继承，又以芟复补遗、善校精训和他们互为表里。这项工作不仅以高层次的医药知识为基础，还需要精深的文献学养。对于后者，施蛰存先生在《浮生杂咏七十五》中曾感叹道："圈点古书非易事，从来章句有专功。谬本流传吾滋愧，鲁鱼亥豕患无穷。"岂止如此，中药文献因于理论演进、学派传承、度量衡制度等因素，把握起来更为繁难。药名、方义和剂量，误在几微之间，关乎性命，不得舛谬。此外，有的医药名词，还有"一家一义"的特点。这也决定了，要弄通本草和方书的理论和应用，还必须有文献学特别是要有考据学的功夫不可。

本草考据学方法的创新和辑佚高质量的方药典籍是尚公的两大成就。传统的考据学在清代朴学中已登极高峰，乾嘉学者的渊博和小学功力，似乎不可比肩，但是，新时代的学人自有超越前贤的优越之处，那就是新材料、新视野和新方法。殷墟甲骨卜辞发现以后，王国维乘时而起，提出了古史研究的"二重证据法"，以经史"纸上材料"和甲骨文"地下材料"相结合，超越了以往的训诂考释。王国维在《古史新证》中，完全贯彻了这种以地下资料补充和匡正文献记载的文法论原则。这一文法经王氏首倡后在文史界产生了巨大的反响。陈寅恪先生就曾在《王静安遗书·序》中扬抱阐述。之后饶宗颐、姜亮夫、卫聚贤、李玄伯、徐旭升等诸贤，又进一步将其与比较古文字学、人类学等相结合，把"二重"发展为"三重"，开拓了考据学的新格局。尚公的成就得益于他的治学方法，其中最重要的就是在二重证据的基础上，结合现代植物分类及药物学新知识，这是三重证据思想在中医药文献领域的应用，可称为"本草三重证据法"。从《〈诗经〉药物考释》《〈五十二病方〉药物注释》《脏腑病因条辨》以及本书的内容中，均可见其思路和运用。

当年梁启超先生在评价清代考据学时指出："考出一个名物，释出一个文字，等于现代天文学界发现一颗新星。"考据学要求惟精惟博，校书难，辑书尤难，巨大付出才可能有点滴所获。清代王鸣盛提出，点校古书，主要是"改讹文、补脱文、去衍文。又举其典制事实，诠解蒙滞，审核外驳"。自刘向以后，校书成为学者博学宏通之事。清人标格的"校雠二途"，即"一是求古，二是求是"，不仅要恢复古书原貌，还须做一些内容诠解工作。尚公校勘本草和方书，精用四种校法，辨误纠谬已达数百条，改正讹字以千为计。以梁启超发现新星比拟于他，实不为过。他向往顾炎武"采铜于山"的学风，钦佩当年阮元为改正《后汉书》中"不为"的"不"的衍字，亲往郑玄故乡拜谒墓祠，在泥沙中寻得碑文而澄清的佳典。他认为考证药名、剂量等，都应遵行这种作风。《药性论》《本草图经》等书，经尚公的爬梳抉剔，析疑解滞，拾遗规过，已条理贯穿，易于读通。他可堪为原作者的功臣。

在尚公辑佚的诸书中，以《新修本草》最传佳话。辑佚乃是艰苦之事，在北宋时已经成为一门独立的学科。历代文献不断产生又不断亡佚。宋代郑樵认为亡书可通过辑佚而复还的理由："书有亡者，有虽亡而不亡者。"近代余嘉锡也说："东部藏书者书虽亡，而天下之书不必与之俱亡。"亡书或它的部分内容保存在类书、史书、总集、方志、金石、古书注解、杂纂杂钞以及其他书中。以述为作，最能保持章句的原貌。可以将诸书所征引的章句语句搜集起来，编排成书。甚至可以从类书总集中直得原书。北宋黄伯思从《意林》《文选注》《舞鹤赋》中辑出《相鹤经》，南宋王应麟"采掇诸书所引"，辑出《三家诗考》与《周易郑康成注》。清代辑书弥向高潮，在修《四库全书》时，仅从《永乐大典》中就辑佚古籍375种之多。在辑佚医书方面，南宋王炎最早辑出《本草正经》，即《神农本草经》，可惜辑而复佚，但由此亦开辑佚医书先河。明清以后国内外《神农本草经》的辑本已有十几种。目前行世的医书中，如刘禹锡的《传言方》、王衮的《博济方》、严用和的《济生方》、钱乙的《小儿药证直决》等都是辑佚本。唐代苏敬等22人奉诏编修的54卷《新修本草》全称《唐·新修本草》，又称《唐本草》，成书于659年，是我国也是世界上的第一部药典，比1618年成书的《伦敦药典》早约960年。《新修本草》成书70年后传到日本，当时日本将其列为医学生必修课之一。此书在宋代以后失传。1899年在敦煌288号石窟中发现两片手抄残卷，现分别藏在英国国家博物馆和法国国家图书馆。另外，在日本仁和寺和聿修堂也收藏部分古抄卷子。在辑佚本方面，尚公辑佚之前有两种：一是日本小岛知足氏1849年的部分补辑本，一是我国清末李梦莹的部分补辑本。上述残卷和辑本合起来也不足以展示全书的颜貌。

尚公从1948年就开始了《新修本草》的辑校工作。《新修本草》在成书以后，其内容递次被《开宝本草》《嘉祐本草》《本草纲目》等载引，因《开宝本草》《嘉祐本草》也均亡佚，尚公即以《本草纲目》为底本进行辑佚。经10年的努力，到1958年完成初稿。在行将完成之时，尚公在辨章考镜中领悟到，李时珍所引据的是从《证类本草》转录的资料，不尽是第一手资料，于是他断然推倒重来。他接受了范行准先生的建议，以卷子本为辑佚底本，再次辑复，于1962年以油印本告竣。此期间他曾撰写有关本书的学术论文多篇。之后又加修改补充，终于在1981年出版了《新修本草》的辑佚本。这一番改换底本三易其稿，前后历时32年终观厥成。20世纪60年代，曾编撰《宋以前医籍考》的日本冈西为人也在做这项工作，其所辑注《新修本草》在1964年出版。当时，专家们将该书与尚公的油印卷比较，均认为尚公辑本学术性强且更完整。尚公对60年代的本子仍不满足，又经20余年的补正和精雕细刻而再版。

诚如尚公所言，《本草人生》是他穷尽一生精力研究本草文献的总结。但我们在本书中，透过学术还能看到他60多年在本草渊薮中寻步的径迹和人品。他奋发编摩又困知勉行，有逆境中的从容，也有顺境中的淡泊。他既传本草又传本心。治本草文献在当世并非显学，这累人的活计，要求指身为业者广求众籍、穷尽搜罗，有真积力久之功方能辨其名实、引据证验。这是寂寞之道，多是独耕垅亩、亲力亲为。尚公正是这样荒江独钓的野老，他不作凿空之论，不搞学术拼盘，更不屑包装。但是偏偏天赐机遇，使他不期然而然。他丰厚的著作让药学史的目录又添新裁，他名高而身不知。阅读他的著作，让我辈"更觉良工用心苦"。说也有趣：他的相貌也颇似濒湖——晬然貌，癯然身。这难道是造化天成！尚公推重过程，但是就是在探宝的历程中他自己也成为国之重宝。人生至此庶几无憾矣！作为后学，我能先睹尚公佳作，深感幸甚之至。在他 90 岁高龄出版此书之际，我除表达祝嘏之敬外，还希望老人家把他毕生积累的 7200 张学术卡片也作一文集出版，以此嘉惠医林，沾溉后学，这是我在序书之际突发的企盼。

孟庆云

于中国中医科学院

2007 年 7 月 4 日

四、永不忘记一位赤诚的本草前辈学者
——《本草人生》序

2007 年 5 月底，我在柏林 Charité 医科大学工作时，突然收到素未谋面的上海中医药大学出版社编辑倪项根先生的电子邮件。邮件中提到该社将要出版《本草人生——尚志钧本草文献研究文集》一书。这一消息让我十分激动，尚老是我最尊崇的前辈学者之一，像他这样清贫、执着、渊博的老学者，在当今中国已不多见了。上海中医药大学出版社能出版尚老的文集，以作为尚老 90 岁寿诞的礼物，我当深深地向该社的编辑们鞠个躬！因为我们这些受惠多年的弟子们未能做到的事，上海中医药大学出版社给做到了！

尚老虽然身居芜湖，但受过他教诲之恩的学生却散布全国。1970 年我大学毕业在江西药科学校任教的时候，第一次在图书馆见到尚老辑校的《唐·新修本草》油印本。那时我对本草一无所知，就是从这本书知道了原来药学研究中还有这样一块领域。1978 年，我考取了中国中医研究院的第一批医学史硕士研究生。个人对中药学的爱好使我选择了本草历史和文献作为研究方向，因此更多地知道尚老在本草领域的建树，非常钦慕向往。

1979 年，我回江西南昌探家时绕道安徽芜湖，专程拜访了尚老。那时尚老的家中因人口多而拥挤局促。旧式的民居，光线很暗。但这些都没有妨碍我们一见如故的深谈。就在那一天，我们从下午谈到深夜，谈本草、谈治学、谈人生。那一天，尚老对我这个初进本草之门的学生赠送了一句话："学贵乎博而业贵乎精。"这也是尚老自己身体力行的座右铭。近 30 年来，我一直牢记尚老的教导，专心致力于本草历史和文献的研究。那一天，尚老没有和我多谈他在本草研究中取得的成就，相反更多的是谈他研究本草所走过的弯路。他在笑谈中介绍了他辑校《唐·新修本草》时两次大返工的经历，但我能体会到这两次大返工意味着多少个日日夜夜的辛劳。正是尚老的前车之鉴，使我在此后的研究道路上一帆风顺。那天晚上，我们越谈越投机，直到师母前来告诉我，尚老血压很高，不能过于激动、熬夜，我们才结束那第一次长谈。

从那以后，尚老就成了我本草研究道路上的指路人。我们师生之间的书信往来不断。令我感慨的是，尚老给我的信，有的信封是用香烟盒翻过来糊成的。清贫，让他不得不节俭如斯。以后我还多次去过芜湖，每一次老师展示给我的，除了他增添的皱纹和白发外，还有一本又一本整理而成的本草新作，然而只有清贫依旧。成箱累箧的资料和书籍，甚至没有一个像样的书架来摆放，只能用旧报纸包裹着，堆在狭小的房间里。住房虽然已经换了楼房，但桌椅还是20多年前的旧桌椅，房子也没有任何的装修。说尚老家徒四壁恐有点过，但怎么也算是"素面朝天"了。

尚老本人对清贫安之若素，所以每次我去他家，他也从不在乎"寒舍"的"脸面"。但有一次尚老却为这"寒舍"大犯其愁。2005年，日本茨城大学著名本草学家真柳诚教授对我提出，他想亲自去登门拜访受到日本本草学界尊崇的尚志钧教授，问我能否代为联系。我说没有问题，愿意专门陪同。当我打电话与尚老联系时，才发现老人显露出前所未有的踌躇、嗫嚅。老人为难地告诉我，说在这个简陋的家里接待日本友人，有失礼貌。我在劝慰尚老的同时，再次与真柳诚教授联系，说尚老希望在当地某饭店见面，请他吃饭。真柳诚教授激动地说："我不是为了吃饭去见尚老的。尚老虽然居住条件差，但他在学术上、精神上是非常富有的，我去拜会他是为了表示我的敬意。看看尚老的家，将会更激励我们这些条件好的人要更努力地从事研究。"经过斡旋，尚老家人才同意在家接待日本友人。这年的2月19日，冒着严寒，我陪同真柳诚教授去尚老家拜访。这一晚，中、日两国神交已久，并且在学术上有过多次友好往来的本草学者，终于聚在一起，畅谈本草研究。尚老亲自用硬纸板做成函套，将他多年整理的本草医药著作集中在一起，送给真柳诚教授。真柳诚教授参观了尚老贫寒的家，我看见他眼睛里流露的全是肃穆敬仰。

尚老数十年挥蚊呵冻，整理出近百万字的本草名著。其中，他整理的最佳的一本书是《新修本草》（辑复本），安徽科学技术出版社1981年3月版，计46.6万字。该书1300多年前由苏敬主纂，反映了陶弘景《本草经集注》以后中国本草学的发展和对外邦药的吸收应用，是我国最早由政府颁行的官修本草。该书曾流传朝鲜、日本诸国，成为这些国家的医学教材。自宋开宝以后，此书湮没无闻。为了填补本草文献中的这一空缺，弄清唐前后各种本草资料的来龙去脉，尚老花了32年时间，三易其稿，终于以清代在日本发现的日人摹写的残本和在敦煌出土的残片为底片，参照《本草和名》《医心方》《千金翼方》《证类本草》以及诸类书中引录的有关《新修本草》的条文，予以辑复。该书虽然只包括原书的"本草"部分，未辑入药图和图经，却是目前国内外最好的辑复本。该书出版以后，我曾专门写过述评。2004年7月此辑本修订再版，字数123.4万，并附录各种《新修本草》残本影印件及有关研究资料。尚老在各条目下作详尽校记6319条，为纠正宋以后诸家转录刊刻中的差误提供了依据……

尚老、林乾良教授和我三人共同撰写了《历代中药文献精华》。这是当时内容最丰富的本草历史和文献书目著作。像尚老这样的学者，为了心爱的本草学术，付出了毕生心血，但却没有给自己带来多大的利益。尚老能这样甘于坐冷板凳，能这样痴迷地钻研中国古代本草宝库，数十年如一日，真正的不容易！

我以上说的话，只是希望读者在阅读《本草人生——尚志钧本草文献研究文集》一书的时候，不要忘记一个赤诚的本草前辈学者曾为之呕心沥血。

郑金生

2007 年 7 月 11 日

五、水流花放　老树春深
——尚志钧本草文献研究述评

　　尚志钧先生 1918 年出生，安徽全椒人，皖南医学院教授，主攻本草文献研究，先后辑复出版《新修本草》《补辑〈肘后方〉》《名医别录》《日华子本草》《开宝本草》《本草图经》等 19 部本草，校点《神农本草经》《本草和名》《本草纲目》等 6 部本草，注释、集纂、编写《〈诗经〉药物考释》《〈山海经〉植物药考释》《脏腑病因条辨》《药性趋向分类论》等 7 部著作，发表了《〈神农本草经〉重复十八种药问题的研究》《论〈吴普本草〉和〈本草经集注〉之关系》《贝母药用历史及品种考察》等 268 篇学术论文。现就尚志钧先生本草文献研究述评如下。

（一）

　　19 部本草名著辑复本，主要包括《吴氏本草经》《名医别录》《雷公炮炙论》《新修本草》《食疗本草》《日华子本草》《开宝本草》《本草图经》，是尚志钧教授的主要学术成果。其中《新修本草》是中国最早也是世界最早的药典，文献价值极高。原书在国内久佚。清末日本发现传抄卷子本 10 卷，尚缺 10 卷。清末李梦莹，近人范行准，日本小岛宝素、中尾万三、冈西为人等都曾做过辑复，均未成功。尚老自 1948 年开始辑复，1958 年完成初稿后又推倒重来，油印本印行，再修改补充，至 1981 年正式出版，历时 33 年，援引各种参考书 91 种，作详尽校证 6319 条。他先选定底本、主校本、旁校本和其他资料，把各种古书所载《新修本草》药物条文全部录出，加以比较互勘。以最先出现的敦煌出土《新修本草》残卷，及武田本、傅氏影刻本和罗振玉氏收藏抄本为底本。《新修本草》所缺，即以《千金翼方》为底本，《千金翼方》所缺，再以人民卫生出版社影印《重修政和经史证类备用本草》为底本，再以其他后出本为核校本。不仅校误字，还要校书中有关错引、脱漏、增衍和《神农本草经》《名医别录》文的混淆等，以及避讳字、通假字的处理及全书的断句标点。一部《新修本草》辑复本还其本来面貌，可以找回后世本草脱漏佚失的资料，如蒲公英治乳痈、蚤休解蛇毒、乌贼骨疗目翳等，在《新修本草》中早有记述；有助于鉴别后世本草中资料的真伪，有助于校正后世本草的舛错，如《本草纲目》卷 1 "名医别录"条和"陶隐居名医别录合药分剂"条所节录的注文，实为《本草经集注》的内容，并非《名医别录》的内容。

鲁迅说过："中国没有肯下死功夫的人。无论什么事，如果继续收集材料，积之十年，总可成一学者。"（见许广平《关于鲁迅的生活》）尚老用死功夫积之数十年，成为本草大家，正好印证了鲁迅的话。他辑复的《新修本草》填补了本草文献整复工作的空白。范行准先生早年兴奋地指出："我们知道从事重辑《新修本草》，中外不止一家，而俱未能问世。今尚先生竟能着其先鞭，使1300年前世界上第一部国家药典的原貌，灿然复见于世，是值得我们庆幸的一件事。"

（二）

在驾驭大量本草文献史料上，尚教授表现出极强的洞察力。他自觉地摆脱历史上不同时序中本草文献资料谬误对遗佚本草辑复的干扰，力求通过目录学、版本学、校勘学、辑佚学、避讳学等多种学科的基本功，结合具体对象和内容，手抄笔录，全面系统地核实了诸多文献记载，建立了本草书籍、本草人物及单味药物3个系统的卡片档案，由源及流，追根问底，查清药物运用的概貌。在此基础上旁征博引，上下贯通，构成辑佚医药方书的一张联合网图，进入了左右逢源、得心应手的学术佳境。32部本草辑复本、校点本、注释集纂编写本，足见其学术功夫是多么的深厚广博。

《神农本草经》原书久佚，尚老在校注该书时，首先理顺了其文献源流。尚老认为，《汉书·艺文志》没有收载《神农本草经》，因此定《神农本草经》成书于东汉。到了《隋书·经籍志》，记载《神农本草经》有6种，《本草经》有9种。其中有的《本草经》既含有最古的《本经》文，亦含有名医增补的《别录》文。陶弘景将诸经中《本经》文加以总结，收入《本草经集注》中，以朱笔书写，定为《本经》文。再以《本草经集注》为分界点，尚老把其以前多种《本经》称之为"陶弘景前的《本经》"，存于宋以前类书和文、史、哲古文献的注文中；收载于《本草经集注》中的称之为"陶弘景总结的《本经》"，存于历代主流本草专著中。经过勘比考订，陶弘景以前的《本经》，在内容上有产地、生境，有药物性状、形态、生态，有采收时月、剂型，有七情畏恶等，且含有名医增补的内容。陶弘景总结的《本经》原有产地，但无药物性状、形态、生态，没有七情畏恶等内容。尚老得出结论：现存的《证类本草》白字，向上推溯，是由陶弘景综合当时流行的多种《本经》的本子而成的。明清时期，国内外学者又把《证类本草》白字辑成多种单行本《本经》，这些文字实际上是陶弘景整理的，并不是原始古本《本经》。一部尚氏校点本《神农本草经》将文献源流有系统、有条理地展现出来，且其中不同时代、不同版本的《本经》药物条文、内容、取材论断均甚得法，其资料搜集甚广，并务求其本源。

（三）

就尚志钧教授具体的学术成就与贡献而言，《新修本草》辑复本和《神农本草经》校点本这两部传世之作，打通了一道长期令人望而生畏的难关，但仅以辑复的贡献和成就还难以窥见尚氏学问之全貌。下面拈出尚先生学术方法论思想之一端，进一步证明其学问之博大精深。

《脏腑病因条辨》为尚氏课堂教学讲稿，该书以中医五脏、六腑和病因（风、寒、暑、湿、燥、火、气、血、痰、饮）为单元，对临床症状进行归类。例如病人诉胃脘隐隐作痛，泛吐清水，喜暖喜按，四肢不温，望其舌质淡白，切其脉虚软。从症状分析，胃脘痛和吐清水说明病在胃，四肢不温是指脾寒，脉软表示虚，舌质淡白为虚寒。辨证应是脾胃虚寒证。此证由 3 个单元——脾、胃、寒组成，脾属脏，胃属腑，寒属病因。从上例可看出，五脏、六腑和病因中各个单元是组成多种"证"的基础。

《药性趋向分类论》是尚教授提出的一种新的药性分类方法。据药物作用趋势而分行、守两大类。行类含上行、下行、通行、化行。上行以升散为主，如升举下陷，发散外邪；下行以降下为主，如平喘咳，泻下利水；通行以通畅为主，如气血不通作痛，用通行药使气血通即可止痛；化行以转化为主，如食积、痰饮通过转化，成为无害物。守即固守，不固守即出现虚损，凡虚损宜补。守类含补益和收敛两类。各类再分若干小类，每小类先述概要，举药名，次述共同作用、用途，再次述各药其他作用。药为什么能治病，因为药有很多特性，这些特性或能祛除病邪，或能消除病因，或能补虚扶弱，或能调整脏腑气机功能，消除人体阴阳偏胜偏衰偏亢的病理状态，以期恢复人之正常状态。尚老积 50 多年研究本草之经验，使药物分类更科学，药性更清晰。并对 300 多味常用中药药性作用直说引述，正说反证，浅说深论，咂摸得淋漓尽致，十分切合临床。这是尚氏对本草学研究的一项创新。

（四）

尚老集毕生精力和情感于本草文献，在古本草史料的世界寻寻觅觅，一以贯之地刻苦钻研，因执着的努力而终于成为本草文献的知音。无论以哪一药物条文，或哪一部本草专著，或哪一位本草人物为前提，联系都是双向的，而更重要的则是沉浸其间的推敲，确实有其独特的发现和创获，局外人就无法体悟了。《本草人生》中的"论文题录"计268篇，内容广博而深入。不仅有对古本草史料的广搜精求，对纸上遗文的爬梳考订和辨证精释，亦有对新近发掘的地下实物，如马王堆五十二病方、敦煌出土残卷等的整理和运用，做出了令人心折的结论。在268篇学术论文中，关于李时珍和《本草纲目》的论文有19篇，如《〈本草纲目〉版本简介》《〈本草纲目〉断句误例二则》《〈本草纲目·序例〉辨误两则》《〈本草纲目〉标注〈本经〉药物总数的讨论》《金陵版〈本草纲目〉引〈日华子本草〉误注例》等，有版本考察，有校勘订正，加之金陵初刻本《本草纲目校注》一书，对《本草纲目》从校勘、句读、注释三个方面进行了具体深入的研究。

在学术思想方法论方面，是书用最后的章节作了阐述，曰《本草文献研究的意义及作用》，曰《本草文献研究的目的》，曰《本草文献研究思路》等等，是"熔铸古今，学以致用"的实践，亦相当引人入胜。其实质则在于一方面自觉脱除旧染与时弊，融目录、版本、校勘、考据、章句、修辞之法于本草学之中，另一方面则弘扬中国学术传统中的优秀方法，并赋予它们以时代精神，超胜前人，彰显出尚志钧教授的本草学思想和风格，亦显见其著述之功力。

任何

于合肥梦园倚云居

2007 年 12 月 8 日

六、漫漫学术征程中的又一巨大成就

——《中国矿物药集纂》王序

皖南医学院尚志钧教授是我国著名的本草文献学家，先生 60 年来坐拥书城，索隐钩沉，捞经药海，著作等身，开一代学风，是我非常敬重的老一辈学者之一。我一直想亲自到芜湖去拜访先生，但由于常常事务缠身，而未能实现，甚为遗憾。

清代朴学，亦称"汉学"或"考据学"，因其盛行于清代乾隆、嘉庆两朝，故又称"乾嘉学派"。乾嘉学派重视考据、训诂，学风平实、严谨。其内部派别的划分，历来有吴派、皖派之说，多数学者都承认此一分野划自国学大师章炳麟。徽派朴学又称皖派经学，先驱者为黄生，奠基者为江永，集大成者为戴震，后有段玉裁、王念孙等大师将徽派朴学的学术研究推向鼎盛。而徽派学者形成的以求证、求实、求真为特色的创新学派，成为清代学术的突出代表。60 年来，尚志钧教授在运用清代乾嘉学派考据学方法的基础上，借鉴清人做学问的方法，创立"本草三重证据法"，在本草文献界默默耕耘，在本草文献研究领域进行整理辑复、辨伪校勘、校点翻印。先生倾一生精力，为本草文献的继承、传播作出了卓越的贡献，成就斐然，被学术界称为"尚派"。

2007 年 11 月，我拜读了总结先生一生学问、经历和成就的《本草人生》一书，对先生其人和本草文献学的了解更进了一层。正在此时，出版社的编辑又告诉我先生的另外一部学术著作《中国矿物药集纂》也将出版，并把大部分的电子稿给我发过来，希望我能为先生的这部书稿写个序言，从而我有机会比别人更早一步知晓这部书稿的整体情况。

在历代文献中，关于矿物药名字的记载很多。其中，有些矿物药，由于文献成书年代离我们的时代近，比较容易理解，故至今还在应用。但大多数矿物药，由于文献成书年代太过遥远，不容易理解，现今已较少应用。随着岁月的变迁，有些品种就慢慢消失了。

而先生的这本书从文献角度出发，凡本草文献记载作医疗使用的矿物药，上自先秦，下迄清末，均予以收录。让从事这方面研究的人一书在手，心中有数。在所录矿物药中，有一些究竟基原是何物，一时难以弄清者，则注明存疑待考，体现了先生科学严谨的治学态度。

该书收罗资料全面丰富，近 70 万字，堪为先生漫漫学术征程中的又一巨大成就，对研究药学史、医学史以及中医临床、教学、科研等诸多方面都有很好的参考价值。

《中国矿物药集纂》一书是先生对本草进行分类研究的重要尝试。同时，通过本草学的研究将散布于历代本草文献中的有关学科知识加以系统整理，使之便于查考，对丰富本草学以外的相关学科建设也多有裨益。

风雨晨昏人不晓，个中甘苦寸心知。据我所知，先生有一桩未了的心愿，那就是，在喧嚣烦扰的现代社会里，醉心于本草文献研究的人越来越少，本草文献研究后继乏人，青黄不接；他希望通过凝聚着自己心血和汗水的一部部相关专著的出版，吸引更多的有志青年投身到对"故纸堆"的默默坚守中来，让源远流长的中国本草学在新的世纪里获得新的生命。

这也是我提笔为此书作序的另一个重要原因。

王键

于少默轩

2008 年 2 月

七、本草学领域填补空白的佳构
——《中国矿物药集纂》胡序

矿物药，应当也属本草的范围。广义的本草包括植物类、动物类、矿物类乃至日常生活中的水火。据尚老统计，与大自然中大量存在的植物类、动物类药物相比，从先秦《本草经》至清代《本草纲目拾遗》，总共记载的矿物类药物仅417种，可用的有200种左右，但现代仍常用的不过几十种。临床中，用于内科疾病的矿物药不多，被临床中医师所熟知的也仅有芒硝配大黄可增强泻下作用、石膏配知母可增强解热作用、滑石配甘草可增强利水渗湿作用等数种。用于外科、皮肤科的矿物药较多，如白降丹、红升丹、炉甘石洗剂、枯痔散（《疡医大全》）、三品一条枪（《外科正宗》）等，及复方扑粉、脚癣粉、硫黄软膏、白降汞软膏、冻疮膏、柳汞软膏等，这些常用药的主要成分都是矿物。使用矿物药的民间单、验方相对难以统计。

正因为矿物药数量少，且有些矿物药毒性大，用之不当会出问题，故临床用得不多。在中医院校、中医院的教学、临床、科研中也往往被人们冷落。实际上矿物药用之得当，疗效是不错的。从本书尚老搜罗的矿物药来看，矿物药的内容是极其丰富的，学术价值与临床价值都相当高，古人对矿物药也是十分重视的。相当一部分矿物药在古本草著作中被列在"上品"中，并赋予"服之能使神仙不老"的作用，可见在当时医家心目中的地位是很高的。《神农本草经》的365味药中，有160味提及"神仙不老"，其中矿物药占相当一部分。例如：云母"久服轻身延年神仙"；玉泉"久服不老神仙"；朴硝"炼饵服之，轻身神仙"；石胆"久服增寿神仙"；太一禹粮"久服轻身神仙"；水银"久服神仙不死"，等等，不一而足。

长生不老是人类永远的梦想，历代帝王富甲四海、拥有天下，更是梦想江山永久、唯我独享。秦始皇对不老之药梦寐以求，派徐福率童男童女赴海外求仙药。汉武帝时代，求仙求药之举比之秦始皇更胜一筹，他们不仅重用方士、到处寻觅不死之仙药，而且兴师动众，直接动手炼丹、炼金，企图找到长生不老之灵丹妙药，但服丹不死者未见，中毒致死的例子在历史文献中却比比皆是。如魏道武帝服寒食散而死（《魏书·本纪》）；唐宪宗、唐穆宗服食金丹而亡，唐武宗服方士之药以致喜怒失常而毙（《唐书·本纪》）；明朝自朱元璋以降，诸帝几乎都崇尚方士，服丹成癖。统治者的好恶影响了整个社会的价值取向。自汉武帝始，统治者倚重方术。方士进宫主持方药，为效忠皇上，邀功争宠，大肆炼丹、炼金，炼丹、炼金因而成为此辈工作重心。这些思想必然反映到本草著作中来，所谓仙经与本草合糅也。方士之谬说，有的被沿袭，记载在之后的各种本草典籍中，更多的则被明智的后代医家摒弃了。李时珍就多次斥责此类荒诞之说。

尚老的这本《中国矿物药集纂》如实地搜集了这方面的内容，搜集这些内容有什么意义呢？我想，这是非常必要的，也是非常有意义的。这是历史记录，是存真，存历史之真，存矿物药发展史之真。其未必一无是处，后人大可去伪存真、为我所用。况且在追求真理的过程中，不可能不经历谬误；即使在经历谬误时，可能也会有新的发现和发明。

大自然中存在大量原生态的矿物药，但更多的矿物药可能就是在炼丹的过程中发现的。葛洪《抱朴子》记述了硝石、雄黄合炼，其升华物"白如冰"；《本草别说》则记述："砒石烧烟飞作白霜。"此即砒霜（氧化砷）。这类药物就不是原生态的矿物药了。

中国科技史学者李约瑟的学生罗伯特·坦普尔（Robert. G. Temple）博士在其著作《中国：发现与发明的国度》中，就说到中国人关于"硝石、硫黄、木炭、汞、银、雄黄和砷的发明"。他提到的银，在《新修本草》中即"银屑"，有安神镇惊作用；他提到的砷，即砒石，首载于《开宝本草》，为治疟、催吐、疗疮药，有大毒。此外，现在最常用的炉甘石，是菱锌矿、水锌矿的煅淬品，主含碳酸锌，《本草品汇精要》中即有记载，至今仍被皮肤科作为收敛、杀菌、止痒的常用药。而作为财富标志的金，自古以来就作为安神、强壮之药。

客观地说，炼制矿物药也大大促进了我国古代药物化学的发展。诸如：冶金与金属化学药物的发现，炼丹与无机合成化学药物的发现，升华法制备药物的发现，汞齐合金技术与本草化学药物制备的发现，本草药物有关理化鉴别方法的发现等。

譬如秋石，被尚老收集到该书中的资料就相当丰富。它是从人尿中提取的一种有机化合物。可以说，秋石的炼制技术是 11 世纪我国科技史上的一项伟大发明。"秋石"二字最早见于东汉道学家魏伯阳《周易参同契》。此书谓"淮南（王）炼秋石"。有注家认为"秋"即"西"，即"金"，"秋石"即"金丹"。汉唐以前秋石炼制有两派：一派是正统炼丹术，是用矿物药炼制的一种金丹；另一派在当时被看作旁门邪术，是用小便炼制秋石。

宋代沈括的《苏沈良方》记述了用小便炼制秋石的工艺流程，详细描述了阳炼法、阴炼法两种方法。其方法从现代科学意义上来看也是很了不起的。如"阳炼法"中用皂角汁的清汁（皂苷）作为沉淀剂，沉淀出人尿中的一种特殊物质（甾体激素）。古人能够聪明地选择这种特异性的反应，不经过无数次的实践，要取得成功是不可能的。沈括本人也曾服用过秋石，其曰"时守宣城，亦大病逾年，族子急以书，劝予服此丹，云实再生人也"。可以推测秋石的主要功效是补益久病虚劳之症。

明代统治者崇尚道教房中术。有记载：诸佞幸进方最多……用秋石，取童男小遗去头尾，炼之，如解盐以进……士人亦多用之。

可见，当时秋石是作为壮阳补益药使用的，不但王公贵族用，一般知识阶层也用。这是医家炒作的结果，与当今媒体热炒某些保健品相仿佛。

清代，秋石应用更广泛，被作为跌打损伤、劳伤、厌食、儿童营养不良、妇科病的常用药。

秋石中含有激素，当无疑问。直至今日，仍有人广泛收集小便（并不限于童男子），从中提取药物。本书中收录的古人炼制秋石的方法，对如何获取道地药材应当是有启发的。

中医的辨证施治是一个体系。其处方用药绝不是各种单味药物理作用、化学作用的叠加。因此，研究每味药物的成分、作用是一个问题，而药物的临床配伍运用是另一个问题。古人对矿物药的认识，也可能为我们提供一些临床用药的思路。

如果说本草学是一个内涵巨大的宝藏，那么，矿物药则是其中一个道道地地的富矿，只是过去被我们大大地忽略了！有心人必可从中开掘到有益的宝贝。

尚老的《中国矿物药集纂》堪称集大成之作，几乎搜罗了先秦到清末的所有矿物药。其资料不仅来源于现存的所有本草文献，还从其他经史子集、山经地志、笔记杂说、方志类书，如《秋灯丛话》《粤志》《延绥镇志》《烟诫》《物理小议》《天宝遗事》《山海经》《笔谈》《闻见杂志》《夷坚志》等资料中广泛搜剔、搜集。编撰者下的苦工夫是可想而知的。

更可贵的是编撰者不是将材料简单地排比罗列，而是融会贯通，以上篇总论宏观地综述矿物药的发展概况、分类、化学成分、性状、药性、毒性、宜忌、炮制；下篇各论，按类分述各药的内容。全书纲举目张，有合有分，条分缕析，检索便捷，甚得吾心也。

尚老治学严谨务实，对暂不可考之药物，不作妄解，录之待考。

拜读尚老大作，不由感慨：老先生这一辈子太不容易了，90 年的生命历程中，有挫折，有烦恼，沟沟坎坎，何其难也！幸天道酬勤，尚老坚持学术研究，竟然做了我等几辈子也做不了的事！透过全书，我们可以发现尚老的学术生命力竟如此之旺盛！可以想见，其于斗室之中，青灯黄卷，搜剔爬梳，笔走龙蛇，焚膏继晷一甲子的艰苦奋斗！他的坚韧，他的执着，他的矢志不移，令人肃然起敬！尚老潜心学术，无分日夜，更无娱乐，家事生计百事不问，幸得师母贤德，儿孙至孝，女儿元藕在侧殷殷襄助，单位领导关爱有加，始得这么多成果，今又完成此填补空白之篇章，此乃本草文献学之大幸，中医学术界之大幸，我等后学者之大幸也！当今之世，倘多有几个尚先生，何愁中医学术不彰显光大也！

胡世杰
于合肥琥珀山庄
2008 年阳春

八、冷性文字的背后蕴含着激越的情怀

——《中国矿物药集纂》跋

尚志钧先生《中国矿物药集纂》的出版，实为中医学术界的一大盛事，是尚公继辑复、校注、编写出版《新修本草》《药性趋向分类论》等33部专著后第一部大规模全面整理矿物药的资料总集，厥功至伟。地质矿物，济国却病。凡能供医疗用的矿物都是矿物药。历代文献对矿物药均有散在的记述。我将《中国矿物药集纂》书稿放置在案头，翻检多日，深感尚公这一工作之厚重。

《中国矿物药集纂》的出版，首先昭示的是尚志钧先生精彩而寂寞的本草人生。自1977年以来，尚公闭户不交人事，甘坐冷板凳，独得东坡"万人如海一身藏"的状态，有孤往精神。不孤冷到极度，不堪与世谐和（熊十力语）。堂堂巍巍做人，独立不苟为学。尚志钧先生一生著述近三千万言，集毕生精力和情感于本草文献，先生冷性文字的背后，蕴含着激越的情怀。先生在古本草史料的世界寻寻觅觅，搜剔爬梳，终成本草文献的拓荒者和耕耘者。作为著名的本草文献学者，尚志钧先生特别注重本草文献的功能作用，其认为本草文献无论哪一个药物条文，或哪一部本草专著，或哪一位本草人物，均可检索互查，探其源流，为我所用。更重要的是他长年沉浸其间，对资料的甄别与衡鉴，都有独特的发现和创获，研读其书，令局外人也会有所体悟。

尤其要说明的是，《中国矿物药集纂》的编纂和出版将会带来矿物药研究领域的发展和成熟。客观地讲，除分散在各综合本草著作的矿物药外，唐以降，矿物药专著寥若晨星。唐·梅彪撰写的《石药尔雅》系疏注唐以前道家炼丹书所用的药物。王嘉荫编著的《本草纲目的矿物史料》，仅收录了《本草纲目》中正文及集解中所列有关矿物、岩石等137种；李焕编写的《矿物药浅谈》、谢崇源等主编的《药用矿物》分别介绍了70味和50味矿物药的性味功用等；郭兰忠主编的《矿物本草》收载108味矿物药；近代学者余嘉锡"寒食散考"一文，近3万言，但只是方剂单文考据。而尚志钧先生的《中国矿物药集纂》书分上、下两篇，上篇总论，曰历代主要本草矿物药发展概况，曰矿物药的分类，曰矿物药化学成分概述，曰矿物药化学成分与药效关系，曰矿物药的物理性状，曰矿物药有关中药的药性，曰有毒矿物药毒性，曰矿物药配伍宜忌，曰矿物药炮制加工和煎煮。下篇收载单味矿物药1235种，可谓将矿物药搜罗殆尽。书末附珍贵的矿物药研究资料10篇。从尚志钧先生对历代本草专著矿物药文献的排检和整理，可见其编纂工作的广博与精细。其对矿物药资料的学术别择，提高了本草文献的可用度与学术含量。《中国矿物药集纂》一书的价值绝不仅仅在于对文献的整理。其在集纂方面的体大思精的特点，能反映尚公学术的创新，更能为中医药学术发展指路。

我们景仰尚志钧先生，其实是因为我们做不到。

任何

于合肥梦园倚云居

戊子春日

九、半窗灯影述神农
——追记本草文献学家尚志钧

我国本草文献学界泰斗尚志钧教授的逝世，对本草学界乃至整个中医界来说都是一大损失。尚老走了，留下了 60 年来公开出版、发表的 33 部著作和 268 篇论文，留下了大量本草人物、本草专著及单味本草手稿、卡片资料 7000 多张，留下了大量本草文献资料……

60 年矢志本草研究

就在月前，由安徽省中医文献所任何研究员主持的"尚志钧本草文献研究的学术成就与经验数据库系统"课题开题会上，尚老还专门委托皖南医学院胡剑北教授宣读了亲自撰写的书面发言。一个月以后，竟然阴阳两界，让我们这些学生、门徒们无限伤感。

尚志钧教授乃我国著名本草文献学家，60 余年来，专攻本草，矢志不移，捞经药海，索隐钩沉，先后研究、辑复、校点了《名医别录》《吴普本草》《海药本草》《本草经集注》《本草图经》《本草纲目》《本草拾遗》《大观本草》《证类本草》《食疗本草》《嘉祐本草》等本草文献著作多部。特别是他对《新修本草》的辑复成功，使得 1300 多年前世界第一部国家药典复见原貌，被誉为"本草研究的一大贡献"。

上溯下引　追根问底

尚老在本草文献整理上有继承，也有创新、发挥，最终自成一家，被学界称为"尚派"。尚公在继承运用乾嘉学派考据做法的同时，参考了现代植物学分类以及药物学的有关新知识。最初，尚老先将全部精力集中于宋以前本草，将此作为突破口，上溯下引，追根问底。后又着手整理《肘后方》。以这两条线为基础，旁征博引，上下贯通，构成辑佚本草方书的一个联络网图，进入了左右逢源、得心应手的佳境。此外，在具体问题上做了大胆的尝试与探索，如药性趋向分类法。尚老认为，根据作用趋势，药物分为行、守两大类。行类含上行、下行、通行、化行。上行以升散为主，如升举下陷，发散外邪；下行以降下为主，如平降喘咳，泻下利水；通行以通畅为主，如气血不通作痛，用通行药使气血通即可止痛；化行以转化为主，如食积、痰饮，通过转化成为无害物。守即固守，不固守即出现虚损，对虚损宜补。守类含补益和收敛二类，各类再分若干小类，每小类先列举药名，次述共同作用、用途，再述各药其他用途，最后指出注意点及同一小类中药物性味主治功用。这样就更便于记忆掌握。

从源到流　精心梳理

尚公在多年本草文献整理中发现历代很多本草书之间存在相互联系，厘清它们之间的关系，对于"辨章学术，考镜源流"很有价值，同时也可以避免在文献引用时"本末倒置"。如《新修本草》的本草部分是在陶弘景《本草经集注》的基础上发展而来的，而后者是合《神农本草经》《名医别录》文注释而成的。《新修本草》后来亡佚了，但其本草部分分散地通过《蜀本草》《本草图经》而被保留在宋代唐慎微的《证类本草》中。而李时珍的《本草纲目》则是在《证类本草》的基础上编纂的。清代的大部分本草著作，如《本草备要》《本草从新》等又依据《本草纲目》主治项摘要而成书。

在药物考辨方面，如《〈诗经〉药物考释》《〈山海经〉植物药考释》《〈五十二病方〉药物注释》等，反映了尚老对先秦典籍和现存最早方书的研究。《〈五十二病方〉药物注释》对每个药物的注释包括三点：一是罗列含相同药物的方子；二是摘录古代文献中有关该药物的历史资料；三是按语，从药名、主治、功用来联系后世方书、本草与《五十二病方》的关系，从而确定该药基源是什么。从时间上说，《五十二病方》是现存最早的方书，其所用的药物也是最早的，而尚老的注释注意联系后世的方书、本草，从源到流，为读者进行梳理。

板凳甘坐十年冷

尚老一生甘于寂寞，坚守清贫，不计名利。他研究本草都是在 8 小时以外，如下班后、等公交车时，甚至连上厕所时他都在背着、记着。虽然身为人事部、卫生部、国家中医药管理局首批确认的全国第一批 500 名老中医药专家学术经验继承教学工作指导老师，1991 年被评定为对高等教育事业有突出贡献的专家，享受国务院政府特殊津贴，但尚老的生活还是很清贫，因为他的许多整理工作的开支都是自己掏腰包的。

尚老走了，留给我们无限的思念！我们会继承他的遗志，为振兴中医、弘扬中医而孜孜以求！

冯立中

2008 年 11 月 27 日

脏腑与病因辨析

尚志钧 主编

序

　　本书原是笔者多年来课堂教学的讲稿。有很多问题，用语言讲解比用文字说明论述得更清楚。不过读者如能耐心阅读，仍可了解中医脏、腑和病因的含义。

　　不弄清脏、腑、病因的含义，也就无法看懂中医书，更谈不上做到恰如其分地辨证论治了。对病人的证弄不清楚，就进行治疗，等同无的放矢。如果能够弄清楚了证，但不能对证做出定量判断，仍治不好病。因为把证定重了，用药过重，则伤正；把证定轻了，用药过轻，则药不及病。二者不仅浪费了病家的金钱，而且还贻误了病人的治疗时机。

　　所以，学中医，要首先把中医的脏、腑和病因弄清楚，再进一步读中医专著，结合临床实践细心体会，只有这样才能真正掌握中医知识。

尚志钧

前　言

　　《脏腑与病因辨析》以五脏（心、肝、脾、肺、肾）、六腑（胃、大肠、小肠、膀胱、胆、三焦）和病因（风、寒、暑、湿、燥、火、气、血、痰、饮）为单元，对临床症状进行归类。中医所讲的病，绝大部分是证，即"辨证论治"的"证"；绝大部分的证是由以上一个或几个单元组合而成的。

　　如一个病人自诉胃脘隐隐作痛，泛吐清水，喜暖喜按，四肢不温；望其舌质淡白，切其脉搏虚软。从症状分析看，胃脘痛和吐清水，是病在胃；四肢不温为脾寒（因为脾主四肢）；脉象软，表示虚；舌质淡白，表示虚寒。那么，对这个病的诊断应是脾胃虚寒证。这个证，是由三个单元——脾、胃、寒组成的。其中脾属脏，胃属腑，寒属病因。

　　从这个例子可以看出，五脏、六腑和病因三个单元是组成各种证的基础。学习中医的人，一定要系统、全面地掌握它们。

　　在这里要强调一点：学习时不要急于套用西医的观点。因为这样会妨碍自己的学习，中医脏腑各名词的含义与现代西医解剖学的名词不完全相同。例如，脾为中、西医共用的名词，但是中医所讲的脾，是指消化吸收的功能以及机体在运动变化过程中调节水液的功能。若用西医解剖学的脾来理解中医的脾，就无法学好中医了。

　　为了帮助初学中医的读者更好地掌握中医，本书对五脏、六腑和病因中各个单元，进行全面概括，并将各个单元的基本概念、特点、主要表现，及其与方药的联系，分条论述，命名为《脏腑与病因辨析》。

尚志钧

目 录

第一章 五 脏

五脏，即心、肺、脾、肝、肾。另加心包，则合称六脏。心包在功能与主治上与心相同，故附在"心"条下讨论，不独立列为一条。

中医所讲的脏腑，是人体各部归类名词。在人体部位上，中医把大脑活动、五官（眼、耳、口唇、舌、鼻）、四肢、脏腑、血肉、脉搏、骨骼、皮毛、七情，按五脏分五大类。

这五大类，以心、肺、脾、肝、肾为纲；以身体各部分为目，分属五纲之下。（表1）

（1）心。除指解剖学的心脏外，还包含血液，体液，汗液，脉搏，心跳，六腑的小肠，五官的舌，经络的心经和小肠经，七情的思维、神志、感情、欲望、欢喜等。凡人体这些方面生病，皆按心病治疗。

（2）肺。除指解剖学的肺脏外，还包括气（指功能），六腑的大肠，五官的鼻孔、眼白，及皮毛、汗腺，呼吸，经络的肺经和大肠经，七情的悲哀哭泣。

（3）肝。除指解剖学的肝脏外，还包含六腑的胆，五官的目，机体的筋、爪甲，经络的肝经和胆经，七情的情绪（舒畅、忧郁、愤怒、发脾气），肝病的临床症状痉挛、惊厥、抽搐（抽风）、瘛疭（搐搦）、发疯、发狂等。

（4）肾。除指解剖学的肾脏外，还包括六腑的膀胱，西医学的泌尿系统、生殖系统（排尿活动、性活动），五官的耳、牙齿、骨骼，皮肤的毛发、胡须，前阴，后阴，经络的肾经和膀胱经，七情的惊恐、惧怕，肾病的临床症状头发脱落、牙齿疏松、大小便难解、小儿骨软不能行、阳痿、遗精、耳鸣耳聋、重听。

（5）脾。除解剖学的脾脏外，还包含六腑的胃，身体的四肢和肌肉，五官的口唇、眼皮，经络的脾经，大脑活动的思虑、想念（怀念），水的吸收、运转和排泄。

中医所讲的脾，主要指消化吸收功能和水在体内的调节功能。人体内的水，应保持一定的量。如早晨吃稀饭后，或喝茶后，小便多；不喝茶，或吃干饭，则小便少。这种水量定值的保持，全靠脾的功能。脾的功能不好，水即在体内停滞。轻则湿盛，不渴，身体沉重，困乏，大便稀（肠中水不容易被吸收到体内），小便少（体内水分不容易被排出体外）；重则水盛，肌肤浮肿，两眼胞浮肿。

表 1　五脏分类纲领表

五行	五脏	六腑	身体功能	面部	阴部	七情	经络	症状
木	肝	胆筋	运动、走路、跑跳	目		愤怒、激动	肝经、胆经	痉挛、抽搐、瘈疭、惊厥
火	心	小肠	血管、血液、脉搏血行、血压	舌		喜悦、欢笑	心经、小肠经、三焦经	心跳、心悸、怔忡
土	脾	胃肌	肌肉收缩、放松，胃消化吸收	口		思虑、怀念	脾经、胃经	泄泻、浮肿、眼胞肿大
金	肺	大肠	皮毛、呼吸	鼻		悲哀、痛哭	肺经、大肠经	咳嗽、喘促、哮喘
水	肾	膀胱	骨骼、排便、性活动	耳	前阴、后阴	惊恐、害怕	肾经、膀胱经	阳痿、小便难、小便不禁

以上五大类，以肝、心、脾、肺、肾为纲，以经络为联系，统领全身各部分。

全身经络共十二条，除上述五脏五腑十条经络外，尚有心包和三焦的经络。十二条经络连接全身脏腑。

它们的连接路径如下图（图 1）所示。

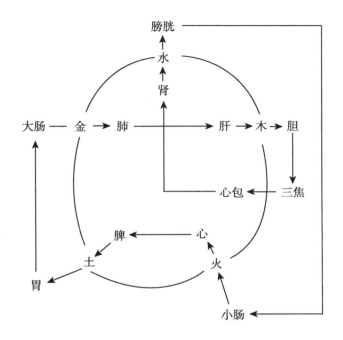

图1 五行五脏五腑十二经络循行示意图

图中按五行分类，将木、火、土、金、水用线连成一个圆圈。圈内为五脏，加上心包为六脏；圈外为五腑，加上三焦为六腑。其中心包与三焦是经络的名称，在脏腑中并无实质的器官。

圈内的五脏和圈外的五腑，在性能上有以下两个不同点。

（1）五脏藏而不泻；五腑泻而不藏。

（2）五脏内所存实物不流动；五腑内所存实物必须流动，若不流动或停滞即成病。

图中的线为十二经络循行的路线。五脏、五腑各有固定的位置，靠经络联系。

此外，营、卫、气、血、津液亦是流动的，它们按经络路线运行不息，如环无端。

上述五脏，有它独特的含义。这些独特含义，是根据临床实践，对症状进行特殊分类的依据。这些分类，在临床应用中，有很重要的作用。

假如把中医五脏分类的纲领弃而不用，按西医观点去套，除少数中药能应用外，绝大部分中药将变成无用的废物。在中医基础理论指导下，将各种症状相互联系，组合成证，按证论治用药，才能使绝大部分中药发挥最好的疗效。

第一节 心

《灵枢·邪客》说："心者，五脏六腑之大主也，精神之所舍也。"

《素问·六节藏象论》说："心者，生之本，神之变也。其华在面，其充在血脉。"

中医心的含义，除上述两条外，还有其他一些含义，兹举例如下。

一、解剖学的心

解剖学的心包括心脏、血液、汗液、血管、脉搏。

汗为心之液。出汗太过，可引起心悸、心慌等。大汗亡阳，即体液损失过度，出现急性心力衰竭。这提示汗为心之液，有维持血压的意义。中医中没有血压这一概念。

二、心主血

心主血，指心具有造血功能。如心血虚，除失血引起外，亦可由造血机能不足导致。治血虚之当归补血汤，重用黄芪强心，可增强造血功能，故其是治血虚最好的方子。

另外，心主血，也有心主调节血压的含义，这可从血的容积来理解。

关于心跳动，正常情况下人不会有心跳加速且不能自主的感觉。能感到自己心跳很快，不能自主，则称为心悸。心悸严重时，其动应衣，称为心动悸，亦称怔忡。心悸兼牵引紧缩感，则称为心掣。

三、心藏神

（1）中医把神志活动归属于心。"心主神明"，人有神明，才有意识和感觉。当神明不做主时，人就会"心神恍惚"。当人昏迷，或大醉，或熟睡，或处在全身麻醉时，神明失守就什么感觉都没有了。

（2）中医把思想、考虑问题归属于心。

（3）中医把欢喜、快乐、爱、恨、讨厌归属于心。

（4）中医把同情、怜悯归属于心。

（5）中医把人的欲望、企图归属于心。

（6）中医把信仰、注意力、毅力、谨慎、真诚、决心归属于心。

（7）中医把睡眠归属于心。睡眠与心神有关。中医认为神入舍即能入睡，神不入舍即不能入睡。入睡犹如晚间鸡上笼。鸡到黄昏自然会上笼，人不能干涉鸡上笼，人若赶鸡上笼，鸡反而不上笼。所以，人在睡觉时，不能考虑问题，若考虑问题，则会使神难以入舍，而不易入睡。一般思想有负担（心事重重）的人都难以入睡。这就是睡前考虑问题，心神不能入舍的缘故。俗云："心中无事，吃得饱，睡得着。"有安眠作用的中药有柏子仁、酸枣仁、合欢皮、琥珀、珍珠、龙齿、丹砂、磁石、夜交藤。因此等药皆有安眠作用，故称之为"安神定志药"。其中"神"即指心，"心主神"。

（8）中医把记忆归属于心。一个人远期记忆（小时候事情）好，近期记忆非常坏，连最熟悉的东西也记不清放在何处，是心气不足的表现。要休息、放松，多做运动，并适当服用补气养血药，如十全大补丸之类。一次记一件东西，好记；短时间记很多东西就很难了。小时候在私塾里读《三字经》，每天读两句（不知其中义），反复读，读久了便能背出来。这是用口腔肌肉的重复运动成习惯，来代替记忆。学中医、中药，要记很多药名、方名，很难。但将其编成歌括，背熟后，通过念歌句，就能想起药名、方名及其内容。后来，在临床实践中反复开方子，写药名，也就记住了。犹如每个人对自己的姓名，从未刻意记过，但在签名时，不需想，自然就能签出。一切事物，日常生活中接触多，或应用次数多，不去记，也能记住；与生活无关，不接触，硬记，也记不住。

（9）中医把痛、痒、疮归属于心。《素问·至真要大论》说："诸痛痒疮，皆属于心。"

四、心开窍于舌

《素问·阴阳应象大论》说："心主舌，在窍为舌""舌为心之苗"。这是从语言表达情况来理解的。一个人头脑清醒时，语言流利而正确；当头脑昏糊时，语言謇涩，或胡言乱语。

例如，饮酒将醉时，语言不清楚，或胡言乱语。又如，外科手术麻醉时，叫病人数数，当病人吸入麻醉药达到一定量时，就逐渐数不出来了。"舌为心之苗"，当心神失常时，讲话也会受到影响。讲话靠大脑语言中枢发布命令，语言中枢受抑制，就不能发布命令，舌头也就不动，于是话就说不出来了。如痰迷心窍时，舌强不能言。有些病，可表现于舌质上，如心血不足时，舌质淡白；心血瘀阻时，舌质紫暗；心火上炎时，舌尖红赤，或舌有糜烂溃疡。

五、心与其他脏腑的关系

（一）心与小肠的关系

心与小肠的联系主要体现在以下两个方面。

1. 经络方面

在十二经脉中，心经和小肠经相连接。在针灸穴位上，心经穴位可治小肠病，小肠经的穴位也能治心病。

2. 病证和用药方面

如口舌生疮糜烂，因心火上炎所致，若用导赤散（生地、木通、淡竹叶、生甘草）煎汤服，使心火从小肠导出，则很快能痊愈，效果确实可靠。

（二）心与心包的关系

《灵枢·邪客》说："心者，五脏六腑之大主也……邪弗能容也……诸邪之在于心者，皆在于心之包络。"心包是心的外膜，代心受邪。心包的经脉，称为心包经，与三焦经相连。

（三）心与经络的关系

心系指联系心与其他脏腑的脉络。《类经》说："心当五椎之下，其系有五，上系连肺，肺下系心，心下三系连脾、肝、肾。"

（四）心与肾的关系

肾精与心神相互依存，称心肾相交。按五行归类，心属火，肾属水，故心肾相交，又称水火相济。

（五）心与脾的关系

心主血，脾统血，脾又为气血生化之源，故心与脾在气血方面密切相关。

六、心阴、心阳、心气、心血的含义

（1）心阴即心液，与"汗为心之液"意同。心阴亏虚，则脉细，血压下降。

（2）心阳，即心气的体现，指心脏收缩的功能。心阳虚，血不能达手足，则手足冷；严重时，则脉微细欲绝，极易引起心力衰竭而致人死亡。

（3）心气指心的收缩力，能推动血行。

（4）心血即心的血液，与心阴（心液）构成心主血压的含义。

七、心的病证

（一）心痛

胃脘痛，又称心口痛、心下痛。

（二）心下痞

此指胃脘部满闷，按之柔软不痛。因外感表邪未尽，误下所致。此病之症状除心下痞外，还有腹部微痛、不思饮食。其治宜理气化滞，用木香、枳壳、白术等。

（三）心下支结

此指胃脘部自觉有物梗阻，烦闷难过。

（四）心积

《难经》："心之积，名曰伏梁，起于脐下，大如臂，上至心下，久不愈。"

（五）真心痛

此指心绞痛，亦称心痹、胸痹、心痛彻背。症见胸中窒闷，心痛如扭绞，气促，面青，口唇乌紫；如不急救，极容易猝死。

（六）心血虚不寐

此指贫血性失眠。这种失眠，单纯用安眠剂的疗效不太好，应配补血药。如用朱砂安神丸，以朱砂配当归、熟地、黄连。或用柏子仁、朱茯神，配当归、熟地、人参、党参、沙参、麦冬。

（七）心虚恶闻巨声

此指心气虚衰的人，不能听巨大的声音。特别是夏季，每逢暴风雨来临，伴有巨响的雷声时，心气虚衰的病人，就要用双手紧捂耳朵。若来不及掩耳，有些严重心气虚衰者，往往会猝死。俗谓"被雷打死"。真正被雷打死者，多为在野外行走时触电烧死。心气虚衰者之死，并非触电，而是被雷的巨大声音震死的。

（八）心肾不交证

心肾不交指肾水亏，心火旺，肾水与心火失去相互依存和制约关系。心火旺，症见心烦，不寐多梦，心悸怔忡。肾水亏，症见腰痛，遗精，阳痿。心肾不交证多见于神经衰弱的病人。

（九）心脾两虚证

心脾两虚指心虚与脾虚并存。心虚，症见心悸，怔忡，失眠，多梦，健忘；或见便血，崩漏，尿血，皮下出血；舌淡，脉弱而细。脾虚，症见食少，倦怠乏力。

附：心包（心包络）

心包络，为心之外卫，代心受邪。简称心包，在心的外围，有保卫心的作用，故称为"心之外卫"。

凡病邪（致病因素）内传入心，如温邪逆传心包或痰火内闭，所表现出的一系列心经症状，都是心包代替心受邪而表现出的症状。因此，心包络受邪所表现的症状与前述心主神明所表现的症状大致相同。

例如，在热性病过程中，出现高热烦躁、面赤、身热发狂、神昏谵语、直视、烦乱、口渴、苔黄、脉数等，称为逆传心包、热入心包、热伤神明。热入心包是针对病变部位而言的，热伤神明是针对神志症状而言的。如果邪热持久不退，神志持久不清醒如昏迷、惊厥等，称为邪恋心包（"恋"是留恋不去的意思）。邪恋心包者，常挟有痰象，多见于急性发热病、败血症等；治宜清心开窍，凉营解毒，用牛黄清心丸、至宝丹。

心包属于脏，同五脏合称为六脏。其在功能上与心相同，故一般不单独讨论。心包在经络上，联络三焦经与肾经。

第二节　肺

中医所讲的肺，除指呼吸系统的肺脏外，还指皮肤、汗孔、鼻孔、喉咙及全身的气。中医书里常提到"肺主气""肺合皮毛，开窍于鼻"。

一、肺主气

《素问·六节藏象论》说："肺者，气之本。"《素问·五脏生成》说："诸气者，皆属于肺"。

肺主气，指肺能吸入自然界的气，并使之与脾运输的水谷之精气相结合而成真气（即元气）。这种真气是血行的动力，即"气为血之帅"，故气行则血行。

中医在治疗急性大出血时，并不用止血药，而急用人参补气摄血，则大出血可止。此因为"气能摄血"。

举重运动员，在所举杠铃极重时，要鼓足气，即闭气，不呼吸；若一呼吸，气鼓不起来，则很难将杠铃举上去。

肺主肃降，指肺气之活动宜向下。

肺气在正常状态下，是下降的。肺气以降为顺。如肺气不下降，则为逆。肺气逆则出现咳嗽、喘闷等症状。

二、肺主呼吸

血中二氧化碳浓度增高，能使呼吸加快，兹举例如下。

人在高热或剧烈运动时，血行加快，脏腑功能活动加快，产生的二氧化碳增多，促使呼吸加快，把体内过多的二氧化碳排出，同时把氧气运进来，以供脏腑功能活动的需要。

三、肺主皮毛

中医认为外感疾病，多因风邪或寒邪通过皮表侵入人体而致。肺气充足时，能输送卫气以保护皮毛，故外邪不得侵入，人就不会感受风寒。当卫气不足时，外邪即乘虚而入，侵犯皮毛，使人有恶寒、发热、出汗等症。此外，人也会出现咳嗽、气喘等症状。

肺主皮毛的另一种表现，就是皮毛润泽与否可体现肺气是否充足。肺气足，则皮毛润而有光泽；肺气虚，则皮毛枯槁，容易脱落。因此，有"肺主皮毛""其华在毛"的说法。

四、肺开窍于鼻，与喉咙相通，司声音

（一）肺开窍于鼻

肺司呼吸，鼻为呼吸出入之门户。《灵枢·脉度》说："肺气通于鼻，肺和，则鼻能知香臭。"

鼻的通气和闻香臭，须赖肺气润泽。肺受风寒，则鼻塞不通，流清涕，不闻香臭。肺有燥热，则鼻干而涩。肺热过盛，则鼻生疮。高热时，呼吸迫促，则鼻两翼煽动。

（二）肺与喉咙相通

肺热上炎，能致咽痛。治宜清肺热，用凉膈散（金银花、连翘、薄荷、芒硝、大黄、甘草）。

（三）肺司声音

肺气足则声音洪亮；肺气不足，则气短声微。肺受邪，则声音嘶哑。肺燥不能润咽喉，则失音。

五、肺与其他各脏关系

（一）肺与肾的关系

肾不纳气，症见喘多牵引少腹，或气短似喘，上下若不相续；或兼恶寒肢厥，两尺脉微弱；或面赤烦躁，恶热。治宜温肾纳气，用黑锡丹。

（二）肺与脾的关系

脾虚水气犯肺，症见咳嗽气喘，面目浮肿，全身倦怠，不欲食。宜用六君子汤加细辛、干姜、五味子治之。

脾虚肺气下陷，症见气高而喘（即中气不足），长吸一口气才舒服；或兼见腹满便溏，四肢倦怠，不思饮食。治宜补中益气，用补中益气汤。

（三）肺与大肠的关系

肺与大肠通过经络相联系。

大便难解时，有时要鼓肺气，才能解出。

热病可致高热、口渴能饮、腹满拒按、大便干结等症，用大黄、芒硝、甘草泻下，其高热即能退。

肺热所致咽喉肿痛，可以清热泻下药消除之。

六、肺的病证

（一）六淫犯肺证

肺本身很娇嫩脆弱，经不起寒、热、火、燥、湿等病邪侵袭。当其他脏有病时，极容易牵连到肺。例如，寒邪侵袭皮毛，容易引起咳嗽；温热侵入人体时，亦首先犯肺；湿邪侵入，能造成痰饮咳喘；火邪侵入肺能致咳嗽、咯血；燥邪侵入肺，会导致干咳。

1. 寒邪外束证

症见恶寒喘咳，或兼头痛发热，身痛，脉浮紧。治宜辛温解表，用麻杏桂甘汤（麻黄、杏仁、桂枝、甘草）。

2. 温邪犯肺证

症见身热喘咳，兼头痛恶风。治宜辛凉解表，用银翘散（金银花、连翘、甘草、桔梗、杏仁、薄荷等）。

3. 风燥伤肺证

症见干咳少痰，或无痰，燥甚则咳血，兼口干，舌燥，咽干，咽痛，胸膈紧痛，大便干结。治宜润燥止咳，用沙参、麦冬、天冬、杏仁、贝母、枇杷叶。燥甚加生地、熟地、阿胶、人参。

4. 热毒壅肺证

症见喘不得卧，或兼口燥，咳时胸中隐痛，咳痰黄稠、腥臭。治宜清肺热，用麻杏石甘汤（麻黄、杏仁、石膏、甘草）。

（二）痰饮犯肺证

1. 痰饮咳嗽

症见咳痰清稀，甚则喘促。治宜温肺化饮，用小青龙汤（桂枝、白芍、细辛、甘草、制半夏、炙麻黄、干姜、五味子）。

2. 痰饮肺痿

症见咳吐清稀涎沫，不渴，眩晕，怕冷，神疲，气虚。此多由肺中虚寒所致。治宜温肺，用甘草、干姜、茯苓、陈皮、制半夏。（另一种燥热肺痿，症见咳嗽，痰稠黏凝沫，舌红而燥，口干，消瘦，潮热。此证同肺痨相似。患肺痨者，宜到医院治疗。）

3. 痰热上壅证

症见咳痰黄而稠。治宜清热化痰，用苇茎汤（苇茎、冬瓜仁、桃仁、薏苡仁）。

4. 痰火上壅证

症见喘促，声高气急，或呀呷有声，烦热，口渴，头部汗多，胸满痰壅。治宜降火涤痰，用礞石滚痰丸（青礞石、黄芩、大黄、沉香）。

（三）阴虚火旺伤肺证

症见干咳无痰，舌红而干，无苔，日晡潮热，盗汗。此证多见于肺痨（肺结核）。患肺痨者，应到医院治疗。

第三节　脾

一、脾主运化

脾主运化，运化水谷之精微，运化水湿。脾之运化功能相当于消化系统的消化与吸收功能，以及营养物质供给和水液的代谢。脾病则消化不良、腹胀、大便稀薄、浮肿。

中医将水在体内的代谢过程归属于脾。脾喜燥恶湿。湿盛则伤脾。脾虚，则不能从肠吸收水液到体内而表现出水泻；体内水分不能运送到膀胱而表现为小便少、不渴、身体沉重，轻则眼胞肿，重则皮肤水肿。

二、脾主统血

血生于心，藏于肝，而统于脾。血在脉中正常运行，靠脾的统管，称为"脾统血"。

若脾不能统血，则血妄行，溢出脉管之外，易形成各种慢性出血，如皮下出血、大便出血、子宫出血、月经过多、鼻出血等。治疗此类病证，用补脾药如归脾汤，而不用止血药。脾气足，能统血，则出血停止。

三、脾主升清

脾主升清，指脾有向上作用的趋势，《素问·经脉别论》说："饮入于胃，游溢精气，上输于脾，脾气散精，上归于肺。"此指脾将水谷之精微，上输于肺，散布全身，以供全身应用。

脾气不能升，则陷下，而出现一些下陷的疾病，如久泻脱肛、子宫脱出、胃下垂。或表现为呼吸时气接不上来，要长吸一口气才舒适。又因为脾胃居于一身之中，故名中气下陷。治宜补中益气，用补中益气汤。

四、脾开窍于口，其华在唇

脾开窍于口，主口唇。

五、脾在体合肉，主四肢

脾主四肢、肌肉。四肢多运动，能增强脾的运化；脾之运化功能强大，则四肢、肌肉得营养而丰满。反之，四肢不勤，则不能促进脾的运化；脾之运化功能衰弱，则四肢痿软、肌肉瘦削。

六、脾之志为思

思虑过度则伤脾，多用归脾汤治之。

七、脾的经络

脾经为十二经脉之一，与胃经相联系。

八、脾与胃的关系

（一）经脉方面

脾经与胃经相通。

（二）功能方面

脾胃均主消化吸收，共为营血化生之源、后天之本。

胃的主要功能是受纳水谷（指饮食物）和腐熟水谷（指消化食物的过程）。脾能帮助人体消化、吸收和运输腐熟出来的营养物。

脾有病时，一方面可因不能帮助消化，而引起消化不良和腹泻；另一方面可因不能输送营养物，使全身得不到足够的营养，而出现少气懒言、面白无华或萎黄。

脾运送来的水谷精微之气和肺运来的呼吸之气相结合，成为身体内的真气。水谷之精气亦是生血所必需的原料，所以治血虚病当先益脾胃之气，用人参、黄芪、白术、升麻等。

九、脾的病证

（一）脾约

脾可使水液运行加快。若脾使肠中水加快进入体内，则大便干、难解；脾使体内水液加快从小便排出，则小便数。

（二）湿困脾土证

脾在五行中属土，故称脾土。水湿太盛，困扰脾土的运化，则头重如蒙，身体懒动，不渴，腹满，大便溏，小便少，舌苔滑腻。

（三）脾阳不振证

脾阳不振证，亦称脾寒证，症见四肢不温，泄泻清冷，腹冷痛绵绵，小便不利，舌淡，舌苔白，舌质胖嫩。

（四）脾风

脾风，指小儿慢惊风。

第四节　肝

中医所讲的肝的含义很广。如精神舒畅、发怒、抽搐、惊厥、胁痛、胁胀、血液循环调节、筋、爪甲、目等，都属于肝。

一、肝主调畅情志

中医将情绪舒畅与否归属于肝。肝主疏泄。疏泄，指心情舒畅，乐观，逍遥自在。肝主疏泄，喜条达。若肝气不能疏泄，气失条达，则成肝郁。《赤水玄珠·郁证门》："肝郁者，两胁微膨，嗳气连连有声。"治宜疏肝解郁，用逍遥散加青皮、川芎、吴茱萸之类。

肝郁气滞结于咽而为病，《金匮要略》说"咽中如有炙脔"，《赤水玄珠》卷三谓之"梅核气"，症见唾之不出，咽之不下，兼气郁不畅，胸脘痞闷。治宜疏肝解郁，散结，用四七汤（厚朴、半夏、生姜、茯苓、苏梗）。

如精神受抑制，无法发泄，闷在心中，则称为抑郁，或肝郁（心情不畅）。郁久，则会使脏腑功能、身体自我调节功能发生紊乱。

短时间抑郁，可以较快恢复；长期抑郁，或严重抑郁就会导致人体消化功能紊乱，而出现不思饮食、噫气、胃痛、肝区痛、肋间神经痛等症状；或慢性胃溃疡、胃癌、肝癌等疾病。

如何改变不好的情绪呢？转移注意力，忘掉它；到至亲好友家玩，将心中苦闷讲出来；或看书、练字、绘画、旅游、钓鱼、跑步、看电视等，做自己喜欢做的事；听好听（喜欢听的）音乐，使自己忘掉不好的情绪；多想些生活中令人高兴的事情，所谓"笑一笑，十年少"。但在实际生活中，做到这些都比较困难。所谓"药能医假病，酒不解真愁"。

一个人若情绪不好，应避免独处于室内，否则更易消沉，甚至容易钻牛角尖，容易出现情绪波动，或易激动，或讨厌一切，对任何事情都不感兴趣，死气沉沉。

生气能抑制生机。长期生气会使人的抗病力降低，增强人体对致癌物的敏感性，使人容易生癌肿。

二、肝藏血

肝藏血，指肝有贮藏血液和调节血量的功能。血液来自水谷之精微，生于心，藏于肝，以供全身骨节运动之用，并能滋养各器官。王冰认为，人卧则血归于肝（肝藏血），动则血归于诸经。

《素问·五脏生成》说："肝受血而能视，足受血而能步，掌受血而能握，指受血而能摄。"

三、肝为经血之源

肝藏血而称为血海，与女子月经来潮密切相关。女子在精神上受重大刺激时，容易发生月经不调。

四、肝主谋虑

肝主谋虑。若肝受抑郁，则急躁善怒，此时则谋虑不周。人在激动发脾气时，所下的决定往往有误。人在冷静时，经谋虑而做的决策，往往才比较正确。

五、肝主风

《内经》说："诸风掉眩，皆属于肝。"

"掉"，指运动神经过度收缩，而出现的痉挛、强直、搐搦、抽搐、瘛疭、惊风、惊厥、手足抖动等症状。这些皆属于肝。

"眩"，指眩晕，由肝风上扰所致。

六、肝开窍于目

肝主目，《灵枢·脉度》说："肝气通于目，肝和则目能辨五色。"肝气虚，则目视不明；肝火旺，则目赤。这就意味着眼睛的营养，是依靠肝血来供给的。

七、肝在体合筋，其华在爪

《素问·五脏生成》说："肝之合筋也，其荣爪也。"筋束骨，系于关节，维持正常屈伸运动，赖肝的精气濡养。肝气足，则筋强健，关节屈伸有力而灵活；肝气衰，则筋疲惫，屈伸困难。

肝主筋，其华在爪。《内经》说："爪为筋之余。"肝血足，筋得到肝血滋养，则爪甲红润；肝血不足，则爪甲枯槁。

八、肝之志为怒

肝主怒，大怒伤肝。人在发怒时，气血上冲，而见面红、耳赤、目赤、心跳加快等症。此人如有高血压病，则可能会因怒气上冲，冲破血管，出现脑溢血，轻则偏瘫，重则猝死。故有高血压的人忌大怒。

九、肝的经络

肝经是十二经络之一，与胆经相联系。

肝经行于两胁。两胁有病，可从肝经治疗。

十、肝的病证

（一）肝气上逆证

症见气滞胸闷，甚至吐血。

（二）肝气郁结证

症见胸胁满闷胀痛。

（三）肝气横逆证

能影响脾胃消化功能，而见胃脘痛，呕吐酸水，或腹痛泄泻。肝气横逆，亦称肝气犯胃。此多因肝气疏泄太过，影响消化功能所致。

（四）肝胃不和证

症见胸胁痞闷，急躁易怒，食少，作饱，嗳气，吞酸，舌淡红，少苔，脉弦。多见于慢性腹泻、慢性肠炎等病。治宜调气疏肝，消导健脾，用逍遥散。

（五）肝气乘脾证

即肝气犯脾，脾肝不和证。此多由情志失调，肝气横逆犯脾，脾失健运所致。症见腹痛，腹泻。

（六）肝风证

分虚实两种，虚证多由阴液亏损所致，称为虚风内动证；实证多由肝阳亢盛所致，称为热极生风证（热盛动风证）。

（七）肝寒证

症见筋脉挛缩，阴囊痛，小腹胀痛，疝痛。

（八）肝血虚证

肝血虚即肝血不足。症见头昏痛，头晕，耳鸣，耳聋，蹲在地上突然起立时两眼发黑，视力差，两目干涩或夜盲，肢体有麻木感；或肌肉跳动，或手足抖动，甚或四肢痉挛拘急，虚烦不寐，爪甲干枯；妇女月经不调，经量减少或经闭。其多见于贫血、神经官能症、月经病及一些内眼病、高血压病等。治宜补养肝血，用四物汤加何首乌、枸杞子、女贞子。

（九）肝阴虚证

阴虚则火旺而见燥象、热象，如面部烘热，口干，形体消瘦，眩晕，弱视，两目干涩，夜盲，舌红，少津，脉细弦数。其多见于高血压病、神经衰弱综合征、角膜软化症、更年期综合征等。治宜养肝阴，或育阴潜阳，用二至丸加枸杞子、何首乌、龟板、石决明、白芍、生地、熟地、菊花、珍珠母、生牡蛎、白蒺藜；如兼心悸、失眠，加酸枣仁、柏子仁；如兼头痛、心烦、面红、口干、尿黄、舌红等阴虚火旺之症状，加知母、黄柏、夏枯草；如系妇女月经不调，应去生地、龟板，加当归、怀牛膝、益母草。

（十）肝肾阴虚证

肝肾阴虚指肝肾两亏。肝阴虚与肾阴虚互相影响，肝阴虚能引起肾阴虚，肾阴虚亦能导致肝阴虚。其症见眩晕，头胀，目昏糊，耳鸣，口燥，咽干，五心烦热，遗精，不寐，腰膝酸痛。

（十一）肝阳上亢证

肝阳上亢，由肾水亏不能养肝，或肝阴不足，阴不能潜阳，肝阳偏亢所致。其症见头晕，头痛或偏头痛，面赤，目赤，耳鸣，眼花，舌红，口苦，脉弦数。此证多见于高血压病。

（十二）肝火上炎证

症见头晕，面红，目赤肿痛，口干，口苦，舌尖边红，甚则呕血，或发狂，或昏厥，或耳鸣，耳聋，或头目眩晕。此证多见于高血压病、动脉粥样硬化。

（十三）肝痈

肝湿热日久，可成痈。病初起期门隐痛，渐右胁胀痛，拒按，不能向右侧卧，恶寒发热。此证多见于肝脓肿、化脓性胆囊炎。发现此证，应立即入院治疗。

（十四）肝劳

肝劳指视力过度疲劳。如看电视或看书太久，出现视力疲劳，甚至目胀目痛。这时须闭目养神。

（十五）肝积

《难经》云："肝之积，名曰肥气，在左胁下，如覆杯。"王叔和注《脉经》云："诊得肝积，脉弦而细，两胁下痛，邪走心下，足肿寒，胁痛引少腹……爪甲枯黑。"

第五节　肾

肾藏精，内寄真阴真阳以温润五脏。肾气旺，则肾坚，齿固，脑健，发荣，耳聪。肾司月事、生育、发育。肾与膀胱相表里，膀胱主藏津液，为州都之官，其气化亦赖肾气开合。

肾有病，则骨不坚，齿不固，发不荣，耳不聪，脑不健，月事中断，生育、发育受障碍；甚则肿满，喘逆，或遗尿，或癃闭。

一、肾气

肾气，指肾的功能活动，如生长、发育、性功能活动。

《素问·上古天真论》说："女子七岁，肾气盛，齿更发长。……丈夫八岁，肾气实，发长齿更。二八肾气盛，天癸至，精气溢泻，阴阳和，故能有子。"

如精气伤耗，则肾气虚，症见头晕，耳鸣，精神不振，腰膝酸软。

二、肾阴

肾阴又称真阴、元阴、肾水、真水，是肾所藏之精液，是肾阳的物质基础，同肾阳相互依存。肾阴亏，则肾阳亢奋，相火妄动。

肾阴虚，症见颧红，潮热，盗汗，口干，咽痛，舌红，少苔，脉细弱。

三、肾阳

肾阳，又称真阳、元阳、先天之火、真火、命门之火，是性功能活动的动力，是胃腐熟水谷的发动力，是脾阳的发动力。

肾阳虚，症见怕冷，手足不温，阳痿，遗精，或兼水肿（阳虚水泛所致），或喘（肾阳虚不能纳气所致）。

四、肾藏精

《素问·六节藏象论》说："肾者主蛰，封藏之本，精之处也。"

精可分为两种。一指生殖之精，主持生育繁殖。实际上，中医把人的生殖系统归属于肾。二指五脏六腑之精。《素问·上古天真论》说肾"受五脏六腑之精而藏之"，当五脏六腑需要用时，就从肾所藏的精中来取。

五脏六腑之精，主管人的生长发育，为生命之根、生身之本，是人体内最精华的物质。它是人在思考难题时必备的物质。若缺，则人无力思考难题。人遇难关时，想尽一切办法闯过去的行为也靠它来维持。

例如，伍子胥过昭关，一夜之间，把头发急白了。头发内黑色素的原料，由精与营制造而成。人在思考时，把头发内黑色素抽用掉，则头发内的黑色素减少；当黑色素被抽空时，头发就变成了白色。

肾精不能过耗。若男女房劳太过，损伤肾精，使冲、任、胞脉失养，则难以摄精受孕。损精过多，则见耳鸣，耳聋，腰膝酸软，头空痛，舌干而红，脉细，女子月经不调，男子遗精盗汗。肾阴虚，能导致肾阳虚，故兼见怕冷，手足不温。

五、肾主水

《素问·上古天真论》说："肾者主水，受五脏六腑之精而藏之。"

《素问·逆调论》说："肾者，水脏，主津液。"

肾主水，泛指肾能藏精、调节水液的功能。若肾不能主水，水气上逆，则见喘闷，不能平卧，端坐呼吸。

六、肾开窍于耳及前后二阴

《灵枢·脉度》说："肾气通于耳，肾和则耳能闻五音。"《素问·阴阳应象大论》说："肾……在窍为耳。"肾气足，则听觉灵敏；肾气衰，则耳鸣，耳聋。

前阴排小便，后阴排大便。小便和大便的排泄与肾密切相关。

七、肾在体合骨，生髓

《素问·五脏生成》说："肾之合骨也。"

《素问·阴阳应象大论》说："肾生骨髓。"

《素问·逆调论》说："肾不生，则髓不能满。"

肾主骨，骨生髓，髓通于脑。脑为髓之海。骨髓的生长发育，取决于肾气盛衰。

《素问·上古天真论》说："女子七岁，肾气盛，齿更发生。……丈夫八岁，肾气盛，发长齿更。"

齿为骨之余。人老时牙齿松动脱落，因肾气衰所致。

八、肾之华在发

肾主发，发为血之余。人老时，肾气衰，则头发脱落。

九、肾之志为恐

肾气虚，则易惊恐，如人之将捕之。

十、肾之府在腰

《素问·脉要精微论》说："腰者，肾之府。转摇不能，肾将惫矣。"

肾着，指腰部为风寒湿所着，冷痛重着，转侧不利，虽静卧不减，遇阴雨加重。肾着，亦称肾痹。

十一、肾与膀胱的关系

（一）经脉方面

肾与膀胱通过经络相互联系。

（二）功能方面

膀胱是水液的归处。膀胱排小便，靠肾的气化开合。肾不能气化，则小便少或癃闭，尿频数或失禁。

十二、肾的病证

（一）肾喘

气逆喘急，不得平卧，端坐呼吸。亦称肾不纳气喘息。治宜温肾利水，用真武

271

汤（茯苓、白术、白芍、附子、人参）。

（二）肾囊风

指阴囊湿疹，搔痒，抓破浸淫脂汁。

（三）肾气游风

症见腿胫红肿，形如红云，游走灼痛。即小腿丹毒。

（四）肾岩

男性阴茎冠状沟处生结节，坚硬痒痛；或溃破，有滋水渗出，疮面扁平或呈菜花状（名肾岩翻花）。

（五）肾积

《难经》："肾之积，名曰贲豚，发于少腹，上至心下，若豚状，或上或下无时。久不已，令人喘逆，骨痿少气。"

第二章　六　腑

　　六腑，即胃、胆、小肠、大肠、膀胱、三焦。六腑以流通泻出为主，不能停滞，若停滞即生病。

　　六腑和五脏合称为脏腑。五脏是藏精不能泄泻的，所以五脏是藏而不泻的；六腑以流通泻出为主，所以六腑是泻而不藏的。

　　脏与腑在人体部位上，是固定不移的。要很好地保护脏腑，不能使之受损伤，其若受伤即生病。

　　兹将六腑分述如下。

第一节　胃

一、胃的一般功能

　　胃为水谷之海，主受纳和腐熟水谷。此功能的发挥，须依靠胃气。有胃气则生，无胃气则死。胃气以降为顺，若逆则呕。胃恶燥。

　　中医学的胃的功能相当于现代医学中的胃和部分小肠的功能，为受纳饮食和腐熟消化，即胃主受纳和腐熟水谷。在整个消化道中，胃容纳水谷最多，故有"胃为水谷之海"的说法（亦称五谷之府，又名"太仓"）。这种受纳饮食和腐熟消化作用的发挥主要依靠胃气。有胃气，则能吃得下去，消化得了；如果吃不下去，或吃下去不能消化，则表示胃气虚；如果胃气全无，则此人的病难治。所以说"有胃气则生，无胃气则死"。历代医家都重视保护胃气。所谓"纳谷者昌，绝谷者亡"。在处方用药时，中医强调对胃功能衰弱的病人，尽量避免运用影响胃气的药物。中医过去由于历史条件限制，全靠口服给药，所以对胃的消化吸收作用十分重视。

饮食物经过腐熟消化后继续被向下推移的过程，一般称为胃气主降，如果胃气不降，就会出现上腹部作饱、嗳气、呕吐等症。降到小肠中的食物继续被消化，而消化出来的水谷之精微（即营养成分），则经过脾的运化，上升输于肺，再布散到全身（此称为升清）；剩下的残渣浊物，则继续下移（此称为降浊）。这种升清降浊的作用，是脾胃协同作用的表现。

胃喜润恶燥。热病伤津，易致胃燥，症见口渴而能饮。

二、胃的病证

胃的病证，有虚、实、寒、热四种，且其常常错综互见。胃寒，易伤阳气；胃热，易伤胃阴。

（一）胃虚证

胃虚证，分胃气虚证和胃阴虚证。

1. 胃气虚证

症见胃纳不佳，食稍多即难化，时嗳气，胸脘微痞；挟寒则兼胃脘隐痛，喜热喜按，泛吐清水，便溏，舌淡苔白，脉虚细，右关脉弱。宜以黄芪建中汤治之。

胃气虚，则消化功能不好，不能腐熟水谷，所以有如上见症。此证多见于西医学的慢性胃炎、十二指肠溃疡、胃扩张、胃下垂等疾病。治宜温胃健中，用黄芪建中汤或枳术丸。兼食少腹胀，为中虚气滞，用香砂枳术丸；兼脘腹胀痛，食后胀甚，卧则减，为中气下陷，用黄芪建中汤加升麻、柴胡、枳壳；兼呃逆呕吐，用旋覆代赭汤；若有胃下垂、胃扩张，可用枳术汤。

2. 胃阴虚证

症见嘈杂似饥，或饥而不欲食，或干呕恶心，口干咽干，大便干燥，或胃脘灼痛，舌红而干。宜以益胃汤治之。

胃阴虚，即胃阴不足，多见于热病后期胃阴受伤。此证可见于西医学的食管癌或胃癌晚期。治宜滋养胃阴，用叶氏养胃汤或益胃汤。兼噎膈，用启膈散；兼便闭，加瓜蒌仁、火麻仁；兼胃痛，加延胡索、川楝子、白芍，或用沙参麦冬汤加石斛、玉竹；兼食积，加山楂、麦芽、莱菔子；兼胃脘胀痛，加枳壳、佛手、玫瑰花；嗜食酸物，加乌梅；兼呕吐，加竹茹、天花粉，或用大半夏汤；兼胃脘有烧灼感，加黄连、栀子、芦根。

（二）胃实证

症见脘腹胀满，或胃痛拒按，吞酸嗳腐，厌食，口臭，不寐，大便不调，尿黄，苔厚腻，脉实，右关脉洪大有力。宜以保和丸治之。

胃实，多指食积等，多见于暴饮暴食后。治宜消食导滞，用保和丸治之。偏于气滞，用越鞠丸；若气滞血瘀，引起胃脘疼痛，可用丹参饮。

若为气滞食阻，则表现为食入胀闷。若为胃脘积滞，则表现为不欲饮食，大便不通，或频频嗳气，嗳气酸腐。若为痰火内阻，则表现为饥而不欲食，胃中嘈杂。

（三）胃寒证

症见胃脘隐痛，热食后痛缓，多食则腹胀，喜热饮，喜温、按，饮冷则痛甚，呕吐清水，或吐冷涎；寒甚则食后良久吐出（名翻胃），形寒肢冷，手足不温，舌淡、苔白滑润，脉沉弦，右关脉沉迟。宜以理中汤合良附丸治之。

胃寒，则消化功能低下。其所致病证同胃虚所致很相似，所不同的是胃寒所致病证有胃脘胀满冷痛持续不止，且寒象比较显著。此证多见于西医学的胃神经官能症、慢性胃炎、溃疡病、幽门梗阻等疾病。治宜温胃散寒，用理中汤合良附丸加沉香、吴茱萸、砂仁。寒甚，加附子；胃寒呃逆，用丁香、柿蒂；胃寒呕吐酸水、脉迟弦，用连理汤。

附：翻胃

翻胃，即反胃，指胃阳虚挟寒，不能腐熟水谷，食后水谷停留不化，作胀，后原物吐出。治宜温中健脾和胃，用大半夏汤，或香砂六君子汤加丁香、白蔻仁、黄芪、干姜、麦芽、神曲、香附。寒甚，加吴茱萸、肉桂、附子。

翻胃之名见于《太平圣惠方》及朱端章《卫生家宝产科备要》，后世医书多作"反胃"，即食后相隔比较长的时间吐出，表现为朝食暮吐，暮食朝吐。其多见于西医学的胃癌等疾病。

（四）胃热证

胃热，症见口渴，口臭，或胃痛，或呕吐，或呕血，或唇疮，牙龈肿痛、糜

275

烂，或头痛，大便干，舌红、苔黄，脉洪数。宜用清胃散、玉女煎、白虎汤治之。

胃热，指胃功能亢进以及某些西医学的炎症疾病，如急性胃炎胃痛、口腔炎、牙周炎等。当胃受热邪，或过食煎、炒、燥热食物时容易患此证。胃热所致病证的共同症状是口渴，口臭，大便干，舌红，苔黄，脉洪数。胃热引起的各种症状不同或主证有差别，故治疗时所用的方子也各异。兹举数例如下。

1. 胃热引起的口渴

在热性病过程中，胃热炽盛，烦渴引饮，小便短赤，大便干结，甚或神昏谵语（因胃之经络通于心经，故胃热盛能影响心经），舌红，苔黄，口干，脉洪数，称为胃热壅盛（热壅于胃）。治宜清胃泻火，用白虎汤。

如高热，口渴能饮，伴有大便干结，腹胀满而坚硬拒按，甚或潮热、谵语、狂躁，舌苔焦黄或焦黑，称为胃家实，用大承气汤治之。

如不发热而见口渴，渴而能饮，称为消渴。消渴在上焦，则烦渴引饮多尿，用白虎汤加人参治之。消渴在中焦，则渴而能食善饥，称为胃热杀谷，或名消谷善饥，即吃的虽多，但身体反得不到营养而消瘦，用玉女煎治之。如大便干，用调胃承气汤加黄连、黄芩治之。

2. 胃热引起的呕吐或呃逆

此因胃热盛引起胃气上逆所致，或食入即吐，或胃虚挟热呃逆，用橘皮竹茹汤治之。若在高热时呈喷射状吐，用调胃承气汤治之。

3. 胃热引起的胃痛

痛而拒按，吞酸嘈杂，多见于西医学的急性胃炎、胃溃疡。治宜泻胃火，用左金丸加丹皮、栀子、青皮、陈皮、白芍、蒲公英。

4. 胃热引起的呕血

一般出血如涌，量多，血色鲜红，多见于西医学的上消化道出血。治宜清胃热泻火，用泻心汤合十灰散。

5. 胃热引起的头痛

痛而作胀，伴有便闭、不寐，多见于西医学的高血压头痛。用大黄丸治之。

6. 胃热引起的便闭

大便干结，口臭，苔黄厚而燥。用大黄丸治之。

7. 胃火上炎证

胃热甚而化为火，火随胃经上行（称为胃火上炎），可引起多种口腔病证，如

276

牙龈肿痛、糜烂、牙龈出血、口臭、唇疹或喉痹项肿。此类症状多见于西医学的口腔炎、口腔糜烂、牙周炎等疾病。治宜清胃火，用清胃散。若便闭，加大黄、枳实；火甚，去升麻，加石膏。

第二节　胆

一、胆的基本功能

胆为中清之府，主决断，与肝相表里。

胆附于肝，内藏精汁，且其所藏精汁不同于肠道、膀胱所藏浊质。这种精汁即胆汁，能帮助消化。胆汁比较洁净，又称精汁，因此胆又被称为中精之府。

胆，指胆量、勇敢，或性格刚直、豪爽、果断而言，故称胆主决断。胆量大则不惧。它能防御或清除某些精神刺激的不良影响，以维持脏腑正常协调活动。胆气虚弱，则易惊恐、胆怯；胆气壮，则不受惊恐影响。胆气（即胆量）可以通过锻炼增强。

胆的经脉与肝相联络，胆与肝互为表里。所以胆病和肝病很相似，多为阳亢火旺之证。又，火旺能灼津为痰，故胆病多挟痰。痰火郁遏，能扰乱心神。

二、胆的病证

（一）胆虚证

胆虚证，症见胆怯，易惊，善恐，夜卧不安，视物不清，头晕恶心，苔白滑，脉弦细。宜用酸枣仁汤治之。

胆虚证，由气血虚所致。胆气不足，亦称胆虚气怯。以上各症多见于西医学的某些癔症、神经衰弱综合征等。治宜养心神，和肝胆，用酸枣仁汤合甘麦大枣汤。

若心胆气虚，则见不寐多梦，心悸，时易惊醒，舌淡，脉弦细。治宜益气镇惊，用酸枣仁汤加朱砂、龙齿。

（二）胆实证

胆实证，症见口苦，心烦，喜呕，头晕，耳聋，目赤，胸胁满痛，少寐多梦，或往来寒热，舌红，苔黄，脉弦数。宜用龙胆泻肝汤治之。

胆实证即胆热证，与肝火上炎证相近。上述都是胆经循行所过之处所表现出来的症状。此证多见于西医学的高血压病、中耳炎、结膜炎、胆囊炎、睾丸炎等。治宜泻胆清热，用龙胆泻肝汤。如以往来寒热为主症，则用小柴胡汤治之。

（三）肝胆湿热证

肝胆湿热，症见身目发黄，胸脘痞闷，腹胀，胁痛，呕恶，食少，倦怠，或往来寒热，口苦，苔腻。宜以茵陈五苓散治之。

中医学将西医学的消化系统某些器官的炎症，如肝炎、胆囊炎、胰腺炎等划入湿热证的范畴，称为肝胆湿热证、湿热内蕴证、湿热蕴结证、湿热蕴蒸证、湿热郁结证、湿热交阻证等。

1. 肝胆湿热证

湿热初起，若湿偏胜，即从小便排出；热偏胜，即从发汗解除。若湿与热，既不能从汗出而解，又不得从小便渗利而出，湿热交阻，迫使胆汁外溢于肌肤，则身、目、爪甲、小便皆黄，胸脘痞满，脘腹作胀，胁痛，恶心欲吐。此证多见于西医学的急性胆囊炎、急性黄疸型肝炎、肝胆系统急性感染等。治宜利湿热，佐以泻下，用茵陈蒿汤加金钱草、车前草、蒲公英、板蓝根、土茯苓、黄柏、金银花、郁金、木香、枳壳。

肝胆湿热证的热邪与湿邪，有时各有偏胜。

（1）如果热邪偏胜，则见心烦，口苦，口干，身目亮黄，皮肤痒，苔黄，脉数。宜用茵陈蒿汤加黄芩、柴胡、龙胆草。

（2）如果湿邪偏胜，则见身困，头重痛，胸脘痞满，恶心，食少，厌油，腹胀，便溏，口甜，苔白腻。此证多见于西医学的胆囊炎、胆管炎等。治宜利湿化浊，用利胆丸或茵陈五苓散加藿香、白蔻仁。治疗西医学的胆结石，则可用胆道排石汤或硝石矾石散。

2. 湿热蕴结证

湿热蕴结证，症见皮肤、爪甲、目、小便发黄，大便闭或溏，便色淡灰白，腹胀，腹大，腹皮绷紧，下肢浮肿，或烦热不安，口苦，口臭，恶心，不思饮食，舌尖边红，苔黄腻，脉弦数。此证多见于西医学的肝炎后期肝硬化伴有肝坏死、腹水。治宜清热利湿，用茵陈蒿汤加半边莲、半枝莲、金钱草、黄芩、黄柏、紫花地丁、蒲公英、土茯苓、槟榔、板蓝根。若有便闭、腹水、腹胀，加黑丑、白丑、商陆；若有便溏、胸闷、恶心、苔白厚腻，为湿胜，用胃苓汤加藿香、茵陈蒿、大腹皮。

（四）寒湿郁滞阴黄

寒湿郁滞阴黄，症见肤色发黄且晦暗，食少，脘闷，或腹胀，便溏，形寒，倦怠，舌淡，苔腻，脉沉迟。宜以茵陈术附汤治之。

脾虚失运，寒湿阻滞，胆汁不能正常排泄，溢于肌表，故有以上见症。此证常见于西医学的慢性肝炎、胆小管炎。治宜通阳利湿，用茵陈术附汤加陈皮、茯苓、泽泻。兼胁痛、腹胀、大便时闭时溏、脉弦者，为肝脾不和，治宜疏肝健脾，用柴胡疏肝散加郁金。

附：五疸

五疸即黄汗、谷疸、酒疸、女劳疸、黄疸。

黄汗，即汗出如黄柏汁。

谷疸，为寒热腹满，食后头晕。

酒疸，为心中懊侬，鼻燥，欲吐。

女劳疸，为潮热恶寒，额上暗黑。

按，黄汗不属胆病。谷疸因湿郁脾胃所致。酒疸因嗜酒积湿所致。女劳疸多因肾亏兼患黄疸所致。

黄疸如由湿热所致，多呈阳黄；由寒湿所致，多呈阴黄。日久不愈，兼挟瘀血，皮肤呈晦暗苍黄色，称为黑疸；兼胁间有痞块、腹满而渐成血胀者，宜活血化瘀，用鳖甲煎丸；兼发热不扬、恶寒无汗、体痛、苔腻不渴等表证者，宜解表化湿，用麻黄、连翘、赤小豆等。

第三节　小　肠

一、小肠的功能

小肠者，受盛之官，化物出焉，泌别清浊。

受盛，即承受的意思。小肠承受胃中来的食物，继续消化食物，使之成为水谷之精微与糟粕，此称为化物出也。泌别清浊，亦称分清别浊。小肠吸收水谷精微为分清；把水液渗入膀胱，糟粕注入大肠为别浊。小肠病证，多为小便方面的病变。中医学小肠与西医学小肠在功能上不完全相同。如小肠有热，小便就会短赤涩痛；

小肠不能分清别浊，则水谷并趋大肠，而出现小便少、大便稀或暴下腹泻。特别是湿热阻于下焦时，小肠失于分清别浊，可致小便不利。其治疗宜淡渗湿邪，通利小便，用猪苓、茯苓皮、大腹皮、淡竹叶、薏苡仁、木通、车前子等。又如，小儿泄泻，若日久不愈，神疲倦怠，不思饮食，发热，口渴，小便不利，苔薄黄或腻，治疗亦宜淡渗利湿，用四苓散加陈皮、薄荷、车前子、木通。

二、小肠的病证

（一）小肠虚寒证

小肠虚寒证，症见小腹隐痛，喜按，肠鸣泄泻，小便少而清，舌淡，苔白，脉迟。宜以吴茱萸散治之。

小肠虚寒，水谷不化，泌别清浊失常，故见上述诸症。此证多见于西医学的慢性肠炎、肠功能紊乱。治宜温肠散寒，可选吴茱萸散。

按，小肠虚寒证，常被概括在脾的病证之内。

（二）小肠实热证

小肠实热证，症见脐腹满胀，矢气后松快，舌红，苔黄，或心胸烦热，口舌生疮，小便赤涩，脉滑数。宜以导赤散治之。

小肠实热的表现有两种：一是脐腹满胀，矢气后稍松，此系小肠本腑见症。二是心热移于小肠，即心热下注，引起小便赤涩。

心与小肠相表里，凡先有舌红刺痛或糜烂生疮，或吐衄等，继而出现小便黄赤短涩，或小便癃闭者，皆谓之心热移于小肠，亦称"脏邪出腑"。

此证多见于西医学的口腔炎、尿路感染。治宜清利湿热，用导赤散加海金沙、车前子、黄芩、栀子、连翘、金钱草、滑石、朱砂制灯心草。

脐腹满痛，便闭，矢气不通，甚或呕吐者，多见于西医学的肠梗阻。治宜通下，用大承气汤加莱菔子。此即"六腑以通为用""不通则痛""痛随利减"之意。

（三）小肠气痛证

小肠气痛证，症见小腹急痛，痛连腰背，或下控睾丸，或疝痛，苔白，脉沉弦。宜以天台乌药散治之。

小肠气痛证，多见于西医学的肠痉挛、低位不完全肠梗阻（腹痛不得大小便)、肠神经官能症、某些疝，及睾丸、阴囊疾病。这些病的症状中，都有小腹急痛，痛连腰背，下控睾丸。治宜行气散结，用天台乌药散或三层茴香丸。

第四节　大　肠

一、大肠的功能

大肠主传导，其经脉上络齿龈。

大肠的主要功能是传导，就是将小肠消化吸收后的化物，传送下来，再吸收其中剩余的水分和养料，使之变化为粪便，从肛门排出。由于大肠是传导糟粕的通路，所以大肠又名传导之官。因此，凡便闭、泄泻、痢疾、肠痈、痔，都属大肠疾病。

大肠的经脉上络齿龈，故大肠有热，随其经脉上冲，则有龈肿齿痛。

二、大肠的病证

（一）大肠寒证

大肠寒证，症见肠鸣，腹痛，泄泻，尿清，脉缓，苔白滑。此为寒邪内郁，宜以香砂平胃散合五苓散治之。

若症见大便闭结，腹隐痛，手足不温，尿清，舌淡，苔薄白，脉沉弦，则为大肠寒结，宜以半硫丸治之。

大肠寒证的证候有二，即寒邪内郁证与大肠寒结证。

1. 寒邪内郁证

寒邪内郁证，由外感寒邪或内伤生冷所致，可使传导失常，多见于西医学的慢性肠炎、肠功能紊乱等。治宜温肠散寒，用香砂平胃散加五苓散及藿香、山楂、神曲。

2. 大肠寒结证

大肠寒结证，亦称冷闭。寒邪结于大肠，表现为大便闭结艰涩，腹部隐痛，四肢清冷，手足不温等。治宜温通开闭，用半硫丸加当归、肉苁蓉。

（二）大肠虚证

大肠虚证，症见肠鸣泄泻，完谷不化，或久泻久痢，甚或大便不禁、脱肛。若伴有寒象，则兼形寒肢冷，肠鸣腹痛，喜温喜按，舌淡，苔薄，脉细弱。此为大肠虚寒，宜以养脏汤或秘传斗门方治之。

大肠虚，即大肠气虚，常兼脾虚。若同时伴有寒象，则称为大肠虚寒。

大肠虚证，多见于西医学的慢性痢疾、慢性肠炎、肠结核等。治宜涩肠固脱，用养脏汤加乌梅、赤石脂、五味子，或用斗门方。兼脱肛者，加枳壳、黄芪、升麻；兼畏寒肢冷者，加附子；兼腹胀冷痛、大便不爽、肛门作坠者，去收涩药（诃子、肉豆蔻、罂粟壳、乌梅、五味子、赤石脂）加大黄、山楂、枳壳，或用温脾汤；泻利日久，滑泄不禁者，用桃花汤或赤石脂禹馀粮汤。

（三）大肠实证

大肠实，肠腑燥结，则见大便干或溏而不爽，或热结大肠而便闭，或大肠津枯而便闭，或肝郁气滞而便闭，故治宜通下。

大肠实证（肠腑燥结）共分三种，即热甚伤津证、气阴虚便闭、肝郁气滞便闭。

1. 热甚伤津证

（1）热结大肠证（阳明腑实证）。亦称胃家实。胃家泛指胃、大肠、小肠。热结大肠，即热性病过程中，出现高热便闭，伴身热面赤，口燥唇焦，大便闭结，腹满痛拒按，甚则潮热谵语，小便短赤，舌红，苔黄干糙，甚或干黑起刺，发狂，脉沉实有力而数。其多见于各种热性病中。治宜急下存阴（急下存津），用调胃承气汤（此法慎用于肠伤寒高热便闭，以免肠出血或肠穿孔，可改用增液汤）。

（2）大肠燥热证（胃肠积热证）。大肠燥热则大便干结，不伴高热，但口臭，唇疮，面红，尿短赤，苔黄燥，脉滑实。治宜清肠润燥，用麻仁丸。兼心烦易怒、目赤、头晕痛、不寐、舌红、脉弦者，为郁怒伤肝，多见于西医学的高血压病，治宜清肝通便，用朱砂、芦荟制丸服之。

2. 气阴虚便闭

气阴虚便闭，是本虚标实的证候，即全身虚弱而大便闭结。

（1）气虚便闭。即便闭伴有气虚见症，如神疲气怯，面色㿠白，虽有便意而粪便难出，登厕很久，多属虚坐，有时用力挣，挣得出汗，勉强便出，但便后十分疲乏，大便并不干，舌淡嫩，苔薄，脉虚。此证多见于老年性便闭。治宜益气润肠，用黄芪、麻子仁、白蜜、陈皮、升麻。如阳虚肾亏便秘或病后虚损便闭，可用济川煎。

（2）血虚便闭。便闭伴有血虚见症，如面、唇、爪、结膜色淡，头晕心悸，排便困难，舌淡嫩。治宜养血润燥，用桑椹膏或润肠丸。

（3）津枯便闭。肠中津液不足，则大便干结，虽数日不解却无腹满胀痛等感觉，或有便意但排便困难，兼见形瘦，神疲，肌肤枯燥，咽干，舌红，少苔，脉细。此证多见于老年便闭、习惯性便闭、妊娠便闭、产后便闭。治宜润燥通便，用五仁丸。

3. 肝郁气滞便闭

肝郁气滞便闭，多因肝脾郁结，气机壅滞所致，症见胸胁痞满，嗳气频作，食少，欲便不得，甚或腹胀痛，苔薄腻，脉弦。治宜顺气行滞，用六磨汤。肝郁过久则化火，兼见口苦咽干，治宜清肝通肠，用朱砂、芦荟制丸服。气滞过甚，则见腹胀，大便不通，甚或呕吐，此可见于西医学的一般性肠梗阻，用大承气汤加桃仁、赤芍、莱菔子治之。

（四）大肠热证

大肠热证有四种，即热迫大肠证、湿热留滞证、湿热蕴蒸证、瘀热阻滞证。

1. 热迫大肠证

湿热伤及胃肠，则大便不调，腹痛，泄泻，泻下如注，粪便黄臭，肛门灼热，小便短赤，苔黄腻，脉滑数。此证多见于西医学的急性肠炎和伤寒。治宜清化湿热，用黄芩汤或葛根芩连汤加白芍、木通、金银花、连翘。

2. 湿热留滞证（大肠湿热证）

湿热蕴结于大肠，则见下痢脓血、赤白相杂，腹痛，里急后重，肛门灼热，尿短赤，口干苦而黏，苔黄腻，脉滑数。此证多见于西医学的急性细菌性痢疾、阿米巴痢疾、急性肠炎等。治宜清肠化湿，调气行血，用芍药甘草汤去肉桂，加马齿苋、金银花、枳壳。下痢赤多白少者，为热重下痢，用白头翁汤加丹皮、赤芍、地榆、马齿苋；下痢白多赤少、腹胀作坠者，为寒湿下痢，用平胃散加木香、枳实、山楂、炮姜、猪苓、泽泻。

3. 湿热蕴蒸证

胃肠湿热蕴积，下移大肠，灼伤阴络，则大便下血，或先血后便，血色鲜红，大便不畅，口苦，苔黄腻，脉濡数。治宜清化湿热，用地榆散加当归、赤小豆。下血污浊、苔黄腻、脉濡数者，为湿热下注，宜加二妙散。

4. 瘀热阻滞证

气滞血瘀，湿热内蕴，则腹痛。此证初起腹痛阵作，绕脐痛，随即转为以右下腹痛为甚，痛而拒按，右足曲蜷，伸则痛甚，恶寒发热，大便闭，苔黄，脉数实。治宜泻热化瘀通滞，用大黄牡丹皮汤加败酱草、红藤、厚朴、蒲公英、紫花地丁、乳香。

第五节　膀　胱

一、膀胱的功能

膀胱者，州都之官，藏津液，气化则能出焉。肾与膀胱相表里。

膀胱是主管小便形成（化气行水）、贮存和排除的腑。所谓州都之官，指其有管理水道的职能。津液经过气化，转变成小便，贮存于膀胱，再由膀胱排出。膀胱气化靠肾阳来发动。若肾阳虚，膀胱气化功能失常，就会有尿量、尿次和排尿的改变。

如果膀胱贮存小便功能不良，则尿频数或遗尿，此称为膀胱不约。膀胱不利，则小便癃闭或淋沥。

肾和膀胱的经脉，相互络属，互为表里，互相影响。例如，肾气不化，则膀胱不利，小便少或难，甚或水肿。

二、膀胱的病证

膀胱的病证分为虚、实两种，虚证多挟寒，实证多兼湿热。

（一）膀胱虚寒证

膀胱虚寒证，症见尿频数，或遗尿，或不禁，尿后有余沥或尿后下污浊。宜以桑螵蛸散治之。

膀胱虚寒，则膀胱气化不足，或受寒邪影响而失去约束能力。上述见症多见于西医学的膀胱收缩无力症、神经性尿频、慢性下尿路疾病。

膀胱虚寒又称脬气不坚，与肾阳虚有关。所以其治疗以温肾为主，佐以固摄；用巩堤丸，或用桑螵蛸散加水陆二仙丹、缩泉丸，或用菟丝子丸。若小便白浊，用草薢饮。

（二）膀胱湿热证

膀胱湿热证，症见尿短赤或混浊，尿时茎中热痛，甚则淋沥不畅，或兼脓血、砂石，舌红，苔黄，脉数。用八正散治之。

1. 湿热蕴于膀胱证

其表现为尿频、尿急、尿痛，甚至点滴不通，并见上述诸症。此证多见于西医学的急性膀胱炎、急性前列腺炎、膀胱结石、乳糜尿等。治宜清热利湿，用八正散加金钱草、海金沙。如湿热未尽，肾阴已亏，可用银翘石斛汤。

如小便混浊，放置后不澄清，上有浮油，浮油下有乳糜块，兼小便不畅，小腹坠胀，尿时热痛，口干苦，苔黄腻，舌质红，脉弦数，则多为乳糜尿。治宜清热利湿，用程氏草薢分清饮加萹蓄。若乳糜尿挟血、舌质红、脉细数，为湿热伤阴，热伤血络，用上方去石菖蒲，加丹皮、生地、麦冬、龟板、小蓟、白茅根、旱莲草治之。

2. 膀胱湿热所致石淋

其表现为小便难，尿黄赤混浊，有时挟有砂石。若砂粒较大，阻于膀胱出口，则排尿突然中断，或小便刺痛，窘迫难忍；如砂石阻于上尿路，则往往腰痛，腹痛难忍；如砂石引起内伤，则尿中带血。砂石已成之后，其湿热之象反不明显，舌象、脉象可正常。治宜清湿热利湿，用石韦散、五淋散；或用六一散加金钱草、海金沙、冬葵子、石韦、炮山甲、琥珀。若痛，加延胡索；若湿热明显，加木通、大黄、栀子、灯心草。

3. 热结膀胱证

外感风寒不解，化热入里，循经络下入膀胱，则下腹部硬满拘急不舒，发热不恶寒，神志若狂。此乃热盛血瘀所致。治宜活血行瘀，用桃仁承气汤。

第六节　三　焦

一、三焦的意义

三焦，主决渎。上焦如雾，主纳；中焦如沤，主化；下焦如渎，主出。

三焦含义很多，一指脏腑部位而言；一指功能而言；一指热性病过程中各阶段而言；一指经络而言。这里所讲的三焦，指前两种。

三焦主决渎，即指通调水道、运行水液的功能而言。决渎有疏通水道的意思。三焦主决渎即三焦与水液调节作用有关。这种调节作用，是联合肺、脾、肾三脏共同完成的。假如这些脏中某一脏的功能不好，就会使三焦通调水道不利，气化失常，而出现水肿、腹水、小便不利等症状。临床上称之为"三焦不利""三焦失其疏泄"。

（一）指部位而言

上焦指胸腹以上的部位，包括心、肺；中焦指膈以下，脐以上的部位，包括脾、胃；下焦指脐以下的部位，包括肝、肾、膀胱、大肠、小肠。

（二）指功能而言

上焦如雾，主纳。上焦是心、肺所居，心、肺能布散水谷之精微，以温养肌肤、骨节，通调腠理，推动体内各组织器官的功能活动，而这个作用就像雾露一样，均匀地布散于全身，故称上焦如雾。又，呼吸和饮食都通过上焦而摄纳，故名上焦主纳。

中焦如沤，主化。中焦是脾、胃所处，脾胃是消化饮食的脏腑，这种消化作用，就像沤渍食物，使之变化一样，故称中焦如沤。又食物在中焦能变成水谷之精微，水谷之精微又能化生为营为血，故名中焦主化。

下焦如渎，主出。下焦是肝、肾、膀胱、大肠、小肠所在，大肠能排出大便，膀胱能排出小便，其如渠道一般需要疏通，故称下焦如渎（渎有疏通的意思）。又大、小便都从下焦排出，故名下焦主出。

上述三焦主纳、主化、主出等功能，实际上是脏腑气化功能的综合。从受纳水谷，到消化水谷、吸收营养、运转输布营养、化生气血，再到排泄废物的全部过程，均与三焦有关。三焦的"焦"字，有"热"的含义，这种"热"的源泉，出于命门，所以命门之火是三焦气化的动力。

总之，三焦关系全身气化。气、血、津液的运行布散，水谷的消化吸收，水分的代谢排泄，都赖气化作用而维持。三焦气化失常，既能影响肺气的宣降，又能影响脾胃的升降，导致通调不利，以致水湿潴留体内，而有肌肤肿胀、小便不利、气逆腹满等症。

二、三焦的病证

三焦为决渎之官，水道所出。水与气有密切关系，气行则水道通利。暴怒伤肝，肝气郁滞，则能使三焦决渎失职，水道不通，而见脐下闷痛，甚则状如覆碗，胀闷难安。治宜调气行水，用瞿麦、大黄、黑丑、白丑、黄连、木通、大腹皮、当归、延胡索、射干、羌活、肉桂、枳壳、桔梗。

附：奇恒之腑

奇恒之腑，包括脑、髓、骨、脉、胆、女子胞。女子胞主月事、安胎、孕育胎儿。

奇恒之腑，包括脑、髓、骨、脉、胆、女子胞。其与寻常的腑不同，在形态上似腑，在功能上似脏（有贮存精气作用），却无表里关系，故被称为奇恒之腑。其中胆虽与肝有表里关系，但胆汁清洁而不浊，所以胆也被列入奇恒之腑。（有人认为此处胆是"睾"字之误，一因六腑之中已有胆，二因奇恒之腑有女子胞，如何无睾丸）

因为脑、髓、骨在第二章第一节中有介绍，脉在第一章第一节中有介绍，故这里仅介绍女子胞。

女子胞，一名胞宫、胞脏、子脏，通常认为是子宫。从功能上来看，女子胞是指女子内生殖器（包括子宫、卵巢、输卵管）。女子胞在平日主月经正常化；到妊娠肘，则能安胎和孕育胎儿。

女子胞与心、脾、肝、肾有关系。按，心能生血，脾能统血，肝能藏血，此三脏能直接影响血，而血又是营养女子胞必需的物质，所以心、脾、肝与女子胞有密切关系。血是营养女子胞的物质，所以治妇科疾病应着重治血。

女子胞与肾有密切关系。《素问·上古天真论》说："女子七岁肾气盛，齿更发长；二七而天癸至，任脉通，太冲脉盛，月事以时下，故有子。……七七任脉虚，太冲脉衰少，天癸竭，地道不通，故形坏而无子也。"肾气旺，肾精足，则冲脉、任脉充盛而通畅，故月经能按时来潮，而且容易受孕。因此，有"冲为血海，任主胞胎"的说法。

如果冲脉、任脉损伤，则月经不调，下腹部痛，腰酸痛，不孕。又，气血虚亦能导致冲任不固，而引起崩漏、流产。

此外，女子胞与带脉有关系。带脉损伤，则有月经不调，赤白带下，腹部胀满，腰膝无力，足软怕冷。

第三章 营、卫、气、血、津液

营、卫、气、血、津液，是人体内流动的部分，与在体内有固定部位的脏腑是不同的。

营、卫、气、血、津液，在人体内保持着适宜的量，和适宜的流动速度。如气、血的量太过，则亢；不足，则虚。气虚、血虚，能引起各种病证。

气、血在流动速度上，不能太慢，太慢则形成气滞、气阻、血滞、血瘀。气滞、气阻、血滞、血瘀都能导致各种病证。

兹将营、卫、气、血、津液，分述如下。

第一节 营 卫

一、营的意义、来源和作用

营为水谷之精气，润泽肢体，营养全身；源于脾胃，出于中焦，上注于肺，运行于经脉中；性柔顺，内注脏腑，外营四肢，化生血液。营气虚，则不仁；营气不从，则生痈。

营是水谷之精气，充盈于体内而起营养作用，亦称营气。

营是饮食所化生的精微物质。饮食入胃，经过胃的腐熟，脾的运化，化生为水谷之精；水谷之精上注于肺，行于经脉（血脉）之中，分布于脏腑和全身各组织，以发挥营养全身的作用。

营能化生血液，是血液的前身，所以有时营血并称。实际上，营血即血液。

营气，性质柔顺，内注脏腑，外营四肢，营养人体全身各部组织。若营气虚弱，不能营养组织，则会出现肌肤麻木不仁、头发变白，此称为"营气虚，则不仁"。可用人参养营丸治之。

营气运行于经脉内，如果邪气侵袭，或长期恣食膏粱厚味，导致热毒内阻，则营气的运行就不能顺利通畅，营气就会瘀阻在肌肉内。血郁热聚，久则化脓，而形成痈肿，故称"营气不从，则生痈肿"。

二、卫的意义、来源和作用

卫气源于脾胃，出于中焦，行于脉外；性慓悍，运行滑利而迅速；保护肌表，防御外邪侵袭，温润脏腑与肌肤，滋养腠理，启闭汗孔，调节寒温。

卫捍卫于外，有保卫作用，是人体阳气的一部分，有时亦称卫气。

卫气来源于水谷之精微，而水谷之精微源于脾胃，故说卫气源于脾胃，出于中焦，行于脉外。

卫气，性质慓悍（即刚悍），行于经脉之外，不受经脉的束缚。卫气运行迅速而滑利，内入脏腑，外达肌表，无处不到。人醒时，卫气行于体表；人睡着时，卫气行于体内。卫气有温养和保卫肌表的作用，当人熟睡而卫气行于体内时，其对肌表温养与保卫的作用就会降低，此时如不盖被子，则极易因着凉而生病，或极易为外邪侵袭而发病。

卫气有温养脏腑、肌肤的作用，亦能滋养腠理（指皮表纹理及汗腺开口处）。卫气司腠理的开合（即启闭汗孔，调节汗腺活动），调节寒温，保卫肌表，防御病邪的侵袭，对侵入肌表的病邪有抵抗作用。如果卫气虚弱，不能保卫肌表，则人容易出汗，容易感冒，而且怕冷、怕风。此称为卫气不固（表气不固），可用玉屏风散治之。如阳虚卫气不固而自汗，可用牡蛎散治之。如阴虚卫气不固而盗汗，可用当归六黄汤治之。如盗汗厉害，可加地骨皮、白芍、牡蛎、浮小麦、麻黄根、糯稻根。

三、卫与营的关系

卫与营都来源于水谷之精气。《灵枢·营卫生会》说："谷入于胃，以传与肺，五脏六腑皆以受气，其清者为营，浊者为卫。"这里的"清"与"浊"是从功能而言的，"清"是指营气的作用，"浊"是指卫气的作用。营性柔顺，有营养的含义；卫性刚悍，有战斗的含义。从活动部位上看，营行脉中，卫行脉外。从功能上讲，营主血属阴，卫主气属阳。营有营养作用，卫有卫外作用。营气虚，则不仁；卫气虚，则不用。

营卫不和，指表证自汗的病理而言。表证自汗，有两种情况：一是卫弱营强，一是卫强营弱。这里的卫指防卫体表的阳气，营指汗液。卫弱营强而自汗出，是因卫外的阳气虚弱，不能固表，而汗液自行溢出，即不发热而身汗时自出。卫强营弱而自汗出，是因卫外的阳气郁于肌表，内迫营阴而使汗自出，即发热时出汗，不发热则无汗。治宜和营卫，用桂枝汤。

第二节　气

一、气的概述

气，或指物质，或指功能，或指形征，或指病因。人身的气，来源于水谷之精微。气所在的部位不同，其名称亦各异，如原气、真气、营气、卫气，及五脏六腑之气等。

人之血气精神者，所以奉生而周于性命者也。至于气化、化生、贯心脉、帅血行、防病、抗病等，皆为气之用也。

气机宜通畅，通则不痛，不通则痛。

气之升降，宜恒位而处之；太过与不及，皆不宜也。

（一）气的含义

气指物质，如空气、水谷之精气。气指功能，如将消化功能称为胃气。气指机体活动形征，如神气、怒气。气指病理状态，如脏腑功能失调，出现呕吐，名胃气不降；出现喘闷，名肺气上逆。气指致病因素，如邪气、疠气。

（二）气的分类

1. 原气（元气）

原气是人体生长发育、繁殖的根本，是维持脏腑功能活动的基础。原气发源于肾（包括命门），藏于脐下（丹田），借三焦的通路而布散于经脉，为经络之气的本源。原气由先天肾精所化生，赖后天摄入的营养不断地滋生。

2. 宗气

《灵枢·邪客》说："宗气积于胸中，出于喉咙，以贯心脉而行呼吸。"所以宗气大致指大气（空气），其积于胸中，能参与循环和呼吸。

3. 真气（正气）

《灵枢·刺节真邪》说："真气者，所受于天，与谷气并而充身者也。"这说明真气由先天的原气，与后天饮食化生之气、呼吸所得的宗气相结合而成。所以真气能充养全身，是人体生命活动的动力、抗病力（正气）、功能修复力和再生力，有运化、气化、化生、升提等功能。

4. 各脏腑之气

五脏六腑各有其本脏本腑之气。如五脏的功能活动，称为脏气；六腑的功能活动，称为腑气。又如，心神活动为心气，肺的呼吸调节功能称为肺气，胃的消化功能称为胃气，脾的升提作用称为中气（如不能升提，称为中气下陷）。中气下陷，表现为脏器下垂，如胃下垂、肾下垂、子宫脱垂、脱肛等。

（三）气的来源

气来源于水谷之精气。水谷之精微能化生为营，营能化生为血，血能产生气，所以有"血为气之母"的说法。血旺则气盛，血虚则气衰。例如，一个产妇，在产前身体很正常；但在分娩后，因出血过多，则表现为没有力气的状态。假如出血太多，使气失去依附，则会出现面苍白、四肢冷、出冷汗、脉细微等气虚欲脱的症状，此称为气随血脱（血脱气亦脱）。治疗时，应根据"血脱先益气"的原则，急用独参汤以补气固脱。

（四）气的作用

《灵枢·本神》说："人之血气精神者，所以奉生而周于性命者也。"所以气是人体生命活动的动力。没有气，人的生命也就终止了。所以在人死的时候，说他已经断了气。气的作用，大致有下列几点。

1. 推动血行

气与血的运行，保持着相互对立、相互依存的关系。气为动力属阳，血为物质属阴。血在经脉中运行不息，有赖于气的推动。气行则血行，气滞则血滞，故有

"气为血帅"的说法。

2. 化生作用

所谓化生，有制造的含义。例如，水谷之精微，能化生为营，营可化生为血。这种营化生为血的作用，实际上即造血功能。当然化生的含义很广，不局限于制造这一含义。似乎机体内一切的合成作用，都能称之为化生。整个机体，一直处于运动变化的过程中。由于体内外不断地做功，不仅"能量"有消耗，而且某些组织也有所损耗，这就需要依赖后天摄入营养以不断地滋生与修复。这些营养物质到机体内部，经过同化过程，就变成了机体所需要的物质和能量。这种同化过程，称为化生。某些化生活动，能生发和增强原气，这称为生气。《素问·阴阳应象大论》说："壮火食气，少火生气。"这里的"壮火"，指发热；"食"，指消耗。所以发热能消耗人的元气。"少火"，指化生时所耗费的能量（即合成过程中所耗费的能量）。营养经过化生以后，即变成机体的组织和机体所需的能量，这种作用称为"少火生气"。

3. 气化作用

所谓气化，有转变的含义。《素问·灵兰秘典论》说："膀胱者，州都之官，津液藏焉，气化则能出矣。"这个"气化"，指津液转变成小便（中医所讲的膀胱的功能，包括西医学的肾脏的功能）。又如，三焦输布水液的功能，被称为三焦气化。脏腑的某些功能，如输布气血等，亦被称为气化。所以气化亦是气的表现形式之一。湿热下注，或命门火衰，都能影响肾和膀胱的气化，导致气化不利，引起排尿障碍而出现尿少，甚至浮肿。

4. 能够做功

机体的活动需要消耗能量。这种能量，也是气的表现形式之一。整个机体的活动，各脏腑器官的活动，如呼吸、循环、消化、吸收、代谢的合成与分解，及排泄等，就是气做的功，也是气的活动。

5. 防御疾病和抗病的作用

整个机体抵抗力，包括对疾病的防御和抵抗作用（即同病邪做斗争），都是气的作用。所以《素问·评热论》说："邪之所凑，其气必虚。"机体对某些损伤组织进行修复和再生的作用，属于气的作用。调节机体以适应机体内外环境变化的作用，亦属于气的作用。

（五）气的活动

气的活动有两种，一是沿经脉路径的运行活动，一是升降活动。这两种活动正常，称为气机通利；如活动失常，出现胸膈痞塞，称为气机不利。

1. 沿经脉路径运行

气沿经脉路径，周流全身，如环无端，这种正常的运行，称为气机通畅。若气行受阻，则称为气机不通畅。气行受阻程度不同，所产生的症状也不同。轻度受阻，则表现为满、闷；重度受阻，则表现为胀、痛或麻木。痛或麻木，都是气机不通的结果，所谓"不通则痛，痛则不通"。

气痛多是钝痛、绞痛或胀痛，不像针刺样或撕裂样痛那样。其痛点不明确，即痛处与不痛处界限不明确。若痛在腹内时，往往有形，可以摸到；不痛时即散掉，摸不到了。气痛往往呈流窜状，不固定在一处。

气运行受阻，除引起胀、痛外，亦可引起血行受阻。因气为血帅，气行则血行，气滞则血滞。

2. 气的升降

气的升降，指脏腑功能活动的趋向。所谓升，是指向上、向外作用的趋向。所谓降，指向下、向内作用的趋向。这种向上、向下、向内、向外的趋向，在正常状况下保持相对的平衡状态；亦即气的升降活动所保持的运动的均衡状态，是相对的。假如升降失调，发生偏胜或偏衰，就会引起各种疾病。若升的太过，降的不足，就会出现头胀、头晕、胸闷、腹胀、嗳气、呃逆、呕吐、喘咳、满闷、高血压、尿少、尿闭、大便闭等。这些症状均有向上、向外的趋向。若降的太过，升的不足，就会出现倦怠、痿弱、无力、便溏、泄泻、脱肛、子宫脱垂、胃下垂、子宫出血、尿血、便血、麻疹刚出即隐没等。这些症状均有向下、向内表现的趋向。

向下作用的趋向太过，称为气虚下陷，亦称中气下陷。气虚下陷引起大出血不止者，称为"血随气陷"。

如降的趋向是向内的，即表现为脏腑功能减退。各种外邪侵入时，正气虚弱，不能抵御外邪，邪随正气虚而陷入脏腑，称为"内陷"。例如，麻疹的出疹期，或因麻疹病毒过盛，或因再受风寒，正气不足，疹点陷没，面色苍白，呼吸急促，病情很快加重，称为"麻疹内陷"。

3. 影响气的活动的因素

气的活动，常受寒、热及某些精神因素影响，兹分述如下。

寒热影响气的活动。人体气血运行，喜温而恶寒。遇寒，则气的运行受阻，出现气滞气阻，甚或疼痛，此称为"寒凝气滞"。如寒邪伤人肌表，则毛窍（汗孔）紧闭，阳气收敛，汗不得出，此称为"寒则气收"。如外感热邪伤人，引起发热，汗出太过，则正气虚弱而表现为机体功能减退，此称为"热则气泄"（泄即损耗）。

精神因素影响气的活动，有下列几点。

"怒则气上"，指发怒时，肝气上逆，表现为胸胁胀满，头痛，目赤，脉弦；若发怒太过，则血随气升，而表现为头胀，头昏，眩晕，甚则呕血等。

"思则气结"，指忧思过度，脾气郁结，运化失常，表现为胸脘痞满，食少，腹胀，便溏等。

"悲则气消"，即悲哀太过，引起肺气消耗。

"惊则气乱"，即惊恐太过，引起气机紊乱，而出现心神不安或精神错乱等症。

"恐则气下"，即过于恐惧，引起气机下陷，而见大小便失禁等。

"喜则气缓"，即过于欢喜，引起心气弛缓，而见心悸失眠，甚至神志失常等。

此外，尚有其他因素影响气的活动。如病后失调、病后操劳过度等，均可影响气机。

二、气的病证

气的病证有二：一由气的强度不够所致，称为气虚证；一由气的运行障碍所致，称为气机不利证。

气虚证，多表现为脏腑功能减弱。气机不利证，多表现为脏腑功能失调。气机不利与气虚往往相互兼挟，或同时存在。气虚与气机不利，发生于不同的脏腑，则证候表现各异，兹分别介绍如下。

（一）气虚证

气虚证，症见少气，懒言，倦怠，乏力，声低，动则汗出，头晕，耳鸣，心悸，怔忡，食少，尿清或频，脉虚弱或虚大。此外，脱肛、子宫脱垂等，亦属气虚所致疾病，当以补中益气汤治之。

气虚，即气少，或元气虚弱。上述症状，多由脏腑虚损，重病或久病损耗元气所致。临床表现为脏腑功能减退的一些疾病，以该脏腑气虚明显。如心功能不好，以心气虚为明显，故以心悸、怔忡为主症。肺功能不好，以肺气虚为明显，故以语声低微、动则气喘出汗为主症。脾胃功能不好，以脾胃气虚为明显，故以食少、倦怠、四肢无力、腹部胀满为主症，称为气虚中满，治宜健脾补气，用补中益气汤。脾肾阳虚，则见形寒肢冷，神倦，口淡无味，舌淡，苔薄白，脉沉迟细弱。此称为"气虚则寒"，可用保元汤治之。

如气虚不能固摄血液，则血不能循经脉运行，而溢出血脉之外，出现衄血，便血，子宫出血，甚至大出血。此称为"气不摄血"，治宜补气摄血，用独参汤。

（二）气机不利证

气机不利，指脏腑活动功能障碍。若脾胃升降功能障碍，则胸膈痞塞。气机不利之证，有气滞证、气郁证、气逆证。

1. 气滞证

气滞，指体内气运行不畅，气机阻滞。气阻于某处则某处出现胀满或疼痛。气机阻滞常见于胸、肺、胃、肠等处。

胸部气滞，表现为胸闷痞满，或胸痛走窜，气短、气促。治宜宽胸理气，用陈皮、沉香、枳壳、瓜蒌、郁金、丹参。

肺气滞，多因湿痰阻滞所致，表现为咳嗽，胸闷，气短，痰白黏稠量多，苔白腻。治宜理气燥湿化痰，用平胃散加二陈汤、枳壳、瓜蒌、苏子、旋覆花。

胃气滞，症见胃脘满闷、胀痛或走窜痛，食少嗳气，甚或呕吐。治宜理气止痛，用加味乌药汤。

肠道气滞，症见腹部胀满疼痛，便闭，矢气不畅。治宜宽肠理气，用宽肠理气汤。

气滞能引起血滞。所以气滞久，能导致血瘀，从而使患处疼痛加剧，痛而拒按，甚或结成肿块，形成坏死。

2. 气郁证

气郁，即气机郁结，多指肝气郁结。其主要症状为胸闷，胁痛，急躁易怒，食欲不振，月经不调，脉沉涩。郁久则化火，称"气有余便是火"（朱丹溪《格致余论》）。治宜疏肝理气解郁，用四逆散加香附、郁金、青皮。

3. 气逆证

气逆，指肺气上逆，或胃气上逆，或肝气上逆。气逆，症见喘促，咳嗽，胸闷，或嗳气，呃逆，呕吐。

肝气上逆，多因郁怒所致，症见头痛，头胀，头昏。如肝郁化火，火随气逆上冲，则可见呕血，或突然昏倒。

三、气与血的关系

气与血的关系：气为血帅，血为气母；气行则血行，气滞则血瘀。

气与血相互资生，相互影响。例如，血的生成，要依靠气（指造血功能）。所以在临床上，对某些贫血，要通过补气来补血。如当归补血汤由黄芪、当归组成，方中补气的黄芪的用量比当归大五倍，这就是以补气来补血的。

血的运行，靠气来推动，故有"气为血帅"之说。气的生成又靠血来供应，血旺则气盛，血虚则气衰，故有"血为气母"之称。

气行则血行，气滞则血滞。气滞过久能形成血瘀；血瘀又反过来增加气滞。

气逆可以导致血逆，血逆太过则上冲，而出现吐血、咯血、衄血等失血性疾病。失血过多，即形成血虚，血虚可导致气虚，气虚不能固摄血，则血妄行，而又致出血，如便血、崩漏、皮下出血等。

在临床上，凡久痛、厥逆、月经不调、慢性出血等，多由气血失调所致。

四、气与阴的关系

在急性热病过程中，气与阴往往同时受伤，而出现气阴两虚。轻度损伤者，称为气阴不足证；重度损伤者，称为气阴两虚证。

气阴两虚证，症见身热，汗出，气促，舌嫩红或干绛，口渴，脉散大或细数。

在热性病后期，肝肾真阴亏损，元气大伤时，亦可见气阴两伤的症状，如低热，手足心灼热，自汗盗汗，食少倦怠，口干咽燥，舌绛少苔，脉虚细。

在某些慢性病或消耗性疾病过程中，以及某些内伤杂病中，如消渴后期等，易见到气阴两伤证。其表现为低热，神疲倦怠，少气懒言，口渴口干，咽燥，自汗盗汗，舌红少苔或无苔，脉细数。

气阴两虚证的治疗以益气养阴为主。常用方剂有生脉散、大补元煎。

第三节　血

一、血的来源、作用、运行

血来源于水谷之精微。水谷之精微化为营，营通过心化赤而为血。

心生血，脾统血，肝藏血。血能滋润肌肤，营养全身，协调五脏六腑。血为气母，气为血帅。血在经脉中，随气而行，气行则血行，气滞则血滞，气脱则血脱。

血是具有营养作用的液体，兹按其来源、作用、运行分述如下。

（一）血的来源

血来源于水谷精微。水谷精微借气的化生作用变成营，营通过心化赤而为血，故有"气以生血"及"心生血"之说。按，"气生血"可理解为气有造血功能，"心生血"可理解为心为造血器官。

（二）血的作用

1. 能养心、养肝

若血虚不能养心，则心悸，怔忡，不寐，此称为"血不养心"。若血虚不能养肝，则筋脉不随和，拘急或颤动，此称为"血虚生风"。

2. 能保证全身各器官的功能活动

如目得血而能视，手得血而能握，足得血而能行，肌肤得血而感觉灵敏等。肌肤得不到血的供养，则麻木不仁，所以某些手足麻木可通过补血疗法而得到治愈。

生理状态下，血量要处于相对稳定的状态。若血量过少，则会出现头晕、头昏、两眼发黑、两腿无力等症。如果血量过多，则会出现头晕、头胀、面红、目赤易怒等症。

在热性病过程中，若出汗太过，或急性胃肠病吐泻太过，则血容量急剧减少，各种功能（阳气）相应地急剧下降。如果出汗或吐泻太过，使血容量减少到机体所能耐受的极限，则各种功能（阳气）也就濒于停止的境地，此称为"大汗亡阳"。汗液由心血中的液体转变而成，故有"汗为心之液"的说法。

3. 可以产生气

血可以产生气，故有"血为气母"的说法。血旺则气盛形盛，血虚则气衰形衰。

（三）血的运行

（1）血在脉管中运行，靠气的推动，布散到全身，故有"气为血帅"之称。

如果气行不畅，则血行也不畅。血行不畅根据程度的不同，可分为血滞、血郁、血瘀等。血瘀严重时，可导致血行不通，不通则痛。血瘀痛的特点是锐痛、刺痛，或撕裂样痛，痛有定处，痛点明确，即痛处与非痛处界限明确。血瘀痛多为持续不断地痛，且痛处有形可征。

（2）血的运行，靠脾来管理，称为"脾统血"。若脾不能统血，则可出现慢性出血。

（3）血的活动，靠肝来调节，称为"肝藏血"。若肝郁化火，火气上逆，血随气升，则可出现呕血，此称为"肝不藏血"。

（4）血的运行速度，往往受寒热影响。血得温则行，得寒则凝，凝滞过久亦会导致血瘀。血得温则行，所以温有通的作用。所谓温，就是既不寒，又不热，保持在合适而恒定的水平上。过低则近于寒，而易出现寒凝气滞血瘀；过高则近于热，而使血液运行太快，冲破血管，导致出血，此称为"血热妄行"。这类"血热妄行"和"脾不统血""肝不藏血"都可导致一些出血性疾病，都能使血液不循经脉运行而溢出于经脉之外，而出现吐血、衄血、尿血、便血、子宫出血、皮下出血等，统称为"血不循经"或"血不归经"。

气虚下陷，引起子宫出血不止者，表现为面色苍白，精神疲乏，称为"血随气陷"。盖气陷则血坠于下，故血从下溢。

二、血的病证

血的病证分血虚、出血、瘀血三种。三者既有区别，又有联系。例如，血虚，除由生血不足引起外，亦可由失血过多引起。又，血虚可引起气虚，气虚不能摄血，又可引起出血，所以血虚与气虚亦有关系。兹将血虚、出血、瘀血疾病分述如下。

（一）血虚证（即贫血）

血虚证，症见面色萎黄少华，唇、爪、舌、眼睑等色淡，头晕目眩，虚烦少寐，多梦，心悸，皮肤不润，脱发，手足麻木，消瘦，气短，倦怠，便闭，经少、经闭，月经色淡、质稀，月经后期或经后腹痛。宜以四物汤或当归补血汤治之。

1. 血虚的原因

（1）生血不足。生血不足，因造血原料不足，或因造血功能不好所致。

造血原料不足，多因脾胃虚弱，消化吸收功能不好，或营养不良所致。

造血功能不好，多因气虚或阳虚所致。

（2）失血过多。或因各种出血、外伤、产后、吐血、便血等所致；或因寄生虫（如钩虫等）引起；或因某些消耗性疾病（如肿瘤等）所致。

2. 血虚的症状

《素问·五脏生成》说："心之合脉也，其荣色也。"血色外荣，则面色红润。若血虚，则面色及全身皆萎黄，唇、爪（指甲）、舌、眼睑等皆色淡，头晕眼花，耳鸣，心悸，手足麻木，失眠，活动后心慌气急，皮肤干枯不荣润，头发脱落，形体消瘦，气短，倦怠无力，大便不调或便闭，月经少，或经闭，月经质稀、色淡，月经后期或经后腹痛。治宜补血，用四物汤或当归补血汤。

（二）出血

出血，亦名血证，是身体不同部位出血的总称。火盛出血，来势急，病程短，血量多，血色鲜红、质稠，兼有热证。气虚出血，来势缓，病程长，血量少，血色淡红、质稀，兼有气虚、阳虚证。

1. 出血的原因

（1）血、脉本身的疾病。如瘀血或脉络损伤，能引起出血。

（2）气的影响。如气虚不能统摄、气陷不能固摄、气寒不能温养、气逆、气升等，均可引起出血。

（3）火热的影响。不论虚火还是实火，都能导致血热妄行，引起出血。

2. 出血的部位

出血可分为上溢诸窍、下注二阴和旁溢肌肤三种。

（1）上溢诸窍。此指上部出血，包括吐血、咳血、咯血、衄血（鼻出血名鼻衄，齿龈出血名齿衄）。上部出血多属阳络损伤，称为阳络伤，血外溢。

（2）下注二阴。此指下部出血，如尿路出血（尿血）、肠出血（便血）、子宫出血（崩漏）。下部出血多属阴络损伤，称为阴络伤，血内溢。

（3）旁溢肌肤。此指皮下出血，如紫癜。

3. 出血的症状

出血，据病因，可分为实热出血、虚火出血、虚寒出血和气虚出血四种。

（1）实热出血。出血暴急，病程短，血量多，血色鲜红或紫红、质浓稠，兼有热证或火证的症状，如身热、面赤、便闭、口渴、舌红、苔黄、脉弦数或滑大而数。治宜清热泻火，凉血止血，用泻心汤合四生丸。咳血加青黛、海蛤粉；吐血加鲜生地、乌贼骨；尿血加黄柏、瞿麦。治疗实热证出血，用凉血止血药时，应加清热药同用。

（2）虚火出血。出血较缓，病程长，断续发作，血量不多，血色鲜红或粉红，兼见阴虚火旺之症状，如午后低热、颧红、虚烦不寐、口干咽燥、舌红少苔、脉细数。治宜滋阴降火，养血止血，用茜根散加旱莲草、丹皮、白芍。咳血加花蕊石、海蛤粉、北沙参；尿血加龟板、人中白；崩漏，用固经丸。

（3）虚寒出血。起病慢，或反复出血不止，血色紫黯，兼见寒象，如面色㿠白、身冷、手足不温、脉微而迟。治宜温阳止血，用黄土汤加乌贼骨、地榆。此方适用于大便带血，以及西医学的治疗慢性胃出血、十二指肠溃疡出血。治疗虚寒吐血，用柏叶汤。治疗妇人崩中漏下、月经过多或妊娠下血，用四物汤加阿胶、艾叶。

（4）气虚出血。出血久延不止，或血出暴溢量多，血色黯淡，质稀薄，兼气虚之症状，如面色苍白、心慌、气短、精神萎靡、舌淡、苔薄白、脉细软。治宜补气摄血，用党参、黄芪、白术、甘草、红枣、三七、阿胶。出血量多，有虚脱倾向时，应急用大剂量人参煎服；如无人参，用升压汤代之，以补气固脱。如兼见面色苍白、汗出肢冷、手足不温、脉细数等阳脱症状，则应加附子，以救逆回阳。

不论何种出血，在其相应治疗方剂中，都有止血药，如茜草、旱莲草、仙鹤草、大蓟、小蓟、侧柏炭、藕节、槐花、地榆、血馀炭、乌贼骨、棕榈炭、墓头回、三七、白及、白药、阿胶、莲房炭、荷叶炭、陈墨、百草霜、赤石脂、乌梅炭、紫珠草、地锦草。如兼血热，加水牛角、生地、赤芍、丹皮、白茅根；兼血瘀，加花蕊石、三七、白药、蒲黄炭；兼火热，加石膏、知母、芦根，或加大黄、黄连、黄芩；兼气逆，加旋覆花、代赭石、竹茹、枇杷叶、降香；兼气陷，加升麻、苎麻根、荆芥炭；兼气虚，加人参、党参、黄芪。

4. 出血的辨证施治

（1）肺热壅盛咯血。咯血量多，血随咳而出（不伴有恶心），咳出的血挟有痰或泡沫，或痰中带血，兼见热证之症状，如发热、痰黄稠、口渴、面红、便闭、舌红、苔黄、脉滑数。其多见于西医学的肺炎、支气管扩张继发感染、肺脓肿等。治宜清肺泻火，用泻白散加丹皮、黄芩、杏仁、旱莲草、藕节、乌贼骨、白及、仙鹤草、棕榈炭、白茅根。若痰黄稠，加鱼腥草、金银花、蒲公英；兼风热表证、咽痛，上方去黄芩、地骨皮，加桑叶、菊花、牛蒡子；兼胁痛、烦躁易怒、脉弦数，为肝火犯肺，上方去杏仁，加栀子、赤芍、代蛤散；兼燥火、干咳、痰中带血、舌红、少津，加南沙参、天冬、麦冬、天花粉。

（2）阴虚肺热咳血。痰中带血，血量少，伴有阴虚火旺之症状，如低热、盗汗、颧红、口干、舌红、脉细数。其多见于西医学的风湿性心脏病二尖瓣狭窄、活动性肺结核等。治宜养阴清热，用百合固金汤加旱莲草、茜草、藕节、白及。如反复咳血，胸胁刺痛，舌紫暗，或有瘀斑，则用花蕊石、三七研粉冲服，或加白药吞服。

（3）胃热吐血。吐血量多，经过恶心、呕吐而出，血色鲜红，或紫暗，或挟有食物残渣，脘腹作胀，有烧灼感，便闭，大便黑，尿黄，舌红，苔黄，脉滑数。其多见于西医学的溃疡病、门静脉肝硬化、慢性肥厚性胃炎、食管癌、胃癌等。治宜清胃泻火，用泻心汤加丹皮、茜草、旱莲草、大蓟、小蓟、侧柏炭、藕节。兼恶心呕吐，加竹茹、代赭石；兼吐血紫暗有块、上腹疼痛并摸到包块、舌质紫暗，为瘀血阻滞，加花蕊石、三七、蒲黄炭研末冲服；兼胁痛、头痛、口苦、目赤、心烦、脉弦数，为肝火犯胃，加丹皮、栀子、黄芩、龙胆草、夏枯草、生地；兼口渴、舌红而干、脉细数，为火甚伤阴，加麦冬、石斛、知母、天花粉、白芍。

（4）脾胃气虚吐血便血。血色暗淡，出血量多少不定，兼气虚之症状，如心悸、气短、食少、倦怠、面色萎黄、舌淡、脉濡细。其多见于西医学的溃疡病、门静脉肝硬化、慢性肥厚性胃炎、食管癌、胃癌等。治宜补气摄血，用党参、白术、甘草、红枣、黄芪、当归、白及、乌贼骨、仙鹤草、旱莲草。兼怕冷、手足不温、面色㿠白、胃痛、吐清水，加附子、炮姜。如吐血过多，气虚欲脱，则急用大剂量人参煎服。若大便黑如柏油，腹隐痛，便溏，则用上方加阿胶、地榆、赤石脂。

（5）湿热内蕴便血。便时下鲜血，便溏，肠鸣，腹痛，口苦，苔黄腻，脉濡数。其常见于西医学的痔疮、肛裂、直肠癌、结肠癌、肠息肉、过敏性紫癜、伤寒肠出血等。治宜清化湿热，止血，用槐花散。若下血如溅，则改枳壳为防风，或用槐角丸。若阴血虚，则加阿胶、当归。

（6）下焦热甚尿血。尿血鲜红，尿频急、涩痛，口渴，低热，舌尖红，苔黄，脉数。其常见于西医学的急性膀胱炎、肾盂肾炎、尿路结石、肿瘤等。治宜清热止血，用小蓟饮子加瞿麦。兼口舌糜烂、心烦不寐，为心火炽盛，重用导赤散，再加栀子；兼尿道涩痛或刺痛，为挟有瘀血，将小蓟饮子中的蒲黄炭改为蒲黄，重用瞿麦，或加琥珀末冲服；兼小腹胀痛、小便混浊、苔黄腻，为湿热下注，用小蓟饮子加黄柏、车前草、萹蓄、瞿麦。

（三）瘀血

1. 瘀血的概念

凡血液溢于脉外，或在脉中，呈凝滞状态，形成有害物质者，称为瘀血。

所谓瘀血即血液瘀积在某一局部。如果瘀积在皮下，则可以看到瘀血的局部呈青紫色，且按之不褪色。

人体的血液，是流动的液体，且日夜运行不停息。血液受某种因素影响，被迫停滞于某局部脉管内，或溢出脉管外而一时不能移走，即可形成瘀血。

瘀血是机体内的异物，可以危害机体，成为致病因素，所以瘀血既是病理产物，也是第二病因，

2. 瘀血的成因

瘀血形成的原因，有下列几种。

（1）外伤。跌扑、打伤、挫伤、扭伤、压伤、负荷过重等，可使血液溢出脉外，停留在肌肤或组织之间，若未能及时使之排出或消散，则会形成瘀血。

瘀血积存在组织间隙内，不消散且呈坏死状态者，名恶血。

（2）气滞。血的运行靠气来推动，如果气运行不畅，则血亦运行不畅。所以气滞则血亦滞，滞久则成血瘀。引起气滞的原因很多，如正气虚，无力推动气行，可引起气滞；过用寒凉药，或外寒袭击，可引起寒凝气滞；肝气郁结，亦可引起气滞。

（3）客邪内阻。如邪热入营入血，或湿热内阻，或火毒侵犯肌肤，或痰火郁遏，或异物（如西医学的肿瘤、晚期血吸虫病、肠梗阻等）压迫等，都能引起血行不畅，而致瘀血。

（4）止血不当。某些出血已挟有瘀血存在，此时如过早地用收涩止血药，亦会导致瘀血。

（5）其他。脏腑某些器官发生病变，如心病、肝病、妇女闭经、产后病等，皆能导致瘀血。

3. 瘀血的症状

久痛，或出血难止，或面目暗黑，或肌肤甲错，或腹不满而病人自觉满，口渴漱水不欲咽，舌紫暗或有瘀斑，脉涩或沉弦。

（1）久痛。瘀血疼痛，痛有定处，痛而拒按。瘀血不除，其痛不止。多呈持

续性锐痛，如针刺样痛，或撕裂样痛。慢性瘀血疼痛，一般不受气候影响。如挟有风寒湿，则每遇阴雨天气、寒冷、劳累而痛甚，遇温热而痛缓。

（2）出血。血色陈旧紫暗，伴有血块，单纯用止血药难以收效。若胃肠道有瘀血，则大便变黑。

（3）两目暗黑，巩膜有瘀斑或血丝，面色黧黑而晦滞。瘀血日久，则面及皮肤有血丝缕缕，或有色素沉着。

（4）皮肤下有瘀血，如由外伤所致，则肿胀青紫；由体内陈旧瘀血所致，则红丝缕缕，或有蜘蛛痣，或肌肤甲错（即皮肤粗糙而干，皮色暗褐，状如鱼鳞），或有紫癜，或青筋暴露，或现斑疹，或呈结节，色紫暗。

（5）胸腹内有瘀血，往往兼见肝大、脾大，或有包块，胸胁撑痛，腹不满而病人自觉胀满，小腹硬满而小便自利；妇女月经异常，痛经，经色紫暗不鲜，挟有血块，块下后痛减。

（6）感觉异常。自觉体内某处有异物（实际上无异物），多疑，善愁，善忘，多噩梦、噫语、夜游，甚或惊狂。

（7）口干，想喝水却喝不下去，水到口又吐掉，称为"但欲漱水不欲咽"。

（8）舌紫暗，或有紫斑、紫点，或舌心有瘀点，舌面隐隐有青纹，或舌边、舌背面现青筋，或齿龈、口唇微乌紫，或环唇色微青紫。

（9）脉涩或沉结。

4. 瘀血为第二病因

瘀血本身是一种病理过程，而瘀血又可引起其他疾病，所以瘀血又是第二病因，能阻塞经脉，妨碍化生，并导致发热。

（1）瘀血可阻塞经脉。

1）瘀血阻塞经脉，可引起经脉不通，不通则痛。如外伤痛、胃痛、腹痛、月经痛、心绞痛、痹痛，及各种血瘀痛，均可由瘀血导致。

2）瘀血阻滞经脉，可使血不归经，而致出血。

3）瘀血阻塞经脉，可使血行不畅，郁积而成包块，或引起肝大、脾大，甚至导致腹水。

4）瘀血阻塞经脉，能导致中风（脑血栓形成）。

5）瘀血阻滞经脉可引起酒渣鼻及其他疾病，如脱疽（血栓闭塞性脉管炎）、疼痛性股白肿（髂股静脉血栓形成）。

6）瘀血阻塞经脉，可引起一些妇科疾病，如痛经、闭经、恶露不下、恶露不尽、乳汁不行、乳痈等。

（2）瘀血可妨碍化生。瘀血阻滞，可妨碍新血生成，导致血虚、落发、疳疾、干血痨等。治疗这些病时，在相应方中加活血化瘀药，可使之痊愈。

（3）瘀血可引起发热。

1）跌打损伤过重，可引起寒热交作，伤处肿痛。

2）体内原有出血性病变，若治疗不当，瘀血积蓄日久，则会出现烦满如有热状，而脉反不数，口燥，漱水不欲咽。

3）先有瘀血在内，续因外感而发热，其人如狂，少腹硬痛，小便自利，称为蓄血。

5. 瘀血的治法

治疗瘀血，宜活血化瘀，症缓宜化瘀，症急宜攻瘀。瘀在上，但欲漱水不欲咽者，血府逐瘀汤主之；瘀在中，燥渴谵语者，膈下逐瘀汤主之；瘀在下，少腹硬满，大便黑，其人如狂者，桃仁承气汤主之。

治疗瘀血，宜活血化瘀，使瘀血排出或消散。

（1）按瘀血病势缓急来治。瘀血病势急迫，胀满瘀痛，昏晕发狂者，宜攻逐瘀血，使留积的恶血从大便排出，用桃仁承气汤。瘀血病势缓者，宜活血化瘀，使血行和利，经脉通畅，用桂枝茯苓丸。

（2）按瘀血所在部位来治。

1）头面部瘀血，如酒渣鼻、牙疳、耳聋、顽固性头痛、落发、紫癜风等，用通窍活血汤治之。

2）头胸部瘀血，如顽固性失眠、急躁、瞀闷、心里热、天亮出汗、饮水则呛、胸痛或有压迫感，以及西医学的脑震荡后遗症、脑炎后复视、神经官能症等，用血府逐瘀汤治之。

3）胸腹部瘀血，如胸腹内有积块且痛处不移、顽固性腹痛等，用膈下逐瘀汤治之。

4）小腹部瘀血，如少腹胀满、月经不调、痛经、闭经、崩漏、不孕等，用少腹逐瘀汤治之。

（3）按瘀血兼证来治。

1）瘀血兼气虚，配补气药，如补阳还五汤。

2）瘀血兼血虚，配补血药，如桃红四物汤。

3）瘀血兼气滞，配理气药，如身痛逐瘀汤。

4) 瘀血挟寒，配温热药，如生化汤、少腹逐瘀汤。

5) 瘀血挟热，配清热解毒药，如大黄牡丹皮汤。

6. 瘀血的辨证施治

与瘀血相关的病证很多，常见的有外伤、疼痛、痈肿、妇科病、癥瘕，及西医学的栓塞、血管痉挛、某些神经性疾病等，兹分别介绍如下。

（1）外伤。骨折者，多有瘀血，若瘀血不去，则新骨难生。治宜活血化瘀，用接骨丹，每日早晚各服7g。外用：大黄、栀子、菊叶、三七研末，酒调外敷。待局部红肿消退，断骨接续，渐趋愈合时，即宜和络坚筋骨，用四物汤加续断、骨碎补、狗脊、龟板、何首乌、黄芪。胸腰椎骨折，多由从高处跌下所致，症见剧痛，腹胀，尿闭，便闭。治宜活血化瘀，用桃仁承气汤。服后泻暗棕色稀粪，当暗棕色稀粪泻尽，疼痛、腹胀缓解。

（2）瘀血疼痛。

1) 胸胁伤痛。由跌、打、扭、挫等引起的恶血留于胁下所致，或因肝郁日久成瘀而致。痛处不移，入夜痛甚，舌紫，脉涩。治宜活血化瘀。伤痛偏于胁部，用复元活血汤；伤痛偏于胸部，用血府逐瘀汤或七厘散。如伤重痛甚，加延胡索、三七、白及研末冲服；如伤轻仅有窜痛，并无瘀肿压痛，用复元通气汤。

2) 腰外伤痛。腰痛如刺，痛有定处，轻则俯仰不便，重则难以转侧，痛处拒按。治宜活血化瘀。由外伤所致者，用土鳖虫、大黄、栀子、延胡索、炮山甲、木香、茴香、桃仁、红花、制乳香、制没药、牛膝、泽兰；由气滞血瘀所致者，用身痛逐瘀汤加杜仲、细辛。

3) 头痛。头痛久不愈，痛有定处，服诸药无效，兼有瘀血见症，则属血瘀头痛，如外伤性头痛。按此证施治，则宜行气活血，用通窍活血汤或血府逐瘀汤加天麻、全蝎、郁金、远志、石菖蒲。

4) 痹痛。凡风寒湿痹痛久不愈，兼见瘀血症状者，宜活血去瘀，佐以祛风湿，用桃红饮加黄芪、桂枝、炮山甲、蜣螂、全蝎、地龙。坐骨神经痛，夜晚痛甚，兼见瘀血见症及热象，舌红，脉弦数者，则宜祛瘀通络，用活络效灵丹加赤芍、白芍、甘草、生地（无热象不用生地）。

5) 心痛。心绞痛阵作，胸闷不舒，兼有瘀血见症者，宜活血通络，用血府逐瘀汤加瓜蒌、薤白、枳壳、桂枝。

6) 胃痛。胃脘刺痛，痛有定处，拒按，食后痛甚，舌紫，脉涩者，宜活血通络，用失笑散及加味乌药汤。如大便黑，加三七、白及研末冲服；如久痛不愈转虚、舌淡、脉细、面苍白，宜养血活血，用调营敛肝饮。

7）腹痛。腹痛兼见瘀血症状者，宜行气化瘀，用少腹逐瘀汤。西医学的肠梗阻、肠粘连所致者，宜理气活血，用宽肠理气汤。

8）肝区痛。胁肋胀痛、刺痛，腹部胀急，面色晦暗、黝黑，舌紫，脉涩。治宜行气化瘀，用膈下逐瘀汤加九香虫、土鳖虫。

（3）瘀血痈肿。

1）外伤痈肿。伤处肿成硬块，皮肤红或青紫，按之痛。治宜和营散瘀消肿，用活血散瘀汤。（和营即调和营血，疏通脉络，有消肿止痛作用）

2）痈肿。痈肿初起，伴有瘀血者，在主治方中加活血药，如桃仁、乳香、没药、醒消丸之类（已化脓者忌用）。如痈肿位置深，已经化脓，但难溃，则在主治方中加炮山甲、皂刺，使之早日透脓外溃。

某些内痈，如肠痈（阑尾炎），以及西医学的急性肠梗阻、肠粘连、急性盆腔炎等，治宜解毒化瘀。治疗肠痈和西医学的盆腔炎，用大黄牡丹皮汤加红藤、紫花地丁、蒲公英、败酱草。治疗西医学的肠梗阻、肠粘连，用大承气汤加桃仁、赤芍、牛膝、炒莱菔子、木香、香附等。

3）西医学的慢性炎症。如肋软骨炎，由气滞血瘀所致，表现为肿胀而不红，有压痛，不化脓。治宜活血化瘀，用复元活血汤加丹参、生黄芪、蒲公英、板蓝根。若气虚，重用黄芪；若血虚，加鸡血藤；若食少，加山楂、鸡内金；若痛甚，加延胡索；若肿胀甚，用此方研末，酒调外敷。

4）冻疮。由寒凝气滞血瘀所致，表现为皮肤紫黯，肿块痒痛。治宜和营养血温通，用桂枝汤加当归。外用生姜擦，亦可用姜汤熏洗，或用樟脑调油擦。

（4）妇科常见与瘀血相关的疾病。

1）月经不调。月经或前或后，或多或少，或逾期不止，或一月再行，或小腹冷痛。治宜温经散寒，养血祛瘀，用温经汤。

由血瘀引起的月经过多，或子宫出血，症见经漏淋沥不止，或突然下血过多，血色紫黑挟块，小腹痛而拒按，舌紫，苔灰暗，脉沉弦或涩。治宜活血化风，用失笑散加茜草、益母草、三七粉。

2）月经后期。经行推迟，月经量少，血色暗红挟血块，小腹胀痛，块下痛减，舌紫黯，脉涩。治宜行气活血，用血府逐瘀汤加吴茱萸、肉桂。

3）痛经。行经前或行经时，小腹胀痛，经行不畅，色紫有块，块下痛减，有冷感，舌紫，脉涩。治宜理气活血，用桃红四物汤加桂枝、延胡索、木香、香附、陈皮、乌药。

4）经少或经闭，兼见瘀血症状。治宜理气活血，用少腹逐瘀汤；或用三棱、莪术、五灵脂、肉桂等研细末，于经前 10 日每日早晚各服 5g。

5）产后恶露不绝。分娩后由阴道流出的液体，称为恶露。正常时恶露色由红变淡，持续约 20 日即止；过期不止，称为恶露不绝。此因瘀血所致，治宜行瘀止血，用益母膏加白药。

6）产后恶露不下。产后瘀血停滞，兼见瘀血症状。治宜活血散瘀，用生化汤加益母草、失笑散。此方通治产后瘀血所致各种疾病，如产后腹痛或产后发热等。

7）异位妊娠（宫外孕）。血瘀少腹而痛。治宜活血攻瘀，用活络效灵丹去当归，加桃仁、赤芍。如有包块，少腹胀痛，则加三棱、莪术、蜈蚣。

8）死胎。妊娠胎死腹中，胎动与胎心音皆消失，腹中冷，甚或唇舌青紫。治宜下死胎，用开骨散加黄芪（重用），或用脱花煎。

9）乳汁不行，乳房胀痛，脉弦。治宜活血通络，在主治方中加当归尾、炮山甲、王不留行。若由于气血虚，无乳可下，则忌用活血通络之药。

10）干血痨。瘀血内阻，新血不生，则食少，消瘦，目暗黑，少腹挛急压痛，肌肤甲错，舌紫，脉涩。治宜去瘀生新，用大黄䗪虫丸。

（5）癥瘕积聚。

1）胁下痞块。瘀血内停，积久不散，则成痞块，胁痛如刺，入夜痛甚，舌紫，脉涩。治宜化瘀散痞，用复元活血汤加逍遥丸。

2）肝脾大，兼胸胁刺痛，痛而拒按，舌紫，脉涩。此多见于西医学的肝炎后期肝硬化及久疟脾大（疟母）。治宜活血通络，用鳖甲煎丸加香砂枳术丸。

3）肝脾大兼腹水，胸胁胀痛，腹大坚满，青筋怒张，面黝黑，头、颈、胸、臂有蜘蛛痣，大便黑，舌紫，脉涩。此多见于西医学的血吸虫病肝脾大兼腹水，或肝硬化兼腹水。治宜活血化瘀，用调营饮。

4）瘀血内结噎膈。胸膈痛，食入即吐，甚则水饮难下，大便干如羊屎，或吐下如赤豆汁，消瘦，肌肤枯燥，舌红少津或青紫，脉细涩。此多见于西医学的食管疾病及食管癌、胃癌晚期（应及早手术治疗）。治宜破结散瘀，用通幽汤。

5）妇人小腹有癥块，压痛，脉涩，或月经困难，或经停腹胀痛。此多见于西医学的腹腔肿瘤，如卵巢囊肿、子宫肌瘤等。治宜化瘀通经，用少腹逐瘀汤或桂枝茯苓丸。久服方能见效。如挟肝郁，则加养血舒肝丸。

6）血瘀癃闭。小便滴沥不畅，或尿如细线，或阻塞不通，小腹胀满急痛，舌紫，脉涩。治宜行瘀散结，用桃仁、牛膝、虎杖、黄芪、当归等分研末服。

（6）血瘀栓塞。

1）脱疽，即西医学的血栓闭塞性脉管炎。瘀血阻塞，血行不通，患肢因缺血而出现肢冷、麻木，如发生在下肢，即见小腿痛、间歇性跛行。若患处络脉栓塞不通，则疼痛加重，发生坏疽。治宜活血通络，用顾步汤加活络效灵丹，以及三棱、莪术、桃仁、红花、川芎、桂枝。偏寒，加附子、鹿角粉（冲脉）；偏热，用四妙勇安汤。

2）痛性股白肿，即西医学的髂股静脉的血栓形成。由于瘀血阻滞，营血回流受阻，水津外溢而为肿。治宜化瘀通络利湿，用桃仁、红花、当归、赤芍、牛膝、泽兰、丹参、防己、生薏苡仁。如兼局部皮肤红热肿痛、发热，为湿毒化热（即并发静脉炎），加黄柏、草薢、丹皮、忍冬藤、紫花地丁。

3）某些偏瘫、失语，兼有瘀血见症。此多属于西医学的脑血栓性疾病。起病慢，常在睡醒后出现偏瘫，语言不清者，多属于西医学的脑血栓形成。起病急，突然发生偏瘫，失语，但神志清楚者，多属于西医学的脑栓塞。治宜行瘀通络，用补阳还五汤。若气虚、血压偏高，加牛膝、石决明、代赭石。但偏瘫而身体壮实或脉洪实者，慎用此方，宜改用大活络丹。

4）蓄血。血液运行受阻，瘀积在某器官内，称为蓄血。若下焦蓄血，则见少腹胀满，大便黑，小便利，至夜发热，烦渴，谵语，其人如狂。治宜破血下瘀，引热下行，用桃仁承气汤。

（7）某些血管痉挛疾病所引起的瘀血。

1）脑血管痉挛所致偏瘫、失语、头痛、呕吐、抽搐、昏迷等。治宜活血通络，用桃仁、红花、当归、赤芍、鸡血藤、炮山甲、地龙、僵蚕、全蝎、制南星、豨莶草。

2）血瘀晕厥，突然昏倒，不省人事，牙关紧闭，面赤唇紫，舌红或紫，脉沉弦。治宜活血顺气，用通瘀煎。

3）两手青紫症，即肢端动脉痉挛。在受冷时，两手突然苍白，渐转青紫，发冷，发麻，或针刺样痛。治宜和营通络，用当归四逆汤加黄芪。

4）瘀血心悸。心悸或怔忡，胸闷不舒，或心痛阵作，舌紫暗，脉涩或结代。治宜活血化瘀，用失笑散加桃仁、红花。

（8）瘀血疾病兼见某些神经、精神症状。

1）精神病之属于气郁血瘀型者，症见精神错乱，哭笑无常，举止不安，有幻觉，谵妄，舌紫暗，脉沉涩。治宜解郁化瘀，用柴胡疏肝散加桃仁、红花、丹参、丹皮、赤芍、郁金。

2）脑炎后遗症。复视，幻觉，兼见瘀血症状。用通窍活血汤或血府逐瘀汤治之。

3）神经官能症，兼见瘀血症状。用血府逐瘀汤治之。

4）顽固性失眠，严重时通宵达旦睡不着，自觉头部有异物感，兼见瘀血症状，服安神养血药不效。可用血府逐瘀汤试治之。

5）梅核气，兼见瘀血症状，服四七汤无效。可用血府逐瘀汤试治之。

6）胸部有重物压迫感，兼见瘀血症状。用血府逐瘀汤治之。

7）阳痿兼见瘀血症状，用血府逐瘀汤加蛇床子。

（9）某些杂病兼见瘀血症状。

1）肺痨。久服肺结核丸（土鳖虫、白及、何首乌），能改善症状；或用三棱、莪术、生龙骨、生牡蛎、知母、山药、丹参、玄参、党参等制丸服之。

2）狂犬病。被疯狗咬伤，用下瘀血汤，服后大便如猪肝色，小便如茶色，为有毒，是狂犬咬伤；应继续服药，以大小便的颜色正常为度。如初服后大小便色正常，为无毒，不是狂犬咬伤。

按，王清任《医林改错》用通经逐瘀汤等 6 个方子，治疗天花有效。而天花和狂犬病都属于病毒性疾病，这就提示活血化瘀药对于病毒可能有作用。

3）脸上色素沉着，面容黧黑，舌紫，脉涩者，用血府逐瘀汤治之。

4）低热兼见血瘀症状者，用血府逐瘀汤加马鞭草治之。

5）硬皮病及烧伤瘢痕疙瘩，用血府逐瘀汤加僵蚕、贝母、玄参、生牡蛎治之。

第四节　津　液

一、津液的含义、来源、作用和结聚

腠理发泄，汗出溱溱，是谓津；流行于关节、脑髓、五官等孔窍，是谓液。津稀、液稠，合称津液。

津者，出入肌肤腠理之间，温肌肉，润皮肤。

液者，滑润关节，补益脑髓，濡养孔窍。

津液能转变为汗、尿及五液。

津液运行不畅，则结聚为痰为饮，或水肿。

（一）津液含义

津液，指有滑利关节、濡润孔窍和滋养各组织器官的液体。有时也泛指体内液体。津与液常常并称，但二者性质、功能、分布等不完全相同。

（二）津液的来源

津液来源于水谷之精微，由脾、肺、三焦化生而成。

（三）津液的作用

（1）津是比较清稀的，属阳，随三焦之气出入，分布于肌腠之间，温润滋养肌肤。其作用范围偏于体表，简称主表。津的作用，离不开气，所以有时又称为津气。

（2）液是比较稠浊的，属阴，流行于筋骨关节之间，濡养孔窍，通利关节，补益脑髓，并濡养这些组织。液的作用范围偏于体内，简称主里。

液不足，则关节屈伸不利，胫酸，脑髓失养，耳鸣，色夭。

液属阴，有时亦称阴液。广义的阴液，泛指体内一切富有营养的液体，所以阴液有时亦指脏腑的阴精。

（3）津与液能相互影响，相互转化。习惯上津与液是并称的，两者都能营养组织，润泽器官，温养肌肤。从肌肤的润涩、舌质与舌苔的润燥，可以测知津液的盛衰。

（4）津液与血、汗、小便、泪、涕、涎、唾等，都有密切关系。津液随着机体和外界的变化而消长，能直接影响体内的阴阳平衡。津液不足时，涎液或唾液亦不足。

按，涎与唾，指口腔内的液体。稀者为涎，稠者为唾。它们都是通过脾、肾化生而成的，所以有"脾为涎，肾为唾"的说法。

（5）津液能循行于周身，出入脉管内外和组织间隙之中。其入经脉，则成为血的内容之一，所以津液与血关系密切。津液与血都来源于水谷之精微，并能相互资生，相互作用。津液出经脉，则遍布于全身组织间隙之中，而成体液。

当津液损耗过多时，气血常同时亏虚；气血亏虚，同样可以引起津液不足。所以有"津血同源"的说法。在热性病过程中出汗太过，或胃肠疾病大吐、大泻太过，可损伤津液，导致气血亏虚，而表现为心悸，气短，倦怠，甚或四肢厥冷，脉微细等。大量出血后，亦可出现无汗、舌干无津、口干烦渴、尿少或无尿、大便闭结等津液不足之见症。故有"保津即以保血，养血即可生津"的说法。《灵枢·营卫生会》说："夺血者无汗，夺汗者无血。"《伤寒论》亦说："亡血家不可发汗。"

（6）津液可转变为汗。《灵枢·决气》说："腠理发泄，汗出溱溱，是谓津。"此说明津液能转变为汗。临床上，对津液不足病人，应慎用发汗剂。如需要发汗，应配滋阴药合用。

（7）津液可转变为小便。《素问·灵兰秘典论》说："膀胱者，州都之官，津液藏焉，气化则能出矣。"此说明津液可转变为小便。临床上，对于津液不足的病人，应慎用利尿剂。

津液变为汗，或变为小便，与机体状态和外界气候变化有关。例如，天气炎热，出汗多，或服发汗药后出汗太多，则津液少，小便亦少。冬季出汗少，津液损失少，则小便相应地增多。又如，小便多（糖尿病或尿崩症），往往会导致津液不足，而出现口干作渴。

二、津液的病证

（一）津液结聚证

津液结聚，即津液运行和输布发生障碍，与气化功能障碍有密切关系。心、肺、脾、胃、肾、膀胱等任何一脏或腑功能发生障碍，都能影响津液的运行和输布，使一部分津液结聚为痰、为饮，或为水肿。此外，六淫的寒、热、燥、火等，亦能影响津液。津液遇阴寒凝积，结聚为饮、为水肿；遇火热则被灼炼为痰。（关于痰饮，详见第四章）

（二）津液不足证

津液不足，轻则伤津液，重则亡津液。

1. 津液不足证的概念

津液不足证，由津液受损伤所致。津液轻度损伤，称为伤津液；重度损伤，称为亡津液。

2. 津液不足证的病因

引起津液不足的原因很多。特别在热性病过程中，邪热炽盛、多汗或吐泻，均耗伤肺津或胃津。脾胃素虚，消化吸收功能不好，或体内阴阳失调，或秋燥伤人，皆能导致津液不足。

3. 津液不足证的症状

津液不足的主要症状有口干，唇干，舌干少津，咽喉干燥，口渴，皮肤干枯不润。严重时，皮肤皱起，捏之无弹性（如捏麦芽糖样），两目凹陷，指端瘪凹，此称为亡津液证。

伤津现象，可与阴虚同时共存，也可单独存在。二者有区别：伤津以失水为主；但阴虚时，人不仅丢失水分，而且缺乏某些营养物质。伤津的表现是干燥；阴虚的表现不仅有干燥，而且有热象。

4. 津液不足证的治疗原则

其治疗原则为养阴生津。宜用茅根、芦根、甘蔗、石斛、玉竹、沙参、生地、麦冬、知母、玄参。

5. 津液不足证举例

（1）急性热病过程中伤津。热性病过程中，热盛伤津，症见壮热，口渴，喜冷饮，苔黄燥，脉洪大。治宜清热，用白虎汤。热退，则津液自复。兼大便干结、腹满痛拒按、日晡潮热、时有谵语、苔黄燥、脉沉实有力者，宜急下存阴，用调胃承气汤；津液亏损甚，出现口干唇裂、舌苔焦黄或焦黑者，宜养津润下，用增液承气汤。

按，津液的存亡，对急性热病的预后，有着决定性的意义，所谓"保胃气，存津液""留得一分津液，便有一分生机"。过去因没有补液的方法，对津液十分重视。

（2）伤肺津。肺津，即充润肺脏的津液，或称肺阴。肺津受伤，则见干咳，苔薄白干燥。如肺津损耗太过，导致肺燥火盛，则见干咳，无痰或痰带血丝，鼻咽干燥，喉痛。治宜养阴清肺，用养阴清肺汤。

（3）伤胃津。胃津，即胃中的津液，或名胃阴，又名胃汁。临床上肺胃热盛，能伤胃津，而表现为发热，口干，咽燥，口渴，喜冷饮，便闭，舌红，少苔，脉细数。治宜生津润燥，用五汁饮。

（4）大肠津枯便闭。（详见第二章第四节）

（5）亡津液。如因误汗、误吐、误下或消渴等，损伤津液太过，一时出现小便少或无，大便闭，《伤寒论》称之为"亡津液"。例如，中暑热之后，正气损伤过甚，不能固摄于表，则见汗出不止；汗出愈多，则津气愈耗；津气愈损耗，则正气更加损伤；正气愈伤，则汗泄更甚；终导致亡津液，脉散大，喘渴欲脱。治宜补敛津气，用生脉散。此方有保存津液的作用，但只有在无热时方可用。

按，津液损伤严重时，必兼气虚，单纯用补阴方法则津液不能恢复，须加人参补气，才能生津。

又如，西医学的某些急性胃肠病，吐泻频繁，损伤津液过甚，则面色苍白，眼眶凹陷，手足厥冷，指端螺瘪，头汗出，声哑，筋脉挛急，脉沉细欲绝。此为津液欲竭，阳气欲脱。治宜补津固脱，回阳救逆，用生脉散加通脉四逆汤、龙骨、牡蛎、猪胆汁。现已有补液方法，故这些症状都难以见到。

津液损伤，阳气未损，则津液尚能恢复。如津液损伤，导致亡阳，则津液很难恢复。所以在补津的同时，还须补阳。

三、津液与阴的互用

（一）伤津与伤阴名词的互用

伤津与伤阴相似，都是阴液受伤，其间没有绝对界限，临床上常互相通用。习惯上伤津指肺、胃阴液受伤；伤阴指肝、肾阴液受伤。

在热性病极期，由于失水出现燥热症状，称为伤津（有时亦称伤阴）；在热性病后期，出现一些虚损症状，称为伤阴（有时称为热灼真阴）。

例如，热性病后期，高热不退，机体已衰，出现身热，心烦不寐，舌红，苔黄，脉细数，称为阳热亢盛，肾阴亏损。治宜育阴清热，用黄连阿胶汤。

热性病后期，身热不甚，面赤，手足心热于手足背，口干，舌燥，或倦怠耳聋，脉虚大。治宜滋阴养液，用加减复脉汤。

热性病后期，夜间热甚，清晨热退，热退时并不出汗，能食形瘦，称为阴血亏损，余邪留伏阴分。治宜滋阴透邪，用青蒿鳖甲汤。

热性病后期，出现手足蠕动，甚或瘛疭，心中憺憺而动，神倦，脉虚，舌绛，少苔，称为肝阴亏损，筋脉失养，以致虚风内动。治宜滋阴养血，平肝息风，用三甲复脉汤（由加减复脉汤加龟板、鳖甲、生牡蛎而成）。

（二）亡津液与亡阴名词的互用

亡津液与亡阴情况相同，没有严格的区别，习惯上用亡阴较多。

在热性病高热大汗时，或严重吐泻时，或出血过多时，以及其他危重病后期，极易出现亡阴。症见身热肢温，面红颧赤，汗热、量多而味咸，口干喜冷饮，舌光红而干，脉细数无力。此多见于脱水及大出血病人。治宜补敛津气，用生脉散。

亡阴进一步发展，就会出现亡阳，症见四肢厥冷，冷汗量多，呼吸微弱，面苍白，或口唇青紫，舌淡而润，脉微欲绝。此多见于休克病人。治宜回阳救脱，用生脉散加附子、牡蛎、山萸肉、石斛、北沙参。

（三）阴虚

阴虚，指精血或津液亏虚。阴虚与伤阴很相似，本质上没有什么区别。习惯上，热性病过程中的阴液损伤，多称为伤阴；慢性消耗性疾病的真阴受损，多称为阴虚。临床上两者有时互相通用。所谓真阴，指脏腑阴精而言，故有"五脏主藏精者也，不可伤，伤则失守而阴虚"的说法。

阴虚有心阴虚、肺阴虚、肝阴虚、肾阴虚、胃阴虚、气阴虚等。它们的共同点是因精血、津液不足，出现燥象，如口燥、咽干、舌干红少苔、小便少、大便干等；如兼内热，则有面部烘热、颧红、心烦、手足心热、潮热盗汗、脉细数无力等阴虚火旺的症状。它们的兼症随各脏腑而异。

心阴虚，则兼心悸，心烦不寐，心神不安，健忘。其多见于西医学的神经官能症、贫血、心脏病。治宜滋阴宁心安神，用天王补心丹。

肺阴虚，则兼干咳少痰，痰中带血，声哑。其多见于西医学的肺结核、肺炎恢复期、支气管扩张、慢性咽喉炎、咽白喉等。治宜滋阴润肺，用养阴清肺汤或清燥救肺汤。

肝阴虚，则兼头晕，视物模糊，两目干涩，夜盲。其多见于西医学的高血压病、神经衰弱、神经官能症、眼病、夜盲、月经病等。治宜滋阴潜阳柔肝，用杞菊地黄丸或一贯煎。

肾阴虚，则兼腰膝酸软，足跟痛，头晕，耳鸣，头发枯槁脱落，耳轮焦黑，牙齿松动，梦遗，消瘦，面色憔悴，骨痿，尿多或如脂膏，男子精少、女子经少或经闭。其多见于西医学的结核病、糖尿病、尿崩症、慢性肾炎、慢性肾盂肾炎、乳糜尿、不孕等。治宜滋养肾阴，用六味地黄丸加龟板、枸杞、何首乌。

胃阴虚，则兼嘈杂易饥，或不思饮食，食少亦胀，干呕，恶心，或胃脘灼痛，口干咽燥，大便干。其多见于西医学的萎缩性胃炎、热性病后期、糖尿病。治宜滋养胃阴，用麦门冬汤、益胃汤或沙参麦冬汤。

气阴两虚（气阴两伤），兼见少气懒言，精神萎靡，倦怠无力。症状轻的，称为气阴不足。症状重的，称为气阴两虚。更甚者有虚脱倾向，如气短、自汗、颧红、脉细数等，多见于中暑重症，及西医学的肝昏迷、尿毒症或大量失血后；治宜益气救阴固脱，用生脉散加附子、煅龙骨、煅牡蛎。

第四章 痰、饮

痰和饮是津液结聚的产物。浓稠者为痰，稀薄者为饮。它们都可成为第二病因而引起很多疾病。兹将痰、饮分述如下。

第一节 痰

一、痰的概述

痰为咳嗽之痰。脾为生痰之源，肺为贮痰之器。怪病多属痰。

（一）痰的概念

痰有狭义和广义之分。狭义的痰，指咳吐出的痰。广义的痰，除指咳吐的痰外，还包括不正常运行、停留于体内的津液聚积而成的物质，如西医学的某些神经疾病、结核病、某些深部脓肿及包块以及某些寄生虫病（如疟疾）等的致病因素。故有"无疟不成痰""无痰不作眩""怪病多属痰"的说法。

（二）痰的分类

（1）由六淫病所生的痰有风痰、寒痰、湿痰、热痰、燥痰。

（2）据特点来分，痰有痰饮、痰火、痰包、痰核、痰疟、顽痰、宿痰（老痰）、伏痰等。

（三）痰的形成

1. 风痰

风寒或风热犯肺，都能生痰。风寒犯肺，肺津不布，遇寒凝聚为痰。风热犯肺，热灼肺津为痰。

2. 寒痰

寒袭背部肺俞穴，影响于肺，肺津不布，凝聚为痰。故有"肺为贮痰之器"的说法。因过食生冷，或素日脾胃阳虚，寒饮内停，凝聚为痰。故有"脾为生痰之源"的说法。

3. 湿痰

素日脾阳虚，运化失常，或过食肥甘厚味，可积湿为痰。气机郁滞，水津不布，可积饮为痰。老年中气虚弱，饮食不能化为精微，反化为痰。

4. 热痰

火热内炽，不得清解，灼津为痰。温病邪热内陷，炼液为痰。肝郁化火，或肺火素盛，或阴虚火旺，火熬津液为痰。湿痰郁久化热，转变为热痰。热痰不除，久则变成实热老痰；老痰胶黏固着，即变成顽痰。

5. 燥痰

外感秋燥，燥伤津，炼液为痰。素日肺阴不足，燥热灼肺津为痰。

（四）痰的性质

痰与饮是有区别的：饮是清稀的，痰比饮稠；饮停积在某一处，痰无处不到。痰与饮皆属阴邪，得热则行，遇冷则凝。

痰能阻塞气机，故有"痰壅气滞"之说；气机被阻后，又可产生很多病，所以痰又是第二病因。

痰引起的病很多，兹列举数例如下。

（1）痰阻于肺，肺气不宣，引起咳喘，胸闷。

（2）痰留中焦，气机受阻，引起胸脘满闷、痞塞，或胀满，或恶心呕吐。

（3）痰浊凌心，或痰热内扰，引起心中不安，心悸，不寐。

（4）痰蒙心窍，引起神昏谵语，或昏愦不语，或癫狂失志。

（5）热痰阻闭心包络，引起昏迷，身热，肢厥。此称为邪热内陷心包，或逆传心包。

（6）痰浊蒙蔽清阳，清阳不升，引起头晕。

（7）痰阻经络，引起肌肤不仁，手足麻木，或肩背酸痛，沉重难举，手足痿软。如风痰横窜经络，引起口眼㖞斜，或半身不遂。

（8）湿痰流注关节或肌肉，发为阴疽，如湿痰流注、鹤膝风等。

（9）痰与气结，则成瘿瘤、瘰疬。

（10）痰与热结，积于胸中，按之痛，称为小结胸；若致胸痛，则成为胸痹。

二、痰的病证

（一）咳痰

咳痰证多因饮冷而发，其症状为咳吐痰涎，喉中有痰声，食少，胸脘痞满，恶心呕吐，口不渴或渴而不欲饮，或喜热饮，腹胀，腹泻，苔滑腻，脉弦滑。其证又因所在部位和性质的不同而表现各异。

1. 风痰

外感风痰，多见咳嗽痰多，头目昏痛；内生风痰，多见眩晕，头痛，甚则口眼㖞斜、偏瘫。

2. 寒痰

吐痰清稀，口有冷感，形寒肢冷，手足不温，便溏，舌淡，苔滑，脉沉。

3. 湿痰

痰多易咳，胸痞呕恶，肢体困倦，或头晕心悸，苔滑腻，脉缓或弦。

4. 热痰

咳痰黄稠，烦热，面红，口干，脉数；或惊悸，或癫狂，或结于心下，按之则痛（名小陷胸）。

5. 燥痰

咳痰不爽，痰稠而黏，甚或成块、成条，呛咳声哑，咽喉干燥，咽痛。

（二）痰阻胞宫证

痰阻胞宫，可引起闭经或带下稠浊，兼见胸闷，腹满，泛恶痰多，舌淡，苔腻，脉细滑。肥胖妇人多见此证。治宜化痰行滞，用芎归苍沙导痰汤。

（三）痰所致肠胃疾病

症见胸脘痞闷，呕吐清水或痰涎，食少，恶心，眩晕，心悸，苔白腻，脉弦滑；多见于西医学的慢性胃炎、幽门梗阻、胃扩张、胃下垂等。治宜温化痰饮，用二陈汤加苓桂术甘汤、生姜、泽泻、厚朴。眩晕，加白蒺藜、蔓荆子；吐清水，加苍术；苔黄腻、口苦、胸闷，为痰郁化热，加竹茹、黄连、橘红。

（四）痰所致某些疾病

1. 痰浊头晕头痛

症见头痛昏蒙，头晕，兼胸脘满闷，恶心，呕吐痰涎，苔白腻，脉濡滑或弦滑，甚或晕厥。治宜化湿祛痰，用术麻二陈汤加泽泻。

2. 痰火头痛头晕

痰郁化火，则头目胀痛，口苦心烦，苔黄腻，舌尖红，脉弦滑。此多见于肥胖高血压病病人。治宜化痰泻热，用苓连温胆汤加丹皮、栀子、夏枯草、龙胆草、决明子。如痰火引起偏头痛，用二陈汤加丹皮、柴胡、白芍、白芷、川芎、菊花。

3. 痰火耳鸣耳聋

痰火上升，壅塞清窍，则耳鸣、耳聋，胸闷痰多，口苦，二便不畅，苔薄黄而腻，脉弦滑。治宜化痰清热，用苓连温胆汤。如痰多胸闷、大便闭，加礞石滚痰丸。

4. 痰热不寐

痰热交蒸，上扰心神，则心烦不寐，易惊，或烦躁不安，兼见胸闷，目眩，口苦，苔黄腻，脉滑数。治宜化痰宁神，用温胆汤加朱砂安神丸。如舌尖红绛，加黄连、栀子、黄芩。

5. 痰火扰心证

痰火扰心证可分为痰迷心窍证（详见第一章第一节）和痰饮心悸（详见第四章第二节）。

6. 痰气郁结证

痰气郁结所致病证包括梅核气与精神异常。

梅核气，表现为咽中似有如梅核大异物堵塞，吐之不出，咽之不下，苔薄，脉弦滑。此多见于西医学的慢性咽炎、咽喉食管神经官能症。治宜化痰利气，用四七汤加陈皮、竹茹、枳实。

神经异常，表现为语无伦次，哭笑无常，不知秽洁，饮食少思，苔薄腻，脉弦细或弦滑。治宜化痰开郁，用顺气导痰汤。

7. 痰浊胸痛

胸中板闷而痛，痛彻背部，喘促气短，不得卧，咳嗽吐痰沫，苔滑腻，脉濡缓。治宜化痰降逆，用瓜蒌薤白半夏汤加枳实、厚朴、桂枝。

8. 痰热结胸（小结胸）

胃脘部硬满，压痛，苔黄微腻，脉浮滑。治宜清热，涤痰开结，用小陷胸汤。如兼寒热往来、胸闷、呕恶、口苦，加柴胡、黄芩。

9. 湿痰痹痛

湿痰流入四肢，则肩背酸痛、难举，两手疲软或麻木，痛不受气候影响，肌肉亦不消瘦，兼见头晕，苔腻，脉滑或沉涩。治宜燥湿化痰，用指迷茯苓丸。

如湿痰犯经络，则身痛，兼见痰证，如苔腻、脉滑。用二陈汤加姜汁、白芥子、羌活、风化硝、枳实、胆南星、姜黄、木香。

如湿痰犯肺，则咳嗽，痰多白沫；若湿痰犯胃，则纳呆胸闷，舌苔白腻。治此二者皆宜燥湿化痰，用平胃散合二陈汤。

10. 痰涎内结致癫狂

癫狂即精神失常。癫与狂不同：癫，表现为沉默痴呆，语无伦次，静而不烦，系心脾痰气郁结所致，治宜理气化痰，用顺气导痰汤；狂，表现为躁扰不宁，吵闹打骂，动而多怒，由心肝痰火上扰所致，治宜清火涤痰，用生铁落饮。如兼便闭腹满、苔黄厚，加大黄、芒硝。如癫狂日久，正气已衰，老痰胶固不去，可用竹沥达痰丸。

11. 痰涎内结致痫证

痫证，即癫痫，发时先有头痛、眩晕、胸闷，旋即昏倒于地，面苍白，神昏，牙关紧，目上视，手足抽搐，吐涎沫，二便失禁，不久醒后如常人。治宜豁痰宣窍，用定痫丸。如兼头痛、口苦、面赤、烦躁、苔黄腻、脉弦滑，用温胆汤加黄连、龙胆草、钩藤、石决明；胸闷，加香附、矾水炒郁金；便闭，加大黄。痫证日久，发作过频，食少痰多者，宜补益心肾，健脾化痰，用香砂六君子汤加胎盘粉。

12. 风痰壅阻致偏瘫

其由素体肥胖，风痰壅于经络，或外感风寒，卒中不知人事，痰涎壅盛所致。症见身无热，唇淡，苔白腻。治宜祛风逐痰通络，用三生饮加人参。

（五）痰所致某些外证

1. 瘰疬

瘰疬即西医学的颈部淋巴结核或炎症，身体虚弱的儿童易患。瘰疬，推之能动者为阳证，推之不动者为阴证。阳证初起易消散，已成后易溃、易收口；阴证初起即难消，溃后极难收口。

瘰疬初起，宜化痰软坚，用贝母、青皮、陈皮等分研末服之，或用桃蝎散。

瘰疬已成，宜化痰开郁，用香贝养荣丸。兼低烧，用玄参、贝母、煅牡蛎等分研末，每日早晚各服 15g，或用内消瘰疬丸。

2. 乳痰（乳核、乳疬、乳栗）

乳痰，即西医学的乳房结核和一些慢性炎症。初生在一侧乳房，一个或数个，大如梅、李，质硬，推之能动，皮色正常，触之不痛；数月后肿块变大，皮色微红，慢慢变软，溃后成窦道（瘘管），脓液稀，杂有败絮样物，疮口腐肉不脱，患侧腋窝肿大。

初起宜温经化痰，用阳和汤加柴胡、当归、白芍、全瓜蒌、青皮、陈皮、橘叶。化脓，加蒲公英、紫花地丁，或用夏枯草膏。

3. 流痰（骨痨）

流痰，即西医学的骨和关节结核或慢性骨髓炎。其发于脊椎骨，名龟背；发于胸骨、肋骨，名鸡胸；发于上肢，名串臂漏、骨蝼疽；发于下肢，名穿拐毒、缩脚流注（多为西医学的髋关节结核。初起患处酸痛，渐渐出现间歇性跛行，久则患侧大腿不能伸直）；发于骨上，名骨疽；发于膝关节，名鹤膝风（有虚实两种。虚证多属于西医学的结核与慢性炎症，实证多属于西医学的风湿性关节炎。前者宜温补；后者宜祛风湿，通壅滞）。

流痰发病慢，肿而皮色正常，酸痛、胀痛，夜间及活动时痛甚，久则关节畸形、肌肉瘦削，日久方溃；溃后流稀水，或流豆渣样污物，极难收口，或成瘘管。初起用流痰散，每次服 3g。若体虚，用黄芪、当归、枸杞子、胡桃、白术、骨碎补煎汤送服。

（六）痰所致某些肿瘤

1. 瘿瘤

瘿瘤即西医学的甲状腺瘤，因痰凝气阻而成。治宜理气开郁，化痰软坚，用海藻玉壶丸；或用土茯苓、黄药子、夏枯草、海藻、昆布、槟榔、白花蛇舌草等分研末，每日早晚各服 15g，连服 3 个月。

2. 乳疬

乳疬，多为西医学的乳房纤维腺瘤，由痰凝气滞而成。其生于乳房内，质硬，表面光滑，边缘清楚，能活动，不痛，生长慢，腋窝不肿。如在妊娠期生长快，则应考虑恶化的可能。治宜理气化痰；用毛慈菇、僵蚕、青皮、郁金、贝母、制半夏、制南星等分研末（原方有川乌，因川乌与半夏有禁忌，故未用），每日 3 次，每次 8g。

3. 乳癖

乳癖即西医学的乳腺小叶增生，因痰凝气滞而成。乳房内有多个大小不等的圆形结核，微硬不坚，不与皮肤肌肉粘连，月经前乳房胀痛较甚，月经过后症状减轻，腋窝不肿大，伴有胸闷，嗳气。肿块消长与情绪变化有关。治宜化痰，疏肝理气，用制半夏、全瓜蒌、青皮、陈皮、橘叶、香附、柴胡、枳壳、当归、白芍。阳虚，加鹿角霜、巴戟天、肉苁蓉；气虚，加党参、黄芪、白术。

4. 乳岩

初起结核如豆，逐渐变大，不肿不痛，扪之凹凸不平，推之不移；其后外皮一点暗红，逐渐扩大溃烂，疼痛不止，流恶臭血水，中凹如岩穴，四周胬肉如翻花，患侧腋下有坚硬肿块。应及早手术切除，且越早越好。中药宜化痰理气，疏肝解郁，用香附、郁金、青皮、橘叶、柴胡、当归、白芍、全瓜蒌、毛慈菇、夏枯草、僵蚕、贝母、炮山甲、昆布、小金丹。痛，加乳香、没药；肿，加蒲公英；流血水，加紫草、草河车、醒消丸。

5. 失荣

发于耳后，顶突根深，质坚，推之不移，不红不痛；经半年左右，始觉隐痛，逐渐溃烂，流臭秽血水，溃孔日大，剧痛，常因烂断血管引起大出血。初起宜化痰软坚，用香贝养荣丸，或用和荣散坚丸。

第二节　饮

一、饮的概述

津液结聚，为痰、为饮。稠者为痰，稀者为饮。

（一）饮的概念

饮是水液停积在体内某一处而成的。按，津液或水液在机体内是均匀分布的，且保持着动态平衡，多则出现水肿，少则出现燥象。由各种原因引起的津液运行障碍，都能导致津液结聚，停积为饮。

（二）饮的形成

（1）脾虚运化失常，水液停积为饮。

（2）肾阳虚，水不化气，聚而为饮。

（3）水液在运行中，遇阴寒凝积，聚而为饮。

（4）久嗜肥甘多湿之品，湿聚不化，停积为饮。

（三）饮的性质

（1）饮是清稀、澄澈、流动的液体，若振摇之则有水声。

（2）饮是集聚的，占有体积，能压迫附近组织或器官。

（3）饮能浸润组织，外溢而为水肿。

（四）饮的症状

饮的症状，由于其所在部位的不同，而各异。

饮在胸胁，则咳吐引痛，呼吸转侧皆痛。

饮在膈上，则咳喘气逆，不能平卧。

饮在胃肠，则心下痞硬，腹部有水声。

饮在四肢肌肉，则身体疼重、浮肿。

（五）饮的治法

饮由阳虚阴盛，水液运化失常而停积所致，所以其治疗原则是以温药利之。

二、饮的病证

饮散在胃肠为痰饮；留于胁下为悬饮；溢于四肢肌肉为溢饮；支撑胸肺为支饮；长期留而不去为留饮；伏而不去为伏饮。

（一）痰饮

其人素盛今瘦，水走肠间，沥沥有声，谓之痰饮。

1. 饮留中焦

胸胁支满，脘部有水声，胸膈痞闷，喘促气急，口渴不欲饮，饮水则吐，背部有一处如手掌大发冷，苔白腻或灰腻。治宜除痰化饮，用二陈汤加杏仁、枳壳、生姜。寒甚，用理中化痰丸；兼呕吐、头晕，加泽泻、白术、天麻；兼痞满腹痛，用枳实理中丸。

2. 饮停脐下

脐下动悸，吐涎沫，巅眩，治宜化气行水，用五苓散加姜半夏。

3. 饮阻心阳

心悸，甚或怔忡，头晕，胸脘痞满，不渴，饮水欲吐，苔白滑，脉小弦。治宜通阳行水，用苓桂术甘汤。如心悸兼恶心呕吐，加陈皮、姜半夏；如心悸兼手足冷、浮肿、喘息，加龙骨、牡蛎。

4. 饮留于胃

心下痞硬，自利，利后虽舒适些但痞硬仍在，脉沉弦。治宜逐水饮，用甘遂半夏汤。

5. 饮留于肠

水走肠间，沥沥有声，腹满，口燥舌干。治宜攻逐水饮，用己椒苈黄丸。

（二）悬饮

饮留在胁，咳唾引痛，谓之悬饮。

1. 悬饮

胁痛，咳唾时痛更甚，胁肋间有胀满感，气短息促，有时只能偏卧于一侧，转侧、呼吸均有牵引痛，苔薄白，脉沉弦。多见于西医学中有胸腔积液的疾病。治宜逐水理气和络，用葶苈子、郁李仁、黑丑、白丑、木香、杏仁。

如体质未衰，可用峻下逐水药。选用控涎丹，从 3g 开始，逐渐加到 5g，每日早晨空腹用枣汤送下，连用 3 日，停 3 日再服。其副作用有腹痛、腹泻。

2. 悬饮病久不愈

胸闷胁痛，呼吸不畅，阴雨天加重。多见于干性胸膜炎或渗出性胸膜炎后期伴有胸膜增厚。治宜舒肝和络，用柴胡疏肝散。

此证在初起时兼见寒热往来，无汗，或汗出热不退，咽干，呕恶，苔微黄，脉弦数。治宜和解疏利，用柴胡枳桔汤。若胸闷，苔浊腻，加冬瓜子、白芥子、薤白。

（三）支饮

咳逆倚息，气短不得卧，其形如肿，谓之支饮。

1. 水饮犯肺

喘咳，呕吐涎沫，不能平卧，面目微浮，苔白，脉弦细。治宜泻肺逐饮，用葶苈大枣泻肺汤。

2. 水饮不多，仅停于心下而尚未犯肺

呕吐，不渴，脘痞，目眩。治宜降逆化饮，用四苓散加姜制半夏。

3. 水饮内停

一遇风寒即发，发时兼见寒热，无汗，咳喘，痰多而稀，不渴，腰背痛，身体振振瞤动，苔润滑，脉浮数。治宜温肺化饮，用小青龙汤。

（四）溢饮

饮水流行，归于四肢，当汗出而不汗出，身体疼重，谓之溢饮。

溢饮，即饮留肌肉、四肢，症见身体疼痛而沉重，甚则面目四肢浮肿。如挟外感，则见寒热无汗，不渴，咳嗽，痰多白沫，干呕，胸痞，苔白，脉弦紧，治宜发汗逐饮，用小青龙汤加生姜、椒目。

第五章　六　淫

六淫即风、寒、暑、湿、燥、火。其中火即热。热之微为温，热之渐为热，热之极为火。

风、寒、暑、湿、燥、火作为外界可以致病的恶劣气候恶劣时，称为六淫。此外，疾病的症状也可以分为风、寒、暑、湿、燥、火六类。兹分述如下。

第一节　风

一、风的概述

风为百病之长，六淫之首。风胜则动，轻扬向上，多行善变，来去急骤。风性疏泄，开发腠理。

（一）风的含义

风的含义有二：一指病因，一指症状归类。

风作为病因，称为外风。如吹风受凉可引起感冒。实际上外风有病原体的含义，所以外风引起的病，多以风字来命名，如伤风感冒、破伤风、脐风、风疹等。

作为症状归类的风，多属于内风。内风种类很多，兹举数例如下。

（1）以某些痒的感觉为风，如疮癣、风疹块。

（2）以某些神经症状为风，如抽（肘臂伸缩抽动）、搐（两手握拳，或十指开合不已）、反（角弓反张）、引（臂若开弓，手若挽弓）、掣（两肩拽动）、颤（颤抖）、窜（上视）、视（斜视）、拘急（四肢拘挛，难以屈伸）、瘛疭（手足时伸时缩，抽动不止）、惊风（惊厥抽搐）、瞤（眼皮掣动，肌肉跳动）、身瞤动（身上肌肉跳动）、筋惕肉瞤（肌肉抽掣跳动）、手足蠕动、头晕、目眩、疯狂等。

（3）以某些神经、血管疾病为风，如中风、吊线风（口眼㖞斜）。

（二）风的性质

（1）风为春天主气，即春天多风（古时指黄河流域气候而言）。

（2）风为阳邪，善动，如颤动、抖动、抽风等，称为"风胜则动"。

（3）风邪轻扬向上，故风邪袭人，易犯人体上部和肌表。如伤风感冒时，首先出现头痛，鼻塞，怕风；惊风时，首先出现牙关紧闭。

（4）风邪善行多变，游走不定，来去急骤。如风湿痛，风邪偏胜，即呈流窜痛，痛无定处。风病发病急，如中风多突然发生。

（5）风性疏泄，开发腠理，如外感风邪易出汗。

（6）风为百病之长，亦称风为六淫之首。风邪是最常见的致病邪气，多与其他病邪合并袭人，如风寒、风热、风湿、风燥等。

（7）风邪多乘虚而入。当人体正气不足时，腠理疏松，极易感受风邪而生病，所以《灵枢·五变》说："肉不坚，腠理疏，则善病风。"

（8）风胜则痒。皮肤有瘙痒感觉，一般都属于风病。急性皮肤病瘙痒，治宜祛风；慢性顽固性皮肤病瘙痒，治宜搜风。

（9）风胜则血燥。皮肤干痒，搔抓后落白屑，抓破不流水而出血，结血痂，称为风胜则血燥（血燥生风）。

（三）风的分类

风分为外风和内风两类。

1. 外风

外风为感受六淫的风邪。由于感邪有轻重的不同、体质有强弱的不同，其致病的表现也各异。

若风邪侵犯体表，则成风寒束表，或风热犯表。

若风邪留于经络、肌肉、筋骨、关节等处，则肢体酸痛，麻木不仁，关节屈伸不利。

又如，破伤风，能致口噤、手足拘急、角弓反张等症。

对于外风所致的病证，治疗时都以疏散风邪为主。

2. 内风

内风，由内部病变所致。

如热极生风，表现为高热神昏，四肢抽搐。

血虚生风，虚风内动，表现为筋脉拘挛，手足蠕动。

肝风上扰，则见头目眩晕，或目胀耳鸣，或口眼㖞斜，或昏仆不知人事。

治疗内风所致病证，禁用发散剂，应治其致病之因，或平息内风。

二、风的病证

（一）风寒束表证

风寒束表，则头项强痛，恶寒，脉浮。如发热汗出，恶风，脉浮缓，为伤于风；如未发热，或已发热，恶寒身痛，呕逆，脉浮紧，为伤于寒。

风寒束表证，由外感风寒所致，属表证。其中必具的症状是头痛，项背强硬痛，怕冷，脉浮等。根据伴随症状的不同，其又分为伤寒和中风。但在临床实践上，伤于风或伤于寒很难严格区分，一般通称外感风寒。其表现为恶风恶寒重，发热轻，头痛，项背强硬痛，腰痛，全身骨节痛，浑身作困，无汗或有汗，鼻塞，流清涕，语声重浊，或兼咳嗽喉痒，舌质淡，苔薄白，脉浮。其多见于上呼吸道感染、感冒。治宜疏散风寒，轻症用葱豉汤，重症用香苏散或五积散，体虚者用参苏饮。

治疗由外感风寒引起的发热，在表证未退时，一般不清热，以散风寒为主。

如外感风寒，内有郁热，症见恶寒，发热，无汗，烦扰不安，则于发散剂中稍佐清热剂，用麻黄汤加石膏，或用羌蒡蒲薄汤。

如先有内热，后又外感风寒，则见发热，心烦，尿赤，口渴，咳嗽，兼恶寒无汗，治宜清热，稍佐辛散，用连翘、栀子、甘草、桔梗、枳壳、橘络、辛夷、豆豉。

（二）风热犯表证

风热犯表，则发热重，恶寒轻，头痛，咳嗽，口渴，无汗或少汗，苔薄白，舌尖边红，脉浮数。

风热犯表证，由外感风热所致，属表热证。其症状除上列外，还有咽喉红肿。在治疗此证时，用药忌温燥，亦忌寒凉。盖温燥药能助热伤津，寒凉药能遏抑表邪。可用辛凉发散药，如银翘散，治之。但咳，身不大热，可用桑菊饮；如不恶风寒，去豆豉、荆芥；大热，汗出不解，治宜清热，不宜表散，应去豆豉、荆芥，加柴胡、黄芩、板蓝根；头痛，加川芎；身痛，加羌活；咳嗽，加桑叶、前胡、桔梗、杏仁；咽痛，加马勃、玄参、山豆根、射干、土牛膝、板蓝根；鼻衄，去豆豉、荆芥，加侧柏炭、茅根；口渴，加天花粉；胸闷，加藿香、郁金、厚朴、半夏、枳壳、神曲。

如中气不足，清阳不升，风热乘虚犯头面部，则会出现牙痛、头痛、头胀、眩晕、目糊、耳鸣、耳聋等症，治宜散风热，利清窍，用益气聪明汤。

（三）风邪伤表证

风邪伤表，则皮肤病瘙痒，或皮肤瘙痒。

皮肤瘙痒有全身性与局部性之不同。全身性皮肤瘙痒，除西医学的尿毒症、糖尿病、黄疸可引起外，多因血分有热，外感风邪，郁于肌表不得外泄所致。局部性皮肤瘙痒，可由寄生虫引起，如阴道瘙痒可由滴虫引起，肛门瘙痒可由蛲虫引起等。治宜养血祛风，用四物汤加僵蚕、蝉蜕、桑枝、生何首乌。冬季，加麻黄；夏季，加石膏；顽固性痒，加全蝎、蜈蚣、乌梢蛇；老年性皮肤瘙痒，多因血虚所致，加鸡血藤、胡麻仁。

多种皮肤病，如癣、疥、风疹块和西医学的各种皮炎等，都有皮肤瘙痒的感觉。瘙痒一般多属于风，故治疗时，当在方中加祛风药，如荆芥、防风、牛蒡子、薄荷、白蒺藜、蝉蜕、地肤子。

对于顽固性皮肤瘙痒，宜加搜风药，如僵蚕、全蝎、乌梢蛇、白花蛇、蛇蜕、胡麻仁、威灵仙、豨莶草、苍耳子、石菖蒲等。

（四）风入经络证

风入经络证，有头风痛、风痹、吊线风、偏瘫、破伤风等。

1. 头风痛

外感风邪引起的偏正头痛、头巅顶痛，吹风或受凉即发，痛连项背，或痛连眉骨，故患此病者常以巾裹头。治宜疏风散寒，用川芎茶调散加僵蚕、制川乌、制草乌。

虚劳头痛，伴有头目眩晕，消瘦食少，身重少气者，用升阳益胃汤。

若头额胀痛，不喜用巾裹头，受热痛甚，剧痛时头两侧筋脉跳动、跃起，苔黄，脉数，则为风热头痛。治宜疏风散热，用桑叶、菊花、蔓荆子、白蒺藜、钩藤、白芷、生石膏、黄芩、栀子。

2. 风痹

症状为肌肉、筋骨、关节等酸痛，或麻木不仁，屈伸不利，痛处游走不定。

痛在上半身，兼营卫两虚者，治宜益气和营，祛风除湿，用蠲痹汤加秦艽、桑枝、桂枝、川芎、海风藤、海桐皮。

痛在下半身，兼肝肾两虚者，治宜补肝肾，祛风湿，用独活寄生汤。

痛而麻木不仁者，为络脉不通，治宜加通络药，如木瓜、五加皮、伸筋草、海风藤等。

3. 吊线风

吊线风，即口眼㖞斜，由风中经络所致，多见于面神经麻痹。治宜祛风化痰通络，用牵正散加豨莶草、白蒺藜、竹沥、制半夏、天麻、地龙、钩藤。

4. 偏瘫

偏瘫，即半身不遂，表现为一侧身躯及手足不能运动，舌强不能言，兼见寒热，或肢体拘急。治宜祛风通络，用大秦艽汤。肢体拘急，加全蝎、僵蚕；苔白腻、脉浮滑，为有痰湿，去生地、熟地，加南星、制半夏。

按，偏瘫是中风症状之一，多属内风所致，但外风亦可诱发。

中风虽发病急暴，而实际上却是在长期气血上逆发展过程中，偶因外来因素（风寒、跌仆、恼怒等）的影响而形成的。其轻则不经昏仆，突然口眼㖞斜，或言语不利，或半身不遂；重则突然昏倒，出现各种颓败症状，甚或死亡。

5. 破伤风

其由风毒（指破伤风杆菌）乘皮肤破伤侵入所致，症见牙关紧闭，口角被肌肉痉挛牵拉而呈苦笑状，角弓反张；可因声、光、振动、吹风等而发作惊厥，发时出汗，呻吟痛苦，呼吸困难，甚或窒息。若兼发热，则多因肺热或血毒所致。治破伤风，宜发汗，用玉真散内服，每次15g，每日3次，亦可外敷伤口；或用木萸散。如惊厥反复发作，则用五虎追风散加朱砂3g冲服；服后，以心窝出汗为得效。

治疗新生儿脐风，用撮风散，每日4次，每次0.5～1g。一般临床效果欠佳，有待改进。

另有内风病证，详见第一章第四节，此处不再赘述。

第二节　寒

一、寒的概述

寒为冬令主气，属阴邪，易伤人阳气。寒性收引凝缩。诸病水液，澄澈清冷，皆属于寒。某些功能衰退，亦谓之寒。寒袭肌表失治，久郁，则化热。

（一）寒的含义

（1）表示病因。称为寒邪。例如，外感寒邪，则发生感冒。

（2）表示症状。如发热恶寒（外感恶寒），无热恶寒（内伤恶寒），寒热自汗（表虚），寒热无汗（表实）。

（3）表示证候。如八纲中的寒证，症见身寒，手足冷，面苍白，神清蜷卧，大便稀，小便清长，不渴，或喜热饮，苔白滑，脉迟等。

（4）表示某些水肿或分泌物清稀而冷。所谓诸病水液，澄澈清冷，谓之寒。

（5）表示某些功能衰退。如胃的消化功能不好，称为胃寒；肠的消化吸收功能不好，表现为腹泻，称为肠寒。

（6）表示身体代谢功能衰退。如怕冷、手足不温、喜热饮食等。

（二）寒的性质

（1）寒是冬季的主气，致病多呈寒象。其症状反应多不太剧烈。寒邪由表入里，也能化热。

（2）寒为阴邪，易伤人阳气。如外感寒邪伤卫阳，易致感冒。寒袭脾胃，易致呕吐，腹泻，腹痛或胃痛，痛而喜温喜按。

（3）寒性凝滞，易致疼痛，瘀血或水饮。按，气血得温则运行通畅，得寒则运行迟缓。寒甚，则气滞而为痛，血滞而为瘀。又，水谷之精微遇阴寒，则凝聚而为水饮。

（4）寒性收引。寒伤筋脉，则筋脉收引，出现拘急挛痛。寒邪犯肝，肝筋收引，则表现为疝痛。寒袭肌表，则毛窍闭塞，阳气收敛，汗不得泄。

（5）寒能降低功能。

1）能降低气化功能，使水的气化失常，水液潴留，发生水饮、浮肿。所谓诸病水液，澄澈清冷，皆属于寒。

2）能降低代谢功能，而表现为怕冷，手足不温，喜热饮。

3）能降低器官功能，如在胃肠，则表现为消化不好，稍多食即难消化，泻下多食物残渣，脉迟。

4）能降低全身功能，而表现为倦怠无力，精神萎靡，形寒肢冷。

（三）寒的分类

1. 外寒

外寒侵犯人体，可犯体表，亦可直入脏腑。

外寒侵袭体表，多见恶风恶寒。恶风，遇风始恶风，室内没有风时并不恶风。恶寒，即室内无风吹时亦怕冷，虽加衣被或近烈火，其寒亦不除，但汗出热透，其寒即止。

外寒直接侵入脏腑，称为中寒。

2. 内寒

内寒多由阳气虚弱引起，非外寒所致，称为寒从内生，亦称内伤恶寒。内伤恶寒，得温即止；但若正气未恢复，则其寒不能消失。

二、寒的病证

（一）寒袭肌表证（寒伤于表证）

寒袭肌表证，多指风寒感冒，症见恶寒，发热，无汗，身痛，脉浮紧。表证恶寒不因添加衣被而除，虽近烈火亦不能除，必得汗出热透，其恶寒始罢。故治疗外寒，必须发表宣透，轻症用葱豉汤，重症用麻黄汤。

如外寒未能及时治疗，渐欲化热入里，但未完全入里，而居于半表半里之间，则见往来寒热，或寒热如疟。治此当继续宣透，不可过早用寒凉滋腻药品，以免阻碍外邪透出。

如痈肿，或外伤瘀血，伴有表证，而见恶寒发热，脉浮，患处灼热疼痛，按之痛甚，但饮食如常者，宜发散和血，用荆防败毒散。

（二）寒袭经络证

寒袭经络证，多指风湿性关节炎慢性期。其症见关节或肌肉酸痛，阴雨寒冷痛甚，热熨痛减，筋脉拘急不利，舌淡，苔薄白。

寒袭经络证，由寒邪侵犯经脉、关节，阻碍气血运行，引起气血不通所致。不通则痛。寒痛，即遇冷痛甚，热熨则痛减，遇阴雨痛亦加重，痛有定处，活动受限制，局部有冷感，苔白或白腻，脉弦紧。其多见于风湿性关节炎。治宜祛风散寒除湿，用薏苡仁汤。

（三）中寒证

中寒证，由正气虚弱，阳气不足，寒邪直中于内所致；表现为腹中冷痛急暴，遇冷痛更甚，热熨则痛缓，手足逆冷，缩脚蜷卧，尿清便溏，苔薄白，脉沉紧。此亦称寒中阴经。治宜温中散寒，用桂枝汤加乌头。

六淫的寒邪所致之病一般为伤寒（与现代医学伤寒杆菌所致的肠伤寒不同）。广义的伤寒，是外感热病的总称；狭义的伤寒，是属于太阳表证的一个证型。中寒一般表现为头不痛，不发热，与有恶寒等表证的伤寒不同。中寒严重时，可出现猝倒、口噤不语、四肢厥冷等症状，但无喝僻偏瘫，与中风不同。

（四）内寒证

内寒亦名里寒，寒盛于里，则寒从内生。阳虚生内寒，阴盛生内寒。

内寒者不因寒冷而怕冷，内寒者之怕冷多因加衣被而渐止，但正气未恢复，其恶寒终不能解除。此为内寒与外寒之别。

内寒证多由脾肾阳虚或阳气下陷引起。

1. 脾胃阳虚内寒证（中焦虚寒证，中州虚寒证）

（1）脾阳虚内寒证。症见形寒肢冷，手足不温，口淡不渴，或喜热饮，或腹满而痛，喜温喜按，舌淡，苔薄白，脉迟而沉。治宜温中健脾，用理中汤加陈皮、扁豆、当归。

（2）胃阳虚内寒证。症见食不下，呕吐，或吐涎沫，胃脘冷痛，或头痛。治宜温中降逆止呕，用吴茱萸汤。寒邪犯胃作痛，宜用厚朴温中汤治之。

2. 肾阳虚内寒证

症见恶寒蜷卧，手足冷，背部亦有冷感，小便数而清长，阳痿、早泄、精冷，寒甚则昏沉嗜睡，脉微细或沉细。治宜补火回阳，用六味回阳饮。

3. 阳气下陷内寒证

症见恶寒，兼倦怠少气，神萎，嗜蜷卧，体痛，关节痛，食不消化，泻下多挟有未消化的食物。治宜升阳益胃，用升阳益胃汤。

4. 湿痰阻滞内寒证

症见恶寒，兼肢体沉重，胸满，苔腻，脉滑。治宜除痰化湿，用导痰汤加苍术、防风、芒硝。

如痰饮阻于胃中，则在与胃相对应的背部，有手掌大的一处寒冷，虽暑热天亦如此。治宜健胃化饮，用苓桂术甘汤。

5. 阴盛格阳内寒证

阴盛格阳内寒证，即体内真寒，体表出现假热。其症见肌表热而不灼手，胸腹不灼热，口渴不欲饮，或喜热饮，面如淡妆而非正红，狂乱不能奋起，禁则止之，虽有微热，但欲盖衣被，尿清便溏，手足冷，苔滑润，脉微弱，按之并不鼓指。此因脏腑寒盛格拒，虚阳外越所致，称为阴盛格阳。治宜温补回阳，用四逆汤加人参。

6. 假寒证

假寒证，即体内热盛，体表出现寒象。其症见胸腹热盛，按之灼手，大便闭，小便短赤，目赤，舌红，苔黄，但四肢厥冷而恶寒。治宜宣疏透邪，用四逆散加黄芩。若便闭，加大黄。

第三节　暑

一、暑的概述

暑为阳热之邪，易伤津耗气。暑是夏令时病的总称。暑证多挟湿。

（一）暑的含义

夏令时病统称为暑证。狭义的暑证，指伤暑、中暑等。

（二）暑的性质

（1）暑为夏令主气。

（2）暑为阳热之邪。暑邪为病，发病快，传变快，易伤津耗气。暑证在病变过程中，多有津气耗损的症状。

（3）暑性升散，开腠理。其致病易发热出汗。汗出太多则伤津。热盛则伤气，故暑证可出现气虚倦怠无力，所谓"气虚身热，得之伤暑"。

（4）暑热甚，则心烦，头目不清，头昏胀，眩晕。这叫作"暑气通于心"。

（5）暑热易化火。病起径入足阳明胃经，而见高热，烦渴引饮，大汗出，脉洪大，称为"夏暑发自阳明"。

（6）夏季多雨，水湿较盛，所以暑证多挟湿，但以热为主。

（7）暑月乘凉饮冷太过，暑热为寒湿所遏，称为"暑月中寒"。

（三）暑的分类

1. 阳暑

动而得之为阳暑，如中暑、伤暑等。

2. 阴暑

静而得之为阴暑，如暑月中寒等。

二、暑的病证

（一）中暑

中暑，则高热而昏倒。热大，面赤，脉洪数，为暑闭；热小，面苍白，汗出，肢冷，脉细数，为暑厥。

1. 中暑

中暑，因夏季在烈日下工作或奔走，感受炎热曝晒所致。由于体质强弱不同，感受暑热的程度不同，其所表现的症状也各异。

（1）轻度中暑，亦称为伤暑（感暑）。症见身热，少汗，头昏，头痛，胸闷，倦怠无力。治宜清暑利湿，用桂苓甘露散，或用益元散加藿香、佩兰、荷叶、西瓜翠衣、青蒿、连翘。

（2）重度中暑，亦称为中暍。症见突然昏倒，神志不清。由于个体反应不同，其又分为暑闭和暑厥。

暑闭，属实，症见昏迷兼高热，面红，皮肤干燥，脉洪数。治宜辛凉清热，用白虎汤加鲜芦根、竹叶、荷叶、西瓜翠衣。若神昏，另用牛黄清心丸1粒化服。

暑厥，属虚，症见昏迷兼低热，面苍白，汗出，四肢厥冷，脉细数乏力。治宜益气养阴固脱，用生脉散加煅龙骨、煅牡蛎。如四肢厥冷、脉沉细欲绝，加制附片。

2. 中暑引起抽搐

中暑所致之抽搐称为暑风（暑痉）。症见身热，面赤，神昏，抽搐，牙关紧闭，甚或角弓反张。小儿患此证，名暑痫。治宜清热息风，用白虎汤加荷叶、竹叶、芦根、木瓜、石决明、钩藤。抽搐甚，加僵蚕、全蝎、蜈蚣、地龙。

（二）暑热证

暑热证，小儿患之名夏季热。每逢夏季，小儿感受暑热，长期发热不退；待气温凉爽，其病自愈。

本证表现为渴饮多尿，故又称"暑渴多尿症"。

本证后期表现为神萎、形瘦，故称"夏痿"。

病初发热持续不退，渴饮，尿多而清，无汗，小儿嬉戏如常，气温愈高则发热愈甚，舌红，苔薄白或淡黄。治宜清暑益气生津，用清暑益气汤。兼表证者，加香薷、大豆黄卷；热甚，舌红少津者，加石膏、芦根。

病久阴虚及阳，兼见神萎，消瘦，面苍白，肢冷，尿清长者，治宜温下清上，用莲须、黄连、天花粉、龙齿、磁石、桑螵蛸、补骨脂、菟丝子、覆盆子、附子。

（三）暑温证

暑温证，是夏季急性热病，以高热、烦渴、多汗为主症。其特点是：发病急，传变快，最易耗气伤津。

病初即见身热，心烦恶热，头晕头痛，面赤气粗，烦渴欲饮，汗多，背微恶寒，脉洪大。治宜清暑益气生津，用白虎汤加人参。

如热甚伤津耗气，则见肢倦神疲，脉虚无力。治宜清热涤暑，益气生津，用清暑益气汤。

如身热已退，汗出不止，喘渴欲脱，脉散大，治宜补敛津气，用生脉散。

（四）暑湿证

暑湿证，即暑热挟湿证。

1. 暑湿在表证

此类于轻度伤暑，多见于夏季感受暑热伴有胃肠功能不好者。治宜祛暑化湿解表，用六一散加藿香、佩兰、荷叶、西瓜翠衣、青蒿、连翘、薏苡仁、大豆黄卷。热甚心烦，加黄连。

2. 暑湿在里证（即暑温兼湿证）

（1）暑湿在中焦。表现为胃热脾湿之症。胃热，症见壮热烦渴，多汗，尿短，脉洪大；脾湿，症见脘痞身重。治宜清胃热，化脾湿，用白虎汤加苍术。

（2）暑湿在三焦。症见身热，面赤，耳聋，胸闷，咳痰带血，口渴脘痞，尿短赤，下利稀水（此与热结旁流的纯利稀水、腹满痛拒按不同）。治宜清宣三焦暑湿，用三石汤。

（3）伏暑。暑湿在秋季或冬季发，称为晚发，又名伏暑。病起似感冒，但里有暑湿见症，继而寒热如疟，以后但热不寒，入夜尤甚，天明得汗稍减，但胸腹灼热不减。此多见于恶性疟疾。若有表证，治宜辛散；若有暑湿，治宜清热化湿；至于寒热如疟，为邪在少阳，治宜清泻少阳胆热，兼以利湿，用蒿芩清胆汤。

（4）暑泻与暑痢。暑湿以泄泻为主症的，称为暑泻；以痢疾为主症的，称为暑痢。

（5）暑湿流注。暑湿兼患深部脓肿，称为暑湿流注。

（6）疰夏。暑湿伤及小儿脾胃所致疾病，称为疰夏。疰夏有暑热重、暑湿重之不同。暑热偏重，则见身热，口渴，能饮，尿多而清，消瘦，用白虎汤加党参；暑湿偏重，则见少食，倦怠嗜卧，便溏，神萎，治宜健脾调中，用参苓白术散。

（五）暑兼寒湿证

暑兼寒湿证，即暑月中寒证。

暑兼寒湿证，由乘凉饮冷，暑为寒湿所遏引起，表现为恶寒，发热，头痛，无汗，身形拘急，胸闷心烦，苔薄而腻，脉弱。其多见于夏令外感寒湿。治宜解表化湿涤暑，用新加香薷饮。如恶寒重，身热烦躁，口渴，便溏，治宜解表清里，用黄连香薷饮。

（六）冒暑

暑湿或暑热伤肺胃者为冒暑。

1. 暑热或暑湿伤肺证

（1）暑热伤肺证。症见咳嗽，少痰，身热，口渴，胸闷，胁痛，脉濡滑而数。治宜清暑热宣肺，用桑叶、牛蒡子、桔梗、马兜铃、杏仁、枇杷叶、贝母、瓜蒌皮。

（2）暑湿伤肺证。症见咳嗽，恶寒，发热，自汗，苔薄白微腻。治宜清暑利湿止咳，用六一散加扁豆、青蒿、西瓜翠衣、连翘、杏仁、瓜蒌皮、茯苓、通草。

2. 暑邪阻于胃肠证

症见恶心呕吐，水泻，腹痛，恶寒发热，口渴，心烦，头重眩晕，尿少。其多见于夏令细菌性感染或沙门氏菌属感染。治宜清暑化湿，用藿朴夏苓汤。

（七）暑瘵

暑热或暑湿伤肺而咯血为暑瘵。

1. 暑热伤肺咯血

暑热伤肺咯血，兼见烦热，口渴。治宜清暑热止血，用六一散加石膏、丹皮、生地、麦冬、南沙参、石斛、藕节、旱莲草。

2. 暑湿伤肺咯血

暑湿伤肺咯血，兼见苔白滑，不渴。治宜清暑渗湿，用杏仁、薏苡仁、滑石、仙鹤草、西瓜翠衣、丝瓜络、荷叶、竹叶。

（八）暑秽（发痧）

暑秽，俗称发痧，由感受暑湿秽浊之气所致，表现为突然胸脘痞闷，烦躁，呕吐，身热，自汗，甚或神昏。治宜芳香化浊，用藿香、佩兰、荷叶、大腹皮、厚朴、制半夏、广陈皮。如暑热偏胜，兼心烦，口渴，苔黄腻，加六一散；如暑湿偏胜，兼见口不渴，苔白腻，加苍术、神曲；如见神昏，用通关散搐鼻取嚏，并服行军散，或用玉枢丹辟秽开窍。亦可刮痧治疗暑秽，在病人颈、项、胸、背、肘、腿弯等处，用瓷汤匙边，蘸食油刮皮肤，刮到皮肤现紫红点为度；在颈项处用指节钳扭，扭到皮肤呈紫色为度。

（九）暑疫

暑疫，指险恶而有传染性的急性热病。症见高热，头剧痛，周身痛，腰痛，口干，咽痛，两目昏瞀，或狂躁谵妄、吐衄发斑，舌绛，苔焦或生芒刺，或舌有灰晕，或舌黑起瓣，脉沉数，或沉细。其多见于流行性乙型脑炎及钩端螺旋体病。治宜清热解毒，用清瘟败毒饮。若有皮疹，疹色青紫，紧束有根，加当归尾、红花、紫草；如见神昏谵语，加安宫牛黄丸 1 粒化服，或紫雪丹 2g 冲服；若见筋肉瞤动，去桔梗，加龙胆草、菊花；若腹满胀痛，便闭，舌苔灰晕重重或发黑起瓣，口噤不能言，两目直视，宜泻热解毒，用大承气汤加白虎汤、黄连解毒汤；如热深毒重，耗液伤营，而见神昏谵语，目赤神烦，口糜咽腐，舌紫绛，宜清热开窍，凉血解毒，用神犀丹。

第四节　湿

一、湿的概述

湿为长夏（梅雨季节）主气，属阴邪。湿邪致病，易伤脾阳。湿性黏腻、淹滞，重着，向下，污浊。湿证症见身重困倦，痞闷，尿少，便溏，不渴，舌苔腻，脉滑。如淋、浊、白带、痢疾、湿疮、肿胀、渗水等皆属湿。湿证多迁延难治。

（一）湿的含义

湿即水湿。水与湿本是一回事，只是程度不同而已。湿呈潮润状，尚未成形；水是成形的。

人体内的水分，要保持在恒定的水平，若偏少则见燥象，若偏多则见湿象。由于湿未成形，故在体表无表现。假如湿太盛，成形而为水，则在体表有表现，如浮肿、腹水等。

（二）湿的性质

（1）湿是长夏的主气（即梅雨季节的气候）。

（2）湿为阴邪，其性近于寒。湿邪致病，易伤脾阳，表现为胸满痞闷，脘腹胀，口不渴，小便不利（如小便利，表示湿邪已去）。湿遇冷则寒化，而见泄泻，所谓"湿胜则濡泄"。湿遇热则热化，而见黄疸。湿浊蒙蔽清窍，能导致神志昏蒙。

（3）湿性黏腻、淹滞，阻碍气机，延缓症状变化。其延缓症状变化有两层意义：一指症状反应不剧烈；一指症状迁延，不易速去，使病程延长。

（4）湿性重着。湿邪伤人，则头重如裹，身体作困，有沉重感，下肢沉重（两腿似有重物拖着），足跗浮肿。

（5）湿性向下。湿邪伤人，多以下部为甚，如身重而下肢肿甚，腰以下冷痛。

（6）湿性污浊。如淋浊、白带、下痢、湿疹、湿疮、瘙痒抓破时流黄水黏液，均属湿邪所致。

（三）湿的分类

湿可分外湿、内湿两类。

1. 外湿

外湿为六淫之一。每逢梅雨季节易生外湿。久居湿处、涉水淋雨、汗出粘衣致病，均属外湿致病。

外湿致病，多犯经络，症见身体作困，或沉重难以转侧，四肢倦怠酸痛，痛在一处，固定不移，或关节痛，屈伸不利（所谓风伤皮毛，湿流关节），或麻木重着。湿病既成，尤易受气候影响，其症状逢阴天下雨时加重。

外湿初起，多与风寒同犯肌表，治宜汗解。如汗出不彻，易留于筋骨关节而为痹痛。

2. 内湿

内湿为脾阳虚所致。过食生冷、厚味、酒、甜味，或过用苦寒药物等，损伤脾阳，则湿从内生，所谓"脾虚则湿胜"。

内湿致病，多犯脾胃。

湿在上焦，则头胀头重，胸脘痞闷，口淡无味而腻，有时口中有甜味，不思饮食，或渴不欲饮，饮亦不多，或喜热饮，尿少，苔白腻。

湿在中焦，则脘腹饱满，不思食，或食入运迟，作饱作胀，嗳气，大便溏，四肢倦怠无力，尿少，苔白腻而厚。

湿在下焦，则足跗浮肿，小便淋浊、白带，大便溏，阴痒，便血，痢疾，湿疹，湿疮。

内湿，治宜渗下利湿。由于脾阳虚者，治宜温脾化湿。内湿不宜用发汗法，不同于寒邪可一汗而解，也不同于热邪可一清而退。如果湿在中焦，可用燥剂，所谓"燥可去湿"。寒湿，用苦温药（如苍术、厚朴）燥湿；湿热，用苦寒药（如黄连、黄柏）燥湿。

外湿与内湿之间并无绝对界限，而且可以相互转化。外湿虽犯肌表、经络，但湿重亦可波及脏腑。内湿虽犯脏腑气血，但湿重亦可波及肌表、经络。

二、湿的病证

（一）湿伤于表证

湿伤于表证，有风湿伤表证、暑湿伤表证、湿热伤表证、风湿外壅为疹四种。

1. 风湿伤表证

此多指感冒挟湿。症见恶寒，微发热，头胀痛如裹，骨节疼痛，身体有沉重感，倦怠欲困，苔白腻，脉濡。治宜疏风散湿，用羌活胜湿汤。头痛甚，加细辛、白芷；兼浮肿，用防己黄芪汤；兼胸闷、呕恶、纳呆、口淡无味，用藿朴夏苓汤加羌活、防风。如清阳不升，风湿上壅，引起头痛、头胀、耳鸣等，治宜升清阳，祛风湿，用清震汤。

2. 暑湿伤表证

此多指夏令感冒。暑湿伤表有暑偏胜与湿偏胜之不同，且其症状各异。

湿偏胜，则见寒热少汗，头胀胸闷，身重欲困，苔腻，脉濡。治宜解表化浊，用香薷饮加藿香正气散。

暑偏胜，则见身热自汗，心烦口渴，尿短赤，苔黄腻，脉濡数。治宜清暑解表化湿，用新加香薷饮加六一散、蕾香、佩兰、荷叶。

3. 湿热伤表证

湿热伤表，即湿温病初起。症见头痛恶寒，身重痛，午后发热，兼见胸脘痞闷，呕恶，不渴，便溏，尿浊，苔白腻，脉濡缓。治宜宣表化湿，用藿朴夏苓汤。

4. 风湿外壅为疹（即各种湿疹）

（1）急性湿疹。患处红赤灼热、瘙痒，抓破流黄水，或生水泡、糜烂。若黄水浸淫，则称为黄水疮（浸淫疮）。治急性湿疹，宜疏风清热渗湿，用消风散。糜烂，加黄柏、白鲜皮、板蓝根、淡竹叶、滑石；患处皮肤红赤发紫，加丹皮、当归尾、红花、钩藤。

（2）慢性湿疹。患处皮肤粗糙增厚、瘙痒，有抓痕及血痂，色紫暗褐，或有潮红、糜烂、结痂。治宜疏风除湿，用二妙散加防风、苍耳子、白鲜皮、豨莶草、浮萍。

（3）婴儿湿疹。多发于头面耳后颈侧，瘙痒，抓破流黄水、糜烂。有黄痂厚积者，名湿奶癣。如搔抓不流水，仅有鳞屑，名干奶癣。治婴儿湿疹，宜疏风清热渗湿，导赤散加牛蒡子、白鲜皮、黄连、金银花、二妙散。若糜烂流黄水，加车前子、地肤子。

（4）阴囊湿疹。患处瘙痒，夜晚痒甚，抓破流水、糜烂、结痂，色暗紫。日久皮表变粗增厚，色暗褐，名肾囊风，俗名绣球风。治宜清利肝经湿热，用龙胆泻肝汤。

（二）湿滞经络证

湿滞经络所致病证，有痹证、腰痛、痿证、痉证。

1. 痹证

（1）风寒湿痹痛。肢体关节酸楚、疼痛、重着、麻木，每因天气阴雨而加重。其有风、寒、湿偏胜之不同，且表现各异。

1）风邪偏胜。疼痛游走不定，苔薄白，脉浮，称为风痹（行痹）。治宜祛风通络，用防风汤。痛久不愈，用蠲痹汤或小活络丹。

2）寒邪偏胜。疼痛固定在一处，遇寒痛甚，苔薄白，脉弦紧，称为寒痹（痛痹）。治宜散寒通络，用乌头汤加细辛、桂枝、生姜，或用附子汤。

3）湿邪偏胜。痛有定处，或麻木，手足笨重，身体沉重，苔白腻，脉濡缓，称为湿痹（着痹）。治宜利湿通络，用麻杏苡甘汤或薏苡仁汤。

（2）湿热痹痛。痹痛遇温暖，则痛缓。如果痛不缓减，多为湿热痹痛。其症见关节红肿热痛，兼有热象，如口渴、心烦、尿赤、苔黄腻、脉滑数。治宜清热渗湿，用二妙散加木瓜、槟榔、木通、防己、泽泻、羌活、香附、苏叶、甘草。症急，高热不退者，用白虎汤加桂枝；热大而痛甚者，用水牛角、羚羊角、豆豉、栀子、升麻、前胡、射干、黄芩；下肢关节红肿热痛者，用三妙散加防己、萆薢、海桐皮、蚕沙、当归。

2. 腰痛

腰痛原因很多，此处仅介绍由湿邪引起的腰痛。

（1）寒湿腰痛。症见腰脊酸痛，身重，阴雨天痛甚，虽汗出而腰痛不减，静卧依然痛，苔白腻，脉沉。治宜散寒除湿通络，用苓姜术甘汤加牛膝、杜仲、桑寄生。寒甚，用五积散加秦艽、苍术。

（2）湿热腰痛。症见腰间灼痛，久坐痛甚，兼见热象，如口渴、尿短赤、苔黄腻、脉弦数等。治宜清热渗湿，用三妙散加木瓜、槟榔、泽泻、当归尾、乌药、黑豆、生姜。

3. 痿证

症见两足痿软，或微肿灼热，胸脘痞闷，尿赤涩热痛，苔黄腻，脉濡数。治宜清热渗湿，用三妙散加龟板、防己、萆薢、茯苓、泽泻、秦艽、连翘、黄芩。

4. 痉证

（1）风寒湿痉。症见寒热，头痛，项背强急，肢体酸痛，苔白腻，脉浮紧。治宜散风寒燥湿，用羌活胜湿汤。寒胜，用葛根汤；风胜，用瓜蒌桂枝汤。

（2）湿热痉。症见身热，筋脉拘急，胸脘痞闷，尿短赤，苔黄腻。治宜清热渗湿，用秦艽、威灵仙、丝瓜络、地龙、滑石、薏苡仁、白蔻仁、藿香。

（三）湿阻脾胃证

湿阻脾胃所致病证，有湿温证、黄疸、吐泻、咳痰、嗜卧、酒湿伤脾。

1. 湿温证

湿温所致病证，多以脾胃为病变重心，表现为身热不扬，口渴不欲饮，脘腹痞满，烦闷呕恶，苔黄腻，脉濡。治宜清热渗湿，用甘露消毒丹。湿重热轻，以渗湿为主、清热为辅，用三仁汤；热重湿轻，以清热为主、渗湿为辅，用连朴饮。

2. 黄疸

黄疸分阳黄与阴黄。

（1）阳黄。其有湿偏胜与热偏胜的不同。

热重于湿，则身黄如橘皮，发热口渴，尿黄短赤，腹满便闭，苔黄腻，脉弦数。治宜清热利湿，用茵陈蒿汤加黄柏。如挟表证，寒热体痛、关节痛，加麻黄、连翘、赤小豆。

湿重于热，则身目发黄，黄不如热重者鲜明，小便不利，头重身困，脘腹痞满，食少便溏，苔厚腻微黄，脉濡缓。治宜利湿化浊清热，用五苓散加茵陈、藿香、白蔻仁。

（2）阴黄。症见黄如烟熏，食少脘闷，腹胀，便溏，肢冷，舌质淡，苔腻，脉沉迟。治宜温中化湿，用附子理中汤加茵陈、茯苓、泽泻。

阴黄属寒湿郁滞所致，治宜以温中为主，不可专持清利，利也无济于事。

3. 吐泻

引起吐泻的原因很多，此处仅介绍寒湿与湿热所致的吐泻。

（1）寒湿吐泻。症见泻下多清稀，兼肠鸣腹痛，四肢冷，胸脘痞闷，苔白腻，脉濡弱。治宜散寒燥湿，用平胃散加五苓散、干姜。寒甚，手足冷、脉沉迟，加附子；兼表证，用藿香正气散。

（2）湿热吐泻。症见泻下多臭秽，肛门灼热，心烦口渴，尿少，苔黄厚腻，脉濡滑而数。治宜清热化湿，用葛根芩连汤加金银花、木通。湿热甚，用燃照汤；筋脉拘急，用蚕矢汤；挟暑，用六一散加香连丸。

（3）寒热挟杂吐泻。症见吐泻，兼心下痞硬，肠鸣下利，呕恶，不思饮食，舌苔腻而微黄。治宜和胃降逆，开结散痞，用半夏泻心汤。

若胸中烦热，痞闷不舒，气上冲逆，呕吐腹痛，或肠鸣泄泻，舌苔白滑，脉弦，则宜平调寒热，和胃降逆，用黄连汤。

4. 咳痰

湿阻脾胃生痰，则咳嗽痰多，胸脘痞闷，苔白腻，脉弦滑。治宜健脾燥湿化痰，用平咳合剂加杏仁、薏苡仁。

5. 嗜卧

湿阻脾胃，则身体沉重嗜卧，胸闷纳差，苔白腻，脉濡缓。治宜健脾燥湿，用平胃散加藿香、佩兰、薏苡仁。

6. 酒湿伤脾

酒性偏热，其质属湿。少饮，能行气血，御风寒，助消化，消疲乏。过饮，则伤脾胃，生内湿，而表现为眩晕，呕吐，胸闷，尿少，食少等。治宜消酒湿，用葛花解醒汤加枳椇子。如湿从热化，表现为面赤烦热、口渴饮冷，则去木香、砂仁、白蔻仁等辛燥药，加黄芩、黄连等苦寒清热药。

（四）湿阻三焦证

湿阻三焦所致病证，有水肿、水鼓胀。

1. 水肿

（1）湿热水肿。症见全身浮肿，皮肤光亮，胸腹痞闷，烦热，尿短赤，便闭，苔黄腻，脉沉数。治宜分利湿热，用疏凿饮子。便闭，加己椒苈黄丸；肿甚喘满，用五苓散合五皮饮，加葶苈子、大枣；兼阴虚，用猪苓汤。

（2）寒湿水肿。症见肿先见于下身，形寒肢冷，手足不温，面苍白，语声低怯，尿清便溏，不渴，脉沉迟。治宜温阳实脾，行气利水，用实脾饮。

2. 水鼓胀（腹水）

（1）湿热水鼓胀。症见腹水，脘腹胀满，烦热，口苦，尿赤涩，便闭，舌尖边红，苔黄腻或兼灰黑，脉弦数。治宜清热利湿，用中满分消丸。体实，正气未衰，治宜攻下逐水，暂用舟车丸，得泻即止；若挟黄疸，加苍术、茵陈。

（2）气滞湿阻水鼓胀。症见腹水，胸脘痞满，胁下痛，纳差，食后腹胀，嗳气，尿少，苔白腻，脉弦。治宜除湿散满，用平胃散加柴胡疏肝散。尿少，加车前子、泽泻；腹胀，加木香、砂仁、枳壳、槟榔、大腹皮、香橼皮、郁金；胁痛，加青皮、香附、延胡索；怕冷，加附子、干姜。

（3）寒湿水鼓胀。症见腹水，胸脘胀闷，喜热怕冷，精神困倦，懒动，尿少便溏，苔白腻，脉缓。治宜温中化湿，用实脾饮。胁胀，加青皮、延胡索、香附；腹胀，加木香、砂仁、枳壳、郁金。

（五）湿注下焦证

湿注下焦所致疾病，有痢疾、痔疮、尿闭、淋病、遗精、水疝、脚气、流火、湿疮、带下。

1. 痢疾

（1）湿热痢。症见下痢脓血黏稠，肛门灼热，腹痛，里急后重，尿短赤，苔腻微黄，脉滑数。治宜清利湿热止痢，用芍药甘草汤去肉桂，加金银花。痢疾初起有表证，用荆防败毒散；痢疾初起无表证，用香连丸。痢下赤冻，用白头翁汤加金银花、地榆、丹皮、赤芍、生地、蒲公英；下痢不爽，用枳实导滞丸；脓血痢日久不愈，用驻车丸或地榆丸。

（2）寒湿痢。症见下痢白多或纯下白冻，苔白腻，脉濡缓。治宜祛寒利湿，用胃苓汤加木香、枳实、山楂、炮姜。

2. 痔疮

湿热下注为患，则经常发作痔疮肿痛，或出血。

痔疮肿痛，治宜清热渗湿，用二妙散加防风、秦艽、皂角子、桃仁、当归尾、泽泻、槟榔、大黄、黄连、黄芩、栀子。若红肿，加乳香、没药。

痔疮肿痛出血，用槐角丸加生地、赤芍、荆芥炭、升麻、甘草。若肿甚，加金银花、连翘、丹皮、知母、黄柏；出血，加金银花、荆芥炭、蒲公英、丹皮；便前出血，血色鲜红，用地榆散加当归、赤小豆。

下血如溅名肠风，用槐花散。

下血污浊名脏毒，用脏连丸加地榆散、二妙散。

下血日久不愈，营阴已亏，而湿热仍未尽，治宜和营清湿热，用驻车丸。

药物内服治疗效果不好者，可用外治或手术治疗。

3. 尿闭

湿热下注，可致尿少、热赤，或尿闭，小腹胀满，口渴不欲饮，舌红，舌根苔黄，脉数。治宜清热坚阴，用知柏八味丸加牛膝、车前子。若湿热甚，用导赤散加海金沙。

4. 淋病

（1）砂淋。湿热下注，可结成砂石。砂石在肾，或在膀胱，则腰痛或腹痛。砂石阻于膀胱出口，则尿时中断。治宜排石利尿，用石韦散加金钱草、海金沙。

（2）血淋。湿热下注，可灼伤血络，而致小便带血，疼痛满急，尿热涩刺痛（如不痛，称为血尿，非血淋）。治宜清热凉血，用小蓟饮子或八正散。

（3）膏淋。湿热下注，可致小便如脂如膏，尿时涩痛。治宜清热利湿，用程氏萆薢分清饮。（参看第二章第五节"膀胱湿热"条）

5. 遗精

因湿热下注，而表现为遗精，口苦或口渴，小便热赤，苔黄腻，脉濡数者，治宜清热化湿，用猪肚汤加猪苓、茯苓、泽泻、车前子、萆薢。

6. 水疝

因水湿下注，而表现为阴囊积水，或痛或痒，搔抓破而渗水，苔薄腻，脉弦者，治宜行气逐水，用禹功散加五苓散、木香、橘核。阴囊红肿、痒、流黄水者，用大分清饮。

7. 脚气

因水湿下注，而表现为腿足痿软，行动不便，小便不利，苔白腻，脉濡缓者，治宜逐湿通络，用鸡鸣散。湿胜而胸闷、嗳气、身重、纳呆者，加除湿汤。

8. 流火

症见大腿腹股沟或腋下淋巴结红肿热痛，沿淋巴管呈条状红线肿，或呈游走性片状红肿。其多见于丝虫病逆行性淋巴管炎、感染引起的淋巴结炎。治宜清湿热解毒，用五味消毒饮。外用马齿苋、蒲公英捣烂敷。

9. 湿疮

初起皮肤呈红斑，斑中央生水泡、化脓、溃烂、结痂，且同一病程中有结痂、溃烂、水泡或脓疱等不同症状出现。治宜清热除湿解毒，用利湿汤加茵陈、黄柏。

10. 带下

（1）带下色黄如脓，下腹部及少腹两侧痛，痛而拒按，舌红，苔黄，脉数。此多见于盆腔炎。治宜清热利湿解毒，用大黄牡丹皮汤加红藤。湿热甚，而口渴不欲饮、胸闷呕恶、尿黄、苔黄腻者，加二妙散、猪苓、泽泻、车前子。

（2）带下色黄或黄绿，量多，质稠，有臭味，阴痒或有红肿、灼热痛，尿黄赤，苔薄黄，脉濡数。此多见于滴虫性阴道炎。治宜清热利湿，用龙胆泻肝汤加黄柏、萆薢、薏苡仁，或用愈带丸。

阴痒，用蛇床子、鹤虱煎汤熏洗。

第五节　燥

一、燥的概述

燥为秋天主气，属阳邪，易伤津。其病多犯肺经。燥胜则生风。

（一）燥的含义

（1）表示水液不足。如汗、吐、下太过，出现轻度脱水现象，称为燥。

（2）表示津液不足。如干咳少痰，或痰稠胶黏而干，舌质干瘪苍老，人干瘦，大便干结。

（3）表示某些营养不足。如皮肤、毛发干枯不荣润为燥。此多见于阴津亏损病证。

（4）有病因的含义，如六淫之燥邪（燥气）。

（5）有症状归类的含义，如温燥、凉燥。

（二）燥产生的原因

（1）外燥是由气候干燥，久旱无雨引起的。

（2）内燥是由精血内夺，大失血，不适当的发汗、催吐、攻下，或过服热药，或热病伤津，或久病伤阴等所致的。

（三）燥的性质

（1）燥是秋天主气。燥证初起，邪在肺卫，表现为咽干鼻燥，咳嗽少痰，皮肤干燥等。

（2）燥邪最易伤津，所谓"燥胜则干"。燥邪致病表现为唇干，口干，鼻干，咽干，大便干。

（3）燥胜则生风。某些病变过程中，由于汗、吐、下太过，或因热伤津液，导致阴液亏损，引起抽搐，称为液燥生风。

（4）燥邪能化热、化火。化热则面红，目赤，牙龈焮肿，耳鸣；化火则干咳，痰中带血，或咯血，鼻衄。

（5）治燥宜甘寒滋润，此与治火用苦寒不同，所谓"火郁可以发，燥胜必用润。火可以直折，燥必用濡养"。

（四）燥的分类

燥可分为内燥与外燥。

1. 外燥

外燥多发生于秋令气候干燥季节。其病多犯肺，伤津。

2. 内燥

内燥由素体阴虚，或因病耗伤津液所致。

（五）燥的症状

常见的症状为口干，舌干无津，唇干易裂出血，鼻咽干燥，咽痛，皮肤、爪甲、毛发等枯燥不荣润，形色憔悴，皮肤皱揭，牙齿干燥（新病齿燥，伴有垢秽、口臭，为肺胃火盛伤津；久病齿燥如枯骨，为肝肾大亏），或心烦，骨蒸潮热。

燥在肺，兼见干咳少痰，痰带血丝，或胁痛。

燥在胃，兼见消渴，噎膈。

燥在肠，兼见大便干结。

此即所谓"燥于外，则皮肤皱揭；燥于中，则精血枯涸；燥于上，则鼻咽焦干；燥于下，则便溺固结"。

二、燥的病证

（一）凉燥

凉燥，即秋季感受风寒，兼有燥证。其证偏寒。

凉燥，发于秋深初凉，颇类风寒。症见恶寒重，发热轻，头痛无汗，鼻鸣而塞，或流清涕，咽干唇燥，不渴，咳痰清稀（化热后，痰变黏稠），舌质正常，苔薄白而干，脉浮涩；有时兼见胸满气逆，两胁窜痛。其多见于秋天感冒及上呼吸道感染。治宜宣肺达表，化痰润燥，用杏苏散。

凉燥与外感风寒相似。所不同者，凉燥有伤津的表现，如咽干、唇燥等。如风邪偏胜，则称风燥。

（二）温燥

温燥，即秋季感受风热，兼有燥证。其证偏热。

温燥，发于秋深久晴无雨、气候尚温的时候。症见发热重，恶风寒轻，头痛，少汗，唇燥咽干，鼻中有燥热感，咳痰黏稠，心烦口渴，苔薄白而干，舌尖边红，右脉数大；有时兼见胸满胁痛，气逆而喘，或咳痰带血。其多见于上呼吸道感染、支气管炎、白喉、急性咽喉炎。治宜辛凉甘润，用桑杏汤。咽痛，加马勃、玄参、山豆根。

温燥似外感风热，所不同者，温燥兼有燥热伤津的特点。

不论温燥还是凉燥，若治疗不当，损伤津液更甚，则可致化热、化火，而见目赤，牙龈嫩肿，咽痛，胁痛，或鼻衄，干咳，咯血。此称为燥热。燥热盛者，名燥火。

（三）血燥生风

某些皮肤病可出现皮肤干燥、皲裂或瘙痒，搔抓时落白色鳞屑，抓破不流黄水，但出血、结血痂，毛发干枯、脱落。此称为血燥生风。治宜养血润燥，用四物汤加胡麻仁、生何首乌。痒甚为风，宜加祛风药，如荆芥、防风、牛蒡子、僵蚕、蝉蜕、白蒺藜、薄荷、地肤子。

燥证很多，详见其他各条。如肺燥，详见第三章第四节"阴虚"标题下"肺阴虚"条；胃燥，详见第二章第一节"胃阴虚证"条；肠燥，详见第二章第四节"大肠燥热证"条；液燥生风，详见第一章第四节。

第六节　火

一、火的概述

火有六淫之火、生理之火、病理之火。

（一）火的含义

（1）指自然界燃烧着的火。

（2）以某些生理功能为火。如先天之火（命门之火）、后天之火（脾胃阳气）、少火（详见第三章第二节）。

（3）以某些功能亢进为火。功能亢进有虚、实不同。实性功能亢进为实火；虚性功能亢进为虚火。

（4）以某些情志活动过度为火，称为"五志化火"。

（5）以高热为火。火与热仅是程度上的不同，火为热之极，热为火之渐。火与热有时互称，统名火热。又如，脏腑内热炽盛，有时亦称为火，如心火、肝火、胃火等。

（6）以西医学的炎症为火。以火邪、火毒炽盛表示西医学的炎症。火毒多指疗疮、痈肿、丹毒而言。

（二）火产生的原因

（1）六淫之火。外感风、寒、暑、湿、燥、温毒等，在一定条件下，都能逐渐化火。

（2）直接感受火热之邪。如感受火毒而发生疗疮、痈肿；严重烫、火伤后出现火热证候。

（3）脏腑生火。脏腑阳气偏胜，能导致各种火证，称为"气有余便是火"。

某一脏或腑功能失调，可致阳气郁结化火，如肝火、胃火等。

阴液亏损而阳气偏亢，可导致虚火上炎，如肾阴不足可导致心火偏亢。

（4）五志化火。五志，即喜、怒、忧、思、恐五种情志，亦泛指各种精神活动。精神活动长期过度兴奋或抑郁，就会使气机紊乱，脏腑真阴亏损，而出现火的证候，如口苦、胁痛、心烦不寐、吐血等。

（三）火的性质

（1）生理之火，有温养作用。如少火、先天之火（命门之火）、后天之火（脾胃阳气）。

（2）病理之火，即六淫之一。但临床上并不把火当作病因看待，而多以温毒、热邪为病因。温毒与热邪致病，都表现为实火证。

火是阳邪，主升主散。其致病急骤，反应剧烈，短时间内有燎原之势。

火能消烁津液，能致口燥，舌干，咽痛。

火能灼津为痰，能致咳痰黏稠发黄。

火能迫血妄行，能致吐血，衄血，溢血。

火扰神明，能致神昏，谵语，惊骇，故有"诸病胕肿，疼酸惊骇，皆属于火"的说法。

火盛动风，能致抽搐。此称为风火相煽。

火性上炎，故其致病多表现为头面部症状。如实火冲上，则见头晕，头胀痛，面红目赤，口苦，舌红苔黄；虚火上升，则见面部烘热，头晕目眩，耳鸣耳聋。故有"诸逆冲上，皆属于火"之说。

火极易消耗正气，故有"壮火食气"之说。"食"即消耗的意思。

（四）火的分类

火可分为实火和虚火。

1. 实火

实火包括各脏腑之火及火毒。

实火证多表现为壮热，面红目赤，心烦口渴，喜冷饮，甚或谵妄，便闭，尿短赤，口干唇焦，苔黄燥或芒刺，舌红，脉洪数有力。

火在上焦，兼见头胀痛，眩晕，或鼻衄，或狂躁不安（"诸躁狂越，皆属于火"），甚或口噤神昏（"诸禁鼓栗，如丧神守，皆属于火"），两目直视，瘛疭惊厥（"诸热瞀瘛，皆属于火"）。

火在中焦，多以胃肠症状为主，兼见胸膈烦闷，苔黄糙，甚或苔黑糙。

火在下焦，兼见小便涩痛或癃闭，大便干结。

实火证多见于热性病极期、外伤感染、疮疡肿毒、败血症、中毒性肺炎、中毒性痢疾等。

2. 虚火

精血、津液亏损，可导致虚火旺盛，这称为阴虚火旺，亦名水亏火旺。阴虚能致火旺，火旺又能灼伤津液而加重阴虚，故二者互为因果。

虚火所致病证，有阴虚阳亢证、虚火上炎证、虚火上浮证及脏腑阴虚火旺证等。其中症状极轻者名阴虚阳亢证。

虚火证表现为潮热盗汗，午后颧红，虚烦不寐，咽干口燥，干咳无痰或痰中带血，耳鸣健忘，腰酸梦遗，舌红绛少津，苔花剥或无苔，脉细数。虚火证多见于慢性消耗性疾病。

二、火的病证

（一）实火证

1. 心火证

（1）生理的心火。亦名君火，有温养心阳、涵育肾阴的功能。

（2）心火炽盛证。亦名心火亢盛证、心火内炽证、心火内焚证、心火上炎证等。症见面红目赤，心烦不寐，心悸或怔忡，或口舌生疮；或喜笑失常，神昏谵语；或吐衄尿血，舌尖红，脉数。治宜清心泻火，用泻心汤。如心火移于小肠，则见口舌糜烂，尿血，血色鲜红，故用导赤散加琥珀、栀子、瞿麦。

（3）心火内炽，下汲（吸）肾阴证（即心肾不交证）。肾阴有滋养心的生理之火的作用，而心的生理之火亦有涵养肾阴的功能，二者相互作用，维持正常的心肾活动。此称为心肾相交，亦称水火相济（水指肾，火指心）。肾阴还有抑制心的病理之火的作用；而心的病理之火，又能下汲肾阴，加重肾阴的损失。当肾阴损失后，肾阴抑制心的病理之火的力量不足，心的病理之火即亢盛起来，而出现心烦不寐，心悸，舌红，脉细数。当心火亢盛后，又加重对肾阴的损伤，导致肾阴更亏，而出现腰酸腿软，足跟痛，头晕，耳鸣，耳聋，遗精。如此病理状态，称为心肾不交证，亦称水火不济证，治宜交通心肾，用交泰丸。

（4）火邪犯心证。此可分为火热入心证及痰火扰心证。火热入心证，亦名火迫心神证，症见高热，神昏谵语。治宜泻火开窍，用至宝丹。痰火扰心证，详见第一章第一节。

2. 肝火证

若肝经蕴热化火，或肝郁化火，或肝阳亢盛而化火，则出现火热冲逆症状。

（1）肝经实火证（肝火上炎证，肝胆火盛证）。症见头痛，头晕，耳鸣，耳聋，目赤，目痛，面赤，口苦，咽干，大便干，急躁易怒，夜卧不安，甚或发狂，或吐血、衄血、尿血，或淋浊，舌红，苔黄，脉弦数有力。此证多见于高血压、上消化道出血、更年期综合征、急性结膜炎。治宜清肝泻火，用龙胆泻肝汤。头晕，加龙骨、牡蛎；便闭，加大黄。

（2）肝火犯肺证（木火刑金证，火旺刑金证）。肝火过旺，耗伤肺阴，灼伤阳络，则见干咳，咯血，胸胁痛，心烦，口苦，目赤，尿短赤，大便干，舌红，苔黄，脉弦数。治宜清肝泻肺，用泻白散加黛蛤散及黄芩、栀子、天花粉、竹茹、藕节、仙鹤草、白茅根。

（3）肝火犯胃证。症见吞酸嘈杂，胃脘急痛，或吐血，兼口干口苦，心烦易怒，胁痛，舌红绛，苔黄，脉弦数。治宜清肝和胃，用柴胡疏肝散加丹皮、栀子、龙胆草、黄芩。吞酸嘈杂，加左金丸；胃痛，加金铃子散。

3. 肺火证

肺实火，即肺部急性炎症。其症见咳嗽剧烈，咳声有力，咳痰黄稠，鼻衄，烦渴欲饮，大便燥结，舌红，苔黄，脉数。治宜清肺降火，用苇茎汤加桑白皮、鱼腥草、板蓝根、金银花、马兜铃。

4. 胃火证

胃火证，亦名胃火上升证，由胃热化火所致。胃热与胃火仅在程度上不同，二者有时互称，如胃热壅盛亦称胃火炽盛。

胃火证的症状为烦渴引饮，或牙龈腐烂肿痛，或出血，或呕吐嘈杂，或消谷善饥，或呃逆，舌红，苔黄，脉数。治宜清胃泻火，用清胃散。若胃火呕血，用泻心汤加花蕊石；呃逆，用竹叶石膏汤加竹茹、柿蒂；消渴，用消渴方；消谷善饥，用调胃承气汤加黄连、黄芩。

5. 大肠火证

（1）大肠火热证。症见高热便闭，时有谵语，或纯利稀水，腹满痛拒按，舌红，苔黄燥，脉沉有力。治宜软坚攻下泻火，用调胃承气汤。

（2）火热泄泻。症见泻下粪便热臭，肛门灼热，肠鸣腹痛，痛一阵，泻一阵，泻后仍有作坠感，尿短赤，口渴，苔黄，脉数。治宜清热泻火，用葛根芩连汤。

6. 小肠火证

小肠火证，即小肠实热证，详见第二章第三节。

7. 膀胱火证

膀胱火证，即西医学的下尿路急性炎症。症见少腹满急，小便浑浊或赤，尿时涩痛，淋沥不畅，甚或癃闭不通，口干咽燥，渴欲饮冷，脉实而数。治宜清热泻火，利水通淋，用八正散。

8. 脾火内炽

症见口唇干燥，烦渴易饥，口臭，口疮。治宜清脾泻火，用泻黄散。

9. 火毒证

火毒有病因和证候归类两层含义。从病因来讲，火毒是疮疡肿毒的致病原因；从证候归类来讲，由疮疡肿毒引起的一系列局部和全身症状，称为火毒证候。又，烫火伤的感染，亦称为火毒。

火毒初起，多兼表证；火毒炽盛，则见里热证；如正气不足，则火毒内陷，引起中毒性全身感染。治宜清热泻火解毒，用黄连解毒汤，或五味消毒饮加白花蛇舌草、大青叶、板蓝根、筋骨草、半枝莲、丹皮、连翘。兼表证，加荆芥、防风、薄荷、牛蒡子；兼便闭，加调胃承气汤；局部有肿块，加当归、赤芍、制乳香、制没药、炮山甲、皂角刺（已化脓忌用此等药）。

如火毒犯肌表，则出现红色皮疹（如丹毒等）。治宜清热降火，凉血解毒，用竹叶石膏汤加丹皮、赤芍、生地、玄参、紫草、大青叶等。

若热深毒重，耗液伤营，则神昏谵语，口禁咽腐，舌绛，目赤神烦。可用神犀丹治之。

（二）虚火证

1. 虚火上炎证（阴虚阳浮证）

其表现多在头面部，如头痛、头晕、目眩、目赤、面部烘热、潮红、咽干痛、牙痛等。治宜滋阴降火，用大补阴丸。

2. 虚火上浮证（虚阳上浮证，虚阳不敛证，孤阳上越证，戴阳证，格阳证）

症见下寒上热，两足冰冷，面部烘热，潮红，或失音；肾虚，则兼见厥逆，语声不出，足废不用。治宜温补下元，摄纳浮阳，用地黄饮子。

3. 阴虚火扰证（虚火内灼证）

症见潮热盗汗，面赤口干，唇燥心烦，大便难，尿赤，舌红。其多见于结核病低热。治宜滋阴清火，用秦艽鳖甲散。如大热、脉数，加胡黄连；盗汗，加白芍、牡蛎、浮小麦、麻黄根；阴虚甚，加白芍、龟板、生地；咳嗽，加五味子、麦冬、阿胶。

4. 心阴虚火旺证

症见心烦心悸，不寐，或神志失常，兼阴虚火旺症状（详见第三章第四节"阴虚"条）。治宜滋阴清火宁神，用朱砂安神丸或天王补心丹。若神志失常，用二阴煎。

5. 肝阴虚火旺证

症见头晕，目糊，两眼干涩，兼阴虚火旺症状。治宜滋阴清肝火，用滋水清肝饮。

6. 肺阴虚火旺证

症见干咳，少痰或痰中带血，或咯血，或咽喉燥痛，兼阴虚火旺症状。治宜滋阴降火，用百合固金汤或琼玉膏。

7. 肾阴虚火旺证

症见腰膝酸软，足跟痛，失眠，多梦，性欲亢进，遗精，兼阴虚火旺症状。治宜滋阴降火，用知柏八味丸。

8. 胃阴虚火旺证

症见胃脘灼痛，吞酸嘈杂，或呕吐，或吐血，舌红，少苔，脉弦细而数。治宜滋阴清火，用化肝煎加左金丸。

胃阴虚呕吐，时作干呕，口燥咽干，似饥不欲食者，治宜以养阴为主，用麦门冬汤。

胃阴虚呕血者，治宜养阴清火，用玉女煎加阿胶、地榆炭、旱莲草。

附：热

（一）热的概述

1. 热的含义

热，有病因之热、症状之热、证候之热。

（1）热有病因的含义，称为热邪。例如，高热时出现的神昏谵语、抽搐等症状均由热邪引起。如把热退掉，这些症状也就消失了。外感初起见热象，称为外感风热。

热、温、暑、火等都能致病，均属于热。温是热之轻，热是温之重，火为热之极。暑也是热，暑之余为燥热，暑兼湿为湿热。但暑有季节性，而热无季节性。

（2）热有症状的含义，如各种发热的症状。

1）发热。其热多持续不退。

2）身热。全身发热，按之灼手，其热在表。

3）蒸蒸发热。如熏蒸发热，其热在里。

4）往来寒热。寒时自寒而不觉热，热时自热而不觉寒，日三五发，甚则十数发（与疟疾一日一发或隔一日二日而发不同）。

5）恶寒发热。即发热时兼恶寒，多见于表证。

（3）热有证候的含义。

1）表热。发热恶风，头痛，有汗或无汗，苔薄白，舌尖红，脉浮数。

2）里热。发热不恶寒，反恶热，汗出，口渴能饮，目赤，唇红舌红，苔黄，脉数。

3）热厥。发热，兼手足厥冷，胸腹灼热，目赤，烦躁口渴，便闭尿赤，苔黄糙。（如胸腹冷，伴有寒泻，称为寒厥）

4）热痹。发热恶风，口渴胸闷，关节红肿、热痛。

5）热淋。发热恶寒，身酸痛，小腹拘急痛，小便赤涩，尿混浊（"水液混浊，皆属于热"），尿时灼痛。

6）以西医学的某些炎症为热。如疔、疮、痈、疖、毒肿等，称为热毒。

7）以西医学的某些急性感染为热。如上呼吸道感染、肺炎、肺脓肿等，称为肺热。

8）以身体代谢功能亢盛为热。

2. 热的性质

（1）热为阳邪。所致病多呈亢奋现象，发病快，传变亦快，变化大，反应强烈。症见发热，不恶寒，反恶热，面红目赤，烦躁，甚或手足躁扰，或神昏谵语，大便闭，小便短赤，舌红，苔干黄或干黑，脉数有力等。

（2）热盛伤气（热则气泄，炅则气泄）。热盛能耗散元气。如暑热盛，有倦怠无力、气短、脉散大等气虚症状。

（3）热盛伤津。热盛极易损伤津液，而表现为身热，口干作渴，舌干苔黄，大便干结等。

按，因过去没有补液的制剂和方法，所以前人治热病极重视津液的保存，所谓"留得一分津液，便有一分生机"。

（4）久热伤阴。久热伤肺胃之阴，则见口燥咽干，干咳无痰，舌红而干；伤肾阴，则见低热，手足心热，口齿干燥，舌红少苔；伤肝阴，则虚风内动，手足颤抖或瘛疭。

（5）热灼水饮、津液为痰。如阴虚生内热，或肝郁化火，火热上炎，则灼津为痰；水谷之精气，遇阴寒凝聚而为水饮，水饮遇热灼，则被煎熬为痰。

（6）热盛动风。在热性病急性期，出现神昏，狂躁，抽搐，惊厥等，称为热盛动风（热极生风，"诸暴强直，皆属于风"）。风愈盛，则火愈烈，意即抽搐本身又能促进热的增高（"诸转反戾……皆属于热"）；热大又能加重抽搐，称为"风火相煽"。热盛动风，多见于急性热病，如西医学的中毒性肺炎、流行性脑脊髓膜炎、流行性乙型脑炎、中毒性痢疾、败血症等均有高热抽搐。

（7）热伤筋脉。高热或久热，灼伤营血，使筋脉失其濡养，则表现为肢挛拘急，甚或瘫痪，此称为热伤筋脉。

（8）热伤神明。高热影响心主神明的功能，则表现为神昏谵语，意识障碍等，此称为热伤神明，亦称热入心包（邪犯心包，逆传心包）。

（9）热盛迫血妄行。热盛影响心主血脉，引起各种出血，称为血热妄行。

3. 热的分类

（1）实热。包括外感发热和气机郁滞发热。起病急，病程短，热势盛，兼见一系列外感症状，或气机郁滞症状。

（2）虚热。包括内伤发热和急性热病后期损伤肝肾真阴引起的发热。起病缓，病程长，热势轻缠绵难愈，兼见一系列气、血、阴、阳虚损的症状。内伤发热多由脏腑阴阳失调或虚损引起。如五劳七伤，元气虚损，中气不足，稍事劳动即出现低热；或房劳伤肾，阴精日损，营卫亏虚，出现低热；或五志化火，即喜、怒、忧、思、恐等精神活动，长期过度兴奋或过度抑制，导致气机紊乱，脏腑真阴亏损，出现低热；或各种慢性消耗性疾病，损伤气血营阴，出现低热。

（二）热的病证

1. 实热证

（1）外感发热证。六淫、疫疠（指病原体）侵犯人体，与正气相争，引起高热，称为外感发热。症见身热，烦渴，腹满，二便闭，无汗（如二便通、汗出，为邪有被逐出去的倾向），舌红，苔黄，脉洪大。

外感发热证按发热的原因分为寒邪郁久化热证、风热证、暑热证、燥热证等；按热邪所犯脏腑部位分为热壅于肺证、热入心包证、热结大肠证等；按热证发展阶段分为热在卫分证、热在气分证、热在营分证、热在血分证等；按热证深浅和轻重分，有表热证、半表半里热证、里热证等。

由外感风热或风温引起的发热，在发热时必微恶风寒，头痛，苔薄白，舌边尖红，口微渴，咽痛，脉浮数。此称为表热证。其一般多见于外感病之初，相当于热在卫分证。治宜辛凉解表。表热轻，但咳嗽，用桑菊饮；表热重，兼咽痛，用银翘散；表证未解，里热已甚，用柴葛解肌汤。

半表半里热证，即半表半里证，亦称少阳证。表证不解，渐渐入里，但尚未完全入里，病邪居于表里之间，称为半表半里证。其主要症状为往来寒热，胸胁苦满，口苦咽干，心烦喜呕，不欲食，头晕目眩，脉弦。治宜和解少阳，用小柴胡汤。如表证偏胜，兼见恶寒发热、肢体烦痛，加桂枝；如里证偏胜，兼见发热、腹满、便闭，加大黄。

症见发热不恶寒、反恶热，口渴能饮，目赤，面红，唇红，苔黄，脉数者，为里热证。里热证的症状由于热邪所在脏腑部位的不同，略有差异，以下详述之。

1）热在胸膈。症见心烦，懊恼，身热，苔黄。此称为热在胸膈，亦称热扰胸膈。治宜清宣透热，达邪外出，用栀子豉汤。若咳，加杏仁、瓜蒌皮。

2）热在肺。症见身热，咳喘，口渴，苔黄。此称为热在肺，亦称热壅于肺。治宜清宣肺热，用麻杏石甘汤。

3）热在胃。症见壮热，口渴，汗出，喜冷饮，苔黄燥，脉洪大。此称为热在胃，亦称热炽阳明。治宜清热生津，用白虎汤。若渴，加天花粉、芦根；不渴、胸闷、苔腻，加苍术；气虚、脉散大，加党参。

4）热在肠。所致病证，有肠热便闭与肠热下痢。

肠热便闭，症见高热，腹满硬痛（"诸胀腹大，皆属于热"），或纯下稀水（虽下稀水，但肠中仍有硬结大便，称为热结旁流。"暴注下迫，皆属于热"），舌苔黄燥干厚，脉沉实。治宜通下泻热，用调胃承气汤。

肠热下痢，症见痢出粪便热臭，肛门灼热，或肠鸣腹胀（所谓"诸病有声，鼓之如鼓，皆属于热"），苔黄不燥，脉数。治宜清热止痢，用葛根芩连汤。

5）湿热在胆经。症见寒热起伏，胸闷，脘痞，腹胀，尿短，苔腻。治宜利湿清热，用芩连温胆汤。湿热甚，用蒿芩清胆汤。

6）湿热在脾。症见身热不扬，脘痞呕恶，身重肢倦，苔腻，脉濡缓。此又称为湿热蕴脾。治宜清热渗湿，用甘露消毒丹。

7）热在营分。热灼营阴，心神被扰，则见舌红绛，心烦不寐，时有谵语，身热夜甚，口不甚渴，斑疹隐隐，脉细数。治宜清营泻热，用清营汤（方中犀角可用水牛角代之）。兼神昏谵语，用清宫汤。

8）热在血分。热盛迫血妄行，扰乱心神，则见吐血，衄血，便血，斑疹透露，躁扰不安，甚或昏狂，舌质深绛。治宜凉血解毒，用犀角地黄汤。兼神昏谵语、发斑，用化斑汤；重症，用清瘟败毒饮。

9）热伏于内，即内真热外假寒。例如，急性暑热，症见吐泻骤作，呕吐酸秽，泻下恶臭，小便黄赤，口渴，手足厥冷，腹痛，自汗，唇口、指甲青紫，六脉皆伏。此为热伏于内而现内真热外假寒之象。治宜清热生津，用竹叶石膏汤。方中石膏须重用。忌用温燥药。

（2）郁热证。由气机郁阻所致，即因食积、痰阻、血瘀及肝气郁结等阻滞气机所致。

1）食积中焦发热。症见恶寒发热，头痛（但身不痛，不同于外感），兼胸闷痛，嗳腐吞酸，呕恶（"诸呕吐酸，皆属于热"），厌食。治宜消积和中，用保和丸。食积消，其热自退。

如食积兼外感，除上述见症外，必兼身痛、拘急，故治宜以发散为主，佐以消导。

如宿食结于大肠，燥屎不去，肠中食物难以下移而加重积滞，则见烦躁不安，腹满痛拒按，得食后腹满痛更甚。治宜消导通下，用枳实导滞丸，或木香槟榔丸。

2）痰饮阻滞中焦发热。症见寒热，或夜热晨止，胸膈痞闷，饮水即吐，脉弦滑（但头不痛，项不强，与外感发热不同）。治宜化痰清热，用温胆汤加杏仁、生姜。

3）血瘀发热。跌仆损伤后，有时寒热交作，胸腹痛拒按。治宜清热通下，活血逐瘀，用桃仁、芒硝、大黄、丹皮、当归、赤芍。体内原有出血，久积成瘀，则见腹满。若有热伏，则但脉不数，口燥，漱水不欲咽，唇舌紫黯，或有瘀斑，胸胁痛拒按。治宜泻热逐瘀，用大黄䗪虫丸。

4）肝气郁结化热。症见头痛，目赤，耳鸣，口苦而干，大便闭，脘闷胁胀，吞酸嘈杂，情绪急躁，脉弦数。治宜清肝泻热，用柴胡疏肝散加丹皮、栀子。若便闭，加大黄、芦荟；胃脘刺痛或灼热，加左金丸。

2. 虚热证

（1）气虚发热。症见低热缠绵，多在日间或上午低热，或早晚发热（此与阴虚午后发热及夜热甚者不同），触诊皮肤有热感，但久按不甚热，食少而不瘦，或消瘦慢；伴有气虚症状，如见面色苍白或暗滞，气短，自汗，苔白润，或苔浊，舌淡，或舌尖边微红，脉虚大而数或缓且重按无力，稍事劳动即出现低热。此多见于自主神经功能紊乱。治宜益气补中，用补中益气丸常服。

（2）阳虚发热。症似气虚发热，但兼有形寒怯冷，手足不温（与阴虚低热、五心烦热不同），或恶风，渴喜热饮，面㿠白，腰膝冷痛，食少便溏等寒象。治宜温阳益气，用小建中汤，或用四君子汤加肉桂、附子、巴戟天。

（3）血虚发热。症见发热不甚，劳则热甚，伴心悸怔忡，头晕烦扰，失眠，妇人经少、经闭等血虚症状。治宜养血和营，用四物汤送服归脾丸。

（4）阴虚发热。症见午后发热，夜热甚，五心烦热，手足心热于手足背，颧红（湿温也是午后热甚，但面黄、颧不红），盗汗，大便干，咽干痛，心中烦扰，不寐易怒，或咳嗽，痰带血丝，人能食而瘦，舌尖边红或干绛，舌中心少苔，甚或舌光无苔。治宜滋阴清热，用两地饮。若兼盗汗，加龙骨、牡蛎；腰膝酸痛，用知柏八味丸；心悸、烦扰不寐，用补心丹。

（5）骨蒸劳热。骨表示深层。蒸是熏蒸。形容热自最深层熏蒸而出，故名骨蒸。其多见于各种慢性消耗性疾病，症状似阴虚发热。治宜滋阴透热，用秦艽鳖甲散或清骨散，或用地骨皮饮加青蒿、鳖甲。

由各种结核病引起的骨蒸劳热，用萝藦根、龟板制丸服，或用大造丸。

由瘀血引起的骨蒸劳热，多见于妇女干血痨。其症见面目暗黑，皮肤粗糙，消瘦，口干，颧红，月经少或闭经。治宜活血化瘀，用丹参膏、鸡血藤浸膏片常服。

（6）急性热病后期灼伤肝肾真阴引起的低热。

1）温热病后期，余邪留伏阴分，表现为夜热早凉，热退无汗，能食而瘦。治宜滋阴透邪，用青蒿鳖甲汤。

2）热病后期，形气俱衰，真阴亏损，余热不清，表现为手足心热于手背，口燥咽干，甚或齿黑唇裂，耳聋，神倦，舌红绛，少苔，脉虚大或细数。治宜养阴清虚热，用加减复脉汤。兼筋脉拘急，用阿胶鸡子黄汤；兼手足蠕动或瘛疭，用大定风珠。

3）热病后期，久病及肾，肾阴亏损，表现为身热不大，但心中烦，不得卧，舌红，苔黄，脉细数。治宜育阴清热，用黄连阿胶汤。

按，血虚发热、阴虚发热、骨蒸劳热、急性热病后期热灼真阴发热等，都是由阴液亏损，阳气失去制约，产生虚性的亢盛所致的，即都是由阴虚阳亢所致的。阳亢则热，热又能灼伤真阴，二者互为因果，所以治疗阴虚发热皆宜养阴和阳。养阴在较长的时间内才能建功，且必以舌上布薄白苔，或自汗出，为阴来和阳之象。

（7）阴病转阳发热。症先见恶寒，手足逆冷，下利不止；续见发热汗出，下痢止，手足温，脉浮数。此为阴病转阳。假如下利不止，手足厥冷加重，头额出冷汗，口出冷气，则阳将亡脱，须急用四逆汤加人参救之。

（8）假热证（内真寒外假热证，阴盛格阳证）。即表面出现热象，而其实际上是寒证。例如，肌表热而不灼手，胸腹不灼热，用手心触诊胸腹，久扪有冷感；口虽渴，但不欲饮，或喜热饮；面如淡妆，而非正红；狂乱不能奋起，禁之则止；虽有微热，而欲多盖衣被；或发热自汗，经不起风吹；大便溏，小便清，手足冷，舌苔润滑，脉微弱，按之并不鼓指。此因脏腑有寒，虚阳外越所致。治宜温补回阳，用四逆汤加人参。

（三）虚热证和实热证的鉴别

1. 虚热证

初起无鼻塞症状，亦不恶风寒，遇到风寒或居寒处，始觉恶寒，但恶寒得温（即多加衣被）而止。热度增高时，病人不觉难受，手心热于手背及头额。

虚热证多兼内伤虚证之症状，如见气短，四肢倦怠无力，嗜卧懒言，声低，食不知味，头痛时痛时止，或头晕耳鸣，易出汗或盗汗，苔白或白润，舌淡或嫩红，脉虚或虚大或涩或细数。内伤重者作渴，但久病者不渴。

2. 实热证

初起寒热并作，恶寒虽得温亦不止。热度增高时，病人自觉难受，头额及手背热大于手心。

实热证初起多兼外感症状，如见头痛不止，鼻塞流清涕，语声重浊，筋骨疼痛，全身作困及关节痛，甚则翻身转侧困难，非扶不能起。实热久，则口苦而干，面红，舌红或绛，苔薄白至黄厚，脉数或洪大而数。

附录一　临床用药经验

一、健脾化疳治小儿疳积的经验

井某，女，5 岁。

初诊：1949 年 5 月 18 日。

小女孩，很瘦，四肢细小，肚腹大，像橄榄插上四根火柴棒似的，头发枯黄。其母亲说其不肯吃东西，治了几次，均没有效。

诊断：小儿疳积。

治法：健脾化疳。

处方：五谷虫 150g、鸡内金 150g 磨成粉，分成 60 包，每日 1 包，每包分 3 次服。饭后服。

病家拿了方子到镇上中药铺去配，中药店缺五谷虫。她又来问笔者，如果没有五谷虫，方子管用不管用。笔者告诉她，五谷虫不可缺，如果药店没有，可以自己去抓。五谷虫即粪坑中蛆。她听说是蛆，嫌太脏，不想用，但为了能让孩子痊愈，只好勉强使用。

在用蛆之前，应先对其进行处理。将蛆装入麻袋内，扎好袋口；将其放在流水沟边，任水冲洗 3 日 3 夜；再蒸，晒干，同鸡内金研成细末，即可用。

二诊：1949 年 7 月 25 日。

用药 2 个月后，效果显著，小孩胃口大增，身体好转。

处方：嘱再做 2 剂，继续服。经半年治疗，病果然痊愈。

按 五谷虫治疳积有确效。笔者用此法治疗数例小儿疳积，均获良效。过去的成药肥儿糕中，就含有五谷虫粉。

二、散寒解表治感冒的经验

谢某，男，28 岁，未婚。

初诊：1949 年 8 月 14 日。

头痛，周身骨节痛，鼻塞不通，身体像被绳索捆着，怕风怕冷，舌苔白，脉浮紧。

诊断：风寒外感。

治法：散寒解表。

处方：麻黄 3g、桂枝 3g、白芍 5g、生姜 3 片、大枣 3 个，煎汤一碗，趁热喝下。

后来病人对笔者说，他在服药后不久，即出一身汗，全身轻松，诸症皆消失；在第 2 天就恢复如常。他还说，往日一旦得了感冒，就要病上五六天，从没有一剂药吃好过。

按 治风寒感冒时，发汗要彻底；若发汗不彻底，病就会拖延数日才能好。本方所用麻黄、桂枝，要得到热汤的协助，在煎成热汤服时，才能使病人出汗。笔者曾将此方制成粉剂，一次服 6g，然而服后并不出汗。其实不用麻黄、桂枝，单用生姜煮汤，加些红糖，趁热喝下去，照样能发汗，这是笔者经常用的方法。某些虚弱的病人，如产后、病后，单纯喝烫的开水，也能出汗。

三、升提益气固胎治流产的经验

王某，女，24 岁，已婚。

初诊：1967 年 2 月 10 日。

婚后 3 年，流产 3 次。每次不到 5 个月即流产，第 1 次因挑水浇菜，以粪瓢洒水，用力过猛而流产。第 2 次因下雨骑牛，走在狭窄田埂上，牛后脚踩在虚松埂边而身歪，人从牛身滑下而流产。第 3 次，因踮起脚尖，双手将盛饭的烧箕（半球形竹编淘米用的竹器）举过头，挂在钩上，而流产。后来怀孕时虽不干活，在家休息，仍见红，有流产趋势。笔者详细询问其生活情况及饮食。她说，仅吃过半盒桃仁酥。我想这次见红，可能与桃仁酥有关，遂让她停食桃仁酥。

诊断：劳动伤胎，胎气不固。

治法：升提益气固胎。

处方：黄芪 10g、党参 10g、桑寄生 10g、杜仲 10g、续断 10g、苎麻根 10g、阿胶 5g（单包，烊化冲服），3 剂。

二诊：1967 年 3 月 15 日。

服 3 剂后，血止。

处方：原方剂量减半，5 剂。嘱隔日服 1 剂。

药服完，再配 5 剂。

按 该病人有习惯性流产趋势，比较难治，除服药外，还要多卧床休息。

四、养血活血治痛经的经验

贾某，女，19 岁，未婚。

初诊：1967 年 9 月 15 日。

月经将来时，小腹一阵一阵的绞痛，痛到极点时用牙咬着被子，甚至想撕掉被褥，两脚蜷缩，两手紧按小腹，脉沉迟，舌苔少，舌质青紫。

诊断：血瘀经痛。

治法：养血活血。

处方：当归 20g、川芎 10g、白芍 20g、木香 5g、制香附 5g。

病人接到处方后，说她熬药极不方便，能否换一种不需要煎煮的药。笔者想方中主药是当归，就换了一个处方，开了一瓶成药当归丸。每日 3 次，每次 20 粒。

后来病人对笔者说，服 1 次后痛减，服 3 次后痛止。

按 痛经，多因行经不畅所致。当归是调经王牌药，是妇科百病主药。所以，单用当归也能止痛。后遇妇女痛经者，笔者均用此方治之，效果甚佳。

五、健脾利湿治痰饮心悸的经验

曹某，女，45 岁，已婚。

初诊：1968 年 7 月 27 日。

自觉心悸不安，曾找中医诊治过，其皆以血虚治之，用远志、酸枣仁、柏子仁、合欢等药，效果皆不理想。后服天王补心丹数瓶，也不见好转。病人肥胖，自觉身体沉重，不渴，微浮肿，按之有指印，手足不温，小便少，大便稀，舌苔薄白，舌质胖嫩，脉滑。

诊断：脾虚湿盛，水气凌心。

治法：健脾利湿。

处方：茯苓25g、桂枝5g、白术15g、甘草10g，4剂。

二诊：1968年8月2日。

服药后，小便多，自觉身体沉重感减轻，心悸不安亦好转。

处方：原方加陈皮3g、姜半夏5g，以化痰。4剂。

三诊：1968年8月28日。

服药后诸症皆好转。很少感觉到心悸不安。嘱服香砂六君子丸，每日早晚各服6g。

按　此为脾虚湿困，水气凌心而悸，故以血虚补心药治之均不见效。今改用温脾阳以化湿，加姜半夏以除痰饮，使痰饮去，而心悸止。

六、补血生发治血虚脱发的经验

熊某，男，22岁，未婚。

初诊：1968年8月25日。

先头顶偏左脱落头发而成五分币大的斑秃。以后其他处也出现斑块脱发。时已半年多。曾到医院就医，但均未见效。现其面色不华，蹲下突然站立时两眼发黑，舌淡，少苔，脉虚细，轻按有，重按无。

诊断：血虚脱发。

治法：补血生发。

处方：当归丸10瓶（每瓶200粒，兰州制药厂出品），每日3次，每次10粒。

二诊：1968年10月28日。

服10瓶后，斑秃处生出新的细毛。病人很高兴。嘱继续服用。

处方：当归丸10瓶。

按　20瓶当归丸服完后，脱发处又长出新的头发。以后笔者用此法治好很多脱发的病人。此法对近期斑秃疗效确实可靠，对年久斑秃疗效不明显。

最早笔者治脱发（斑秃、鬼剃头），用八宝美髯丹，水煎服，每日1剂，连服3个月，亦有效。后来遇到无煮药条件的人，就把上方改成丸剂，每日3钱（9g），连服3个月，治疗后脱发处均生新发（要坚持服，不能中断）。

八宝美髯丹由当归、何首乌、枸杞子、菟丝子、补骨脂、牛膝、茯苓等药组成。笔者把方中当归用量加大，其余药用量减小，让病人久服，其效不变。再后来，笔者又改用当归一味为丸久服治疗，亦有效。

发为血之余，血虚则发不固而易脱落。当归能补血，血益则发生。

七、培本扶正、益气清虚热治感冒发热的经验

冯某，女，26 岁，已婚。

初诊：1969 年 3 月 22 日。

过去曾患过疟疾，身体瘦弱，饮食不多，一到田间干活就发热。这次因淋雨患感冒而发热。热不高，上午重，下午轻，服退热药只能暂时退热，药停后，热又起，舌干瘦，舌苔薄，脉细数。

诊断：气虚发热。

治法：培本扶正，益气清虚热。

处方：党参30g、柴胡10g、黄芩10g、生姜5g、制半夏3g、甘草5g、神曲12g、炒谷芽12g、炒麦芽12g，3 剂。

二诊：1969 年 5 月 28 日。

病人服 3 剂后，热退，且之后未再起热。

处方：香砂六君子丸 1 瓶，早晚各服 6g。

三诊：1969 年 10 月 28 日。

病人因感冒，又发热不退。1 周前，在其他医院就医，服感冒冲剂 3 天，又服银翘解毒丸 3 天，热仍不退，其症如前。医家按病人病历开小柴胡汤（方中未用党参）治之，不效。

处方：党参30g、黄芪30g、黄芩10g、柴胡10g、生姜5g、制半夏5g、甘草5g、神曲12g、炒谷芽12g、炒麦芽12g，4 剂。

四诊：1969 年 11 月 5 日。

病人服 1 剂后，热即退。病人怕热再起，又将其他 3 剂服完。

按　此病人有疟病史，身体虚，未完全康复即下地劳动，形成气虚发热证候。故治以小柴胡汤，并重用人参以益气清热。本方加黄芪，其效益佳。本方如去掉人参、黄芪，即不能根治虚热。

八、养血祛风治鼻渊的经验

蔡某，女，31 岁，已婚。

初诊：1969 年 10 月 9 日。

鼻塞不通，流黄浊鼻涕已有 1 年余。常头部前额痛，眉棱骨痛，不闻香臭。各种滴鼻剂均不见效。

诊断：鼻渊。

治法：祛风，通鼻窍。

处方：苍耳子 10g、辛夷 3g、薄荷 3g、藁本 10g、鱼腥草 15g，5 剂。

二诊：1969 年 10 月 16 日。

服 5 剂后，效果不明显，鼻塞、流浊涕依然如故。

处方：苍耳子 12g、辛夷 5g、薄荷 5g、白芷 10g、鱼腥草 30g、川芎 10g，5 剂。

三诊：1969 年 10 月 22 日。

服 5 剂，头痛止，鼻塞好转，流浊涕减轻。病人服药后食欲不好，面色、口唇苍白，有血虚症状。

处方：当归 60g、川芎 10g、白芍 10g、熟地 10g、白芷 10g、辛夷 10g、苍耳子 45g、鱼腥草 45g，5 剂。

嘱病人，将药烘干，研成极细面，过筛，每日早晚各服 6g。连服半个月。

四诊：1969 年 11 月 15 日。

病人服完 1 料后，觉得很好，不再头痛、流鼻涕，对香臭也有所感觉。嘱按原方再服 1 料。

按 以后，用此方治慢性鼻炎，效果均很满意。此病一般多由外感引起，如果不及时治疗，就会转成慢性。病人经常前额痛，流鼻涕，难以治愈，有的鼻腔还会出现恶臭。此病与身体状况有关，当身体好时，不治也会自愈；身体不好时，单纯对症治疗，未必见效，必须配补血药久服方可见效。

九、益气祛风、除湿止痛治风寒湿痹痛的经验

赵某，女，55 岁。

初诊：1969 年 11 月 23 日。

右侧大腿、臀部痛，不能站立，亦不能外展转动，行走时靠拐杖支撑，已 3 个多月，吃止痛片只能暂时止痛，怕冷，喜热饮，舌苔、脉象无异常。

诊断：风寒湿痹痛。

治法：益气祛风，除湿止痛。

处方：寻骨风 50g、延胡索 10g、姜黄 10g、黄芪 40g、防己 30g、当归 50g。

嘱将本方诸药烘干，共研细末，过筛，每日早晚各服 6g，服半个月。

二诊：1969 年 12 月 18 日。

服药后，疼痛逐渐好转，现已能行，不需拐杖支撑。

处方：用原方再做 2 剂。服药时，遇感冒发热，则应停药。

按 痹痛之治以寻骨风散风寒湿为主，病已 3 个月，故当兼扶正养血活血，所以方中重用黄芪、当归补血，以姜黄、延胡索活血止痛。此本中医"治风先治血，血行风自灭"之原理。

十、温中散寒治胃痛的经验

尚某，女，24 岁。

补诊：1979 年 2 月 20 日。

胃脘痛，每受凉，或食生冷即痛。西医多次诊治无效。现喜热饮，遇冷痛甚，舌质胖嫩，舌苔薄白，脉沉迟。

诊断：寒袭胃脘作痛。

治法：温中健脾，柔肝止痛。

处方：党参 15g、白术 10g、茯苓 10g、甘草 5g、白芍 20g、当归 15g、木香 5g、香附 5g。

方子开好后，病人说怕闻中药气味，问方中哪些药气味较重，笔者说当归、木香、香附气味较重。她请笔者把气味较重的药换掉。

方中最后 3 味都是止痛药，如果去掉，即无止痛效果。又，该病人胃脘痛，喜热饮，遇冷痛甚，由寒袭胃脘所致。所以笔者把方中气味较重的 3 味药，换成温中散寒的炮姜，剂量定为 3g。

二诊：1979 年 2 月 25 日。

病人服 3 剂，效果很好，痛亦止。

病人怕吃药，故不再开方，嘱其好好保暖，忌生、冷、硬食物。

按 治病宜治本。此病，寒是本，痛是标，故不用止痛药，单用温中药，也有同样疗效。这改变了笔者以前只注意见症治症的治标而忽略治本的想法。

十一、以温补治寒湿痢

陈某，男，8 岁。

初诊：1970 年 9 月 16 日。

由病人母亲代诉。2 个月前下痢，先下红白冻，腹痛，日下五六次，到医院就诊，打点滴，服磺胺片，痢止。几天后又发，发时又服磺胺片，服药后痢止；停药后又下痢，只下白冻，无红冻。这时再服磺胺片也不见效。换喹碘方（药特灵）片，仍下白冻。现小孩消瘦，头发干枯，面色无华，口唇苍白，食欲不佳，食不下，两手足不温，舌干瘦，舌苔白，脉细数。

诊断：气血两虚，寒湿下痢。

治法：温中散寒，燥湿解毒止痢，兼补气血以扶正。

处方：炮姜3g、当归10g、黄连5g、白头翁10g、神曲12g、炒谷芽12g、炒麦芽12g、党参20g、阿胶5g（单包，烊化冲服），3剂。每剂服2天，每天服3次，饭后服。

二诊：1970年9月26日。

服药第3天，白冻减少。服药第6天，白冻已清。

处方：原方炮姜改为1g，党参改为10g，阿胶改为3g，4剂。每剂服2天，每天服3次，饭后服。

按 本病已成慢性痢疾，病人正气不足，单纯用清热燥湿解毒药，不足以克病，必须在正气复的情况下，才能治病。

十二、除寒散结治关格的经验

陈某，男，65岁。

初诊：1970年10月5日。

呕吐不止，饮水吐水，大小便俱无，手足不温，两目闭，不欲见人，舌苔白，舌质干，脉沉迟。得病已2日，不能吃，病人因家境困难，无力赴大医院治疗。

诊断：关格证。寒痰凝聚，大、小肠气结。

治法：除痰化饮，开通闭结。

处方：陈皮5g、制半夏10g、茯苓15g、泽泻15g、制大黄6g、芒硝6g、甘草5g、炮姜3g，1剂。

次日病人家属来说，昨日晚上8点喂药，11点大便通，呕吐止，病人想要吃东西。

按 此证为关格，寒凝气结，大、小便不通。病人年老体弱，不能猛攻，若猛攻极易导致一泻不止。故治宜温中散寒，除痰化饮，开通闭结，遂以二陈汤除痰饮，以调胃承气汤通闭结，以炮姜温中散寒结。寒去，痰饮除，气结开，则大便通而病愈。

十三、温肺化寒饮治喘咳的经验

井某，女，62 岁。

初诊：1970 年 12 月 8 日。

咳嗽多日，咳痰清稀，早晨起床时，第一口痰挟有少许绿色脓痰，曾到医院诊治，西医诊断为老年慢性支气管炎。注射青霉素 10 天，每日注射 2 次，绿痰与咳嗽依然如故。改找中医诊治。病人肥胖，怕冷，喜热饮，痰从喉中咳出时有冷感，咳甚则喘促胸闷，喉中有水鸡声，舌苔白，舌质胖嫩，脉沉迟。

诊断：寒饮阻滞，肺气不宣。

治法：温肺宣肺化饮。

处方：桂枝 5g、白芍 10g、麻黄绒 2g、细辛 2g、炮姜 3g、五味子 5g、制半夏 9g、枇杷叶 20g、白毛夏枯草 15g、鱼腥草 15g，3 剂。

二诊：1970 年 12 月 13 日。

服 3 剂后咳嗽好转，痰亦减少，唯晨起绿痰仍有，但量不多。

处方：将原方白毛夏枯草、鱼腥草各加至 20g，3 剂。

三诊：1970 年 12 月 17 日。

服 3 剂后，各种症状均好转，绿痰亦大减。

处方：按第二次方再用 6 剂。嘱忌生冷，避风寒。

十四、扶正健脾治肝炎的经验

杨某，女，34 岁，教师。

初诊：1971 年 4 月 27 日。

患肝炎 2 年，转氨酶一直居高不下，饮食无味，全身倦怠无力，动则气促，心悸，由其丈夫用自行车推其就诊，面色苍白，舌质瘦嫩，舌边齿痕清晰，舌苔淡白，脉细数。询其饮食，每日早晨 220g 牛奶，中午吃点烫饭或蛋糕、饼干，晚餐一小碗面条，全无食欲，吃不下，多吃一口则胀，大便干，3～4 日 1 次，小便少。平日主要服板蓝根冲剂，每日 1 包。医家嘱其多食糖，以保肝。

诊断：脾胃虚弱，营养不良。

治法：健脾开胃，增进饮食。

处方：党参 10g、炒白术 10g、茯苓 10g、甘草 3g、神曲 12g、炒麦芽 12g、炒谷芽 12g、炒槟榔 2g，7 剂。

当时同病人相约 1 周内把牛奶和糖停掉，不要吃甜的点心；另用锅巴煮稀饭吃，如无锅巴，将饭炒香再加水煮成烫饭吃。嘱其买点榨菜，或新鲜素菜，每次吃七成饱，并于食后，以此方煎水代茶饮。每日 1 剂。

二诊：1971 年 5 月 8 日。

服 7 剂后，病人自觉好转，饮食大增。此次复诊时，病人自己走来，未让其丈夫用自行车推来。

处方：将原方党参加至 20g，再服 7 剂。

三诊：1971 年 6 月 16 日。

病人服药后身体、精神都比以前好。在此期间，病人又到医院化验肝功能。肝功能不好，转氨酶仍如旧。病人对此深感不安，要求开些贵重药，把转氨酶降下来。当时笔者同她讲，中医里没有转氨酶一说，更不知有什么药能把转氨酶降下来。

笔者在反复思考之后，得出如下结论。转氨酶是病理上的反映，病人主观无感觉。《黄帝内经》说："正气不复，其寒不止。""寒"病人自己能感觉到；而转氨酶，病人自己无感觉。无感觉的转氨酶和有感觉的"寒"，都反映了病人的正气不复。根据这种想法，笔者确定其治法应以扶正为主。

处方：黄芪50g、党参30g、当归50g、白术 10g、茯苓 10g、甘草 5g、熟地 10g、白芍 10g、川芎 5g、山楂 10g、神曲 10g。将药烘干，研细末，过筛。每日早晚各服 6g，共服半个月。在服药前后，各做肝功能检查 1 次，以对比药效。

四诊：1971 年 5 月 6 日。

病人服药后，转氨酶有所下降。病人精神比过去好，将转氨酶太高的包袱丢掉了一些。

处方：按原方开 5 料。嘱坚持服药半年。

按 病人在患肝炎时，受甜味饮食的影响，食欲不佳。《黄帝内经》云："诸甘（甜）皆缓。"因此，笔者同病人约定，停掉牛奶和糖 1 周。这样不会影响健康，且只要食欲改善，一切病均易治。嘱病人用锅巴煮稀饭，能健胃助消化，使饭量能增加。按病人体质，久病的人需补。又因病人体虚，故只能平补，不可峻补，只宜增加饮食，待病人饭量增，自能恢复正气。正气复，其寒自止，转氨酶也会恢复正常。

十五、益气清虚热治气虚发热的经验

黄某，女，39岁，纺织厂女工。

初诊：1971年3月24日。

全身倦怠无力，不喜动，食欲不振，舌质胖嫩，舌边齿痕明显，舌苔薄白，脉弱，轻按有，重按无。上班即起热，其热不扬（常在38.2~38.5℃）；在家休息时好些，但不能做家务，在做家务如洗衣服、拖地板后又会发热。服退烧片后，热暂退；药停，热又起。

诊断：气虚发热。

治法：补中益气清热。

处方：升麻6g、柴胡6g、黄芪25g、党参30g、当归15g、白术10g、甘草5g、陈皮3g、神曲12g、炒谷芽10g、炒麦芽10g，5剂。

二诊：1971年4月2日。

服5剂后，热即止。在服药期间，一直未发热，且做家务后也未发过热，自觉身体好转。

处方：补中益气丸1瓶。早晚各服6g。

附录二　治疗痰饮眩晕的经验

　　笔者有个老毛病，一着凉就眩晕呕吐。眩晕时觉得房子和床都在旋转，目不能睁，头不能动。如果躺在床上，闭着眼睛会稍微好些；一旦翻身，或转动一下头（向左、向右），眩晕就立刻加重，感觉房子几乎就要倒下似的，同时也发生呕吐。开始吐的是食物，待食物吐完即吐水，有时也会吐很苦的胆汁。等到不眩晕时，就想吃点东西或喝点开水，但不久又会吐出。

　　笔者从小就患这种眩晕呕吐病。那时家在农村，缺医少药，生病时只得任其自然，有时睡上五六天，也就自然好了。但如不小心，着了凉，仍会复发，特别是前胸、后背着凉时更容易发。有时吃糖或喝茶，也会复发。复发以后，需要躺的时间就更长了。躺在床上时，笔者不想吃东西，也不想喝水。有时家里大人会请些年纪大的老太太替笔者刮挑或刮痧。先用铜板或铜钱蘸点香油，在前胸两侧刮，刮到皮肤发红，再从中找到旋涡状红点，用针挑破，挑破时不出血，而现白丝状，状如羊毛。老太太说笔者得的是羊毛疹子病。如果挑破出血，那就不是这种病。或者不用针挑，而用铜钱压在旋涡状红点上，使旋涡红点恰在铜钱方孔中；用灯草蘸点香油，再用火燃着，向铜钱孔中烧，烧时会出现小爆裂声。如无声爆裂即不是这种病。不论刮挑，或是刮烧，都十分疼痛，难以忍受。一般前胸挑或烧 10 个左右，后背也要刮挑或刮烧约 10 个，病才得减轻。奇怪的是，刮挑或刮烧达到 20 个左右时，病确实就好了，笔者能吃东西、喝水了，也不眩晕了，也不恶心欲吐了。

　　1937 年抗日战争爆发。1938 年安徽第四临时中学由安徽至德迁到湖南洪江嵩云山，改为国立八中。笔者在八中读书时，这病也时常发作。有一次发作时，恰遇洪江一老中医（名字记不清了）来校为其他同学看病，他顺便也给笔者看了。笔者把病情同他讲，他说："这是老毛病吧！"笔者听了很佩服他，认为他医道高。他给笔者开了个方子，只一帖。当时笔者闻到中药气味，就想吐，但想要治好病，只得硬吃下去。笔者记得下午吃了，晚上病就轻多了；又服二煎，到了第2天早上病果真好了。笔者把那位老中医开的方子，视为珍宝，收藏起来。以后每遇发作，就用那张方子，只要服一帖就好了。

日本投降后，笔者回到家乡（全椒），同宗家尚启东在一起研究如何整理古本草时，偶然又发眩晕呕吐，尚启东要替笔者开个方子，笔者说自己有旧方，并出示给他看。原方是："白蒺藜3钱、蔓荆子3钱、白术3钱、苍术3钱、陈皮3钱、制半夏3钱、茯苓5钱、泽泻5钱、石菖蒲1钱。"

尚启东看后说，石菖蒲可以不用。笔者问为什么？他说，湖南洪江山雾多，湿重，宜用石菖蒲辟湿浊，此地可以不用。笔者按他所言，去石菖蒲后服之，药效果然一样。

后来笔者也用此方治好了与笔者患有同样病的病人。这个方子就是二陈汤。其重用茯苓加泽泻，以除胸中痰饮，使痰饮从小便中走；用白术、苍术，健脾燥湿，协助二陈以除痰饮；用白蒺藜、蔓荆子，散头风而止眩晕。其治痰饮眩晕安全可靠。

在那些动乱年代，笔者怕方子遗失，除抄在笔记中外，还取方中各药首字编成口诀背熟，口诀即"蒺、蔓、二术、陈、苓、夏、泽、菖"。

服此方忌喝茶，忌甜食及生冷和大荤，亦宜避风。按，二陈汤有甘草，但此方不可用甘草与山楂，用了会降低药效。若寒甚，可加炮姜3~6g。

此方适用于痰饮眩晕。笔者曾用此方治疗西医所讲的梅尼埃病，有确效，但所治者要有痰饮症状，即"不渴，饮水吐水，头目眩晕"。由高血压或贫血引起的眩晕，不可用此方。

附录三　五药五方治病经验

一、五药治病经验

（一）当归

主治：慢性筋骨痛、贫血、脱发（斑秃初起）、自主神经功能紊乱引起的轻度精神不正常（类似西医学的神经官能症），对周围环境有轻度不正常感觉（类似癔症），痛经，月经不调。

指征：各种疼痛，喜按喜温；面色苍白，舌淡而嫩，脉虚细数；斑秃初起。

禁忌：月经过多，有出血倾向者禁用，若误用则加重出血。高血压面赤者不宜用。

配伍：

● 当归50g，配黄芪30g、焦三仙各20g，烘干研粉，早晚各服6g，治贫血、脱发。

● 当归50g，配柴胡10g、白芍30g、茯苓10g、白术10g、甘草5g、薄荷3g，烘干研末，早晚各服6g，治精神紧张，西医学的自主神经功能紊乱、神经官能症、癔症。

● 当归10g，配白芍20g、熟地10g、川芎5g、香附5g、木香5g、乌药5g，治痛经。

● 当归15g，配白芍10g、熟地10g、川芎5g，治月经不调（于经期服）。量多者去川芎；量少者，川芎可加至 10g。

用量：水煎，3～20g；研粉，0.3～9g。

体会：当归以新者、肥大者为佳，陈旧者（油当归）只能作润肠通便用；水煎当归，宜当日服，隔夜不服；制成粉剂或丸剂时，在雨季宜放置干燥处以防止发霉，霉则不用；当归宜配焦三仙，特别是消化不良者，更宜配伍消食药；慢性病病人，应坚持服药；服药过程中感受外邪而发烧者，应停药。

（二）枇杷叶

主治：咳，喘，呃逆。

指征：慢性咳嗽，干咳，久咳无痰。

禁忌：痰多清或稠黄，不宜单独使用。误用小量无妨；误用大量，必使人发闷，甚或喘。

配伍：

●枇杷叶 50g，煎汤变黑，加红糖服，治干咳、久咳无痰。

●枇杷叶 20g，配桂枝 3g、白芍 10g、细辛 1g、干姜 1g、炙麻黄 1g、制半夏 3g、五味子 3g，治外感初起咳痰多而稀、喘咳。

●枇杷叶 20g，配旋覆花 3g（包煎）、代赭石（碎）10g、丁香 3g、柿蒂 10g、生姜 3 片、制半夏 3g、党参 15g、大枣 3 枚，治呃逆。

用量：10～30g。

体会：枇杷叶以老者为佳，入药宜刷去毛；入汤剂宜久煎，以汤黑为佳；服时加糖少许，或加甘草 10g 同煎；对于年老久咳不愈者，用枇杷叶 30g、黄精 20g、沙参 15g、麦冬 15g，日服 2 剂，效佳。

乡村医院当常备此药，尤其冬季需要更多。另外，提倡农民多种枇杷树，次年春叶落时收集其叶。

（三）半夏

主治：恶心，呕吐清水，吞酸，咳嗽痰多清稀，眩晕，呃逆。

指征：呼吸道、消化道分泌过盛，如呕吐清水，咳痰清稀，不渴或渴而不欲饮，不饥不食，舌淡，苔薄白。

禁忌：干咳、干呕、舌红、苔黄、口干而渴或渴而能饮者禁用；肺、胃有出血史者禁用。

配伍：

● 半夏 6g，配党参 15g、麦冬 10g、生姜 3g，治呕吐。

● 半夏 6g，配陈皮 3g、白术 10g、茯苓皮 15g、生姜 10g，治呕吐清水。

● 半夏 6g，配桂枝 3g、白芍 6g、细辛 1g、干姜 1g、五味子 1g、炙麻黄 1g、枇杷叶 20g、杏仁 10g、贝母 10g，治外感咳嗽痰多而清稀。

● 半夏 6g，配陈皮 3g、茯苓 15g、泽泻 20g、刺蒺藜 10g、蔓荆子 10g，治痰饮内停之眩晕。

用量：0.3～9g。

体会：运用时以制半夏为主；生半夏只可外用，不可内服。

（四）柴胡

主治：低热（以气虚发热为主），西医学的神经官能症、轻度精神异常、肋间痛（包括轻度肋软骨炎、肋间神经痛）、低血压。

指征：低热不退，一般劳则发热，热度不大，舌象、脉象接近正常；情绪紧张，易怒；呼吸时肋间痛；蹲下突然站立时头晕，两眼发黑。

禁忌：高血压病人禁用，若误用会出现头晕；贫血病人禁用。

配伍：

● 柴胡 6g，配黄芩 3g、生姜 3 片、半夏 3g、党参 20g、甘草 3g、大枣 3 枚，治低热不退。

● 柴胡 10g，配当归 50g、白芍 30g、茯苓 10g、白术 10g、甘草 5g、薄荷 3g，研末，每日早晚各服 6g，治情绪紧张。

● 柴胡 6g，配党参 10g、黄芪 10g、葛根 5g、陈皮 3g、升麻 3g、当归 10g、焦三仙各 10g，烘干研末，每日早晚各服 6g，治低血压。

用量：粉剂，0.1～1g；煎剂，3～6g。

体会：柴胡用于退热时，须配人参或黄芪，单用不行；柴胡用于和情志时，须配当归、白芍；柴胡用于治疗血虚者时，须配当归，但当归用量不宜过大，若过大易致溶血。

（五）山药

主治：各种脾胃病，如消化不良、食欲不振、泄泻等。

禁忌：中满者忌服。

配伍：

• 山药15g，配党参10g、白术10g、茯苓10g、焦三仙各10g，烘干研末，每次服6g，每日3次，治消化不良，食欲不振。

• 山药15g，配扁豆10g、薏苡仁20g、甘草3g、桔梗5g、茯苓20g、白术15g、砂仁2g，治泄泻。

• 山药30g，配黄芪20g、黄精20g、当归20g、熟地20g、山萸肉10g、茯苓15g，烘干研末，每次服10g，每日2次，治身体虚弱或神经衰弱。

用量：用量不限。

体会：山药无毒副作用，亦可作保健品；山药易霉变，霉变或味苦时均不可服用；山药可以提高人体的自我适应的能力，当一个人身体不好时，总觉得体内这里或那里不适，对周围环境亦无法良好适应，这是人体对体内外的变异不适应的表现，此时可常服山药。

二、五方治病经验

（一）四君子汤

组成：党参15g，白术10g，茯苓10g，甘草3g。

主治：一切消化不良，食欲不振，病后体虚之证。

指征：倦怠乏力，动则气促，上楼、走快或用力则心悸，舌淡，苔薄白，舌边有齿痕，脉虚细。

禁忌：凡中满食积，嗳气酸腐者，均不可用；外感发热者，亦不宜使用。

体会：用此方需根据病人具体情况而定，如中气不足者，将党参加到30g；大便稀者，将白术、茯苓可加到20g；大便干者，可将白术、茯苓减至3g，另加山药10g；有痰涎、吐清水者，可加陈皮、姜半夏各3~6g。此方还可配炒麦芽、炒谷芽或焦三仙合用。此方有健胃作用，可配入其他方中使用。

（二）四物汤

组成：当归15g，川芎5g，白芍10g，熟地15g。

主治：月经病，各种原因引起的贫血、疼痛，以及西医学的某些慢性炎症。

指征：舌、唇、面色、指甲苍白，蹲下突然站立则两眼发黑，或爬楼、快步行走时心悸。

禁忌：有出血倾向者、西医学的高血压及脑血管意外倾向和外感发热者均不宜使用。

体会：对此方不可机械照搬，当归、熟地，在治血虚时可加到20g。川芎量宜小，尤其有出血史者更宜用小量。治疗疼痛时，当归、白芍用量宜大，必要时各用30g。

此方适当加减（品种及药量），可通治妇科百病，是治月经病之圣药。目前治月经病，所有西药都不及此方效果好。对某些慢性炎症，在主治方中另加四物汤，可提高主治方疗效；对婚后数年不孕，经查男、女生殖系统无器质性病变者，女子每逢经期连服本方5剂，可增加受孕机会。

（三）二陈汤

组成：陈皮6g，制半夏6g，茯苓15g，甘草3g。

主治：一切痰饮病。

指征：不渴或渴而不欲饮，身重，不饥不食，尿少，大便不干，或恶心，呕吐清水，呃逆，或有喉鸣声，咳痰清稀（或肺有湿啰音），气闷，或胸胁疼痛，或有肠鸣，甚或有轻度腹腔积液，舌质胖嫩，舌苔滑腻，脉滑。

禁忌：凡燥证均不宜使用。

体会：此方忌与乌头、附子合用，因半夏反乌头、附子。方中甘草用量宜小，特别是治呕吐时，可以不用。因呕家忌甘。又，中满或有水气肿满，亦不宜用甘草。因诸甘皆缓，甘草能延缓脾之运化水湿的功能，而使湿邪停留。

病例：眩晕。吴某，女，46岁，1997年2月22日就诊。头晕，卧床不能转侧，甚则天旋地转，不渴，饮水吐水，舌苔白腻，脉弦滑。以二陈汤加减治之。方药组成：陈皮10g、姜半夏10g、茯苓15g、泽泻20g、刺蒺藜10g、蔓荆子10g。2剂，煎汤服。1剂则转轻，2剂即愈。

（四）苇茎汤

组成：芦根60g，冬皮仁30g，桃仁5g，薏苡仁30g。

主治：肺痈咳吐脓痰。

指征：咳嗽，痰稠而黄且不易咳出。

禁忌：有出血倾向，或痰中带血者不宜用。

体会：本方芦根以鲜者为佳，用量宜大；桃仁不可多用，有出血倾向者可去掉。用此方时宜加鱼腥草 50g、蒲公英 50g、甘草 10g、桔梗 10g、沙参 10g、麦冬 10g。

（五）白头翁汤

组成：白头翁 15g，黄连 10g，黄柏 10g，黄芩 10g，甘草 10g。

主治：肠炎、痢疾。

指征：大便中挟有赤白黏冻，或鱼脑状物，里急后重，日下数次，甚至十几次，纳呆。

禁忌：舌淡苔白，纯下白冻，腹冷痛者，禁用。

体会：本方一派苦寒药，极易挫伤胃气，必要时可重用甘草，加炮姜 5～10g、苍术 5～10g、白术 5～10g、木香 5g、当归 5g、白芍 10g、焦三仙各 10g。

目前治疗痢疾的西药很多，且起效迅速，而此方味苦难服，药也难配齐，故此方基本已被淘汰了。但在农村中，用白头翁 15g 配马齿苋 30g，每日 1 剂，煎汤服，同样有效，故可以推广。

附录四　养生经验

笔者认为人生在世，如能保持"三通"，则能健康长寿。"三通"即：心通、胃通、二便通。

（一）心通

心通，即心情舒畅，保持乐观；遇事想得开，挺得住。人们生活在自然界，必定受到各种因素的影响，所以人在成功时不骄傲，失败时不苦恼，平日言行谨慎，多尊重别人，少些个人欲望，遇到的不顺心的事就会少些。

（二）胃通

胃通，就是吃东西不过饱，饮食的量及温度、硬度，以自己能耐受为宜。过量、过冷、过硬的食物，易损伤脾胃，引起肠胃积滞不通。特别是老年人，其脾胃虚弱，更要定时定量、细嚼慢咽。古人有"已饥方食，末他先止"之说，老年人尤应如此。

（三）二便通

二便通，即保持大、小便通顺，要养成良好的排便习惯。年高便秘之人，应多食含纤维高的食物，保持大便通畅，每晚排大便一次。如大便在肠道停留时间过长，其中有毒物质被吸收，则有损健康。古人云："肾司二便。"平时注意固肾气，节制房事，有利于二便通顺。